JN287691

痛みの考えかた

しくみ・何を・どう効かす

丸山一男 著
Maruyama Kazuo

南江堂

表表紙の穴掘り図はオピオイド，セロトニン，ノルアドレナリンなどの鎮痛物質が神経で痛みを鎮めるメカニズム（☞ p130）を，裏表紙の教会の鐘は痛みが伝わる神経のイメージ（☞ p141）を説明したイラストです．
　詳しくは該当頁をご一読ください．

Concept of Pain and its Relief
© Kazuo Maruyama, 2014
Published by Nankodo Co., Ltd., Tokyo, 2014

はじめに

　痛みは，電気として神経を伝わる．原因となる病気やケガを治しつつ，薬，注射，理学療法，運動療法などを駆使して痛みを止める．「痛みを止めるための治療」は，間接的・直接的に痛みのニューロンでの電気活動を抑制しているのだが，イメージが湧きにくい．神経伝達の講義は，生理学の分野で神経生理や電気生理という題目で講義されてきた（大変格調高い内容であったと思う）．しかしながら，何が，どこに，どのように効くのか，モヤモヤしている医療従事者も多いのではなかろうか．そこで，絵と図を用いて読み物風にして，痛みの仕組みと薬や処置の作用点について説明してみた．

　医師は患者さんに応じて薬や処置を組み合わせる．一方，看護師・薬剤師・理学療法士といったメディカルスタッフは，処方こそしないが，患者さんと深く関わってケアしているチームの一員である．薬や処置がどこに効いているか分かり，患者さんの痛みが止まれば，納得のチーム医療となるであろう．

　巻頭の目次マップでは，痛い部分から脳に至る「痛みの道」を示した．痛みの仕組みの全体像を捉えるには，全体の中で個々の役割を考えるのがよい．点と点を線に繋げたいと思うのである．最初から読み進めて，何回か行ったり来たりしていただければありがたい（関連する章・頁・図番号を入れた）．ややこしそうな内容は，飛ばしても後で分かるよう，表現を変えて繰り返し述べた．図を追って，流れをつかみとってほしい．神経伝達物質・受容体・活動電位・イオンチャネルなどはムズカシい……という雰囲気を吹き飛ばしたいのである．繋がればスッキリし，薬の効く場所が分かる．それから，もう1つ——痛みを我慢させてはいけない，覚えてしまうから——の仕組みを説明した．生理学にごぶさただった先生方や研修医，医学生・薬剤師・看護師・理学療法士・鍼灸師などの皆さまのお役に立てば幸いである．

　筆者はこれまで，南江堂より「周術期輸液の考えかた」，「人工呼吸の考えかた」を上梓し，診療の基本について考えてきた．痛みの診療は，各科から集中治療，緩和ケアチームまでを横断している．考えかた路線を推進した，編集の飯島純子氏，制作の千田麻由氏に深謝する．

　　2014年4月　　　　　　　　　　　　　　　　　　　　丸山　一男

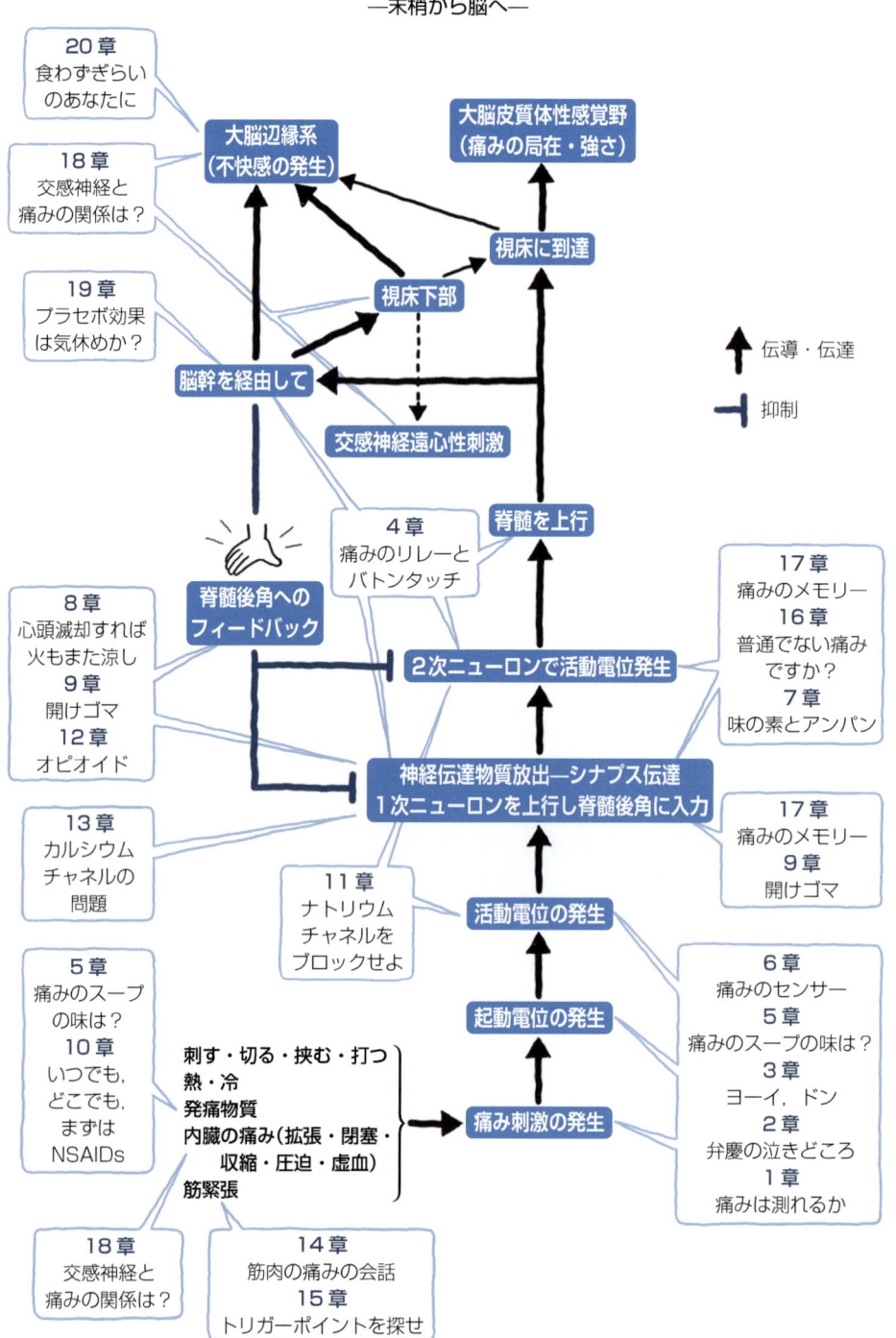

痛みの道
―末梢から脳へ―

- **大脳皮質体性感覚野**（痛みの局在・強さ）
- **大脳辺縁系**（不快感の発生）
- 視床に到達
- 視床下部
- 脳幹を経由して
- 交感神経遠心性刺激
- 脊髄を上行
- 脊髄後角へのフィードバック
- 2次ニューロンで活動電位発生
- 神経伝達物質放出―シナプス伝達　1次ニューロンを上行し脊髄後角に入力
- 活動電位の発生
- 起動電位の発生
- 痛み刺激の発生
  - 刺す・切る・挟む・打つ
  - 熱・冷
  - 発痛物質
  - 内臓の痛み（拡張・閉塞・収縮・圧迫・虚血）
  - 筋緊張

凡例：
- ↑ 伝導・伝達
- ⊥ 抑制

章一覧：
- 20章 食わずぎらいのあなたに
- 18章 交感神経と痛みの関係は？
- 19章 プラセボ効果は気休めか？
- 4章 痛みのリレーとバトンタッチ
- 17章 痛みのメモリー
- 16章 普通でない痛みですか？
- 7章 味の素とアンパン
- 8章 心頭滅却すれば火もまた涼し
- 9章 開けゴマ
- 12章 オピオイド
- 13章 カルシウムチャネルの問題
- 17章 痛みのメモリー
- 9章 開けゴマ
- 11章 ナトリウムチャネルをブロックせよ
- 5章 痛みのスープの味は？
- 10章 いつでも，どこでも，まずはNSAIDs
- 6章 痛みのセンサー
- 5章 痛みのスープの味は？
- 3章 ヨーイ，ドン
- 2章 弁慶の泣きどころ
- 1章 痛みは測れるか
- 18章 交感神経と痛みの関係は？
- 14章 筋肉の痛みの会話
- 15章 トリガーポイントを探せ

痛みの傾向と対策

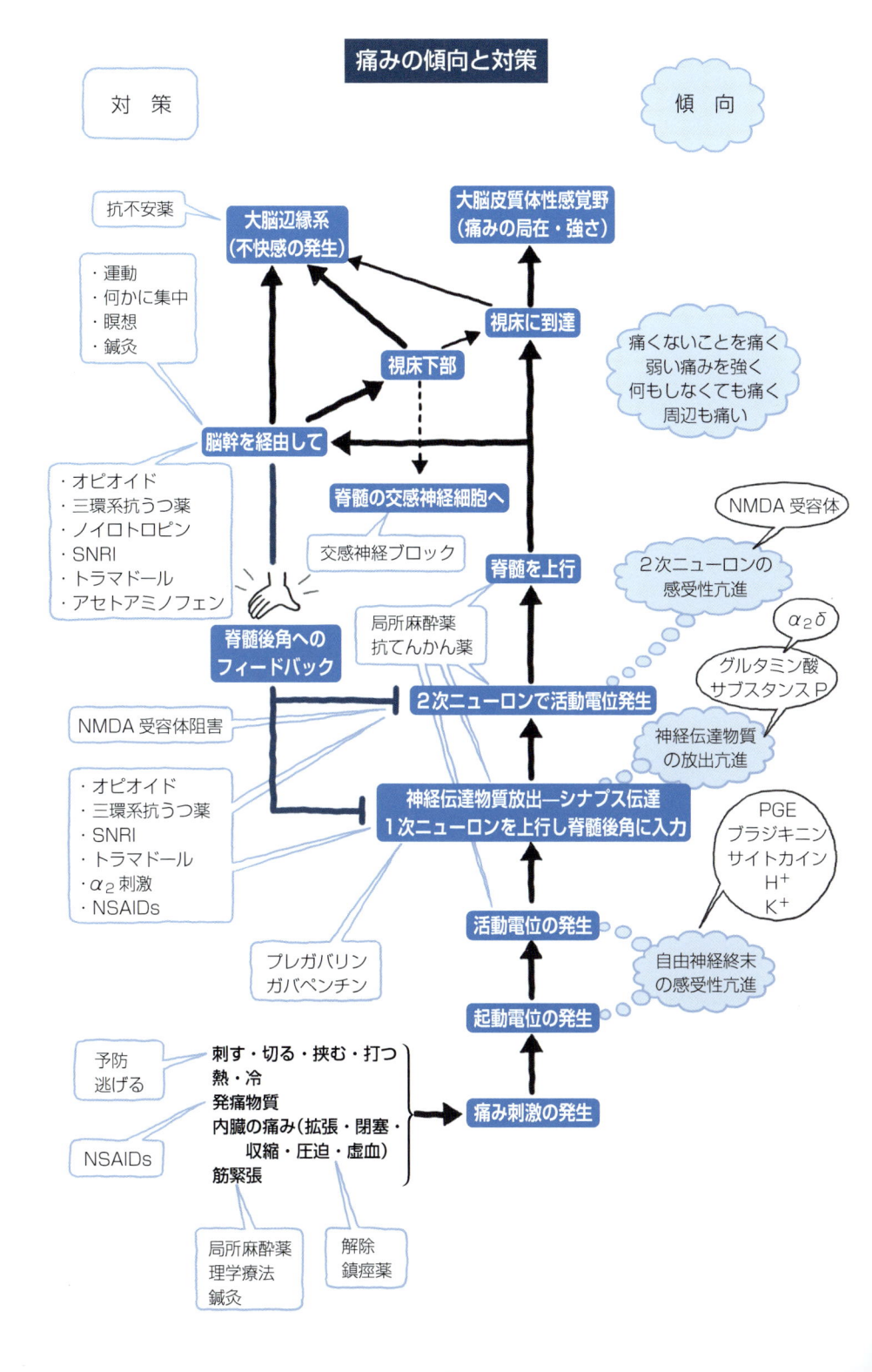

対策　　　　　　　　　　　　　　　　　　　　　　　　　**傾向**

- 抗不安薬 → **大脳辺縁系（不快感の発生）**

大脳皮質体性感覚野（痛みの局在・強さ）

- ・運動
- ・何かに集中
- ・瞑想
- ・鍼灸

→ **視床に到達**

視床下部

痛くないことを痛く
弱い痛みを強く
何もしなくても痛く
周辺も痛い

脳幹を経由して

- ・オピオイド
- ・三環系抗うつ薬
- ・ノイロトロピン
- ・SNRI
- ・トラマドール
- ・アセトアミノフェン

脊髄の交感神経細胞へ

交感神経ブロック

脊髄を上行

NMDA受容体

2次ニューロンの感受性亢進

$\alpha_2\delta$

脊髄後角へのフィードバック

局所麻酔薬
抗てんかん薬

グルタミン酸
サブスタンスP

NMDA受容体阻害

2次ニューロンで活動電位発生

神経伝達物質の放出亢進

- ・オピオイド
- ・三環系抗うつ薬
- ・SNRI
- ・トラマドール
- ・α_2刺激
- ・NSAIDs

**神経伝達物質放出─シナプス伝達
1次ニューロンを上行し脊髄後角に入力**

PGE
ブラジキニン
サイトカイン
H^+
K^+

プレガバリン
ガバペンチン

活動電位の発生

自由神経終末の感受性亢進

起動電位の発生

予防
逃げる

刺す・切る・挟む・打つ
熱・冷
発痛物質
内臓の痛み（拡張・閉塞・収縮・圧迫・虚血）
筋緊張

→ **痛み刺激の発生**

NSAIDs

局所麻酔薬
理学療法
鍼灸

解除
鎮痙薬

目　次

*1*章　痛みは測れるか
プロローグ　　1
- A　生命と痛みの目的　　2
- B　痛みの発生の仕組み　　4
- C　痛みの伝導と伝達　　10
- D　痛みを測る　　11

*2*章　弁慶の泣きどころ
神経線維の役割分担　　17
- A　痛みを伝える神経線維　　17
- B　神経線維の分類　　20
- C　侵害受容器　　27

*3*章　ヨーイ，ドン
活動電位の発生　　31
- A　膜電位　　31
- B　活動電位の発生：電位依存性 Na^+ チャネル（NaV）が開く　　36

*4*章　痛みのリレーとバトンタッチ
中継点は脊髄後角と視床です　　43
- A　痛み刺激はどこへ行く？　　43
- B　ゴールはどこ？　体性感覚野と大脳辺縁系　　47
- C　脊髄後角からの路　　54

5章　痛みのスープの味は？
発痛物質：炎症の問題　　61
- A　炎症があると痛い？　　61
- B　発痛物質の正体　　64
- C　炎症と発痛物質　　65
- D　発痛物質の働き：ブラジキニンとプロスタグランジン E　　70

6章　痛みのセンサー
侵害受容器と受容体　　81
- A　侵害受容器　　81
- B　自由神経終末のありか　　83
- C　繋ぎの電位（起動電位）と活動電位：　　89
  トランスデューサーチャネルと NaV
- D　治療についての考察　　97

7章　味の素とアンパン
グルタミン酸と AMPA（アンパ）受容体　　99
- A　1次ニューロンから 2次ニューロンへの伝達　　99
- B　シナプスでの出来事　　105
- C　興奮性シナプスと抑制性シナプス　　108
- D　鎮痛との関係　　113

8章　心頭滅却すれば火もまた涼し
上からシナプス伝達を抑える：下行性抑制系　　115
- A　自分で痛みを抑える仕組み　　115
- B　下行性抑制系：内因性の鎮痛物質の放出　　118
- C　ノルアドレナリン，セロトニンの作用　　126
- D　まとめ：治療に関連して　　136

9章 開けゴマ ―― 痛みの伝達門の開閉：ゲートコントロール 139

- A 痛みの伝導路 139
- B ゲートコントロール理論：門番は誰？ 143
- C 何もしなくても痛い 150
- D 簡単なまとめ 153
- E 治療方法と門との関係 154

10章 いつでも，どこでも，まずは NSAIDs ―― COX（コックス）の問題 157

- A アラキドン酸と COX の大きさ比べ 157
- B NSAIDs の分類 162
- C 用量と作用の関係 166
- D アセトアミノフェン：NSAIDs ではありません 170
- E まとめ：投与量の問題 172

11章 ナトリウムチャネルをブロックせよ ―― 局所麻酔薬です 173

- A 局所麻酔薬の作用 173
- B 局所麻酔薬の使い方 179

12章 オピオイド ―― 身体の中でも作られています 181

- A オピオイドとは 181
- B 内因性モルヒネ様物質 184
- C オピオイド受容体 189
- D オピオイドと依存 198

13章 カルシウムチャネルの問題 ―― 高血圧だけではありません 203

- A Ca^{2+} チャネルの異常と病気 203
- B Ca^{2+} チャネルの種類 204
- C Ca^{2+} チャネルを抑える：$\alpha_2\delta$ リガンド 208

14章　筋肉の痛みの会話
隣の筋肉痛と Aγ 運動ニューロン　215
（エーガンマ）

- A　筋の緊張　215
- B　筋の痛み　222

15章　トリガーポイントを探せ
押さえて痛い：関連痛　233

- A　痛みの局在　233
- B　関連痛とは　236
- C　トリガーポイント　241

16章　普通でない痛みですか？
痛くないことを痛く：中枢性感作　247

- A　痛みの閾値の低下　247
- B　末梢性感作　252
- C　中枢性感作：広作動域（WDR）ニューロンの役割　253
- D　神経障害性疼痛　260
- E　NMDA 受容体　265

17章　痛みのメモリー
覚えたくはありませんが……　271

- A　痛みはどこで覚えるか　271
- B　脊髄で痛みを記憶する　277
- C　痛みを忘れるために　282

18章　交感神経と痛みの関係は？
内臓の痛み，ケガの後の痛み　285

- A　交感神経系が伝える痛み：内臓痛の問題　286
- B　交感神経の源（大脳辺縁系-視床下部）と痛みの問題　292
- C　交感神経遠心性線維による痛み：ケガの後の痛み　295

19章　プラセボ効果は気休めか？
いいえ，そうではありません　303

- A　ナロキソンの作用　305
- B　プラセボ効果の仕組み　307
- C　プラセボ効果の実際　310

20章　食わずぎらいのあなたに
耐性と身体依存　315

- A　オピオイドの傾向と対策　316
- B　快感をめぐって：量や回数で快感が戻れば耽溺のもと　320
- C　耐性の仕組み：副作用に対する耐性は歓迎されます　326
- D　退薬症状の仕組み：徐々に減量すれば予防できます　331

参考文献　………………………………………………………………335
索　引　…………………………………………………………………339

略語一覧

5-HT	5-hydroxytryptamine（serotonin）	
	5-ヒドロキシトリプタミン（セロトニン）	
AMPA（アンパ）	α-amino-3-hydroxy-5-methyl-4-isoxazole propionic acid	
	αアミノ-3-ヒドロキシ-5-メチル-4-イソキサゾールプロピオン酸	
ASIC	acid-sensing ion channel　酸感受性イオンチャネル	
ATP	adenosine triphosphate　アデノシン三リン酸	
BK	bradykinin　ブラジキニン	
cAMP	adenosine 3',5'-cyclic monophosphate　サイクリック AMP	
cGMP	guanosine 3',5'-cyclic monophosphate　サイクリック GMP	
CGRP	calcitonin gene-related peptide　カルシトニン遺伝子関連ペプチド	
COX（コックス）	cyclooxygenase　シクロオキシゲナーゼ	
CREB（クレブ）	cAMP response element binding protein　cAMP 応答配列結合蛋白	
CTZ	chemoreceptor trigger zone　化学受容器引（き）金帯	
DAG	diacylglycerol　ジアシルグリセロール	
DYN	dynorphin　ダイノルフィン	
ERK	extracellular signal-regulated kinase　細胞外シグナル調節キナーゼ	
G 蛋白	GTP binding protein　GTP 結合蛋白	
GABA（ギャバ）	γ(gamma)-aminobutyric acid　γ-アミノ酪酸	
Gln	glutamine　グルタミン	
Glu	glutamic acid　グルタミン酸	
IL	interleukin　インターロイキン	
IP_3	inositol trisphosphate　イノシトール三リン酸	
LTP	long-term potentiation　長期増強	
M1	O-desmethyl-tramadol　トラマドールの活性代謝産物	
MAPK	mitogen-activated protein kinase　MAP（マップ）キナーゼ	
NA	noradrenaline　ノルアドレナリン	
NaV	voltage-dependent sodium channel　電位依存性ナトリウムチャネル	
NK-1	neurokinin-1　ニューロキニン1	
NMDA	N-methyl-D-aspartate　N-メチル-D-アスパラギン酸	
NO	nitric oxide　一酸化窒素	
NRS	numeric rating scale　数値評価スケール	
NSAIDs	non-steroidal anti-inflammatory drugs　非ステロイド抗炎症薬	

P2X	P2 ionotropic purinoceptor X	イオンチャネル型 ATP 受容体 P2X
P2Y	G protein-coupled purinergic receptor P2Y	代謝調節型 ATP 受容体 P2Y
PG	prostaglandin	プロスタグランジン
SI	primary somatosensory area	1 次体性感覚野
SII	secondary somatosensory area	2 次体性感覚野
SG cell	substantia gelatinosa cell	脊髄後角第 II 層（膠様質）の細胞
SMP	sympathetically maintained pain	交感神経依存性疼痛
SNARE	soluble NSF attachment protein (SNAP) receptors	可溶性 SNF 接着蛋白質（SNAP）受容体（開口放出関連蛋白質の一群）
SNRI	serotonin-noradrenaline reuptake inhibitor	セロトニン・ノルアドレナリン再取り込み阻害薬
SP	substance P	サブスタンス P
SSRI	selective serotonin reuptake inhibitor	選択的セロトニン再取り込み阻害薬
STT	spinothalamic tract	脊髄視床路
T（トリップ）	transmission cell	脊髄後角 2 次ニューロン
TRP（トリップ）	transient receptor potential channel	TRP チャネル
TRPA（トリップA）	transient receptor potential ankyrin channel	TRPA チャネル
TRPM（トリップM）	transient receptor potential menthol channel	TRPM チャネル
TRPV（トリップV）	transient receptor potential vanilloid channel	TRPV チャネル（カプサイシンに反応する TRP チャネル）
VAS	visual analog scale	ビジュアルアナログスケール
WDR ニューロン	wide dynamic range neuron	広作動域ニューロン（触と痛の双方を伝える脊髄後角 2 次ニューロン）

痛みは測れるか　1

プロローグ

　「痛い」という感覚は，ヒトなら誰でも経験ずみである．自分の痛みは自分だけが感じるのであり，本人でないと実際分からず，他人には分からない．他人の痛みは，自身の痛みの経験に基づいて訊ね，その答えから推測する知覚・認識である．痛みの発生の仕組み——発痛物質や神経での電気活動——は，動物実験で得られた結果で推察されている．その動物が本当に痛いと感じているのかは，動物に聞いてみなければ分からない．しかし，動物に聞いても言葉では答えてくれない．ヒトが痛いと感じる刺激に対して，動物もヒトと同様に痛いと感じているのではないかという前提に立って考えているのである．例えば，ヒトは痛いと声を上げるが，動物も痛いことをすると確かに鳴き声を上げる．もし仮にホルマリンを足に注射すると，ヒトなら痛いと言うが，動物は「痛い」とは決して言わない．その代わり，痛い足を振ったり，上げたりする動作を繰り返す．痛みの研究では，ラットが足を何回上げたか，ひたすら数えて痛みの程度を推測している．

　なぜ痛むのか？　という問いには，どのように答えたらよいのか．なぜ？　というのは，①痛みの目的とか意義という意味と，②どのような仕組みで？　という意味がある．本書では，その双方について考えてみたい．

A　生命と痛みの目的

　目的から考えると，科学的というより哲学的になるが，目的に合っているか否かが生命にとっては重要ではなかろうか．生命のとりあえずの目的は，寿命を全うし，個体と種族の維持を図ること——として大きな間違いはないであろう．

痛みの目的は？
- ★ 傷を浅くする
- ★ 安静を促進し，創傷治癒を早める

　痛みという感覚は，組織損傷を伴うか，組織を損傷する可能性がある刺激［これを侵(有)害刺激という］により発生する（侵害刺激に対する反応）．簡単に表現するなら，痛みは，ケガしてしまいそうな状況やケガしてしまったときに発生する．ケガしてしまいそうなときは，いち早くその刺激から逃げなければ，傷が深くなる．したがって，痛みがないと傷が深くなる．痛ければ，痛みの原因となる刺激から逃げるからである．手に傷を負いそうになったとき，手を引っ込める動作は反射的に発生し，その後，意識的に逃げる．

　次に，傷を負った場合，傷口は早く閉じるのが望ましい．傷口の組織がくっ付くには，ある時間の安静が必要である．傷口が動いていたら，なかなか傷は閉じない．動かして痛ければ，痛みを避けるために動かさなくなる．つまり，痛みには安静を促進し，創傷治癒を早めるという目的があるといえる．

　診断・治療の世界では，痛みは病気や病変の警告サインであり，痛ければ，その原因となる疾患や病態を探す．そして，病名が付けば，その病気の治療を行う．つまり，痛みは，とくに人にとって，疾病を知らせる役割があるといえる．しかし，すべての疾病が早期から痛みを発生するわけではない——例えば，がん——ので，痛みが疾病の警告サインとして万能というわけではない．

　痛いときに気持ちの良い人はいるだろうか？　つまり，痛みが快感となってしまう——みたいなことがあったとしたらどうなるか．おそらく，その個体や種は，長生きできないであろう．動物（ヒトも動物の一種です）は本能によって行動する．本能は，基本的に快を追求し，不快を避ける．もし，傷付くことが快感となってしまったら，動物は自らを傷付け続けることになり，ケガが絶えないの

で，長生きはできない．つまり，痛いと感じるときは，それを避けるために同時に不快・嫌悪を感じるようにできている．基本的に，不快を求めて行動する動物はない．痛みを起こす刺激は神経を刺激し（☞2章），神経で発生した電気信号（活動電位：☞3章）が脳に伝達され（☞4章），痛いと感じるのであるが，この痛み刺激で発生した電気信号は，①脳で痛みを認識する場所と，②脳で不快が沸き起こる場所の双方へ伝わる（☞4章図4-4）．痛みの認識とは，痛む場所・強さ・痛いという感覚であり，大脳皮質1次体性感覚野・2次体性感覚野・島・帯状回などで総合的に認知される（☞4章図4-15）．一方，不快感は，大脳辺縁系で沸き起こる（☞4章図4-5）．したがって，痛いときには，心の側面を担当する脳の場所も同時に電気信号を受けるので，痛い人が気分が優れず，怒りっぽくなったりするのは普通の反応である．痛いときに気持ち良くないのは，医学的にみてきわめて正常といえる（☞4・18章）．

メモ

　痛みを我慢させるのは，良くない．なぜか？　痛みを覚えてしまうからである．どこで？　漢字・年号・名前などは，大脳の海馬で記憶する．運動なら，繰り返し練習して身体で覚えるわけだが，これは小脳が担当している．記憶とは，覚えた内容や動作の電気パターンが長期間，再現されやすくなった状態——長期増強（☞17章 p276）——である．長期増強は，記憶能力のある海馬や小脳の細胞の特質である．この長期増強，痛みを中継する脊髄後角の細胞にもあるのが分かってきた．つまり，慢性痛の中には，脊髄で記憶された痛みがある．物事を覚えるには，繰り返す．逆に忘れるには，繰り返さない，放っておく，冷却期間を置く．痛みに当てはめるなら，「いつも痛いと，いつまでも痛い」である．脊髄後角細胞が痛みを覚えないよう，忘れるよう，治療を行う．したがって鎮痛は，単なる対症療法ではなく，痛みを覚えようとしている，または覚えてしまった神経に対する治療といえる．

もしも，痛みが快感となったら

痛いことをやり続ける → その個体・種は長生きできません（傷付くから）

さて，「痛みは測ることができない．そう，愛や空腹が測れないのと同じように……」．この言葉を聞いて違和感を持つ人はいるだろうか．中年以降の男性にとっては，おそらく違和感はない．乙女にとっては，愛という崇高な感情と空腹

A．生命と痛みの目的

とが同列に出てくる点において，違和感があるだろう．さておき，実際は痛みも測る努力はされていて，後述のようにNRS（numeric rating scale），VAS（visual analog scale），フェイススケールという指標で測ろうとしている．

B 痛みの発生の仕組み

刺す・切る・挟む・叩く・引っ張るなどの刺激は痛みを起こす（図 1-1）．火や氷も痛みとなる．塩酸や硫酸などの化学物質に触れたら，痛い（表在痛：☞6章，18章図18-2）．日常経験する痛みは，外界に接する皮膚で感じる場合が多いが（☞6章），筋肉の打撲・捻挫・骨折は，刺激が皮膚を通り越した状態であり，深部の痛みである（深部痛：☞18章図18-2）．組織に傷をもたらす刺激を侵（有）害刺激と呼ぶ（図 1-1）．

さて，痛みを起こす刺激の特徴を考えてみたい．痛いと感じるときには必ず，痛みを感じとり，伝える神経で電気変化が発生している．神経で痛みを感知する場所は，神経の末端である．痛みの原因に関わらず，痛いときには必ず，この神経の末端でNa^+が神経内に入りこんで（活動電位の発生），ここで電気活動が開始する．

痛みの刺激がまず何をするかというと，刺激の種類に応じて，幾種かのイオンチャネル（イオンを通す穴）が開閉し（具体的にはNa^+チャネルが開き，K^+チャネルが閉じる），神経細胞内の電圧（膜電位：☞3章図3-2）が上昇し，起動電位が発生する．起動電位があるレベルを超えると活動電位が発生する（☞3章図3-1・6）．

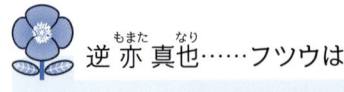

> 逆 亦 真也……フツウは
> 侵害刺激があれば痛い ⇔ 痛ければ侵害刺激あり

先だって，塩酸や硫酸などの化学物質に触れたら痛い，と記したが，この化学物質の中で，痛みを発生させる物質や痛みの程度を増強する物質を発痛物質という（☞5章図5-2）．火や氷は温度刺激である．したがって，痛いときには，神経周囲に発痛物質が存在するか，神経周囲の温度が変化しているか，神経が引っ張

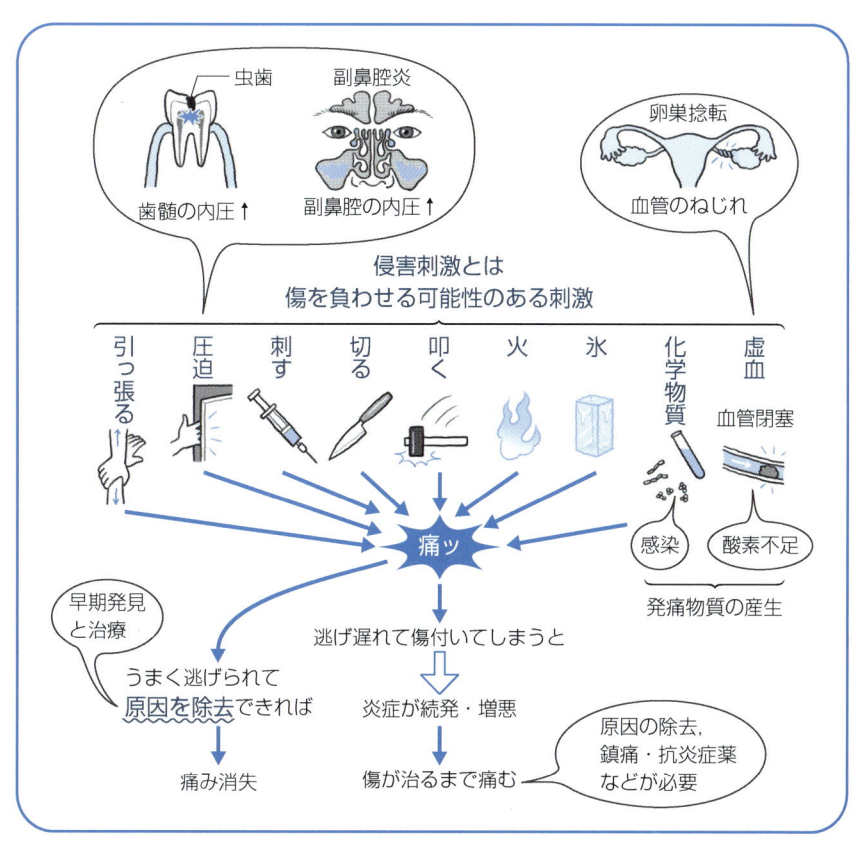

図 1-1 侵害刺激とは

られているか，圧迫されているか……という状況が発生している（☞5章図 5-1，6章図 6-1）．これらの痛みは，普段経験する普通の痛みであり，侵害受容性疼痛という（☞2章図 2-7）．一方，侵害刺激がないのに，神経そのものが障害を受けているために発生する「経験したことのない，普通でない痛み」もある．この痛みを神経障害性疼痛と呼ぶ（☞16章図 16-9・10）．いわゆる神経痛である．

侵害刺激がないのに痛い ➡「神経痛」という

B．痛みの発生の仕組み

1 痛みを発生する刺激（＝侵害刺激）

例えば，循環器内科の医師がよく遭遇する痛みの患者さんは，心筋梗塞や狭心症である．心臓血管外科になると大動脈解離や閉塞性動脈硬化症となり，脳外科ならくも膜下出血，神経内科なら髄膜炎・片頭痛，眼科なら緑内障，耳鼻咽喉科なら副鼻腔炎・中耳炎，皮膚科なら帯状疱疹，泌尿器科なら尿管結石，代謝・内分泌内科なら糖尿病・リウマチ，消化器科なら胆嚢結石・イレウス・消化性潰瘍，呼吸器科なら気胸，産科婦人科なら分娩時の痛み，整形外科なら骨折・捻挫・椎間板ヘルニア・関節炎など……各科にまたがって，痛みを発生する疾患・疾病は多い．初期研修や総合内科，家庭医学の守備範囲は広いですね．原因のある場合は，まず原因（疾病・病態）に対する治療を行いつつ，鎮痛を図る．一方，様々な科を回っても疾患が見つからず，つまり原因となる病態が見つからないのに痛い……という患者さんも多い（☞ 14〜17章）．異常が見つからないのに痛い場合は，まずは痛みそのものを軽減することが大切となる．

2 虚血と痛み

心筋梗塞の痛みは何が原因か？　心筋梗塞・狭心症は，冠状動脈が狭窄または閉塞し，心筋の酸素需要と供給のバランスが崩れた状態である．虚血性心疾患という用語が示しているように，心筋の虚血——酸素不足——が存在している（図1-2）．したがって，突き詰めれば，低酸素は痛みの原因となる．低酸素になると，乳酸が蓄積する（これを嫌気性代謝という）．乳酸（乳酸の水素イオン）は発痛物質である．さらに低酸素状態ではブラジキニンの産生が高まる．このブラジキニンも発痛物質である（☞ 5章 p72）．また，低酸素になると細胞内からのK^+流出が亢進する．K^+も発痛物質である．つまり，心筋虚血の痛みは，①発痛物質の産生・蓄積により，②心筋細胞の周囲に存在する神経終末が活性化（開いたNa^+チャネルと閉じたK^+チャネルより細胞内に陽イオンが蓄積され膜電位が上昇）し，③痛みの活動電位が発生する——という仕組みで伝導が始まる．この虚血が原因となる痛みには，閉塞性動脈硬化症，腸管膜動脈閉塞，正坐したときの痛み，階段を1階から10階まで駆け上がったときの痛み，運動後の筋肉の痛みなどが考えられる．

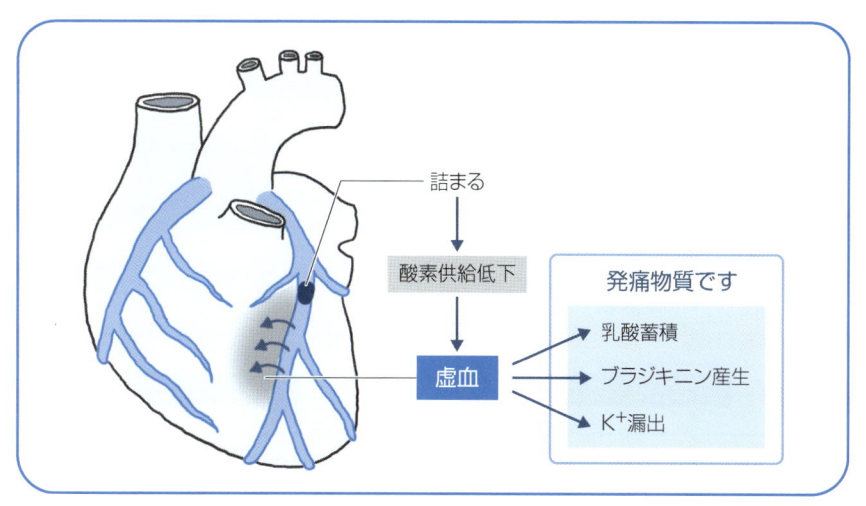

図 1-2　虚血で痛い

3 「炎」が付く疾患と痛み

　「炎」が付く疾患・病態——関節炎，角膜炎，中耳炎，副鼻腔炎，咽頭炎，髄膜炎，腹膜炎，胸膜炎，膀胱炎，虫垂炎，胆嚢炎，大腸炎，憩室炎……などは，痛い．「炎」が付くとは，炎症が存在するという意味であり，炎症の場では，発痛物質の産生が必発である（☞ 5 章図 5-2~4）．したがって，炎症があると，発痛物質が産生・蓄積されているがゆえに痛い．

4 石で痛いのは

　尿管結石では，なぜ痛むのか？ 石が詰まったら，詰まった場所が痛いのか？ 尿管は，正常ではぺちゃんこな状態で，張っていることはない．ちょろちょろと尿が流れている．石（結石）が詰まり，流れが堰き止められたら，詰まった石の上流に尿が溜まる．溜まった尿は，尿管を拡張し，さらに腎盂を拡張する．拡張すると，尿管や腎盂を構成している平滑筋が引っ張られる（伸展される：**図 1-3**）．平滑筋が強く引っ張られると，隣接する神経も引っ張られることとなり，その結果，神経終末に存在するイオンチャネルの開閉が発生し，膜電位が上昇し，痛みを伝える神経で活動電位が発生する（☞ 6 章）．閉鎖腔の壁が引っ張られる状態とは，その腔内の容量が増加すると同時に内圧も上昇している状態であ

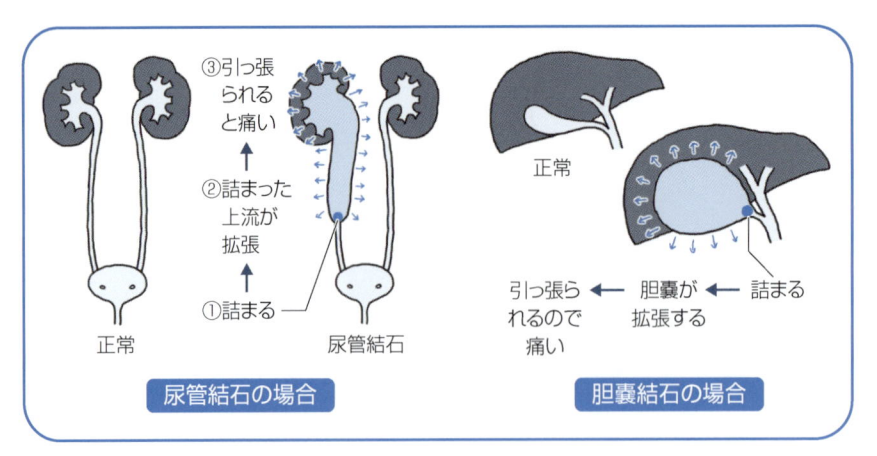

図 1-3 引っ張られて痛む

る．別に表現するなら，伸展や圧の上昇で痛みが発生するといえる．引っ張られて痛い場合，その伸展を解除すれば，痛みは軽減する．つまり，石が詰まっている場合は，石が通過して閉塞が解除されれば，痛みは急速に低下する．

　胆嚢結石では胆嚢壁が伸展され痛む（図 1-3）．総胆管結石では総胆管壁が伸展され痛む．膵管の出口が塞がれると膵管が拡張し痛む．イレウスや腸重積では，閉塞部より上部で腸管が拡張した上で収縮するので，すごく痛む．過度な反射的収縮を抑える薬（鎮痙薬）は，痛みを抑える（ただし，原因に対する治療をお忘れなく）．こむら返りでは，痙攣により筋と筋の間にある神経終末の圧が過度に上がるのと，乳酸の産生により痛む．

　緑内障では眼圧が上昇し痛む．対策として眼圧を下げる．副鼻腔炎や中耳炎では，副鼻腔や中耳の内圧が上昇して痛む．対策として，副鼻腔に蓄積した分泌物をドレナージしたり，鼓膜を切開して中耳の滲出物をドレナージしたりする．虫歯の痛みは，歯髄の内圧上昇である．歯科医はまず歯に穴を開けて歯髄の減圧を図る．つまり，圧の上昇や筋の伸展を解除するのが痛みの治療となる．

5 血管の痛み

　血管と血液は血管内皮細胞を介して接している．内皮細胞上には神経終末は到達していない．血漿内には発痛物質が含まれているが，血液に接する血管内皮上には神経が到達していないので，血液は出血しないかぎり，痛みを引き起こすことはない．しかし，いったん出血すると痛みの原因となる（☞5章）．血管壁で

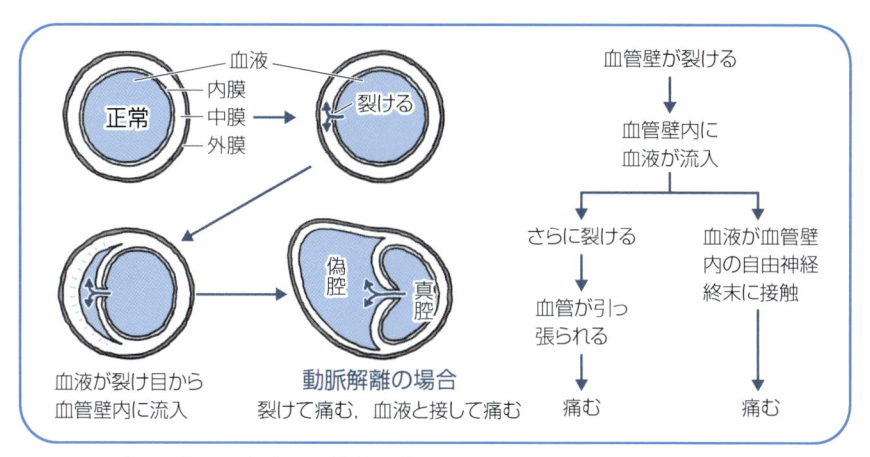

図 1-4 裂けて痛い．血液との接触で痛い

は外膜に痛みを伝える神経の終末が存在している．したがって，例えば血管穿刺で針が血管外膜を通過し，同部に存在する神経を刺激すると痛む．血管造影や心カテーテル検査で痛むのは，針の刺入部であり，カテーテルが血管内をスムーズに進んでいる最中に血管が痛むことはない．カテーテルが接している血管内皮細胞上には，痛みを伝える神経終末が存在していないので，カテーテルが触れても何も感じないのである．一方，カテーテル操作を誤り，血管穿孔が発生し，血管外膜に傷害が達してしまうと……痛む．つまり，血管においては，外膜に存在する神経終末が伸展されたり，神経終末と血液が接触したりすると痛みが発生する．

大動脈解離は，血管壁に裂け目が発生し，血管壁内に血液が侵入し，神経終末と接触するとともに神経終末自体が伸展されるために痛みが発生する（**図 1-4**）．頭痛でこめかみのあたりが，脈打つたびにズキズキと痛むのは誰でも経験していると思う．脈に同期して血管が拡張し血管外膜の神経が伸展するため，痛みの活動電位が発生してしまうのである．

6 痛みの原因の連鎖

刺したり，切ったり，挟んだり，引っ張ったりした結果，痛むわけだが，最初の痛みは，神経の伸展により発生する．実際に組織傷害が発生してしまうと，痛みと同時に，またはやや遅れての時間差をもって，炎症反応が開始するので，叩くとか，引っ張るという物理的・機械的刺激による痛みに加えて，炎症反応（発

痛物質の産生）により，痛みを伝える神経で活動電位が発生するようになる．出血すると，血液自体に発痛物質が含まれているので，血管外にある痛みを伝える神経が刺激される．圧迫や伸展により血管が捻じれたり，圧迫されたりして血流が低下すれば，虚血により乳酸などの発痛物質が産生され，痛みの原因に加わる．炎症が存在すると，圧や伸展による痛み発生の閾値が低下する．つまり，炎症が存在すると，他の痛み刺激に敏感になり，痛くないことを痛く，何もしなくても痛く，弱い痛みを強い痛みに感じるようになってしまう（☞ 16 章図 16-2・4）．

C　痛みの伝導と伝達

　痛いと感じるときには，まず原因があって（☞ 2・5 章），電気活動が始まり（☞ 3・6 章），脳で痛いと認識される（☞ 4 章）．①痛みの原因があり（☞ 2・5 章），②その原因を当該部位の神経末端で感知し（☞ 6 章），③電気を発生させ（活動電位の発生：☞ 3 章），④その電気が神経線維を伝わって脊髄後角に入る．⑤脊髄後角で神経線維を換えて（☞ 7 章），さらに⑥視床や脳幹に向かって刺激は上行する（☞ 4 章）．⑦視床や脳幹で神経を乗り換え，大脳皮質に電気が到達する．⑧痛みの刺激は，脳において，痛みの場所・強さ・痛いという認識をもたらす部局と不快を沸き起こす部局に同時に到達するので，痛みと不快感は同時に発生する（☞ 4 章）．⑨さらに，痛みの伝導には，痛みが過剰にならないようにするため，痛みの伝達を自分で抑えるというフィードバック機構も備わっている（☞ 8・9 章）．「心頭滅却すれば火もまた涼し」の世界（**図 1-5**）やヨガの行者が瞑想中は針を刺しても痛くない，サッカー選手が試合中に骨折しても痛むのは試合後，という現象は皆さんご存知である．
　そこで，鎮痛の立場から考えると，痛みを鎮めるには，痛み刺激の発生部位から脳に至る経路の伝導や，各中継点で痛みの伝達を抑制する対策を講ずる．つまり，①痛みの原因の除去（☞ 2・5 章）②神経末端で活動電位が発生しないようにする（☞ 2・3・5・6 章），④神経線維を電気（活動電位）が伝導しないようにする（☞ 11 章），⑤脊髄後角で神経線維の乗り換え（シナプス伝達）を阻止する（☞ 8～13 章），⑥身体に備わっている鎮痛の仕組みを活性化し（☞ 8・9・19 章），痛みの伝達を抑える，という対策が考えられる．

心頭滅却すれば火もまた涼し

織田信長に焼打ちされた
お寺の和尚さんが言った言葉だそうです

図 1-5　心頭滅却すれば……

D　痛みを測る

1　痛みの問診

　最近の若い医師は，初診時に自己紹介する．30年前には考えられないことであったが，臨床技能を重視した医学教育における医療面接やOSCE（客観的臨床能力試験）の賜物である．患者さんと対面するときは，表情や姿勢，歩き方などの様子を観察しつつ，初診なら自己紹介などもして，問診に入る．痛みの問診の内容として，PQRST［福井次矢ほか（編）：外来全科痛み治療マニュアル，三輪書店，1995より］を紹介したい（**図1-6**）．ベテランの先生がたにとってはこのような覚え方は必要ないが，初心者にとっては役立つと思う．学生の方々は，次に何を聞くのかを，例えばこのPQRSTのように整理しておくのがよい．話さない患者さんが相手になると，次に何を聞いたらよいか思い浮かず，「立ち往生（沈黙状態）」する可能性があるからである．よくしゃべる患者さんの場合は，色々と話が飛んだりし，患者さんペースとなるわけだが，その中でこのPQRSTの観点から，自分の中で整理しながら聞き分ける．

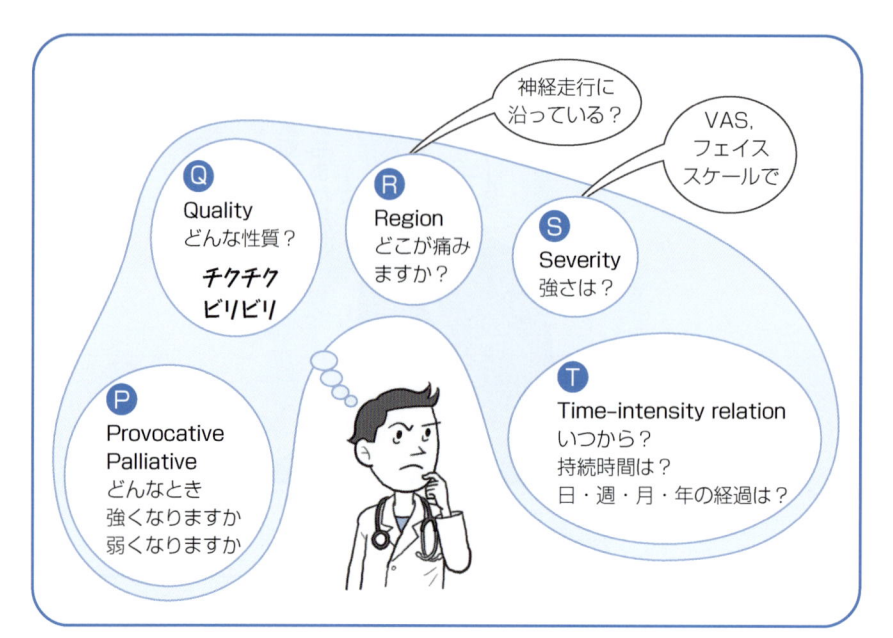

図中:
- Q Quality どんな性質？ チクチク ビリビリ
- R Region どこが痛みますか？ 神経走行に沿っている？
- S Severity 強さは？ VAS、フェイススケールで
- P Provocative Palliative どんなとき強くなりますか 弱くなりますか
- T Time-intensity relation いつから？ 持続時間は？ 日・週・月・年の経過は？

図 1-6　心電図じゃないのに PQRST

P：provocative, palliative の p. 増悪因子，緩和因子を訊ねる

「どんなことをすると，またはどんなときに痛みが和らぎますか？ または強くなりますか？」

Q：quality の q. 性質を訊ねる

「どんな痛みですか？」

　痛みが発生している病態を推定するために問いかける（☞ 1 章図 1-1，5 章図 5-1・3，6 章図 6-1）。

　痛みの原因が，炎症なのか？ 機械的刺激なのか（伸展・拡張・圧迫・収縮など）？ つまり，神経を刺激する病変のある痛みなのか？ 神経そのものが障害を受けているのか？ を念頭に聞く（☞ 16 章図 16-1・9）。

　神経そのものが障害を受けている神経障害性疼痛（☞ 16 章）の可能性を探るために，「刺すような痛みですか？」，「電気が走るような痛みですか？」，「焼けるような痛みですか？」，「握られるような痛みですか？」，「触れると痛いですか？」，「触っているのに，触っているのが分からないことはありますか？」と問いかける。

　刺す，走る，焼ける，握られる——というのは，神経そのものに障害（損傷）があって痛む患者さんがよく使う表現である．「触れるだけで痛い」のは，触覚

1．痛みは測れるか

が痛覚になった状態——異痛症（☞16章p249）——を示している．「触っているのに，触っているのが分からない」は，感覚線維（Aβ線維）の障害（断裂など）を思わしめ，神経損傷の存在を示している．同様に運動麻痺があれば，運動線維の障害を疑い，これも神経損傷の存在を示す所見と捉える．

R：region の r. 場所を訊ねる

「どこが痛みますか？ 痛い場所はどこですか？」

とくに，神経走行に沿った痛み，特定の神経の支配領域が痛むのかに注目する．これは，神経が原因の痛み（神経障害性疼痛）の特徴である．

皮膚の神経支配により，脊髄レベルでどの神経領域の痛みかを考える．同一の脊髄分節に，皮膚・筋肉からの痛みと内臓からの痛みが合流するように入力——体性神経（皮膚・筋・骨からの痛み刺激）と内臓求心性線維（内臓からの痛み刺激：交感神経求心性線維）が合流（☞15章図15-2~4，18章図18-1・3）——するので，皮膚や筋肉の痛みと感じる痛みが，実は内臓からの関連痛（☞15章）である場合もありうる．

S：severity の s. 強さを訊ねる

NRS（numeric rating scale）や VAS（visual analog scale）で判断する．フェイススケールでも判断する．

① NRS

NRSでは，「まったく痛くないのをゼロ，あなたが想像できるもっとも強い痛みの程度を10とすると，その痛みはいくつですか？」と聞く．慣れてくると，診察ごとに「今の痛みは，いくつぐらいですか？ 夜の痛みはいくつぐらいでしたか？」一番良かったときはいくつぐらいですか？ 一番痛んだときはいくつぐらいですか？ と聞くと，患者さんは，「3ぐらいかな」，「4から5ぐらい」などと答えてくれるようになる．高齢の方だと，なかなか通じず，数字が出てこない場合も多いが，いつかは分かってもらえるときがくる．

② VAS（図1-7）

VASとは，visual analog scale の略である．10 cm（100 mm）の線で，まったく痛くないのを0 cm（0 mm），もっとも痛い痛みを10 cm（100 mm）として，その痛さがどの場所にあるかを，指差してもらうか，鉛筆などで印を付けてもらい，何 cm（mm）かを測定する．その長さがVASとなる．

③ フェイススケール（図1-7）

患者さん自身に自分の表情がどれに近いか選んでもらい，痛みの程度を推定する指標である．通常5または10段階の表情がある．痛いときは，ニコニコ顔でなく，苦悶の表情となる．表情は，顔面筋の収縮と弛緩で決まる．自分で作るこ

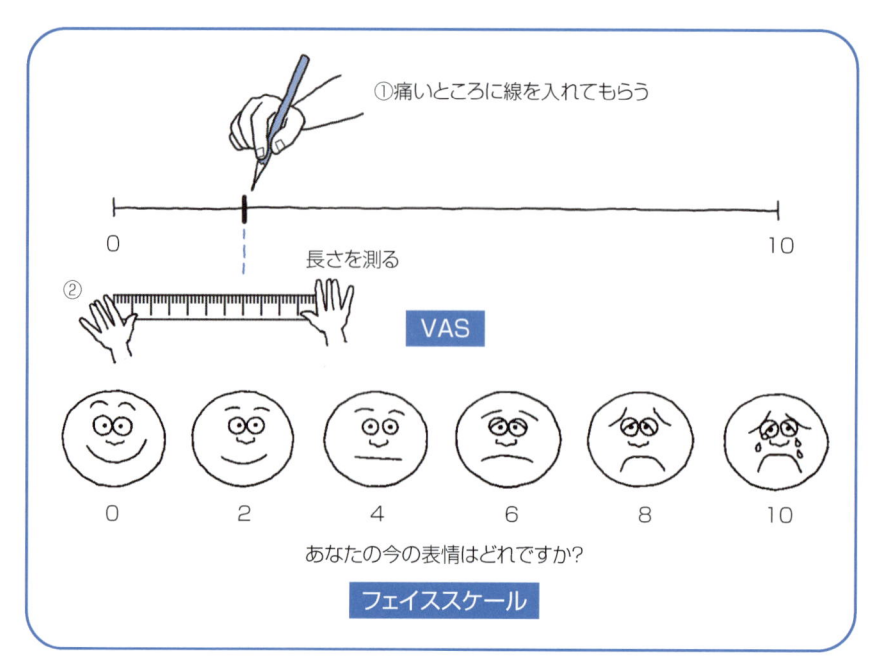

図 1-7　VAS とフェイススケール

ともできるが，意識していないときは，楽しみ・喜び・悲しみ・怒り・緊張・不安などで表情が変化するのは，誰でも知っている．痛いときの表情は痛そうであり，緊張した表情となる．

STEP UP　痛みの信号は，情動を司る大脳辺縁系にも伝わるので（☞4章図4-3・4-9），痛みは不安や緊張のもととなる．不安や緊張は交感神経系を活性化する（☞18章-B）．交感神経の緊張は，顔面においては眼周囲のミュラー筋の緊張を司るので，目の表情は交感神経の緊張状態を部分的に表出している．顔面筋の緊張を司るのは，顔面神経の運動線維である．この運動線維に対しても，交感神経の源である視床下部と顔面神経核とには神経線維の交通があるため，交感神経系の活性化により顔面神経の発火が変化し，表情の変化となって表れる．また，情動を司る大脳辺縁系と顔面神経核とにも神経線維の連絡がある．訓練すれば，意識的に表情を柔らかくできるが，痛いときに意識的にニコニコする患者さんはまれであろう．別の表現をするなら，フェイススケールは，大脳辺縁系や交感神経系の緊張度を推定することにより，その一原因である「痛み」の程度を推定しようとする指標といえる．

T：time の t. 時間との関係を訊ねる

「いつ頃から痛みますか？」
「1日のうちで一番痛むのはいつですか？」
「急に発症しましたか？ 徐々に発症しましたか？」
「1回痛むとどのくらい持続しますか？」

　日内変動，週・月・年単位の痛みの変化を聞く．3ヵ月以上継続している痛みを慢性痛という医師が多い．治療を開始した患者では，受診ごとにNRSやVASを記録し，縦軸にNRSやVASをとり，横軸を時間としたグラフを描くと，週・月単位の変化が分かる．起床時，朝，昼，晩，就寝前，夜間のNRSやVASも聞いておくと，日内変動がよく分かる．夜間痛む人には，就寝前の鎮痛薬投与を入れた処方をするという選択になる．午前中に痛む人には，朝の定期投与を入れる．

2 痛みによる生活への支障を聞き出すために

「夜眠れますか？」
「昼間，安静にしていて痛みますか？」
「動いたときや，体重をかけたときに痛みますか？」

　この3つの問いかけは，痛み治療の目標がどの程度達成されているかを確認する問いである．痛み治療の目標は3段階ある．まず，①夜間の良眠達成，そして②昼間安静時の痛み軽減・消失，③体動時や体重負荷をかけたときの痛みの消失を目標とする．夜間痛みで眠れないのは，痛み治療では，「緊急」と考える．患者さんが夜間，痛みで眠れない，目が醒める場合は，まず眠れるように，その原因である痛みをとる．

じゆうちょう

2 弁慶の泣きどころ

―― 神経線維の役割分担

A 痛みを伝える神経線維

　弁慶の泣きどころ――とは,「むこうずね」であり,「すね」を漢字で書くと「脛」である.足の膝から足首までで,解剖学的には下腿の脛骨前面である.当たるとかなり痛い.皆さんも経験があると思う.この痛さをイメージしてみると,脛に当たった瞬間に激しい痛みを感じ,思わず足を引っ込めてしまうが,引き続いて足を抱えてしまうような何ともいえない気持ちの悪い,ジーンとした痛みが数十秒から数分持続する(**図2-1**).この痛みは,神経によって脳に伝えられる(当たり前ですが).

先輩医師(以下㊛)　ところで,神経って何ですか.
後輩医師(以下㊚)　……坐骨神経とか,腓骨神経,脛骨神経など名前が付いていますよね.
㊛　むこう脛を打ったら,脛骨神経が刺激されて,坐骨神経を経由して,腰髄神経を通って,脊髄後根から脊髄に刺激が伝わります.だから,神経で伝わると表現できます.
㊚　名前の付いた神経は,1本に見えますが,実は多くの神経線維の束ですね.
㊛　そう.神経線維の束(集まり)ですね.英語で神経はnerveです.ところで,neuronって聞いたことありますか?
㊚　あります.neuronは,細胞体,樹状突起,軸索でできている…….

図 2-1　弁慶の泣きどころ（イタッ，その後はジーンと痛い）

- 先　neuron の日本語訳が分かりにくのですね．神経細胞，神経単位と訳されますが，ずばり，ニューロンとも表現していますね（図 2-2）．さて，神経とニューロンは同じ意味で使える？
- 後　……うーん．
- 先　坐骨ニューロンとはいいませんね．坐骨神経はニューロンの軸索の束で，その同じ軸索が腓骨神経や脛骨神経となっているのです．
- 後　神経線維と軸索の関係は？
- 先　神経線維は軸索の別名です（図 2-2）．

> ニューロン ＝ 神経細胞 ＝ 神経単位

　弁慶の泣きどころを打った痛みは，伝導速度の異なる 2 種の神経線維によって，脳に伝わる．最初に速くやって来る痛みは伝導速度の速い神経線維を伝わり，後から遅れてやって来る痛みは伝導速度の遅い神経線維を伝わってくる．生

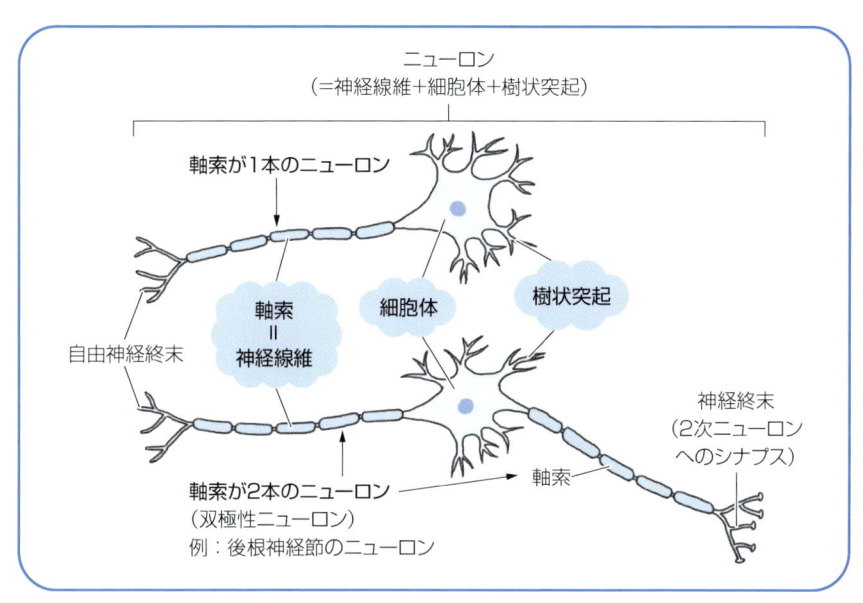

図 2-2　ニューロン（neuron）（＝神経細胞，神経単位）

理学の教科書的に表現すると，最初の痛みを 1 次痛（first pain），後から来る痛みを 2 次痛（second pain）と呼び，それぞれ，速いという意味で fast pain，遅い・遅れたという意味で slow pain とも呼ぶ．まずは，神経線維の分類を説明し，それぞれの機能（役割）を説明したい．

★ 1 次痛 ＝ first pain　＝ fast pain：速い神経線維
★ 2 次痛 ＝ second pain ＝ slow pain：遅い神経線維

A．痛みを伝える神経線維

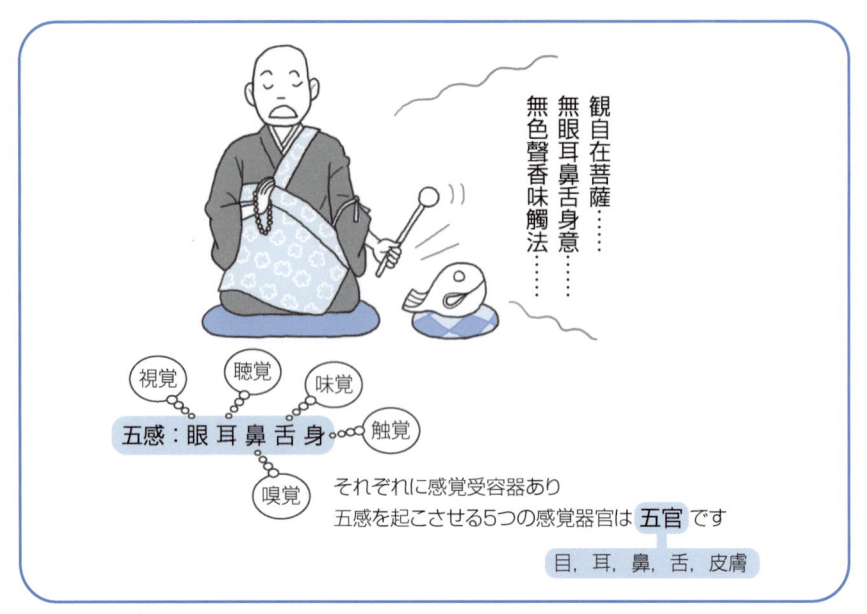

図 2-3　五感と五官

B　神経線維の分類

1　神経線維に上りと下りあり

　神経には下りの神経線維と上りの神経線維がある．下りの神経線維とは，脳や脊髄から末梢に向かって遠心性刺激を伝導する神経線維であり，これを遠心性線維という．下りの神経線維の作用によって手指を動かし，歩き，走ることができる．つまり，神経は脳からの「運動せよ」という指令を筋肉に伝える．血管緊張は，交感神経の遠心性線維で司られ，これも下りの神経線維である．
　一方，神経は皮膚や筋肉，感覚器から脳へと上行する求心性刺激の伝導・伝達で，五感を伝える．古来，眼耳鼻舌身意（般若心経より）といって，見る，聞く，嗅ぐ，味わう，触れるは，視覚・聴覚・嗅覚・味覚・触覚であり，これらを五感という（**図 2-3**）．さらに神経は，温冷覚，痛覚，平衡感覚を伝える．これらは，中枢に向かう求心性刺激で，上りの神経線維，つまり求心性線維で伝わる．

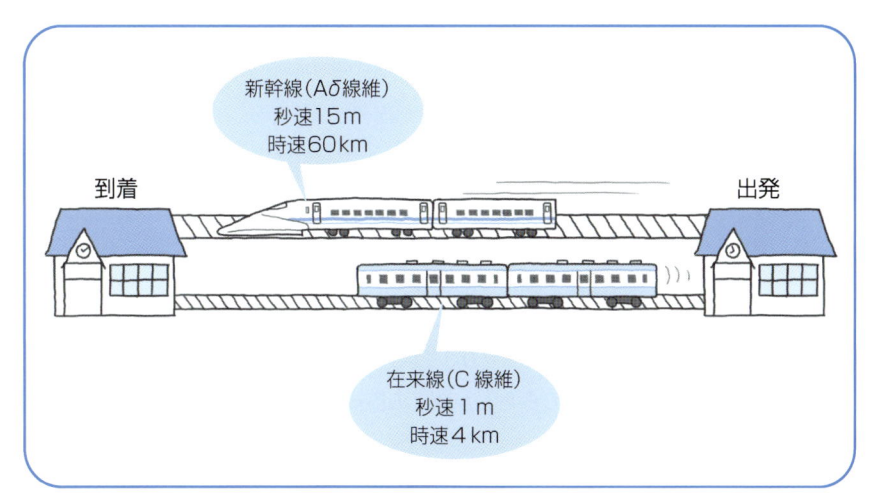

図2-4 痛みの新幹線と在来線：速さが違う

　筋肉が伸びる速さ・強さ・長さなどの情報を固有感覚（自覚できません）と呼び，これも求心性刺激である．この感覚を受けて，反射的に筋緊張が微調整される．14章で説明するが，筋緊張の亢進は，肩こりや腰痛の原因となる．この筋肉の緊張度をモニタするための，いわば感覚器が筋肉に備わっており，これを筋紡錘（☞ 14章図14-1・2）という．

遠心性は下り，求心性は上り

2 痛みを伝える神経は？：Aδ線維とC線維

　太い神経線維は伝導速度が速い．細い神経線維は遅い．弁慶の泣きどころを打ったとき，最初の強烈な痛みは，当たった瞬間に感じられる．一方，骨の髄にしみるような嫌な痛みはやや時間が経ってから感じられる．感じるのが早いか，遅いか……は，何を意味しているのか？ 例えば，着くのが早いか，遅いか．出発点から終点まで電車で行くなら，出発時刻が同じなら，速い電車（新幹線）に乗れば早く着き，遅い電車（在来線）に乗れば遅く着く（図2-4）．骨に当たった瞬間に同時に出発しても，速い路線に乗れば早く着き，遅い路線に乗れば遅く

B．神経線維の分類

表2-1 神経線維の ErlangerとGasserによる文字式分類（範囲付き）

神経線維の型		機能	線維の直径 (μm)	伝導速度 (m/s)	スパイクの持続 (ms)	絶対不応期 (ms)
A	α	固有感覚，体性運動	12〜20	70〜120	0.4〜0.5	0.4〜1
	β	触，圧	5〜12	30〜70		
	γ	筋紡錘への運動線維	3〜6	15〜30		
	δ	痛，温度，触	2〜5	12〜30		
B		交感神経節前線維	<3	3〜15	1.2	1.2
C	脊髄後根	痛，各種の反射	0.4〜1.2	0.5〜2	2	2
	交感神経性	交感神経節後線維	0.3〜1.3	0.7〜2.3	2	2

有髄線維（AとB）は「直径の6倍」が速さの目安となっています．別の覚え方は**表2-2**を参照してください．

[Ganong WF(ed): Ganong's Review of Medical Physiology, 17th ed, McGraw-Hill Medical, New York, 1975 より引用]

着く．つまり，早期に感じる痛みと遅れて感じる2種類の痛みは，出発時刻が同じでも到着時刻が異なる痛みである．これは，同時に刺激を受けても，①速く伝える路線（神経線維），②遅く伝える路線——の2路線の存在を示している．実際，痛みを速く伝える神経線維は，解剖学的に直径2〜5μm（3μmと覚える），一方，遅く伝える神経線維は直径0.3〜1.3μm（1μmと覚える）と細めであり，それぞれAδ線維，C線維と名付けられている（**表2-1**，**表2-2**）．

太い神経線維は伝導速度が速い

3 神経線維の役割分担（表2-1，表2-2）

神経細胞は，細胞体，軸索（＝神経線維），樹状突起で成り立ち，全部まとめてニューロンという．神経線維は太さと伝導速度によって分類され，役割もだいたい決まっている．神経線維が太いと，伝導速度は速くなる．

神経線維には，太さや伝導速度でA・B・Cと名付ける文字式分類［ErlangerとGasser（1937年）］と，Ⅰ・Ⅱ・Ⅲ・Ⅳ群と名付ける数字式分類［Lloyd（1943年）］がある（**図2-6**）．ともに，皮膚，内臓，筋，腱，骨などの器官と脊髄の

表 2-2 簡便法(神経線維の太さと速さの覚え方)

	太さ（μm）	伝導速度（m/秒）	機　能
Aα	20	100	運動刺激・深部感覚（固有感覚）
Aβ	10	50	触覚・圧覚
Aγ	5	25	筋紡錘への運動刺激
Aδ	3	13	痛み・温度覚
B	2	7	交感神経節前
C	1	1	痛み・交感神経節後

　神経線維の文字式（ABC）分類は古くから知られ，痛みに関する医学書には必ず出てくる古典的な，避けて通れない分類である．ErlangerとGasserが1937年に発表している（表 2-1）．太さと速さは範囲で記載されていて，これらの数値を正確に記憶するのはかなりむずかしい．そこで，記憶のための簡易法として，各範囲に入っている代表値を記憶しておくとイメージが湧きやすくなる．A線維ではα，β，γ，δの順に，太さが 20，10，5，3（2.5 を四捨五入）と半分ずつになっていると覚える．速さは，αから 100，50，25，13（12.5 を四捨五入，または，きりのよい数値として 15）と半分ずつになると記憶する．さらにB線維は，Aδ線維の半分で，太さ 1.5（四捨五入で 2），速さは 6.5（四捨五入して 7）と記憶すればよい．そして，C線維は 1：1，つまり，太さ 1μm，速さ 1 m/秒と覚えておく．

　Aα線維の 20μm，100 m/秒を覚えていれば，あとはB線維まで半分ずつ下げていけばよい．C線維は別個に 1μm，1 m/秒，つまり 1：1 と記憶しておけば，患者さんへの説明のときのようなとっさの場合でも，頭の中で計算してだいたいの値を説明できるので便利である（と私は思う）．学生の方々には試験対策に役立つと思います．

間を繋いでいる神経線維に対する，太さと速さによる分類法である．数字式分類は筋・腱・骨からの求心性線維に特化した分類法である．皮膚や粘膜の痛みは，Aδ線維，C線維で伝わり，筋肉や腱の痛みはⅢ群線維，Ⅳ群線維で伝わるという．神経の太さと伝導速度はⅢ群線維はAδ線維に，Ⅳ群線維はC線維に相当すると覚えておけばよい．

　軸索の周りが髄鞘と呼ばれる覆いで囲まれている神経線維を有髄線維，覆われていない線維を無髄線維という．C線維のみが無髄線維で，C線維以外は有髄線維である（図 2-5）．

　痛みを伝える求心性線維として，皮膚や内臓からの神経については，文字式（ABC）分類で表記し，Aδ線維とC線維が担当している．一方，筋肉・腱・関節のからの痛みを伝える求心性線維を「Ⅲ群線維とⅣ群線維が担当している」と表記する場合があるが，「Aδ線維とC線維が担当している」と同義である（図 2-6）．

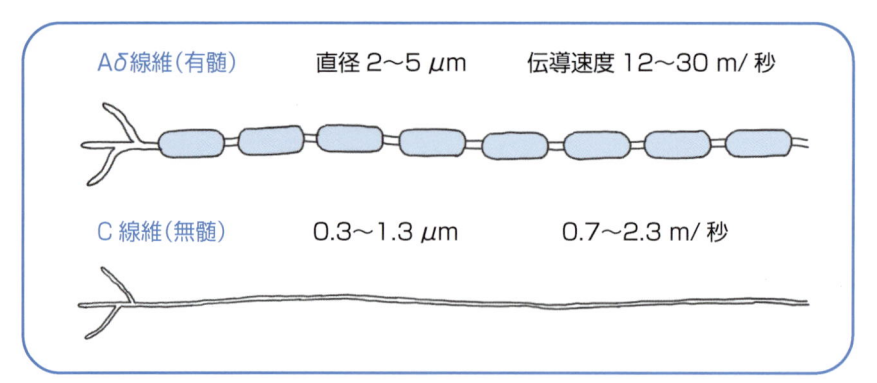

Aδ線維(有髄)　　直径 2〜5 μm　　伝導速度 12〜30 m/秒

C 線維(無髄)　　0.3〜1.3 μm　　0.7〜2.3 m/秒

図 2-5　痛みを伝える神経は？：Aδ 線維と C 線維

筋肉の痛みは Aδ，C 線維，固有感覚は Aα 線維で伝わる

求心性線維
Aα＝Ⅰ群
Aδ＝Ⅲ群
C＝Ⅳ群
と考えてよい

筋肉の痛みを伝えるのは Ⅲ，Ⅳ群線維，固有感覚は Ⅰ群線維で伝わる

1937 年　　　　　　　　　　　　　　1943 年
Erlanger と Gasser　　　　　　　　　　Lloyd

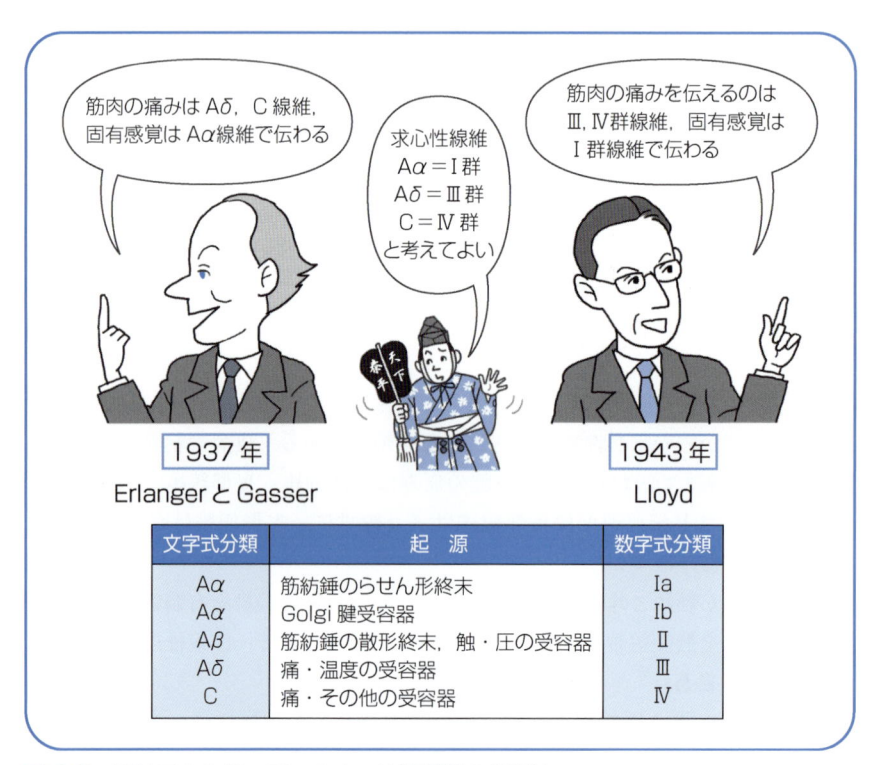

文字式分類	起源	数字式分類
Aα	筋紡錘のらせん形終末	Ia
Aα	Golgi 腱受容器	Ib
Aβ	筋紡錘の散形終末，触・圧の受容器	Ⅱ
Aδ	痛・温度の受容器	Ⅲ
C	痛・その他の受容器	Ⅳ

図 2-6　同じことを言っています：神経線維の分類法
　Golgi 腱受容器：腱束間にある，筋の伸長をモニタするセンサー．
［表は Ganong WF(ed): Ganong's Review of Medical Physiology, 17th ed, McGraw-Hill Medical, New York, 1975 より引用］

文字式分類	数字式分類
痛みはAδ線維とC線維	痛みはⅢ群線維, Ⅳ群線維
固有感覚はAα線維	固有感覚はⅠ群線維
ErlangerとGasser	Lloyd

痛みを伝える神経線維は？

Aδ・C線維

> **メモ** 神経線維の種類
>
> ★ Aα（エーアルファ）線維：運動を伝える（遠心性線維），固有感覚を伝える（求心性線維）
>
> 　運動を司る神経線維は太く，伝導速度が速い．合目的に考えるなら，何かが起こった場合，素早く対処しなければならないからである．例えば，急に目の前に手がきたら，反射的に目を閉じる．ぶつかりそうになったら，考える前に身体が動いて避けようとする．筋肉がすばやく動くためには，神経は速く刺激を伝えなければならない．運動を司る遠心性の指令は，直径 $20\,\mu m$，伝導速度 $100\,m/秒$ 程度の神経線維で伝導する．この太さと速さの神経線維をAα線維と名付けている．一方，筋肉の伸長の程度（固有感覚）を伝える求心性線維（筋紡錘からの求心性線維）も同様の太さと速さなのでAα線維といえるが，別にⅠ群線維と表現してもよい．意味は同じである．
>
> ★ Aβ（エーベータ）線維：触覚・圧覚を伝える（求心性線維）
>
> 　触覚・圧覚を伝える神経線維はやや太めで，直径 $10\,\mu m$，伝導速度は $50\,m/秒$ 程度であり，この太さ，伝導速度の神経線維をAβ線維と名付けている．筋・腱・関節からの求心性線維の場合，Ⅱ群線維といってもよい．
>
> ★ Aγ（エーガンマ）線維：筋紡錘へ運動刺激を伝える（遠心性線維：☞14章）
>
> 　脊髄から筋肉の筋紡錘（☞14章図14-1・2）に達する遠心性線維で，筋紡錘の両端を収縮させる神経線維である．この神経線維は直径 $5\,\mu m$，伝導速度 $25\,m/秒$ 程度であり，Aγ線維と名付けられている．筋紡錘の両端が収縮すると中央は伸ばされる（☞14章p219）ので，筋全体が伸びたと判断される（この意義については14章で説明します）．

> ★ **Aδ 線維：痛み，温度を伝える（求心性線維）**
>   速い痛みと温度覚を伝える神経線維である．直径は 3 μm，伝導速度は 13 m/秒程度である．
>
> ★ **B 線維：交感神経節前線維（遠心性線維）**
>   交感神経節前線維である．脊髄の交感神経細胞の神経線維であり，前根を通過し交感神経節に達し，次の神経（節後神経）に連絡する．B 線維は直径 3 μm 以下で，伝導速度は 7 m/秒程度である．
>
> ★ **C 線維：痛み，温度を伝える（求心性線維），交感神経節後線維（遠心性線維）**
>   遅い痛みと温度覚を伝える神経線維で無髄である．直径は 1 μm，伝導速度は 1 m/秒であり，1：1 と覚える．交感神経節後線維も C 線維である．

4 むこう脛を打ったとき

　触れる，押す，こする，刺す，切る，挟む，引っ張る，つぶす，握る，当たる，打つ，ぶつかる……という行為は，物が当たるとか，切るとか，器具・物などと接触したときの物理的な刺激であり，これらを総称して「機械的刺激」，「機械刺激」という．機械的刺激の中で，組織に損傷を起こす，または起こす可能性のある刺激を機械的侵害刺激という．つまり，ケガが発生するような機械的刺激を痛みとして伝え，生体に警告を発し，逃避・防御態勢を取らせるのは，傷を回避するか，浅くすませるための合目的反応と考えられる．なお，機械的侵害刺激，侵害性機械刺激，機械的有害刺激，有害性機械刺激など似たような表現をみかけるが，研究者や医師の間に統一性があるわけではないので，あまり悩まないでほしい．

　むこう脛を打ったときには，①打つという機械的侵害刺激が，②むこう脛にある Aδ および C 線維という痛みを伝える神経線維の末端（自由神経終末）を刺激し，③脊髄に向かって求心性刺激が上行する．

> 傷をもたらすような刺激 ➡ 侵害刺激 ＝ 痛み刺激

C 侵害受容器

1 痛み刺激（侵害刺激）：傷をもたらす刺激

　痛みは，何のためにあるのか？　痛みは不快で嫌な感覚であり，誰でも痛いのは避けたいと思っている．しかし，痛みがなければ，おそらく長生きできないであろう．傷だらけの人生になってしまうからである．

　身体に傷害が発生したとき，または傷害を発生させるような刺激を受けたとき，「痛い」と感じる．身体に傷害を発生させるような刺激を受けたとき，その刺激を避ける動作が反射的に起こる．例えば，手とか指に針が刺さってしまいそうになったら，反射的に腕を引っ込めるような動作が無意識のうちに起こる．無防備な状態でいきなり痛いことをされたら，反射的にそれを避けるため逃避反応（つまり，腕を引っ込めるなど）が起こる．包丁で間違えて指を切ってしまったときは，痛む瞬間に，反射的に指を引っ込める．これは，傷を浅くするための反応である．もし，痛いと感じなかったら，傷は深くなるであろう．

　他にも，火に近づいて熱いと感じたら，火から離れる．もし，火が熱いと感じなかったら，火傷を起こしてしまい，身体は傷害を受けるであろう．理科の実験で塩酸や硫酸を使っていて，誤って手や指にこぼしてしまったとき，熱い・しみる・痛いなどの感覚があるため，水洗いを即座に行うであろう．

　「身体に傷害を与えうる刺激——①針やナイフのような器具や物による機械的刺激，②火や熱湯のような熱刺激，ドライアイスのような冷刺激，③H^+，K^+，ペプチドなどの化学物質による化学刺激」をまとめて，侵害刺激と呼んでいる．

　痛みの刺激・原因（つまり侵害刺激）があって痛む場合，侵害受容性疼痛，侵害性疼痛という（普通の痛み）．一方，痛みの刺激・原因がないのに痛む場合は，ニューロン（neuron）そのものの障害による痛み——神経障害性疼痛（neuropathic pain）の可能性が高まる（☞ 16章）．

2 痛みを感じとって反応する感知器（侵害受容器，nociceptor）

　侵害刺激（有害刺激）から逃避する反応・行動がないと傷は深くなる．そこで，侵害刺激をキャッチする感知器が身体に備わっている．この感知器を侵害受容器という．侵害刺激がきたのを「痛い」「不快」という感覚で察知するのである．その痛みの感知器はどこにあるのか？　何か？　一言で言うなら，それは神経

である．もう少し正確に言うなら，神経細胞（ニューロン）が検知している．より細かく言えば，ニューロンの神経線維の自由神経終末で感知している．侵害受容器というのは，nociceptor の和訳であるが，状況によって，痛みを伝導するニューロン全体を指している場合と，痛みを伝えるニューロンのとくに自由神経終末を指す場合，また双方を指している場合があり，統一性に欠けるようなので，あまり悩まずその場で判断したらよい．

> **それは自由神経終末です（にあります）**
>
> 侵害受容器は侵害刺激を感じとって反応

> **メモ　自由神経終末**
>
> 普通，神経終末は解剖学的に，①特殊な構造を持つか（☞ 6 章図 6-4），②神経線維が裸の状態で露出している．後者を自由神経終末（☞ 6 章図 6-5）という．痛みの刺激を感知する神経終末は自由神経終末である．

3 侵害受容器の種類（表 2-3）

- ★ **機械的侵害受容器（高閾値機械受容器）**：身体に傷害を与えてしまうような程度（強さ）の機械的刺激を感じとって反応する．機械的刺激というのは，押す，引っ張る，刺す，切る，圧迫する，叩くなどである．
- ★ **熱侵害受容器**：熱を感じとって反応する．
- ★ **冷侵害受容器**：低温を感じとって反応する．
- ★ **ポリモーダル受容器**：身体に傷害を与えてしまうような程度（強さ）の機械的刺激，熱刺激，化学刺激のいずれをも感じとって反応する．ポリは poly「多い」，モーダルは modal「様式の」であり，多様式という意味である．

痛み担当の神経線維は Aδ 線維と C 線維である．言い換えると，Aδ 線維と C 線維を持つニューロンそのもの，またはそれらの自由神経終末が侵害受容器といえる．Aδ 侵害受容器という表現を見かけるが，これは Aδ 線維を持つ侵害受容器という意味で，通常，機械的侵害受容器または冷侵害受容器である．同様に C 侵害受容器とは，C 線維を持つ侵害受容器を意味し，通常，ポリモーダル受容器

表2-3 侵害受容器の分類

受容器の種類	刺激の種類
機械的侵害受容器	機械的刺激
熱侵害受容器	熱刺激
冷侵害受容器	冷刺激
ポリモーダル受容器	機械的刺激, 熱刺激, 化学刺激 [水素イオン, カリウムイオン, 血漿成分（ペプチドなどの化学物質）など]

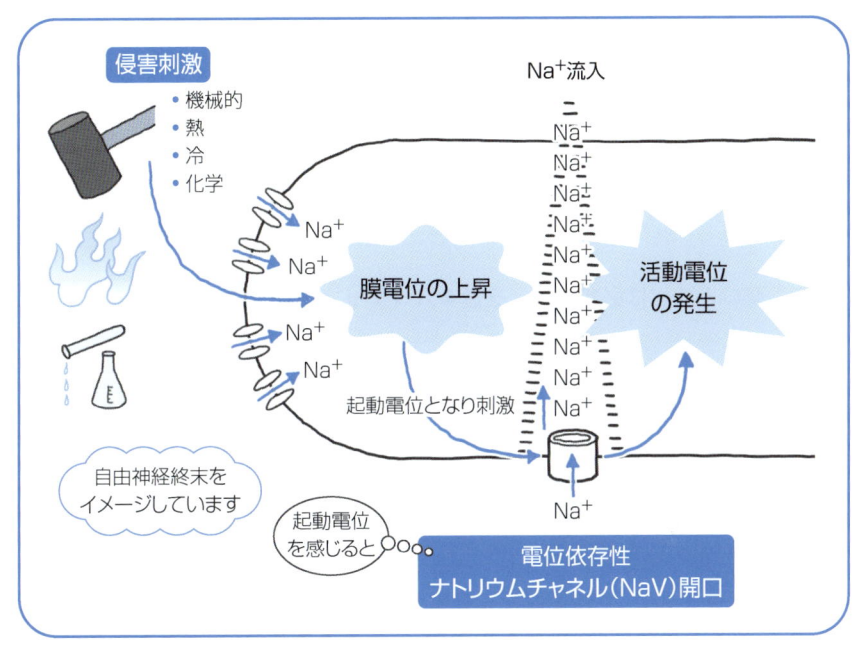

図2-7 起動電位があるレベル（閾値）を超えると活動電位が発生

または熱侵害受容器である.

4 侵害受容器の活性化とは？

　活性化とは，具体的にどのような状態なのか？ それは，最終的にその自由神経終末内に大量の Na^+ が流入し，活動電位（☞3・6章）が発生し，末端から脳へ向かって伝導を開始する反応である（**図2-7**）．

C. 侵害受容器　29

侵害受容器の活性化 ＝ 起動電位の発生に始まり，活動電位の発生で完結する

　活動電位の発生は2段階を経る．第1段階は膜電位の上昇で，これが起動電位となる．第2段階で活動電位が発生する．起動電位は，少量のNa^+やCa^{2+}の神経線維内への流入［トランスデューサーチャネル（☞6章p89）と呼ばれる穴を通過］で発生し，この起動電位が別の穴［電位依存性Na^+チャネル（NaV）］を開き（☞6章図6-8・9），開いた穴から大量のNa^+がさらに流入して活動電位が発生し，脊髄に向かって伝導が始まる（☞6章図6-10）．

痛いときには必ず，Na^+を通す穴（チャネル）が開口している

5 再び，弁慶に戻って ────────

　弁慶の泣きどころを打ったときは，①打つという機械的刺激に，②Aδ線維とC線維の自由神経終末（機械的侵害受容器，ポリモーダル受容器）が反応し，③自由神経終末で膜電位が上昇し（☞3章図3-4），④その膜電位があるレベル（閾値：☞3章図3-6）を超えると起動電位となり，⑤Na^+を通す別の穴（電位依存性のNa^+チャネル）が開き（**図2-7**），⑥活動電位（☞3章図3-1・6）が発生し，⑦脊髄に向かって神経線維を上行する（☞4章図4-1）．Aδ線維とC線維の伝導速度が異なるため，痛みは時間差で発来する．

3 ヨーイ，ドン

活動電位の発生

A 膜電位

「ヨーイ，ドン」でスタートするのは，活動電位である．「ヨーイ」は「用意」で，痛み刺激があると，「ヨーイ」の間に起動電位（興奮性膜電位, generator potential, receptor potential）が発生する．これがあるレベル（＝閾値）を超えると「ドン」となり，活動電位（action potential）が発生する（**図 3-1**）．

痛み刺激（侵害刺激）は，1 次ニューロンの自由神経終末で電気に変換され，伝導する．本章では，この「電気」の意味する現象を説明したい．痛いと感じたときは，その痛む場所に位置している神経終末（自由神経終末）で必ず活動電位が発生し，この活動電位が神経線維を上行し，脊髄を経由して脳に至る．つまり，痛いと感じたときには必ず，神経線維を伝わって，脳に活動電位が到達している．活動電位とは，膜電位がある一定レベルを超えたときに，突如として発生する膜電位の急上昇である．したがって，痛みの伝導をイメージするには，活動電位がイメージできるとよい．痛みを伝える神経線維（Aδ 線維，C 線維：☞ 2 章図 2-5, 表 2-2）を活動電位が上行する．

痛みを電気信号として捉える

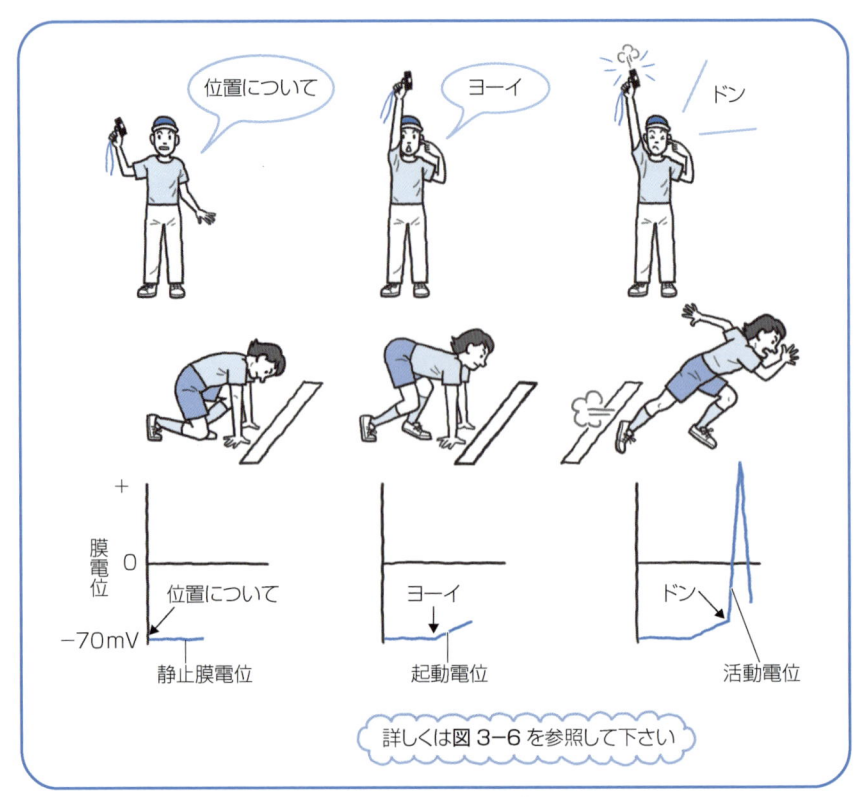

図 3-1 活動電位発生のイメージ：ヨーイ（起動電位），ドン（活動電位）

Q	起動電位と興奮性シナプス後電位の違いは何ですか？
A	興奮性シナプス後電位はシナプス（☞図7-1）でのいわば起動電位です

自由神経終末で活動電位発生前に発生する電位上昇を起動電位という．シナプスのシナプス後ニューロンで，活動電位発生前に発生する電位上昇は興奮性シナプス後電位という（☞7章図7-3, p101）．

1 まずは，膜電位から

神経細胞（ニューロンです）内に電極を刺し込み，細胞外の電位をゼロとして細胞内の電位を測定すると，−60〜−70 mV である（図3-2）．細胞内と細胞外で電位が2つに分かれていて，細胞内が低い．細胞内の電位を膜電位と呼ぶ．

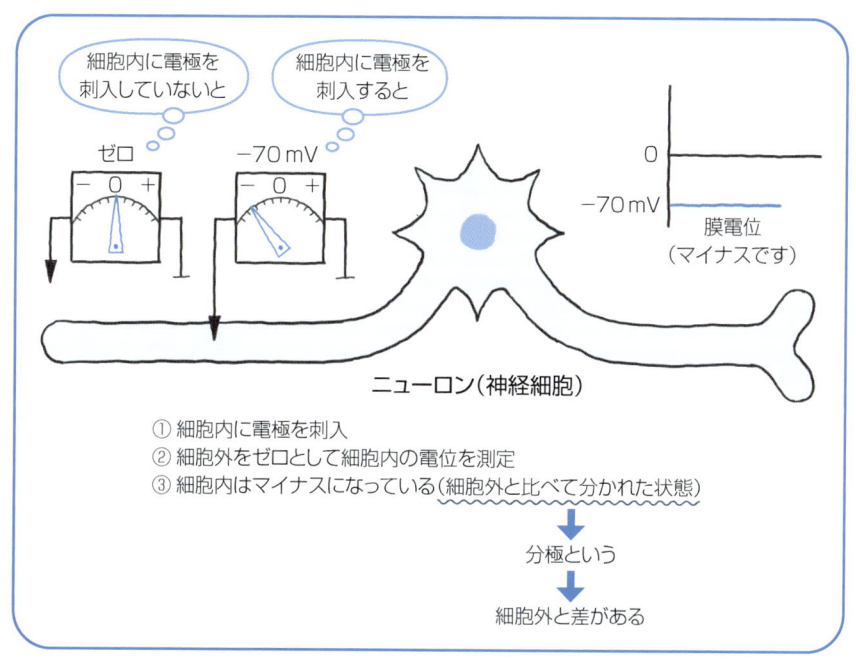

図3-2 細胞内の電位（膜電位）の測り方

膜電位 ＝ 細胞内の電位

2 膜電位がマイナスである理由：分極の問題

　神経細胞のNa^+濃度は細胞外（10倍）＞細胞内，逆にK^+濃度は細胞外＜細胞内（10倍）である．細胞内外の濃度勾配で，Na^+は細胞内に入り，K^+は細胞外に出る（図3-3）．一方，細胞には濃度勾配に逆らって，Na^+を出し，K^+を入れるポンプ（Na^+/K^+ポンプ）も装着されている．両イオンについて，入る通路と出る通路があり，出入りを差し引きすると，K^+の細胞外への流出はNa^+の流入より多い．結果として陽イオンが細胞外に多く出て，細胞内の電位は下がり，細胞外をゼロとすると，細胞内は-60〜$-70\,mV$になっている．つまり，膜電位は負（マイナス）である．細胞内外で電位が分かれているので，この状態を「分

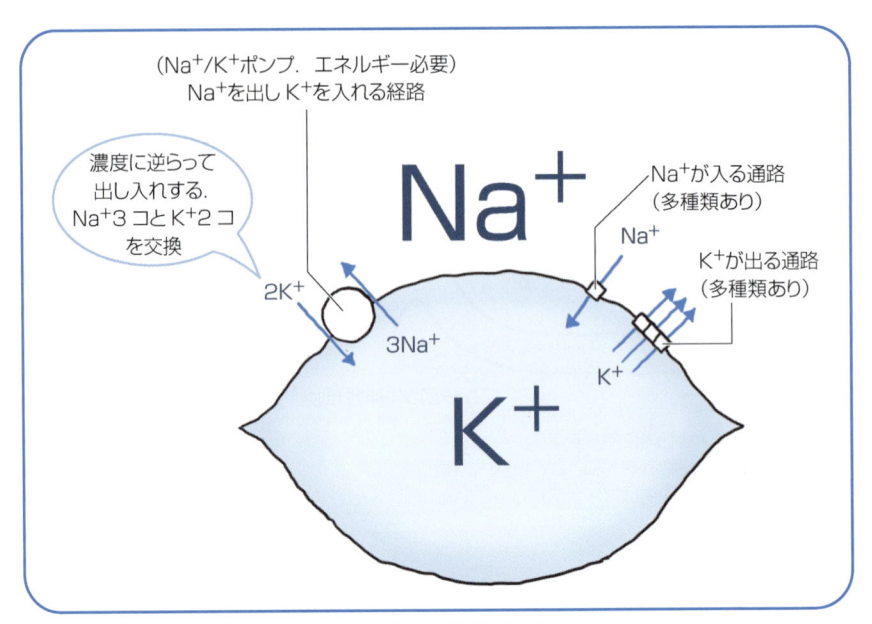

図 3-3　多い陽イオン：細胞外は Na$^+$・細胞内は K$^+$

極」した状態（安静）と表現している．定常状態の神経細胞では，細胞内外を出入りする電荷の総量は一定であり，このときの分極の程度を静止膜電位という．静止膜電位は一定レベルで保たれている．

3 脱分極と過分極

「動かせ」とか「痛い」という情報は，神経の興奮（活動電位の発生）によってもたらされるが，神経細胞の膜の興奮とは，普段は閉じている Na$^+$ チャネルが開き，通過する Na$^+$ の通過量が増加している状態である．神経細胞が興奮する前段階として，安静時の分極状態（静止膜電位）が崩れ，細胞内外の電位差が縮まる．静止膜電位の分極状態が壊れるため，「分極を脱する」という意味で，「脱分極」と名付けている（図 3-4，図 3-7）．脱分極とは，分極から脱して，分極でない状態に向かうという意味である．つまり，細胞内外の電位差が小さくなる状態である．脱分極は細胞内電位である膜電位の上昇を意味している．一方，細胞内外の電位差が大きくなる状態は，分極の程度が増強する状態であり，これを「過分極」という（図 3-5，図 3-8）．過分極では，膜電位は低下する．過分極の状態を抑制性膜電位ともいう．

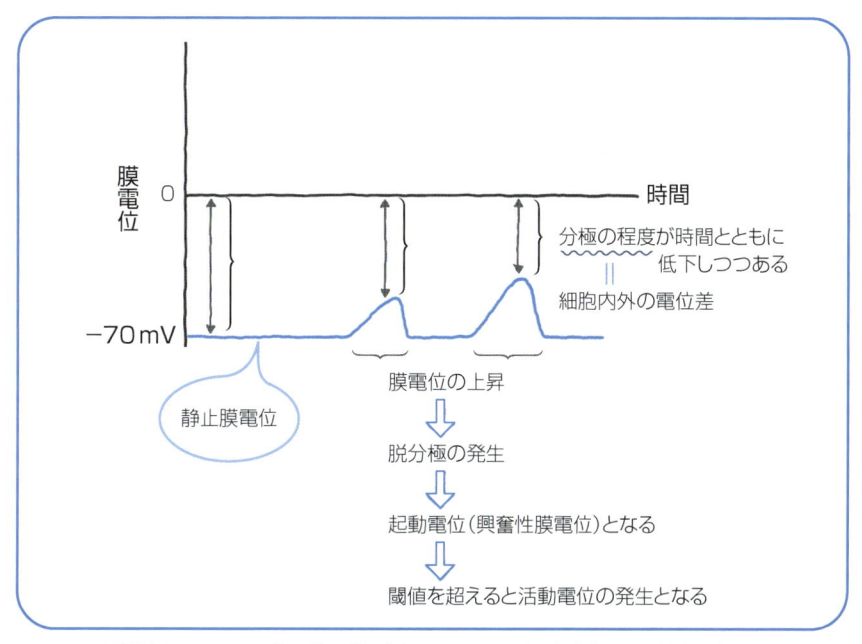

図 3-4　脱分極のイメージ：膜電位が上昇する ➡ 細胞内外の電位差が低下

Na⁺チャネル ➡ Na⁺を細胞外から内へ入れる穴：痛いときは開いている
K⁺チャネル ➡ K⁺を細胞内から外へ出す穴：痛いときは閉じている

Na⁺チャネルは，細胞外から細胞内へNa⁺が流入する穴（イオンチャネル：☞6章p83のメモ，本章p41）であり，K⁺チャネルは，細胞内から細胞外へK⁺が流出する穴（イオンチャネル）である．

分極状態

脱分極：分極が崩れる ➡ 痛みやすくなる（膜電位が上昇：図3-4，図3-7）
過分極：分極が増強 ➡ 痛みにくくなる（膜電位が下がる：図3-5，図3-8）

A．膜電位

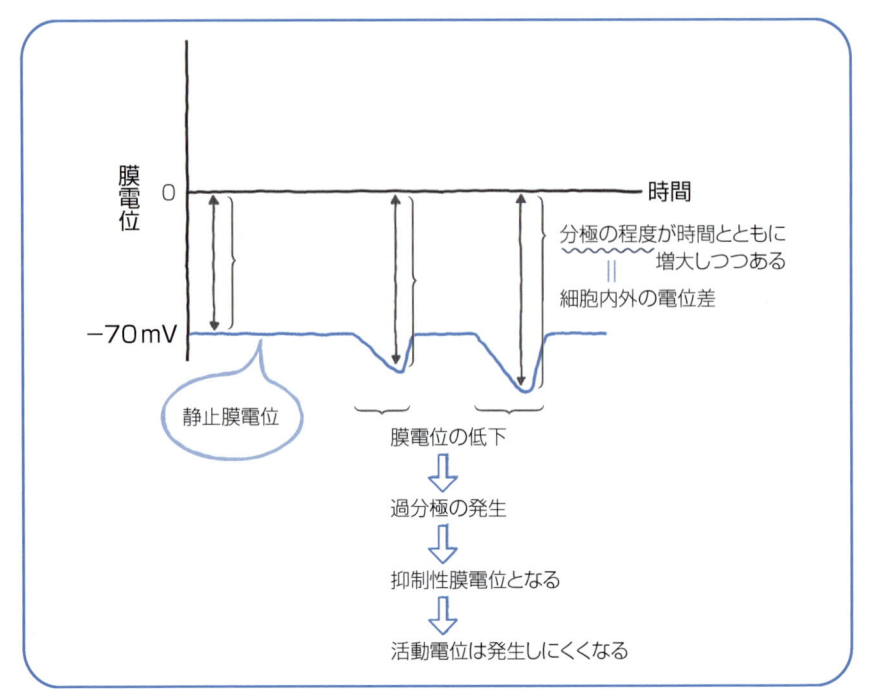

図 3-5 過分極のイメージ：細胞内外の電位差が増大

🌸 痛いときには，必ず発火あり

発火 ＝ 活動電位の発生

B 活動電位の発生：電位依存性 Na^+ チャネル（NaV）が開く

1 活動電位

　脱分極が進行し，ある膜電位に到達すると，突如としてマイナスであった膜電位がプラスに上昇して，また元に戻る現象が起こる（図 3-6）．このパルス状の電位変化を活動電位，インパルス，スパイク電位，スパイク発射，発火，興奮な

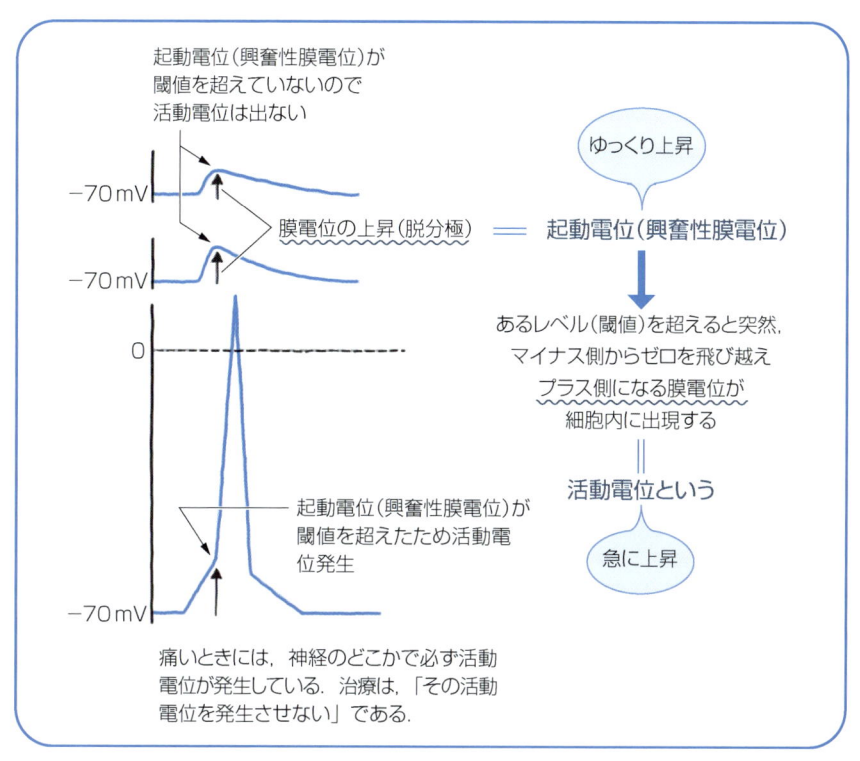

図 3-6 活動電位の発生

どという.皆同じ意味である.

🌸 発火の前兆は膜電位の上昇

★ 発火　　　＝ 活動電位
★ 膜電位の上昇 ＝ 起動電位

　脱分極をきっかけとして,活動電位が発生するわけだが,つねに脱分極＝活動電位というわけではないので,混乱しないでほしい.脱分極が起こっても,活動電位発生に至らない場合もある(以下の③).逆に活動電位が出ていれば,必ず脱分極しているとはいえる.

B. 活動電位の発生　　37

活動電位は，脱分極電位があるレベルを超えると発生する．この膜電位のレベルを臨界値（閾値）という．脱分極の発生後の経過として，①1回の脱分極刺激で臨界値に達する，②小さい脱分極波が同時発生して，積み重なった結果，総和として臨界値に達し（加重現象：☞7章図7-7），活動電位が発生する（このパターンの場合，促通されたという），③臨界値に達せず活動電位が発生しない場合とがある．

みんな同じ意味です

- ★ インパルス
- ★ スパイク電位
- ★ スパイク発射
- ★ 活動電位
- ★ 発火
- ★ 興奮

2 脱分極の発生パターン：痛いときに発生している現象

細胞内は K^+ が多く，細胞外は Na^+ が多い（☞図3-3）．一般論として，①細胞内への陽イオンの流入は膜電位の上昇（脱分極）となり（**図3-7** の右上），細胞外への陽イオンの流出は膜電位の低下（過分極）となる（**図3-8** の右上）．このとき，細胞外は Na^+ や Ca^{2+} が多いので流入する陽イオンとは Na^+ や Ca^{2+} であり，細胞内は K^+ が多いので流出する陽イオンとは K^+ である．また，②陽イオンの細胞外への流出が低下すると，陽イオンが細胞内に溜まるので，膜電位の上昇（脱分極）になる（**図3-7** の右下）．つまり，K^+ 流出の低下によっても膜電位は上昇する．

そこで，膜電位が上昇する状態（つまり脱分極）の発生パターンは，
　① Na^+ や Ca^{2+} の細胞内への流入増加（**図3-7** の右上）
　② K^+ の細胞外への流出低下（**図3-7** の右下）　　　　　　である．
言い換えると，痛み刺激（叩く，切る，引っ張る，刺す，焼ける，凍える，炎症など）により痛いと感じたときには，①と②が自由神経終末で発生している（☞5章図5-12・13）．つまり，Na^+ や Ca^{2+} を通過させるイオンチャネルが開くか，K^+ を通過させるイオンチャネルが閉じ気味になっている．

図3-7 は痛いときの Na^+ の流入増加と K^+ の流出低下による膜電位上昇（脱分極）を示している．

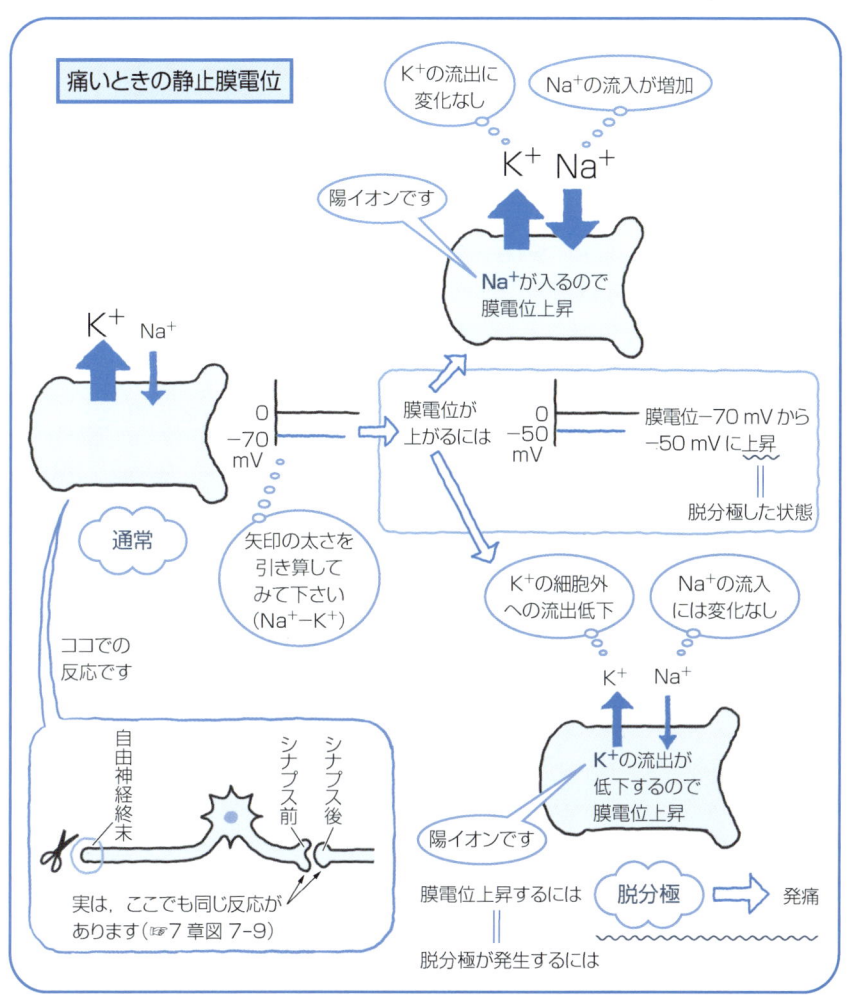

図 3-7 脱分極 ➡ 発痛：細胞内に Na$^+$ が入るか，K$^+$ が溜まるか
矢印の太さは，Na$^+$ が細胞内に入る量と K$^+$ が細胞外に出る量をイメージしています（多種類の経路による出入りの総和です）．細胞内に「Na$^+$ が入る量」と細胞外に「K$^+$ が出る量」の差が膜電位になっています．

> **痛み刺激は，膜電位を上げる**
> （Na$^+$ チャネルを開き，K$^+$ チャネルを閉じる：図 3-7）

B. 活動電位の発生

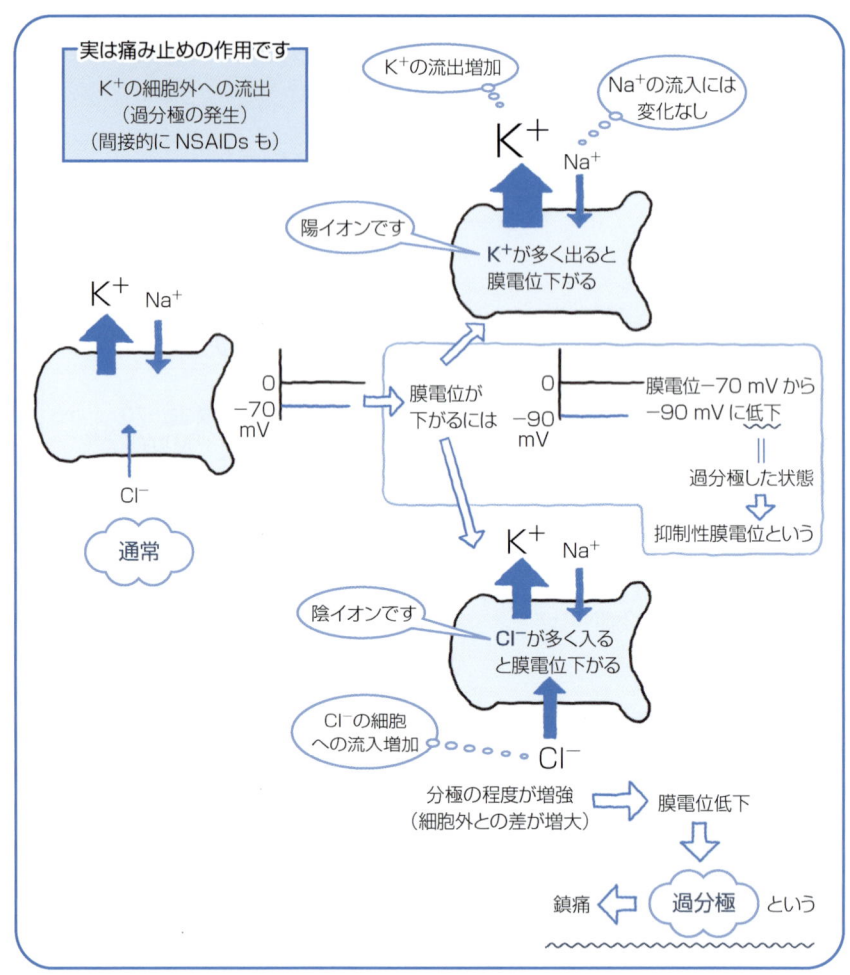

図 3-8 過分極 ➡ 鎮痛：K^+（陽イオン）を出すか Cl^-（陰イオン）を入れる

　一方，**図 3-8** は，痛いとき（膜電位が上昇しているとき）の対策を示している．言い換えるなら，「膜電位を下げる」対策である．Cl^- が登場しているが，膜電位を下げるために陰イオンを入れるという考え方である（例えるなら，熱い湯に水を入れて温度を下げるような感じ）．まとめると，膜電電位を下げるために，K^+ の流出を上げる，Na^+ の流入を下げる，陰イオンである Cl^- を入れるという対策がある．

3 イオンの流出入の経路

　起動電位が発生するには，①機械的刺激・熱刺激・化学刺激で開く通路（Na^+，Ca^{2+}双方が入る通路）が開く，②機械的刺激・熱刺激・化学刺激で閉じる通路（K^+が出る通路）が閉じる，そして活動電位が発生するには，③膜電位が高くなると開く通路——電位依存性Na^+チャネル（Na^+が流入，voltage-dependent sodium channel: NaV）が開く，という現象を伴う（☞6章図6-9・10）．Na^+を通すイオンチャネル（穴）は，2種類に大別できる．1つは起動電位や興奮性シナプス後電位を発生させる①Na^+チャネル（☞6章-C）で，もう1つはこれらを受けて開く③電位依存性Na^+チャネル（NaV）である．

　痛みの伝導では，痛みを伝える神経線維での電位依存性Na^+チャネルの開口による活動電位の発生は必ずある．順序として，①・②の経路で上昇した膜電位（起動電位です）を受けて③の電位依存性Na^+チャネルが開き，活動電位が発生する．

　なお，Cl^-が内に入らなくなって，または外に出て，膜電位が上がるというパターンは少ない．もともと細胞内にはCl^-は少なく，さらに減少したとしてもわずかだからである．Cl^-の膜電位への影響は，外から内に入ったとき発揮される——膜電位が下がる（**図3-8**の右下）．

鎮痛のために：Na^+チャネルを閉じる
（穴 ＝ チャネル ＝ 通路）

4 鎮痛の立場から

　本章では，痛みの発生，つまり痛み刺激（侵害刺激）による自由神経終末での活動電位の発生について述べた．最大の鎮痛対策は予防である．ケガ・火傷・凍傷（機械的・熱・冷侵害刺激）を負わないように，炎症（化学刺激）が発生しないようにする（当たり前か）．

　鎮痛の立場から薬の作用点を考えてみると，抗炎症鎮痛薬（NSAIDs）は①と②の原因となる化学刺激（プロスタグランジンE）の産生そのものを抑制し（☞10章），局所麻酔薬は③電位依存性Na^+チャネル（NaV）を直接閉じる（☞11

章).

　図3-8は，正常な静止膜電位に比べ膜電位が低下（過分極という）した例であるが，陽イオンであるK^+の流出が増えたか（図3-8の右上），陰イオンであるCl^-の流入が増加した（図3-8の右下）結果である．膜電位が下がっている（過分極）ので，刺激が来ても活動電位が出にくい．例えば，オピオイド［フェンタニル，モルヒネ，トラマドールの活性代謝産物（M1），タペンタドール］はシナプス前・後でこの状態を作る（☞8章図8-10~**12**, 12章図12-2b~**d**）．セロトニン，ノルアドレナリン，GABAなどは慢性痛ですでに上昇している膜電位を下げ正常化する（元に戻す）作用がある（☞16章図16-13）．

　炎症で痛いときは，図3-7のように自由神経終末で膜電位が上昇（脱分極）している．これは，プロスタグランジンE（PGE）などの発痛物質により，K^+の流出が低下するためである（図3-7の右下：☞5章図5-14）．治療として，膜電位の上昇（脱分極）を抑えて元に戻す．これには非ステロイド抗炎症薬（NSAIDs）が効く．膜電位を上げてしまうPGEの産生がNSAIDsにより抑制され，結果として膜電位が下がる（上昇が抑制される）からである（図3-8）．

痛みのリレーと バトンタッチ 4

―――― 中継点は脊髄後角と視床です

A 痛み刺激はどこへ行く？

　Aδ線維，C線維（☞2章）で発生した活動電位（☞3章）は，脊髄後角に入る．脊髄に入った刺激は，脊髄後角でニューロンを乗り換えるので，脊髄後角が第1中継点となる（**図4-1**）．脊髄後角でニューロンを換えた刺激はさらに第2中継点に向かう．第2中継点は脳幹（中脳，橋，延髄）と視床である．視床に第2中継点を持つ経路を脊髄視床路（☞図4-12）という．中脳や延髄の脳幹網様体に第2中継点も持つ経路は，網様体に至っているという意味で脊髄網様体路（spinoreticular tract）という（☞図4-13）．これらの中継点の構造を医学的に表現するなら，それはシナプスである（☞7章）．

　神経伝達を駅伝に例えると，侵害刺激という号砲を受けて，選手（活動電位）がスタートし，脊髄後角の第1中継点に向かう．中継点でバトンやタスキの受け渡しを行い，第2走者に伝える．バトンやタスキに相当するのが神経伝達物質である．第2走者は脊髄前索と側索（前・側索）を上行し，脳幹や視床に至る．

　第1中継点までを担当する神経線維・樹状突起・細胞体をまとめて1次ニューロン，第2中継点までの担当を2次ニューロンという（**図4-1**）．前述の脊髄視床路や脊髄網様体路は，2次ニューロンの通り道といえる．1次ニューロンと2次ニューロンは，シナプスで中継されている．**図4-1**では，シナプス間隙を神経伝達物質が泳ぐイメージで，シナプス伝達を表現してみた．

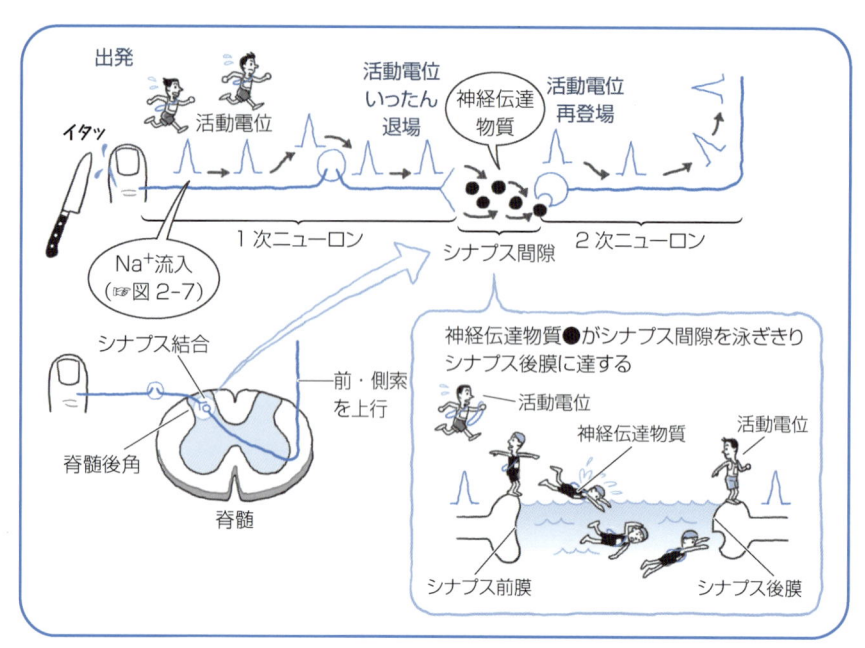

図4-1 第1中継点：脊髄後角

> **メモ** 中継点で起こりがちなこと
>
> リレーでは，バトンタッチでトラブルが発生する．第2走者が見つからなかったり，タスキを取るのに時間がかかったり，中継点とは遅れが発生しやすい場所である．一方，バトンを受け取らずに飛び出してしまう場合もある（フライング）．色々と指令が出たりし，声援も多く走者への働きかけのある場所である．
> 中継所というのは，関係者が多くいてざわついているのが常である．脊髄後角の中継所にも，関係者のようなニューロン（介在ニューロン：**図4-2**）やグリア細胞（☞ 16章図16-12，17章図17-7）がいて，タスキの受け渡しに影響を及ぼしている．1次ニューロンから2次ニューロンへの伝達に影響を与える因子は，痛みを増強するかもしれないし，減弱するかもしれない．とくに影響が強いのは，脊髄後角第Ⅱ層にあるニューロン（SG細胞：その由来については☞ 9章p144，図9-7〜9）である．本章では駅伝の中継所に例えたが，門の開閉にも例えられている（☞ 9章図9-5・10）．

中継点での伝達

抑制（痛みの低下）と促進（痛みの増強）

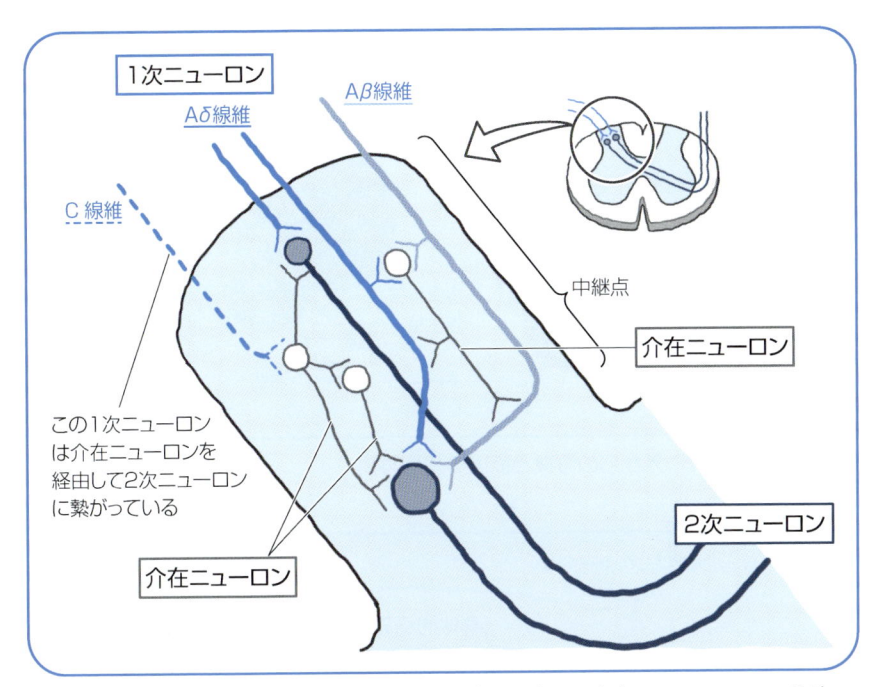

図 4-2 1次ニューロン（受傷部から脊髄後角まで）➡ 介在ニューロン ➡ 2次ニューロン（脊髄後角から出て第2中継点に向かう神経）

1 1次ニューロンから2次ニューロンへのバトンタッチ

さて，1次ニューロンから2次ニューロンへのバトンタッチやタスキ渡しであるが，1次ニューロンから2次ニューロンに直接渡る場合と，1次ニューロンから介在ニューロンを経由して2次ニューロンに渡る場合がある（**図4-2**）．2次ニューロンは，脊髄後角という中継点を出て，脳幹や視床にある第2中継点に向かうニューロンである．ニューロン間の連絡をする短いニューロンを介在ニューロンという．

2 痛み刺激のもたらすもの

痛み刺激のもたらすもの？ それは，痛みである．脳で認識される．それからもう1つ．
それは，不快感である．言われれば，何となく分かるであろう．

A．痛み刺激はどこへ行く？　　45

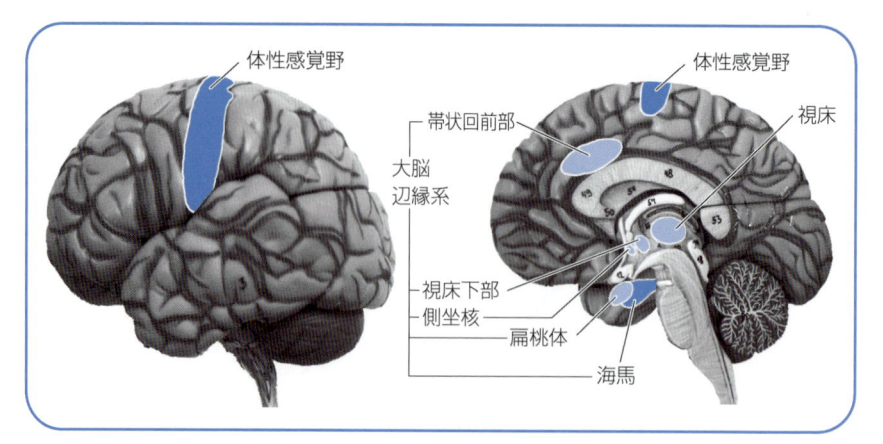

図 4-3 脳の写真：外からの写真と断面の模型写真

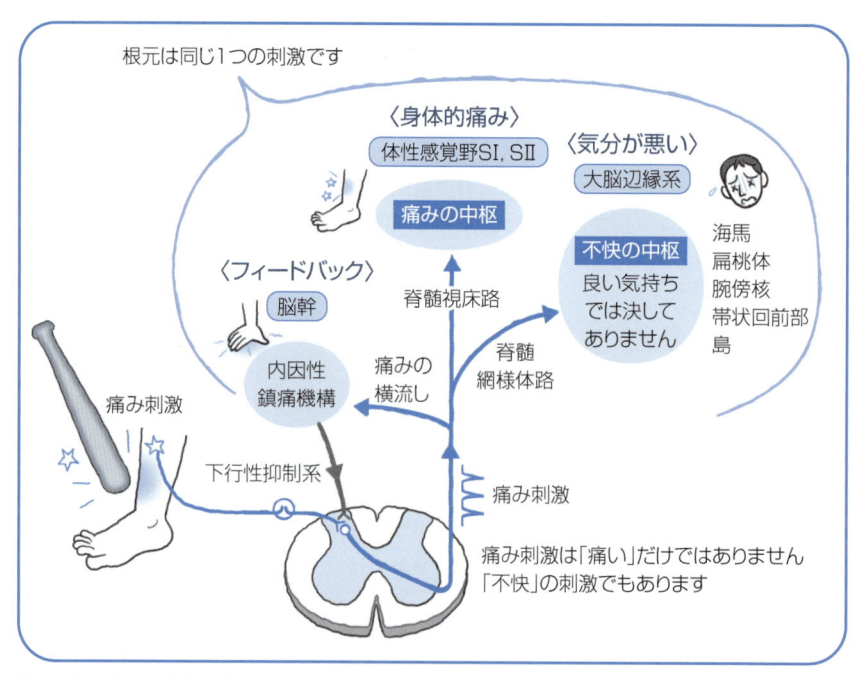

図 4-4 痛み刺激の分流：痛い！ 不快だから抑えようとする

① 痛みの電気信号は大脳に入り，身体のどこが痛いのかを知らせる（脊髄視床路：図 4-4）．これを医学的に表現すると「大脳の体性感覚野で痛みの局在を判別する」になる．

② 一方，痛み刺激は，快不快を沸き起こす脳の部分（大脳辺縁系，図 4-3：☞ 18 章）にも同時に電気刺激を伝える（脊髄網様体路：☞図 4-13）．したがって，「痛いときに気分が決して良くない」のは気のせいではなく，電気信号が不快の中枢にも入力されるからである．

③ さらにもう 1 つ．痛みの刺激は，痛みを抑える信号を出すきっかけとなる（痛みの横流し，図 4-4）．いったん痛みを知らせたら，痛みが過剰にならないようにフィードバックをかける，内因性の鎮痛機構を作動させる（下行性抑制系：☞ 8 章図 8-6）．「毒をもって毒を制す」にならうと，「痛みをもって痛みを制す」である．

痛み刺激

①痛み　②不快感　③痛みのフィードバック
の 3 ルートを流れる

B ゴールはどこ？ 体性感覚野と大脳辺縁系

　痛みの刺激は，最終的に脳に達する．では，脳のどこに達するか？　まずは，脳の構造を確認したい（図 4-5）．呼吸や意識を司る場所は延髄であり，中脳・橋・延髄を「生命の幹」という意味で，脳幹という．視床と視床下部は大脳と脳幹の間に存在するので，間脳という．大脳は，皮質の層構造の違いで新皮質・古皮質・旧皮質に分かれる．ここで強調したいのは，「大脳＝すべて新皮質というわけではない」である．つまり大脳皮質には，新しい皮質と古い皮質，旧皮質がある．

1 3 つの大脳皮質：新皮質・古皮質・旧皮質

　大脳皮質は，神経細胞（ニューロン）の細胞体の集まりで厚さ 3 mm 程度の厚さである．層状構造の違いから，新皮質，古皮質，旧皮質に分けられる．新皮質は 6 層に分かれ，古皮質は 3 層構造で，旧皮質には層構造は認められない（図 4-6）．系統発生的に，魚類は旧皮質のみを持ち，両生類では旧皮質とそれを取

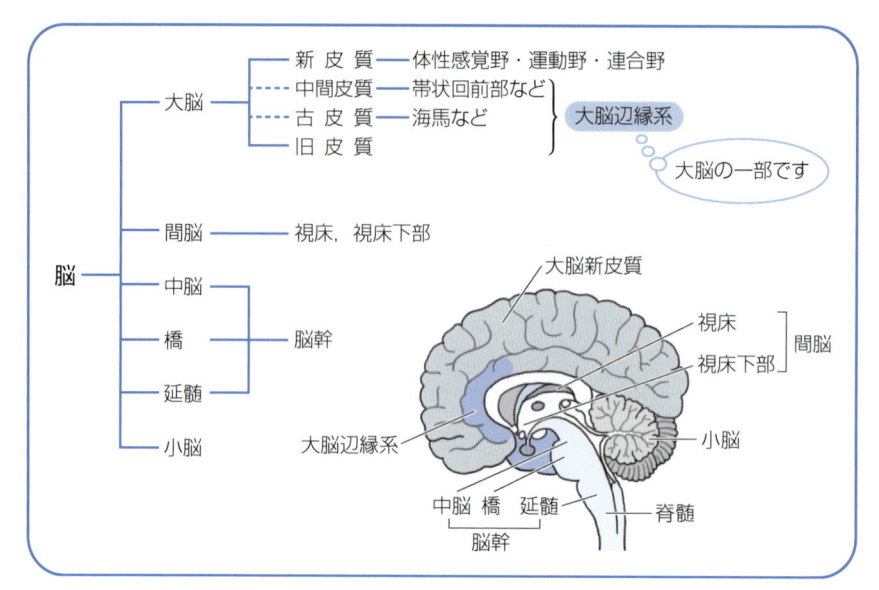

図 4-5 脳各部の名称の関係

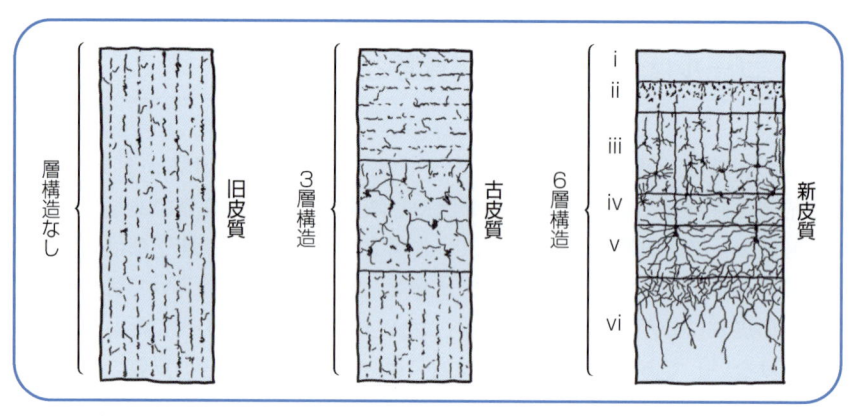

図 4-6 旧皮質・古皮質・新皮質の層構造

り囲む古皮質が発生している（図 4-7）．爬虫類になると旧皮質・古皮質の外側に新皮質が発生し始める．哺乳類になると新皮質の占める割合が増加し，ヒトでは大脳の外側全体を新皮質が覆い，旧皮質・古皮質は脳内側の下面の端に追いやられ，外から見えない．つまり，系統発生的に，旧皮質・古皮質は古い大脳皮質であり，新皮質は新しい大脳皮質である．しかし，脳で，旧皮質の部分から新皮

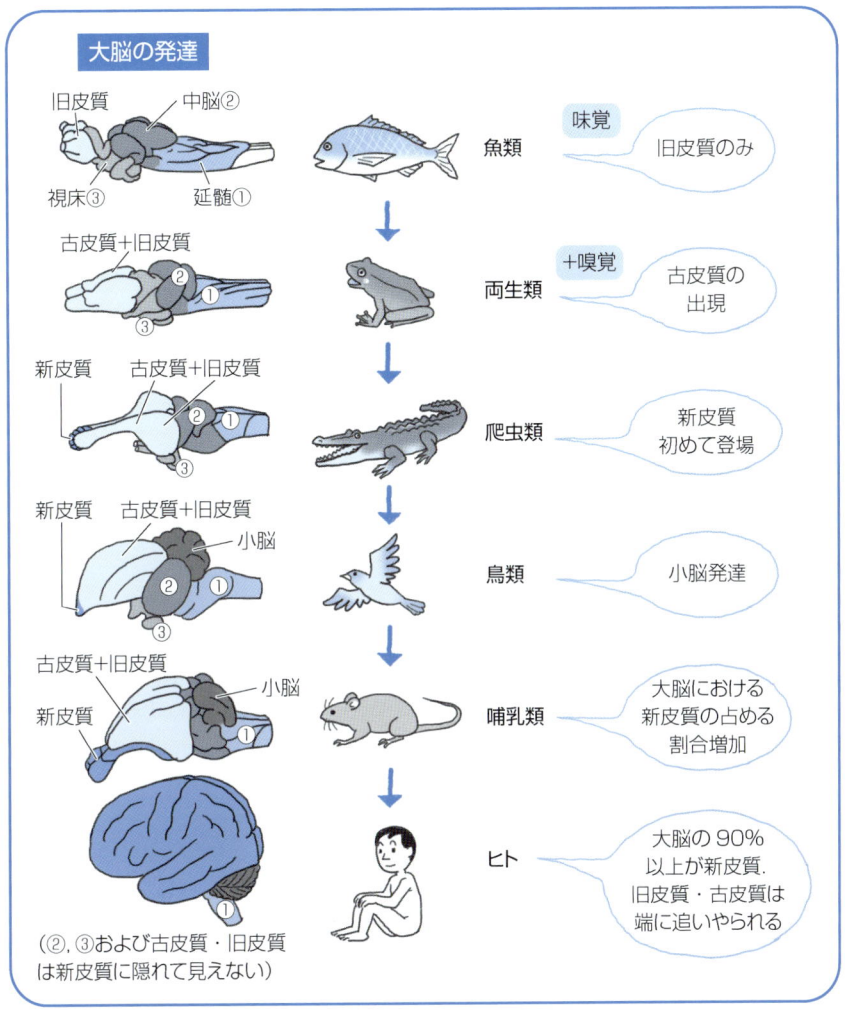

図4-7 新皮質の系統的発生

質の部分に一気に変わっているのではないため，境界領域の皮質（新皮質の一部）を中間皮質とも呼ぶ．

★ 旧皮質　　梨状葉（梨状皮質）：層構造なし
★ 古皮質　　海馬，歯状回：3層構造
★ 中間皮質　帯状回，鉤，側頭極，前島回，前頭葉の眼窩内側領域，大脳半球の内側面や底面の領域：海馬回，外側嗅回

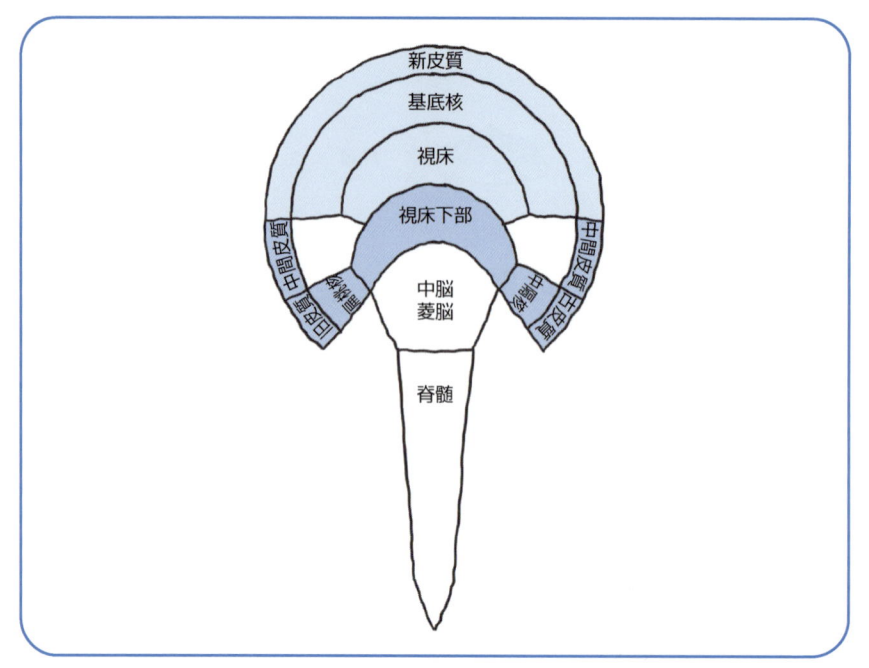

図 4-8　大脳辺縁系（濃い青の部分）の構成

[時実利彦：脳の話，岩波書店，東京，1962 より引用]

2 痛いと不快：大脳辺縁系とは何か？

　言語中枢は，Broca 氏が見つけたので（1878 年），ブローカの中枢と呼ばれていて，聞いたことのある人も多いと思う．このブローカ氏が，種によらず脳幹を取り巻く共通の皮質領域の存在に気付き，これを大辺縁葉と名付けた．種によらずとは，下等な生物から高等な生物までという意味であり，その共通の皮質領域とは，旧皮質と古皮質である．これが，ブローカのいう大辺縁葉であり，もともとの大脳辺縁系である．現在，一般的にもともとの大脳辺縁系（旧皮質系・古皮質系）に中間皮質（扁桃体，中隔核，側坐核，視床下部など）を合わせて大脳辺縁系と呼ぶ（図 4-8）．何やら解剖の話みたいになってきたが，痛みに関係しているのである．先に述べたように，侵害刺激によって発生した活動電位は，①痛む場所と強さを認識する部分（＝新皮質）と，②快・不快を沸き起こす部分［＝大脳辺縁系（古皮質・旧皮質・中間皮質など）］に信号を同時に送る（図 4-9）．

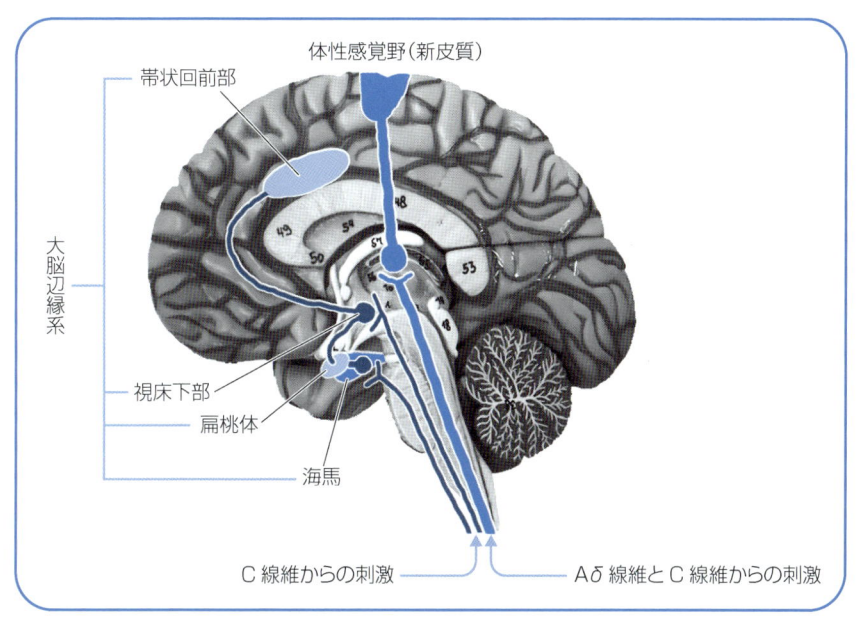

図 4-9 大脳辺縁系の模型写真（☞ 17 章図 17-4）

🌸 快・不快を担当

　　大脳辺縁系 ＝ 大脳の古皮質・旧皮質・中間皮質・扁桃体・側坐核
　　　　　　　　大脳の端の方（辺縁）にある（図 4-10）

🌸 もしも，痛みが快感だったら

　　　いつも痛いことをするので，ケガだらけになって，
　　　　　　　命も危うくなってしまう．

B．ゴールはどこ？ 体性感覚野と大脳辺縁系

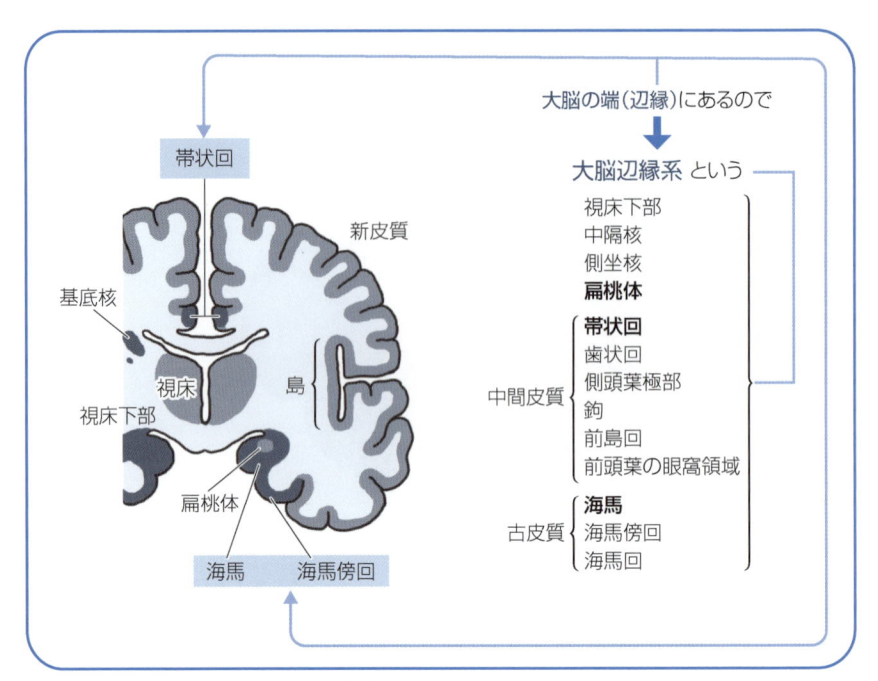

図 4-10　大脳辺縁系は脳の縁（端）にある

大脳の役割分担

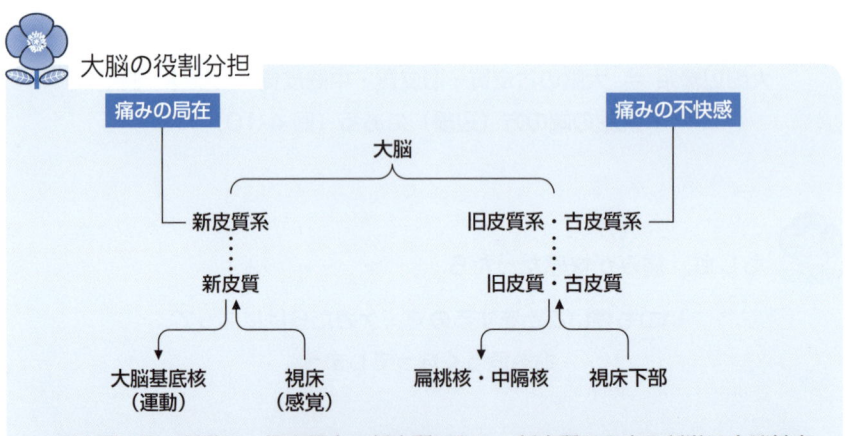

```
                          大脳
              ┌────────────┴────────────┐
         新皮質系                    旧皮質系・古皮質系
            ┊                            ┊
          新皮質                      旧皮質・古皮質
         ↙     ↖                    ↙        ↖
   大脳基底核    視床          扁桃核・中隔核    視床下部
    （運動）   （感覚）
```

痛みの局在　　　　　　　　　　　　　　　痛みの不快感

　新皮質へ行く刺激は，視床経由で新皮質に入り，新皮質から出る刺激は大脳基底核経由で出る．旧皮質・古皮質に行く刺激は視床下部経由で旧皮質・古皮質に入り，旧皮質・古皮質から出る刺激は扁桃核（＝扁桃体）・中隔核経由で出る．痛み刺激は，視床（脊髄視床路）と視床下部（脊髄網様体路）の双方を経由する（図4-4・12・13）．

3 痛ければ逃げる，不快だから：生き物の進化と大脳辺縁系

　視床や視床下部，脳幹に相当する部分は魚からヒトまで，すべての動物に備わっている．それはなぜか？「視床・視床下部・脳幹は生命の維持に必須な，いわば生命の幹だから」である．さて，進化の過程で高等になるにつれ，視床を取り囲むように大脳が発生してきたのだが，まず現れたのが旧皮質・古皮質である．合目的に考えるなら，生命を効率的に維持するのに役立つ部分がまず発達したと考えられる．つまり，日々の生命を維持するための食欲，身を外敵から守るのに必要な防御や闘争本能，群れを作る本能，種族を維持しようとする指令に関わる部分がまず発達したのである．動物は，だいたいにおいて本能のおもむくままに行動しているといえる．

　一方，新皮質は，ヒトやチンパンジーのような高等動物で発達した，進化の中で比較的新しい皮質である．新皮質の発達したヒトでは，①理性の力で本能的行動をある程度抑制できるようになっている．②新皮質にある体性感覚野や運動野のおかげで，手指の感覚や運動，構音・構語が発達している．ヒトはケガで傷付けばすぐ，その場所を見たり，押さえたりする．新皮質が発達しているからである．犬や猫なら，せいぜい舐めたり，足を上げる程度であろう．明瞭な局在が分からないし，対処も限られる．ヒトに比べると新皮質が少ないからである．

　新皮質が発達するにつれ，旧皮質・古皮質は，端（縁）の方に押しやられ，新皮質の陰に隠れた場所に位置する結果となり，大脳の端（縁）に位置しているため，これらの領域は「大脳の縁の辺り」という意味で大脳辺縁系と名付けられている（図4-10）．

　本能的な行動というのは，快・不快という要素がきっかけとなる．例えば，空腹になると怒りっぽくなり，人に当たったりすることもあるが，食べ終わったら満腹感により，その前の怒りやイライラは何だったのか，というような感じになる（図4-11）．食欲が満たされてないときは，大脳辺縁系で不快感が沸き，食欲が満たされると大脳辺縁系で不快感がなくなるので，その結果，怒りが消失するのである．

　痛みの原因となる刺激は大脳内で，①痛みの感覚を担当する部分——体性感覚野（新皮質）で局在判断，②快・不快感を担当する部分——つまり，大脳辺縁系（旧皮質・古皮質・中間皮質）に同時に電気刺激を伝える．痛みの感覚を担当するには，どこが痛むのか，痛い場所が分からないといけない．痛む場所は大脳皮質の体性感覚野（新皮質）で判断（判別）される．不快感は，①快を担当する部分（側坐核，線条体）が不活化するか，②不快を担当する部分（扁桃体，帯状回

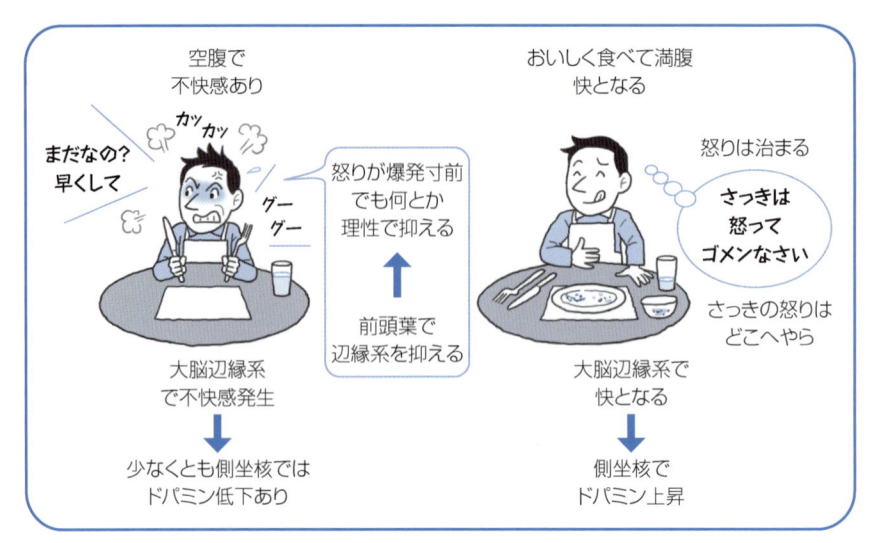

図4-11 怒りが交感神経系を刺激（怒りは大脳辺縁系で発する）

前部）が活性化するか，③その双方の同時発生で沸き上がる．

> 痛みの局在を担当
>
> 大脳皮質体性感覚野（新皮質）中心後回

C 脊髄後角からの路

1 脊髄視床路（図4-12）

　脊髄後角に入った1次ニューロンは2次ニューロンにシナプスする．2次ニューロンのうち，対側の脊髄前索と側索（前・側索）を上行し，視床に到達するルートを解剖学的に脊髄視床路（tractus spinothalamicus, spinothalamic tract）と名付けている．このルートは主にAδ線維の刺激を伝え，終点は大脳の体性感覚野である．つまりAδ線維は，局在の明瞭な痛みを伝える．

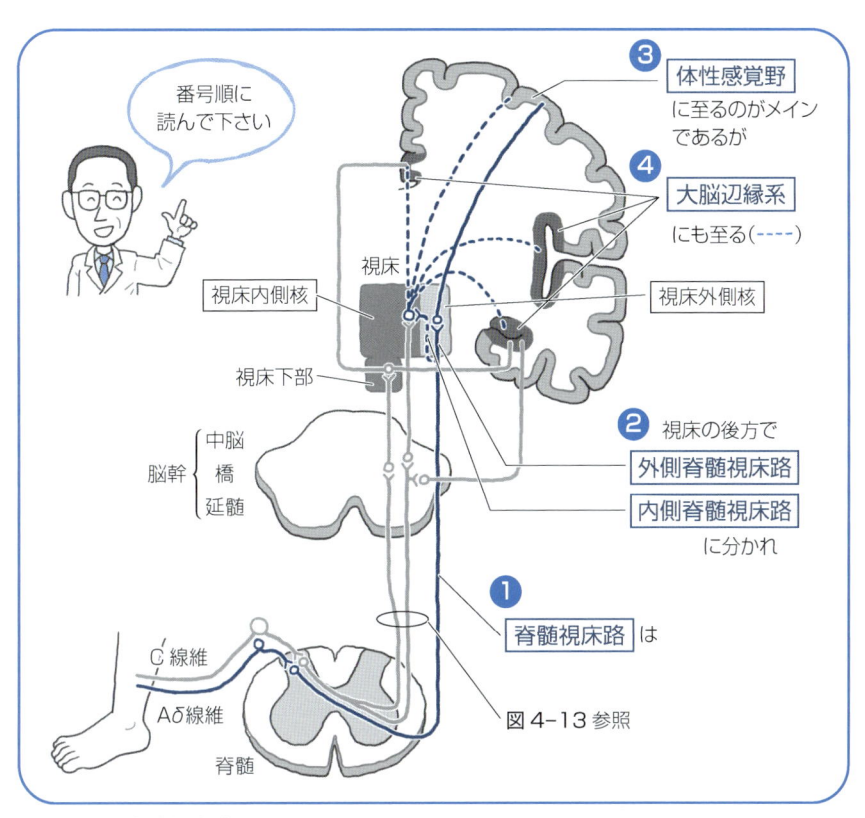

図 4-12 脊髄視床路

痛み刺激は，第 1 中継点である脊髄後角から，第 2 中継点である視床に至る．視床には外側核と内側核があり，外側核に入った刺激は大脳皮質の体性感覚野に至り，内側核に入った刺激は前頭葉・頭頂葉の大脳皮質と大脳辺縁系に至る．視床外側核には脊髄後角から直接入る経路（外側脊髄視床路）があり，視床内側核には脊髄後角から直接入る経路（内側脊髄視床路）と脳幹網様体を経由して入る経路（脊髄網様体路：☞図 4-13）がある．視床外側核で中継した刺激は体性感覚野に至る．体性感覚野に到達した痛み刺激は痛みの場所を知らせる．視床内側核で中継した神経は大脳辺縁系に至る．大脳辺縁系は情動を司るため，ここに到達した痛み刺激は不快感をもたらし，不安や恐怖があると痛みを強く感じる現象に関与する．

2 脊髄網様体路（図 4-13）

脊髄網様体路は，脊髄前・側索を上行し，脳幹網様体に至るルートである．脊髄網様体路で脳幹に到達した刺激は，ここで止まるか，経由して視床内側核や視床下部に至り，さらにニューロンを換えて大脳辺縁系に至る．網様体で止まら

C．脊髄後角からの路

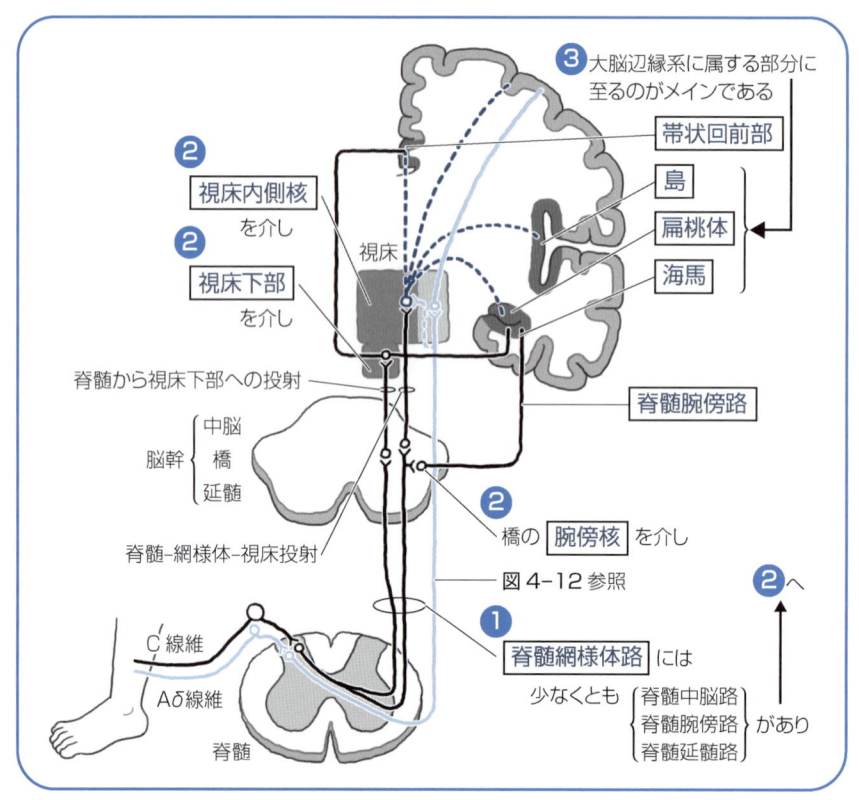

図 4-13　脊髄網様体路

　いルートを，脊髄-網様体-視床投射（spino-reticular-thalamic projection）という．

　脊髄網様体路（**図 4-13**）には，脳幹での到達部位により，①延髄の網様体に達する脊髄延髄路（spinomedullary tract），②中脳に達する脊髄中脳路（spinomesencephalic tract），③橋の腕傍核を経由して扁桃体に達する脊髄腕傍路（spinoparabrachial tract）などがある．これらのルートは，主に C 線維の刺激を伝え，大脳辺縁系に至り，一部が体性感覚野に至る．つまり，大脳辺縁系は快・不快を沸き起こす場所なので，そこに至る C 線維は不快感をもたらすとともに痛みを伝える．

🌸 伝えるもの

★ Aδ線維：痛み
★ C 線維：痛みと不快感

3 新脊髄視床路と旧脊髄視床路

　脊髄視床路（図4-12）・脊髄網様体路（図4-13）は，脊髄横断面の前索と側索に位置しているが，前索と側索のどこにあるかは明確に区別できないようである．したがって，痛みを伝える2次ニューロンは，脊髄の前・側索のどこかを通るというぐらいに覚えておけばよい．さて，新脊髄視床路や旧（古）脊髄視床路という記載を見かけることがある．新脊髄視床路はこれまで述べてきた脊髄視床路であり，旧脊髄視床路とはこれまで述べてきた脊髄網様体路を意味している．

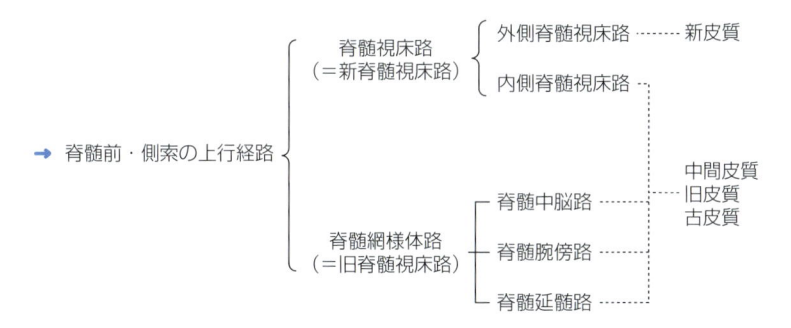

```
                              ┌ 外側脊髄視床路 ……… 新皮質
              ┌ 脊髄視床路     ┤
              │ （＝新脊髄視床路）└ 内側脊髄視床路 ┐
              │                                 │
→ 脊髄前・側索の上行経路 ┤                                 ├ 中間皮質
              │                 ┌ 脊髄中脳路 ───┤ 旧皮質
              │                 │              └ 古皮質
              └ 脊髄網様体路    ┤ 脊髄腕傍路
                （＝旧脊髄視床路）│
                                 └ 脊髄延髄路
```

> **メモ** 魚に脊髄視床路はあるか
>
> 　下等動物や魚では新皮質はない．新皮質がないので，そこに向かう線維はない．脊髄視床路は，視床を経由して大脳皮質の新皮質に至るニューロンの通り路である．動物が高等になるにつれ，新皮質の占める割合が高くなるため，脊髄視床路が出現してくる．つまり，魚には脊髄視床路はない．

4 痛み刺激の横流し

　痛み刺激（侵害刺激）にしても，触刺激（非侵害刺激）にしても，脳幹（中脳・橋・延髄）に到達した刺激は，そこのニューロン（中脳・橋・延髄の神経細

胞）にシナプス伝達する．その後，1）上行するか，2）下行する．上行する刺激は，前述のように最終的に大脳皮質に到達し，その到達部位での細胞機能を活性化する．一方，下行するとは，①「自律神経反射の源となったり」，②「脊髄を下行し，脊髄後角での痛みのシナプス伝達に影響を与えたりする」である．②の作用を下行性抑制と呼び，自分の身体に元から備わっている内因性の鎮痛機構として重要である．なぜなら，現在鎮痛に使用されている薬は，下行性抑制系——内因性の鎮痛機構——を活発にするからである．また，気のせいとされているような動作——さする，別のことに集中する……など——で痛みが軽減する現象も下行性抑制系の活発化（☞8章）によるからである．

この痛み刺激の脳幹への入力は，ⅰ）脊髄網様体路を介して作動するパターンと，ⅱ）脊髄視床路を上行する刺激が脳幹に横流しされるパターンがある．つまり，痛み刺激は，①実際に痛みを伝える刺激と，②痛みを抑制する機構を活発にする刺激に，途中で分かれることになる（☞図4-4）．

> **メモ** 脳幹の3大網様核とは（よく聞く名前です）
>
> ★ Nucleus gigantocellularis：巨大細胞核
> ★ N. Raphe Magnus：大縫線核（中脳と菱脳の被蓋の正中内面に存在）
> ★ N. Locus Coeruleus：青斑核

脳幹の網様核は，侵害刺激（☞5章図5-1，6章図6-1），非侵害刺激の双方で活性化される．見る（視覚），聞く（聴覚）でも活性化される．網様核で発生し脊髄を下行する刺激は，脊髄後角での痛みの伝達を抑制する（☞8章図8-2・5・6・8・15）．さらに脳幹は自律神経活動を仲介する．具体的に，嫌なことがあって胃が痛む（胃酸の分泌亢進，迷走神経刺激），ドキドキする（交感神経活動の亢進），吐き気がする（迷走神経刺激）などの反応は，脳幹網様体からの遠心性刺激が関与している．痛いと気分も悪くなり，吐き気を催してしまう．これらの中枢（迷走神経核，血管運動中枢など）は脳幹に存在しているからである．脳幹の網様核は，①あまりに痛いときに吐き気を催してしまう源となるが，②痛み自体に対しては抑制をかける場所である．

5 ケガと脳疾患と脳外科手術：神経の通り道（局在）の発見

「昔あるとき，ピストルを自分の口に入れて後ろに撃った人がいた．病院に運ばれたその人は，意識があり，触覚に異常なく，片側の痛覚のみが消失していた．

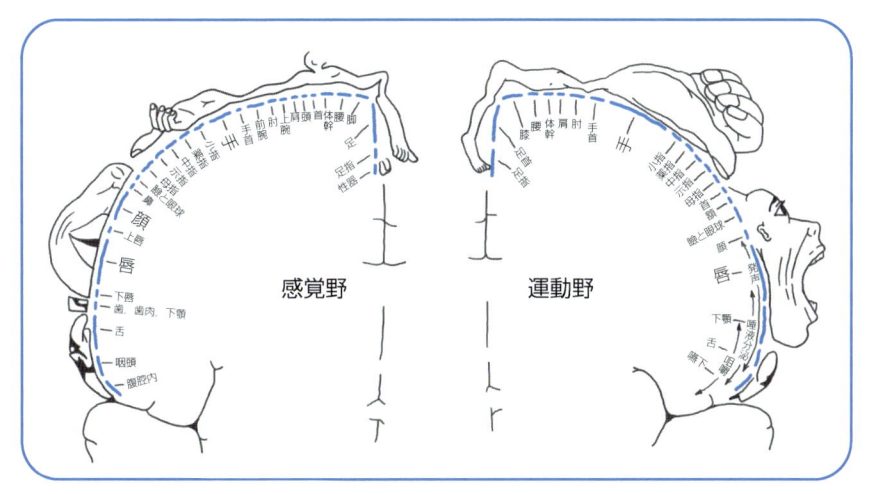

図 4-14 Penfield の図
　感覚野は中心後回に，運動野は中心前回にある．脳細胞の機能の局在をコビト（ホムンクルス）に模して示した図．大脳皮質に占める面積が，運動野（右）では微細な運動を要する部位（指，顔面，舌，目）で広く，感覚野（左）では敏感な部分（唇，指，顔面）で広い．
[Penfield W, et al: The cerebral cortex of man. Clinical Study of Localization of Function, Macmillan Com, New York, 1950 より引用]

やがて亡くなられたが，解剖所見では，脊髄の前・側索のみが撃ち抜かれていた」
　神経機能の局在は，事故による損傷部位や脳病変による脱落症状の観察から推定されてきた．歴史的には，手術中の脳病変の位置と欠落症状の関係から，脳機能の局在が明らかにされている．例えば，運動野（中心前回のコビト）や体性感覚野（中心後回）の地図（図 4-14）を明らかにした Penfield は脳外科医であった．図 4-14 は，中心前回のコビト（運動野のホムンクルス，脳の中のコビトともいう）で，生理学，神経学の本には，必ず出てくる．

6 痛みをどこで感じるか？

　さて，痛みは，最終的に脳のどこで感じとられるのか？　痛みの刺激は，痛いことが発生しているという事実と痛みの場所を知らせる．脳で痛みの感覚の担当部署は，機能的磁気共鳴画像（functional MRI）で同定されている．functional MRI では，活動中の脳を MRI 画像上で光らせ同定できる．痛み刺激を行って，脳の光る部位を追っていけば，痛み刺激に関連した活動部位と経時的変化が分か

C．脊髄後角からの路

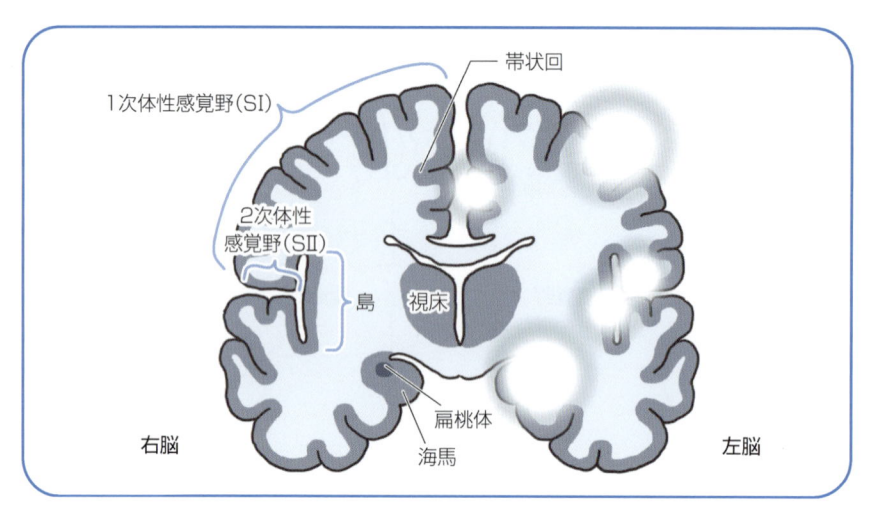

図 4-15 ＳⅠ，ＳⅡと光った局在（例えば右の親指を痛めたら光る部分）

る――という考え方である．活動した結果，酸素消費が増すと画像が光るようにできている．つまり，どこかの光る部分，またはその組み合わせで痛いという感覚が発生しているのではないかと考えられる．痛み刺激により，ＳⅠがまず光る．やや遅れてＳⅡ，島，帯状回前部，内側部側頭葉（扁桃体，海馬を含む）が光る（**図 4-15**）．視床➡ＳⅠ➡ＳⅡで痛みの場所・強さ・刺激の種類を判別し，視床➡島➡帯状回前部・海馬・扁桃体 が情動に関係していると推定されている．

　ＳⅠ領域では，痛む場所がどこかを判別していると考えられる．一方，光ったＳⅠの脳部位で痛みを感じているのか，単に場所を示しているだけなのかは確定していない．例えば，「手が」「痛い」の「手が」はＳⅠで分かるが，「痛い」は辺縁系を含めて総合的に感じている可能性がある．

> **メモ** ＳⅠ，ＳⅡとは：１次体性感覚野，２次体性感覚野
>
> 　痛みについての本を読んでいると，ＳⅠとかＳⅡという表記が当たり前のように出てくる．ＳⅠは１次体性感覚野，ＳⅡは２次体性感覚野である．ともに大脳皮質の部分で，ＳⅠは頭頂葉の部分である中心後回の皮質であり，これまで述べてきた体性感覚野である．ＳⅡは外側溝の上面の皮質である（**図 4-15**）．

5 痛みのスープの味は？

発痛物質：炎症の問題

A 炎症があると痛い？

患者（以下 患）　昨日，転んで痛いです．転んだときはすごく痛かったのですけど，その後も痛みが続いています．
医師（以下 医）　触ると痛いですか？
患　はい．触らなくても痛いですが，押さえるともっと痛みます．何でこんなに痛いんですか？　骨は折れていませんよね．
医　炎症があるから痛むのです．
患　炎症ですか．それで痛いのですね．
医　昨日の薬は効きましたか？
患　効きました．でも6時間ぐらいしたら切れました．

　よくある会話です．患者さんも医師も「炎症」という言葉で納得しています．しかし，患者さんが，深く知っているかは？ですね．なぜ，炎症があると痛いのでしょうか．炎症の場では，痛みの原因となる物質「発痛物質」（後述）が産生・放出され，痛みを感知する自由神経終末を「刺激」するから痛いのです．

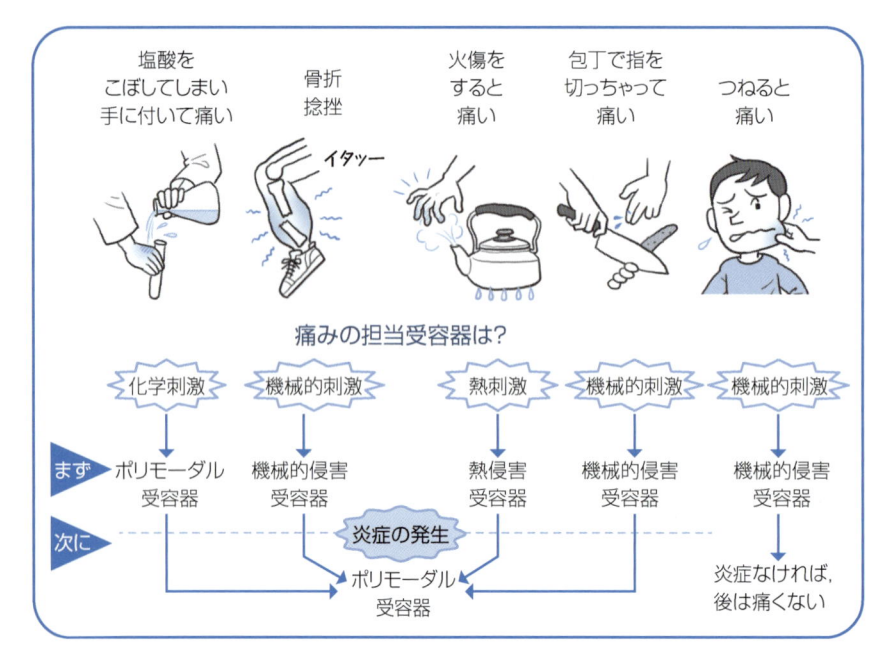

図 5-1　痛みのよくある原因

痛みの原因物質 → 起動電位の発生 → 活動電位の発生

1　ケガの痛み

　「指を包丁で切ってしまった」とか，「針で刺してしまった」ら，①その瞬間激痛が走り，反射的に「手を引っ込め」，その包丁や針から逃げる．②包丁が離れ，針が抜けても，その後しばらく痛みは続く．そして数日間，切った傷を押さえると「痛い」（**図 5-1**）．①は直接的な機械的刺激による痛みであり，②は損傷により発生した発痛物質からの化学刺激で痛い．
　痛いときはいつでも必ず，当該部位から脳までのどこかの神経線維で活動電位が伝導している．上述の例では，切ったり，刺したりした瞬間，痛みを伝えるニューロンの自由神経終末（侵害受容器：☞ 2 章図 2-7，6 章図 6-1）で，①切る，刺すという刺激（機械的刺激）を感じるセンサーの活性化で膜電位が上昇

（起動電位が発生）すると➡活動電位が出現➡痛みとなり，②続いて発痛物質が出現し始めると今度は，発痛物質を感知するセンサーの活性化で起動電位が発生➡活動電位が出現➡痛みの持続となる．つまり，そこに発痛物質があるかぎり，ケガの後の痛みは持続してしまう．発痛物質は，総じて炎症の場で産生・集積する．センサーは自由神経終末にある．ケガ以外でも，感染の場は炎症の場であり，痛い．発痛物質が産生されているからである．

発痛物質は痛みのセンサーを刺激する

2 受容体，センサー，トランスデューサー：皆同じです

受容体（☞ 12 章 p189），センサー，トランスデューサーという用語の示す中身は，ほぼ同じである．侵害受容器には，侵害刺激を感じとり反応する（senseする，検出する，感知する）部品があり，それをセンサー，受容体，トランスデューサーと表現している．トランスデューサーは変換器であり，刺激を感知して電気信号に「変換」するという意味を強調した用語である（通常，イオンチャネルであり，トランスデューサーチャネルともいう）．

受容体 ≒ センサー ≒ トランスデューサー
↑
侵害受容器の表面にあります

痛みの原因 ➡ 侵害受容器にある受容体の活性化 ➡ 活動電位
　　　　　　　（起動電位の発生）

A．炎症があると痛い？　63

3 侵害受容器での受容体による起動電位の発生

「侵害受容器」と「受容体」という用語は，同じようだが，まったく同じではない．「侵害受容器」の表面に「受容体」がある——侵害受容器の構成員として「受容体」が存在している．

> 発痛物資は膜電位を上げる
>
> 起動電位の発生 → 活動電位の発生

B 発痛物質の正体

1 痛みのスープ

痛みの発生源となる物質を「発痛物質」という．発痛物質には，発痛作用と発痛増強作用がある．痛みの発生源となる物質・刺激に対する受容体の感受性を高める作用を発痛増強作用という（例：プロスタグランジン E）．「機械的侵害刺激」（☞ 2 章 p26）により，多かれ少なかれ組織損傷が発生すると，続発して「発痛物質」の産生がある．発痛物質には，ブラジキニン，ヒスタミン，アセチルコリン，セロトニン，カリウム，水素イオン，プロスタグランジン E（シクロオキシゲナーゼ系代謝産物），サブスタンス P，各種サイトカイン，一酸化窒素，リポキシゲナーゼ系代謝産物などがある．炎症の場では，多種の「発痛物質」が混在・集積し「痛みのスープ」ができあがる（**図 5-2**）．全体で痛みの味を出しているのであろう．

2 炎症と抗炎症鎮痛薬

痛みを抑える薬は，直接的・間接的に最終的に Na^+ のニューロン内への流入を阻止する．直接的に阻止するのは局所麻酔薬である．ロキソニン®，ボルタレン®，セレコックス®のような抗炎症鎮痛薬（☞ 10 章）は，「発痛物質」のプロスタグランジン E 産生を抑制し，間接的に阻止する．

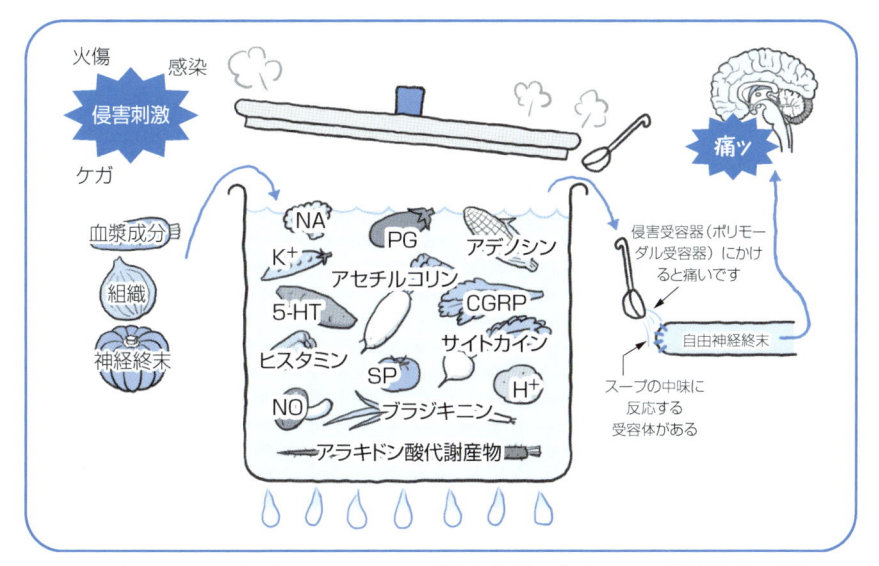

図 5-2 痛みのスープ：色々入ってます［発痛物質の集まり：☞巻頭略語一覧］

C 炎症と発痛物質

1 炎症とは

　一般の人にも，炎症という状態のイメージがある．例えば，患部を見ながら「炎症を起こして……痛い（とか，赤い）」などと言う．これは，正しい観察である．

　①発赤，②腫脹，③痛み，④熱感を炎症症状といい，これらが観察されれば，炎症があると臨床的に診断できる（**図5-3**）．医師は，この4要素がそろっているか，意識的に所見をとる．

　炎症とは何か？　それは，傷害を受けた組織を防御し修復する過程である．骨折，虫刺され，感染，火傷，打撲，切り傷，挫滅，潰瘍，びらん……など，様々な組織の障害があれば，炎症反応が発生する．もともとは，病理学の用語である．

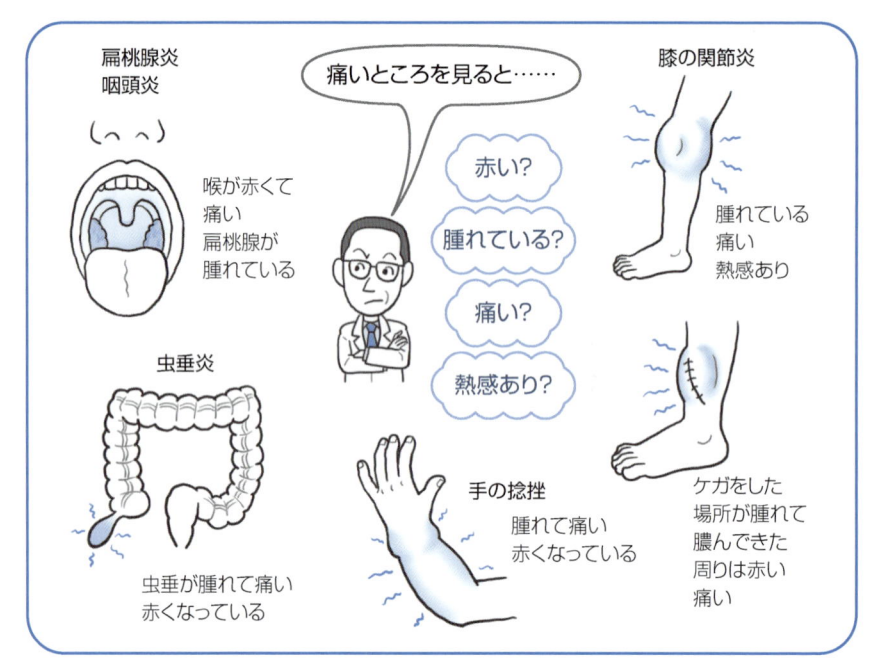

図 5-3 炎症の 4 要素：赤い，腫れている，痛い，熱感あり

2 工事現場に例えると：炎症における発赤と熱感と腫脹

　例えば，家やビルの建て替えでは残された柱とか屋根を除去するために人や重機やトラックが集まり，処理した後または同時に，再建のための人・資材・機械が集まり，新たな家を建てるという過程がある．もし道が狭ければ，新たな道を作ったり，道幅を広げる．すると，トラックや人が集まりやすくなり，一見して工事現場と分かるような状況となる．工事が終われば，再び元に戻り，復旧となる．この工事現場の状況を傷付いた組織に当てはめると分かりやすい（図5-4）．

　工事現場の道に相当するのが血管である．血流に乗って，白血球や再建資材の蛋白質が現場に到着し，そして仕事をするために血管外に出る．血管拡張が発生すると，最初は血液量が増加するので発赤・熱感が発生する．そこに動員される白血数も増える．血管外に出るためには，血管透過性が高いのが都合が良い．つまり，炎症の場での血管拡張や血管透過性の亢進（腫脹）は，組織修復の過程で必然な反応である（図5-5）．

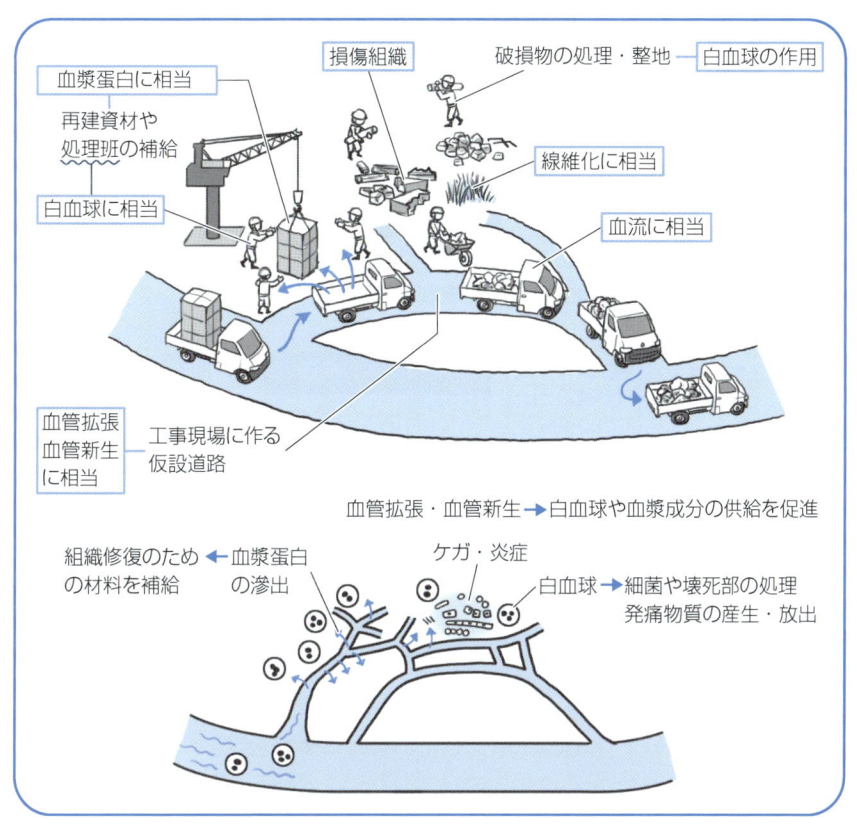

図 5-4　炎症部位を工事現場に当てはめてイメージ：白血球から発痛物質が出る

　白血球の仕事内容は，貪食，細菌を死滅させる物質の産生・放出などである．さらに白血球は，痛みの原因となる物質を産生・放出する．合目的に考えるなら，痛みにより傷害の存在を知らせ，損傷部位の安静を図るためである．

3　炎症における痛みの意義

　では，「痛み」の意義は何か？　炎症反応は，組織の防御と修復の過程である．もし，組織に傷害が発生しても，身体がそれに気付かなかったら，どうなるか？　例えば，ケガや火傷を負ったとして，それに気付かず行動したら，余分な動作や新たな打撲で傷害は重症化するであろう．普段は4本脚で歩く動物でも，脚をケガすれば3本脚で歩く（**図5-6**）．負傷した脚をかばわないと痛いからで

C．炎症と発痛物質　　67

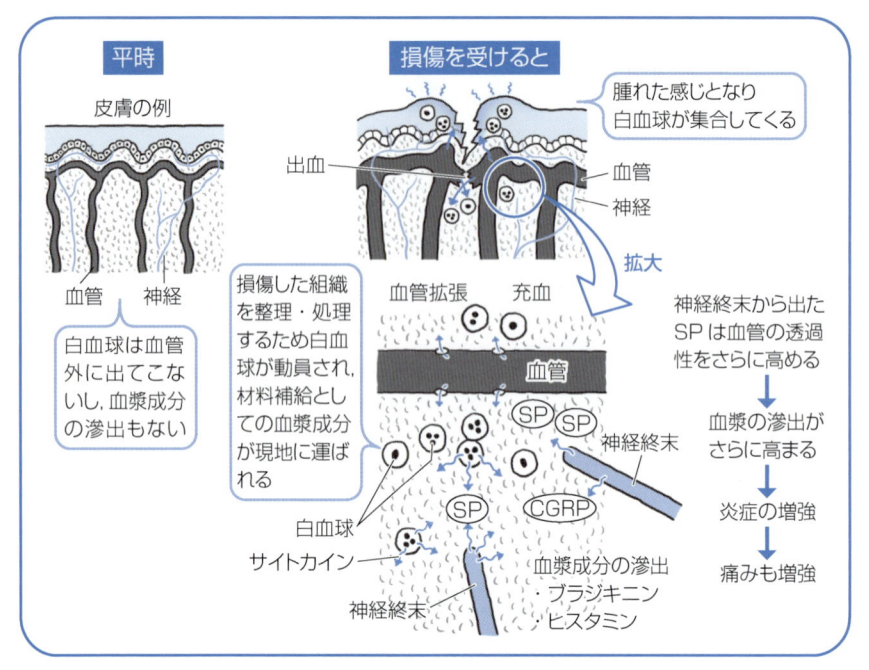

図 5-5　血管拡張と血管透過性亢進の絵
白血球の動員，炎症物質の動員，血漿成分の滲出，赤血球の増加（充血）．
SP：サブスタンス P，CGRP：カルシトニン遺伝子関連ペプチド

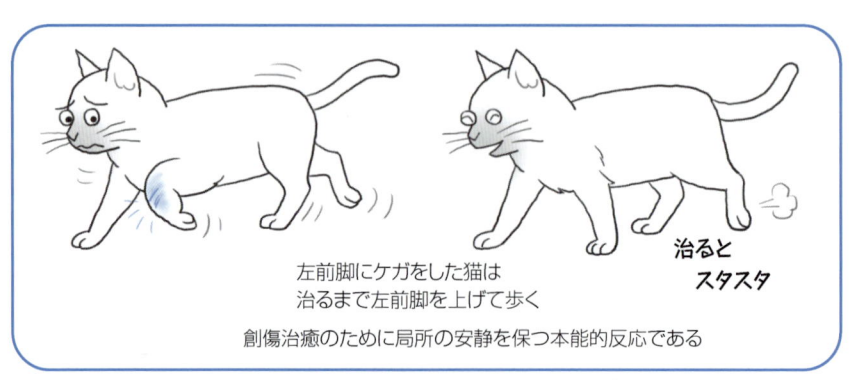

図 5-6　痛いと使わない ➡ 患部の安静が保てる

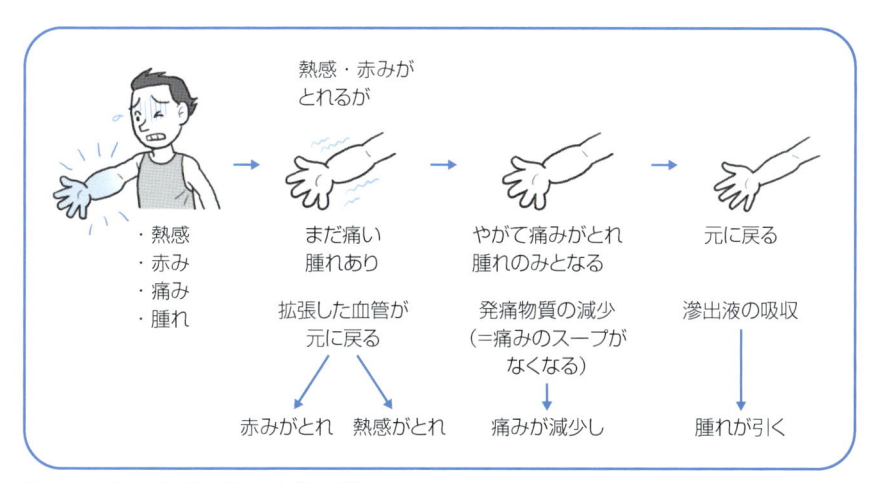

図 5-7　治る順番（炎症症状の消退）

ある．痛くないとかばわないので，傷は深くなる．ケガをした脚を使い続けていると，動くからいつまでたっても傷は閉じない．つまり，創傷治癒には，その局所の安静が必要である．もし動かして痛ければ，自然に動かさなくなるので安静を保てる．ただ，動物の場合は快・不快により行動するので，痛いというより不快感が強いのであろう．

炎　症

発痛物質の産生あり

　炎症の痛みは，①「そこに炎症がある」というサインとして重要である．そして，②傷が治るまで，痛みは安静を保たせるために必要な感覚である．ただし，必要以上に痛いのは良くない．「いつも痛い」や「すごく痛い」，「傷が治っているのに痛い」のは，余分な痛みであり，痛みそのものが治療の対象となる．痛覚過敏や異痛症といわれる状態が発生してしまう（☞16・17章）．炎症が治まると，まず熱感・発赤がなくなり，やがて痛みがとれ，最後に腫れがとれる（**図5-7**）．

C．炎症と発痛物質

D 発痛物質の働き：ブラジキニンとプロスタグランジンE

後輩医師（以下㊡）　発痛物質が起動電位を起こす……なんかむずかしくなってきそうです．

先輩医師（以下㊛）　カリウムチャネルとかキナーゼも出てきますよ．

㊡　えっ，それって重要なのですか？

㊛　痛みに効く薬が作用する場所とか，作用機序の急所になるのですよね．

㊡　痛みを科学的に捉える．

㊛　そう．神経のどこに作用し，なぜ効くか分かっていれば，処方する側も患者さんも期待するから，効果も上がるのです．

㊡　期待！　プラセボ効果ってありますよね．

㊛　プラセボ効果による内因性モルヒネ様物質の産生もありますが，それは後で（☞19章）．まずは痛いときに，神経で起こっていることをイメージしましょう．

㊡　痛みを，物質や分子やイオンで考えるって，普段はありませんけど……．

㊛　分かると薬の使い分けに役立ちますよ．

㊡　……学生のときって，何が大切か分からないですよね．

1　出血は痛む：発痛物質

　炎症の場に登場する物質（炎症物質）は，通常，発痛物質である．それ自身が痛みを起こす場合と（発痛作用），それ自身のみでは痛みを起こさないが，痛みを起こす物質に対する感受性を高める場合（発痛増強作用）がある．発痛増強作用を持つ物質として，プロスタグランジンEがあり，治療の標的となっている．通常，血液は血管内にあるが，血管外に出ると，つまり出血すると痛みの原因となる．出血した場所に痛みを伝える自由神経終末があると痛む．血漿に「発痛物質」および「発痛物質の素」が含まれているからである．発痛作用が強力なのは，ブラジキニンとヒスタミンである．これらは，常時血中に存在しているが，血管内なので，血管外にある痛みの自由神経終末に到達しないので痛まない．しかし，ケガで出血すると到達するので，痛みの原因となる――というか，ケガでは，止血反応と痛みが同一物質によって発生する．ケガでは多かれ少なかれ出血するので，血小板や凝固因子の作用で止血反応が開始する．血液凝固は，凝固因子ⅩⅡ因子の活性化で始まるが，この活性化ⅩⅡ因子は，「痛みの素」をも同時

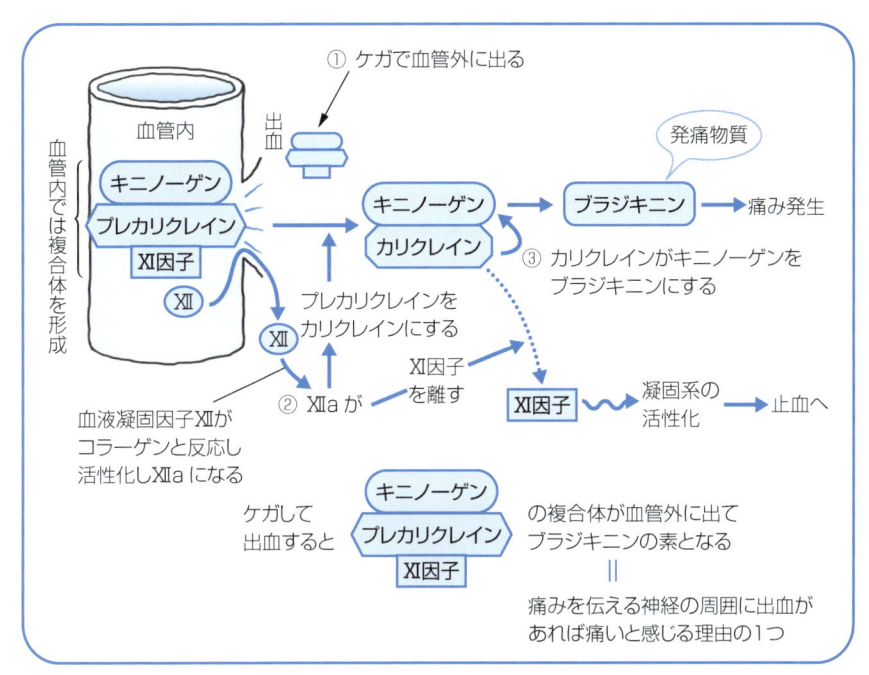

図5-8 キニノーゲン・プレカリクレイン・XI因子複合体

に活性化する．その「痛みの素」は，血中のキニノーゲン・プレカリクレイン・XI因子複合体である（**図5-8**）．

血中の痛みの素

キニノーゲン・プレカリクレイン・XI因子複合体

2 虚血と痛み

　虚血とは，酸素需要に対して酸素供給が追い付かない状態である．①酸素需要の増加，②酸素供給の低下，③双方の同時発生が考えられる．例えば，下肢の閉塞性動脈硬化症では，歩くと痛み，休むと痛みは軽減する．歩くと酸素需要が高まり，休息によって酸素需要が減少する．心筋梗塞患者では，冠状動脈の狭窄のため，酸素供給が低下している．なぜ痛むのか？　虚血（酸素不足）により発痛

D．発痛物質の働き

物質が虚血部位で増加するためである．その候補は，乳酸（水素イオン），ブラジキニン，カリウムイオンである．正坐したときの発痛物質はこれらである．

a. 乳酸の産生

酸素不足では，ピルビン酸が乳酸となり，乳酸が蓄積する．腕立て伏せや懸垂を繰り返すと，腕が痛むが，運動量に対する酸素供給が追い付かず，乳酸が蓄積するからである．乳酸の水素イオンが痛みの受容体（センサー，トランスデューサー：☞ p63）を活性化するのである．

b. ブラジキニンの産生

酸素欠乏➡乳酸産生➡アシドーシス➡血漿プレカリクレインが活性化されカリクレインとなる➡カリクレインはキニノーゲンからブラジキニンを産生する➡ブラジキンの増加➡痛み発生（図 5-8）．

c. K^+ の局所での増加

組織の虚血状態ではATPの枯渇により細胞膜の Na^+/K^+ ポンプ（Na^+ を細胞外に出し，K^+ を細胞内に入れる）が作動しなくなり細胞外液の K^+ 濃度が高まる．神経終末周囲の K^+ 濃度上昇は，脱分極をもたらし，活動電位が発生しやすくなる．痛みの神経線維で活動電位が発生すれば，痛みとなる．同じような仕組みで心筋細胞では不整脈が発生する．

> **メモ** どうしてブラジキニンが発痛物質と分かったのか？
>
> それは，ブラジキニンをヒトに注射したら「痛い」と言ったからです……．他の発痛物質も同様です．当時，すでに精製されたそれらの物質が存在し，まずは動物に注射してみるわけですが，ヒトがどう感じるかはヒトでなければ分からないため，ヒトで確かめた人々がいるのです．

3 炎症物質はどこからくるか？

炎症の場に登場する物質（炎症物質）は，①機械的刺激で破壊された細胞の細胞質内からの放出物質，②傷害を受けた神経線維からの神経ペプチド放出，③組織に存在する肥満細胞や大食細胞からの放出物質（①や②の物質により刺激され放出が増強），④動員された好中球・リンパ球からの放出，⑤止血のため動員されている血小板からの放出などである（図 5-9）．これらは，痛みのスープ（☞図 5-2）の材料の生産地である．

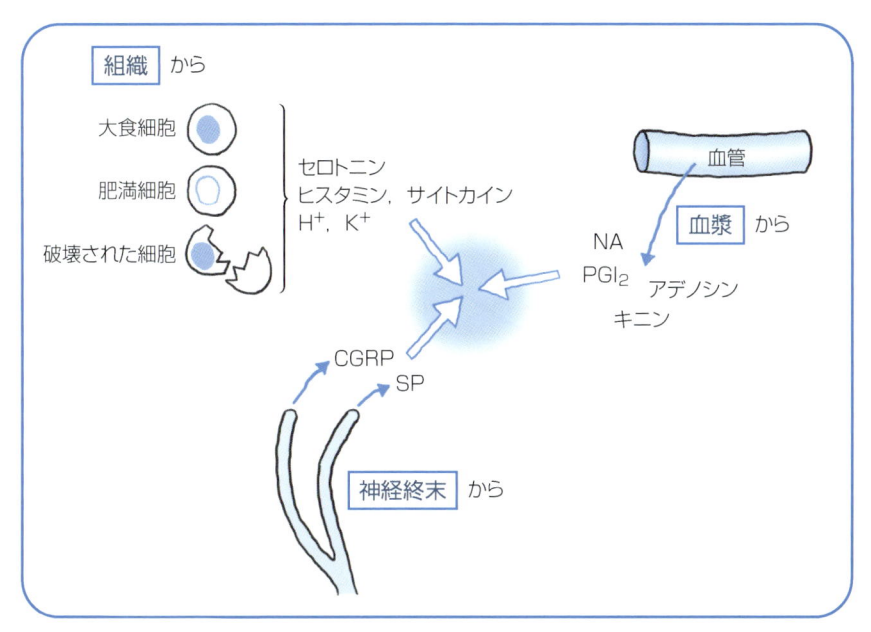

図 5-9 痛みの原因物質の出どころ
NA：ノルアドレナリン，PGI_2：プロスタグランジン I_2（プロスタサイクリン），SP：サブスタンス P，CGRP：カルシトニン遺伝子関連ペプチド

炎症物質は発痛物質でもある

4 炎症物質の存在は，神経を感作する

　感作された状態とは，「活性化されやすい状態」である．活性化とは，「活動電位が発火する」であり，活動電位の発火は，電位依存性 Na^+ チャネルの開口である（☞ 6 章図6-8~10）．つまり，感作されると最終的に電位依存性 Na^+ チャネルが開きやすくなる．電位依存性 Na^+ チャネルは，起動電位を受けて開くので，電位依存性 Na^+ チャネルが開きやすい状態とは，起動電位が発生しやすい状態でもある．つまり，侵害受容器の表面に存在している受容体やチャネルが膜電位を上げやすい状態→①陽イオン（Na^+，Ca^{2+}）が神経終末内に入りやすくなったか，②神経終末内の K^+ を保持しやすくなった状態である．

D．発痛物質の働き

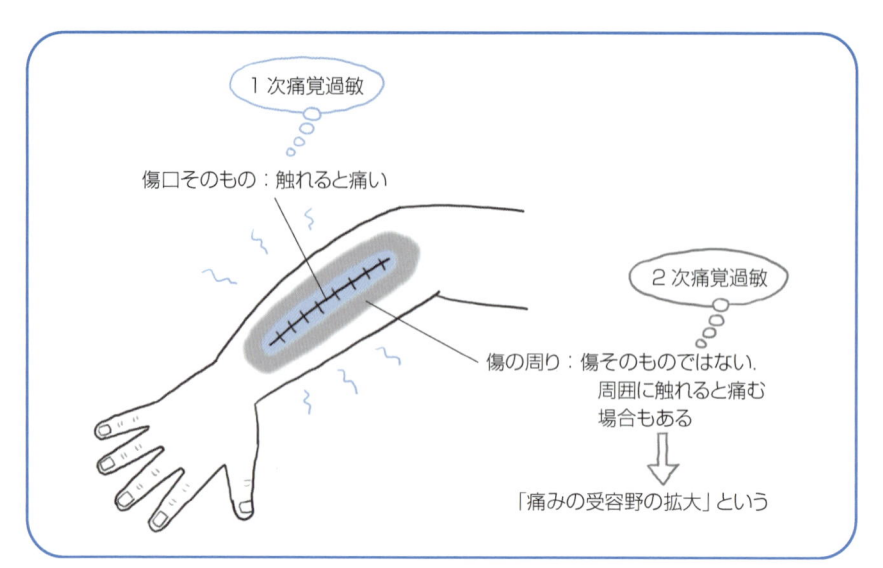

図 5-10　傷口とその周辺の痛み：damaged site と non-damaged area

　感作の症状は，「触れると痛い」，「押さえると痛い」，「水や湯で痛む」，「何もしなくても痛む」，「いつも痛い」などである．

炎症物質があると活動電位が出やすくなる

　傷の周りが痛むのは，手術やケガの特徴である．傷害を受けた場所は傷口そのものである．しかし，その周辺の非傷害部位を「触ると痛い」のは，誰でも経験している．これは傷口の周辺に炎症物質が増えているからである（図5-10）．

5　痛みの伝導の開始：ブラジキニンの場合

a．ブラジキニンそのものが痛みの起動電位を発生させる（発痛作用）
　ブラジキニンは血中にあって，血管が破れたときに血管外に出るとともに，出血の場ではキニノーゲン・プレカリクレイン・ⅩⅠ因子複合体から産生され，痛

みの原因となる（☞図5-8）．①C線維の自由神経終末に存在するブラジキニン受容体とブラジキニンが結合すると，②自由神経終末に存在するトランスデューサーチャネル（☞6章p89）が開口し（☞図5-13），③陽イオンであるNa$^+$が細胞内に流入し，④膜電位が上昇する（☞3章図3-4）．⑤膜電位がある閾値を超えると起動電位となり，この起動電位を受けて電位依存性Na$^+$チャネルが開口すると，本格的なNa$^+$流入が発生し（☞3章図3-1・6），⑥活動電位の発火となり，痛みの伝導が開始する（☞6章図6-10）．

起動電位を起こすために最初に流入するNa$^+$は，電位依存性Na$^+$チャネルとは別のトランスデューサーチャネルを介して細胞内に流入する（☞6章図6-8・9）．

b. 別の痛み刺激で膜電位を上げるチャネルの感受性をブラジキニンが高める（発痛増強作用＝温度，H$^+$，機械的刺激などの痛み刺激に対する感受性を高める）

TRPV（transient receptor potential vanilloid）チャネル（6章で述べます）はトランスデューサーチャネルの1つであるが，低温や熱などによる痛み刺激があるときにNa$^+$を通過させるイオンチャネルである（☞6章p91~93）．ブラジキニンは，TRPVチャネルの感受性を高める（＝TRPVチャネルにリンをくっ付けて開く：☞図5-13）．TRPVチャネルは外国発のチャネルであり，適当な日本語はないが，transientは一過性という意味である．本格的なNa$^+$流入（これは膜電位依存性Na$^+$チャネルによる）を起こす前に発生する，一過性のCa^{2+}やNa$^+$の流入である．ブラジキニンが存在すると熱刺激などの痛み刺激に対して，普段より強い痛みを感じるようになる．

Na$^+$チャネルとK$^+$チャネルにリンがくっ付くと

細胞内にNa$^+$が入りやすくなり，
細胞内からK$^+$が出にくくなる → 細胞内に陽イオンが溜まる

Q　例え話コーナー
リンがくっ付いたときのイメージは？

一般に，蛋白質にリン（P）やカルシウム（Ca^{2+}）やマグネシウム（Mg^{2+}）などがくっ付くと，その立体構造が変化する．これを具体的にイメージするなら，例えば，豆腐を作るときの，豆乳とにがり（苦汁）を思い浮かべればよい（**図5-11**）．にがりの成分は塩化マグネシウムである．豆乳の蛋白質にMg^{2+}が

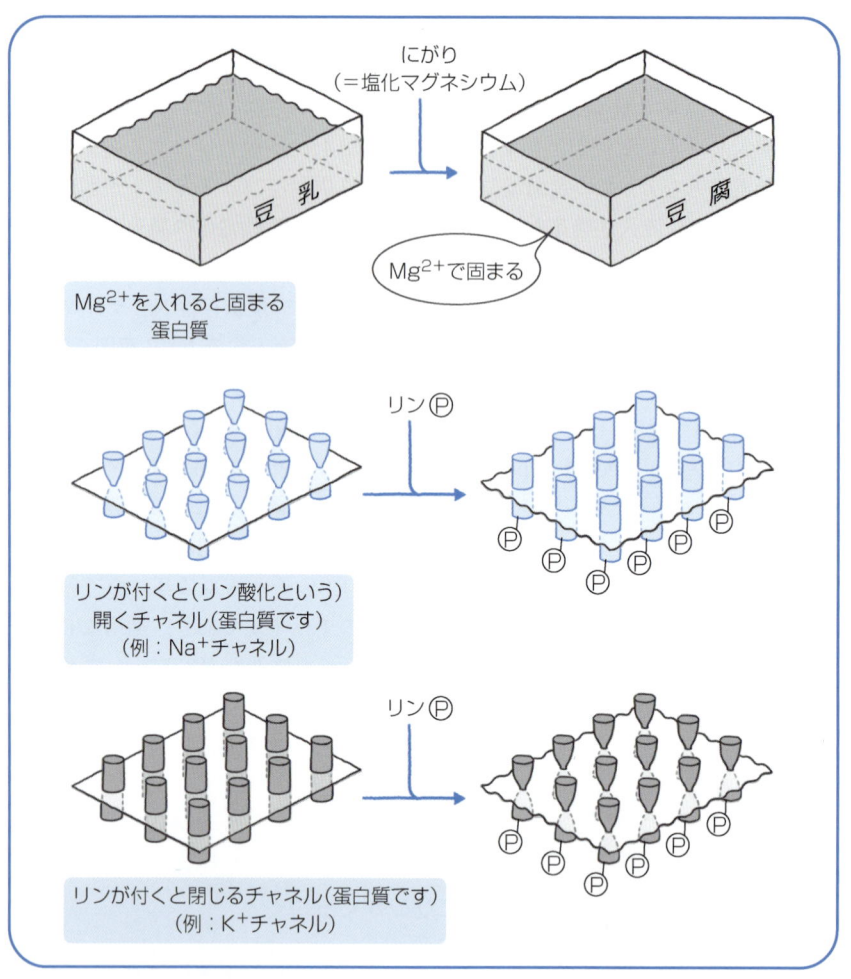

図 5-11　蛋白に Mg^{2+} や P や Ca^{2+} がくっ付くと立体構造が変化する（豆乳を例に）

くっ付いて，蛋白質の立体構造が変化して固まるのである．イオンチャネルは基本的に蛋白質であり，これにリンが付く（リン酸化という）とその立体構造が変化し，例えば，K^+ チャネルは閉じ，Na^+ チャネルは開く．また，シナプス小胞やシナプス前膜の蛋白質（SNARE 蛋白）に Ca^{2+} が付くとその構造が変化した結果，最終的にシナプス間隙に伝達物質が放出される（☞ 7 章図 7-4・5）．キナーゼ（リン酸化酵素：☞次頁 STEP UP）は，蛋白質に P を付ける物質であるが，キナーゼ自身も P の付着により構造が変化し，活性が変わる．

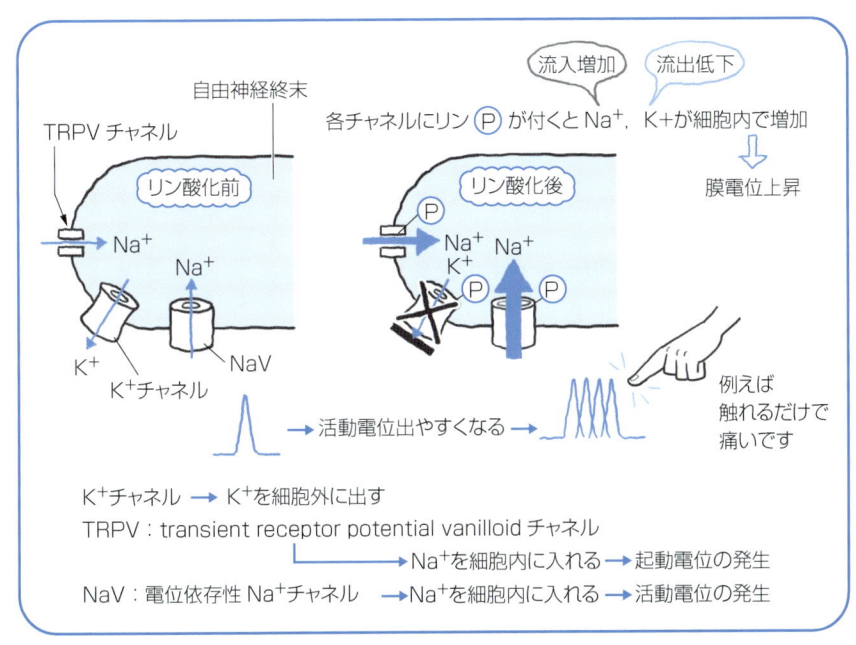

図 5-12 イオンチャネルのリン酸化により活動電位が出やすくなる

| STEP UP | **キナーゼとは** |

キナーゼと聞くとムズカシそうなイメージとなるが，役割が分かれば，痛みの仕組みが分かりやすくなる．

受容体やチャネルは蛋白質である．一般に蛋白質にリンがくっ付く（リン酸化という）と，その蛋白質の立体構造が変化する．その結果，イオンチャネルなら，それが通している物質の通りやすさが変わる．リン酸化により，Na^+ チャネルは開くが（細胞内への Na^+ 流入を促進），K^+ チャネルは閉じる（細胞外への K^+ 流出が低下）．結果として，膜電位は上昇する（図 5-12）．

このリン酸化（リンをくっ付ける）をもたらす酵素をリン酸化酵素――キナーゼ――と呼ぶ．リン酸化の相手として蛋白質をとくに強調したい場合は，プロテインキナーゼと表現する．どのキナーゼがどのイオンチャネルをリン酸化するか，リン酸化するとしたらどの程度かなどの解明は今後も進むと考えられる．神経終末での各種キナーゼ――サイクリック AMP 依存性プロテインキナーゼ（A キナーゼ），C キナーゼ，MAP (mitogen-activated protein) キナーゼ，ERK（細胞外シグナル調節キナーゼ），サイクリック GMP 依存性プロテインキナーゼ（G キナーゼ）――などによるイオンチャネルのリン酸化が，膜電位の上昇とそれに引き続く活動電位の発生をもたらす．

D．発痛物質の働き

イオンチャネルのリン酸化は痛みの源

ブラジキニンの担当チャネルは？

```
TRPV：開
K⁺チャネル：閉         NaV（電位依存性 Na⁺チャネル）：開
    ⋮                          ⋮
  起動電位        →          活動電位（図 5-13）
```

STEP UP ブラジキニンによる TRPV チャネルのリン酸化（図 5-13）

さて，ブラジキニン受容体とブラジキニンの結合から Na^+ の流入までをもう少し詳しく説明すると，以下のようになる．①ブラジキニンがブラジキニン B_2 受容体と結合すると，②G 蛋白（Gq）を介してホスホリパーゼ C が活性化しジアシルグリセロール（DAG）とイノシトール三リン酸（IP_3）が産生され，③DAG と Ca^{2+} により C キナーゼが活性化する．④C キナーゼにより TRPV チャネル（☞ 6 章）のリン酸化が発生し，⑤TRPV チャネルのリン酸化により Na^+ が少し入り，膜電位が少し上昇する．⑥このチャネルで流入した Na^+ の総和による膜電位の上昇が起動電位となり，閾値を超えると電位依存性 Na^+ チャネル（NaV）から Na^+ が流入し，活動電位の発火が開始する．TRPV チャネルは熱刺激を感じるセンサーであり，かつ電気信号に変換するイオンチャネルである．したがって，ブラジキニンにより TRPV がリン酸化を受けると熱刺激に対する感受性が高まり，普通は痛みと感じない弱い熱刺激を痛く感じてしまうようになる．つまり，熱による痛み刺激の感受性が高まる．

6 プロスタグランジン E（PGE）と痛み

PGE は発痛増強作用を持つ．それは，発痛物質の発痛作用や機械的刺激，熱刺激，冷刺激による痛みを増強する．電気的に表現するなら「痛みの起動電位と活動電位を起こしやすくする」である．

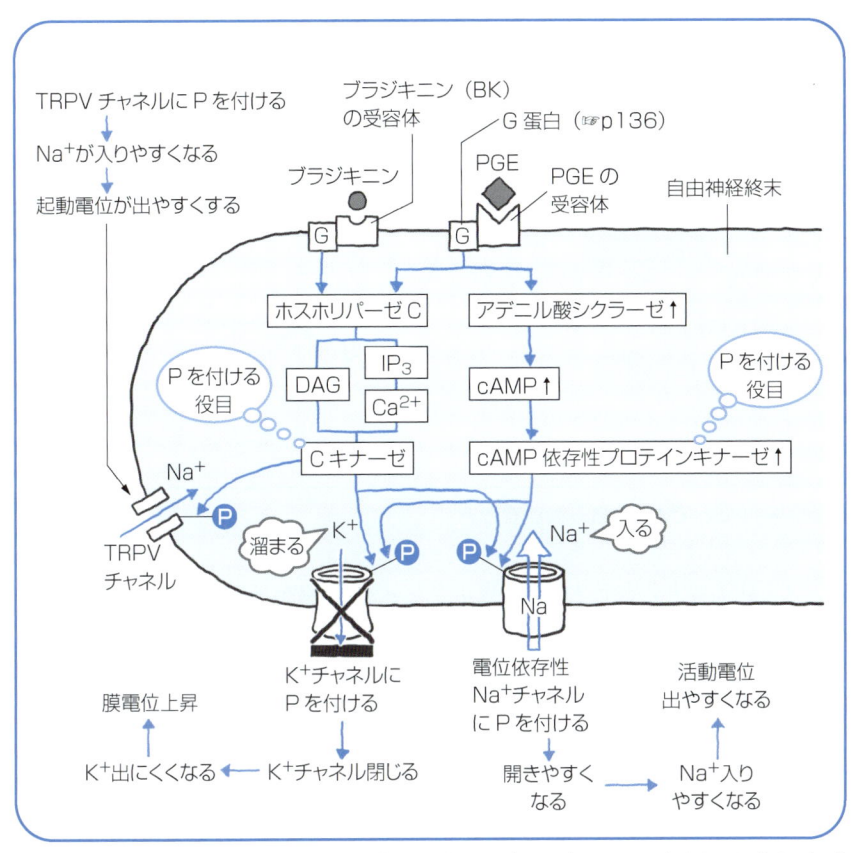

図 5-13 ブラジキニン，プロスタグランジン E（PGE）はチャネルに P（リン）を付ける

　PGE が PGE 受容体に結合した結果，①神経終末内のサイクリック AMP（cAMP）増加➡cAMP 依存性プロテインキナーゼ活性化➡K^+チャネルのリン酸化➡リン酸化により K^+チャネルが閉じる➡K^+イオンが細胞内に溜まり膜電位が上昇するため，起動電位が閾値を超えやすくなる（図 5-13，図 5-14）．さらに，② cAMP 依存性プロテインキナーゼ活性化により，電位依存性 Na^+チャネル（NaV）のリン酸化も起こり，このリン酸化により NaV が開きやすくなり，活動電位が発生しやすくなる．

　炎症の場では，発痛増強作用のある PGE と発痛作用を持つ物質が混在しているので，痛みの活動電位が PGE の存在により発生しやすくなっているのである（図 5-14）．逆に PGE がなかったら，痛みの活動電位は発生しにくくなる．実

D．発痛物質の働き

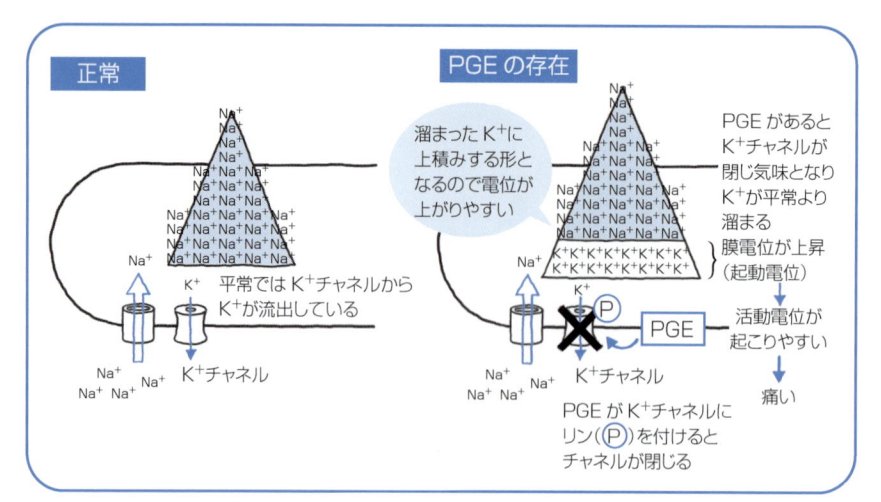

図 5-14　PGE で K$^+$ の踏み台ができる

際，ジクロフェナクナトリウム（ボルタレン®）やロキソプロフェンナトリウム（ロキソニン®），セレコキシブ（セレコックス®），ケトプロフェン（モーラス®）のような抗炎症鎮痛薬はシクロオキシゲナーゼ抑制作用により PGE の産生を抑制し，鎮痛効果をもたらす．副腎皮質ステロイドも同様である．① PGE 低下 ➡ K$^+$ チャネルのリン酸化低下 ➡ K$^+$ チャネル開く ➡ 細胞外へ K$^+$ が流出（☞ 3 章 図 3-8）➡ 膜電位が低下する．および，② PGE 低下 ➡ 電位依存性 Na$^+$ チャネル（NaV）のリン酸化低下 ➡ NaV 閉じる ➡ 細胞内への Na$^+$ 流入低下 ➡ 活動電位が出にくくなる，からである．

7　発痛物質と鎮痛薬の作用機序の大まかな考え方

　痛みのスープの中味は各々，イオンチャネル［TRP チャネル，K$^+$ チャネル，電位依存性 Na$^+$ チャネル（NaV）など］のリン酸化を介して，痛みの起動電位 ➡ 活動電位を発生させている（☞ 6 章）．痛みのスープの発生から NaV の開口に至る複数の地点を抑制するのが，薬物治療の目的である．例えば，抗炎症鎮痛薬は，痛みのスープの中身の PGE そのものの産生を抑え，痛みのスープ（炎症物質）で上昇した膜電位を下げ，起動電位 ➡ 活動電位の発生を抑え，痛みを鎮める．局所麻酔薬は，直接的に NaV にフタをする（☞ 11 章図 11-3）．

6 痛みのセンサー

―― 侵害受容器と受容体

A 侵害受容器

2・5章でも述べたが,「侵害受容器」は,「ケガ・火傷・凍傷などを起こすような出来事や発痛物質を感じとって反応するニューロンまたはその自由神経終末」である.痛みの感知器といえる.もともと,英語のnociceptorの和訳である.noci- は,ラテン語の害する,痛めるの「nocere」に由来し,外傷または疼痛の意を表す接頭語である.なお一般社会では,侵害は「他人の権利や利益を侵し,損害を与えること.例:人権侵害［広辞苑,改訂第5版,岩波書店,1998より］」である.

自由神経終末で,痛み刺激を感じとって反応します

1 痛みを起こす刺激を感知するとは？：侵害受容器の実体

では,侵害受容器の実体は何か.侵害受容器という用語・概念が生まれてから,ずいぶんと年月がたってようやく,侵害受容器という「感知器（センサー）」において,切る,刺す,挟む,火,凍傷などの身体を傷付けてしまう刺激に反応

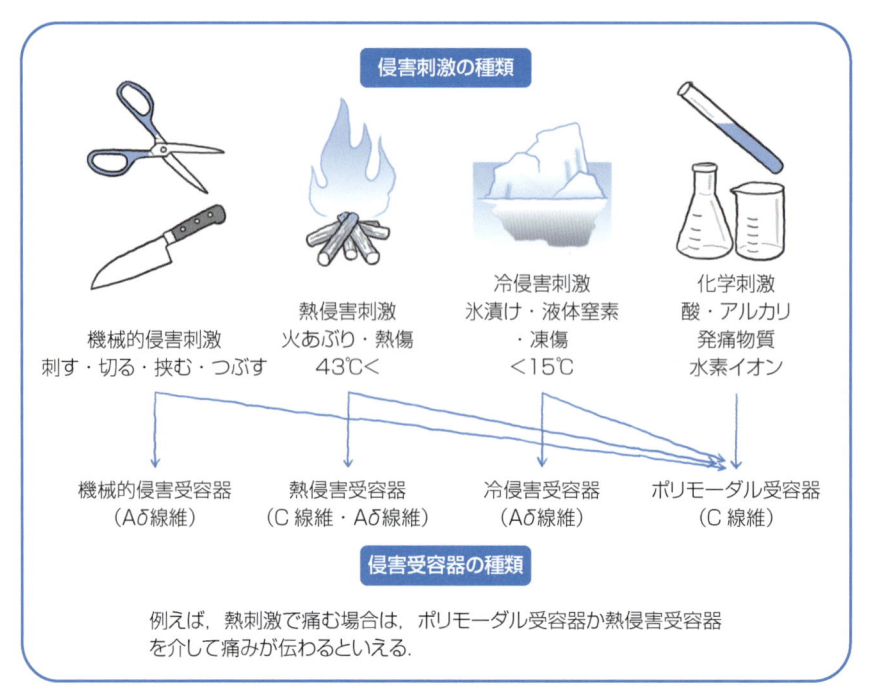

図 6-1 侵害刺激の種類と担当侵害受容器

する「部品」の存在が明らかになってきた（**図 6-1**）．その「部品」とは，Na^+などのイオンを通過させる穴・通路（イオンチャネル）である．つまり，例えば，①切る，刺す，挟むなどの機械的侵害刺激がイオンチャネルを開き，②この刺激が自由神経終末で細胞外から細胞内への「イオンの流れ」に変換され，まず③「起動電位」が発生し，次いで④「活動電位」が発生し，痛みの伝導が開始する．したがって，侵害受容器の実体は，「痛み刺激を電気信号に変えるイオンチャネルが存在している自由神経終末，またはそのニューロンそのもの」といえる．

すでに 5 章（☞ p63）で，受容体，センサー，トランスデューサーはほぼ同じような意味で，イオンチャネルであると述べた．受容体とイオンチャネルという用語は，意味するところに互換性があると気付いていただければありがたい．

> **メモ** イオンチャネルとは
>
> イオンを通過させる穴．この穴が開くと濃度勾配により，イオンが通過する．つまり，濃度の高い方から低い方へ移動する．Na^+は，細胞外の濃度が高いので，Na^+チャネルではNa^+が細胞外→細胞内に移動する．Ca^{2+}は，細胞外の濃度が高いので，Ca^{2+}チャネルではCa^{2+}が細胞外→細胞内に移動する．K^+は細胞内濃度が高いので，K^+チャネルではK^+が細胞内→細胞外に移動する．Cl^-は細胞外濃度が高いので，Cl^-チャネルではCl^-が細胞外→細胞内に移動する．細胞内膜電位が上昇する（起動電位の発生）には，①細胞内にNa^+が入る，②Ca^{2+}が細胞内に入る，②細胞内からK^+が出ない，③Cl^-が細胞内に入らない——が発生すればよい．
>
> 痛み刺激に反応する自由神経終末には，イオンチャネルや受容体が存在し，侵害刺激によりこのイオンチャネルや受容体が活性化すると，痛みのシグナルが開始する（☞3章）．
>
> 受容体刺激によって開閉するチャネルには，受容体そのものがイオンチャネルであるイオンチャネル型受容体，受容体刺激による細胞内伝達物質の変化によりイオンチャネルが開閉する代謝調節型受容体がある．例えば，AMPA（アンパ）受容体（☞7章図7-2・3）はグルタミン酸で開く受容体でイオンチャネル型受容体であり，μ受容体（☞12章図12-2bd）はオピオイドの受容体で代謝調節型受容体であり，cAMPの低下を介してK^+チャネルを開ける．
>
> 電位依存性Na^+チャネル（☞2章図2-7）は，膜電位を感知するという意味で受容体といえ，かつイオンチャネルである（なお，依存性，作動性，受容性という用語の意味は同じである）．TRPチャネル（☞p91，図6-8）は，熱・酸および機械的刺激で開くイオンチャネルであるが，熱・酸および機械的刺激を感知するという意味で受容体といえ，イオンチャネル型受容体である．

イオンチャネル ＝ イオンを通す穴

イオンチャネル型受容体 → 受容体そのものが穴になっている

B 自由神経終末のありか

1 皮膚で感じなければならないのはなぜか

身体は皮膚を介して外界と接している．身体にとって外界との防波堤は皮膚で

図 6-2 「アッチチ，アッ，イタッ！」でも，運良く傷を負ってない

あり，皮膚が外界の変化を感じとるのは理に適っている（図 6-2）．一方，例えば，腸管に触覚があったとしたら理に適っていない．食べ物が消化管内を移動する最中に，今どこを通過しているか感じていたら，変な感じであろう．腸管は外界と接していないし，通常腸管に触れる機会はない（あるとしたら手術時）．つまり，腸管に触覚は必要ないので，腸管は接触には鈍感である．言い換えると腸管には A β 線維は少ないか，ほとんどない（A β 線維は触覚を伝える線維です： ☞ 2 章）．

一方，皮膚は常に外界と直接接するため，危険にさらされていて，外界の情報を素早く感知する機構が備わっている．これが，触覚，温冷覚，痛覚である．そこで，皮膚における，痛覚，触覚を担当する受容器（神経終末）についてまとめてみたい．まず，皮膚で神経が存在する場所・位置を確認するため，皮膚の解剖から始める．

2 外界との防波堤：皮膚の構造（図 6-3）

皮膚は，表皮・真皮・皮下組織からなる．痛みを感知する神経終末は，表皮と真皮浅層に位置している．触感を感じる神経終末は，真皮と皮下組織に位置している．真皮深層には，痛みを感知する神経終末は基本的に位置していない．したがって，熱傷では，患部が浅い方が深い場合より痛い．

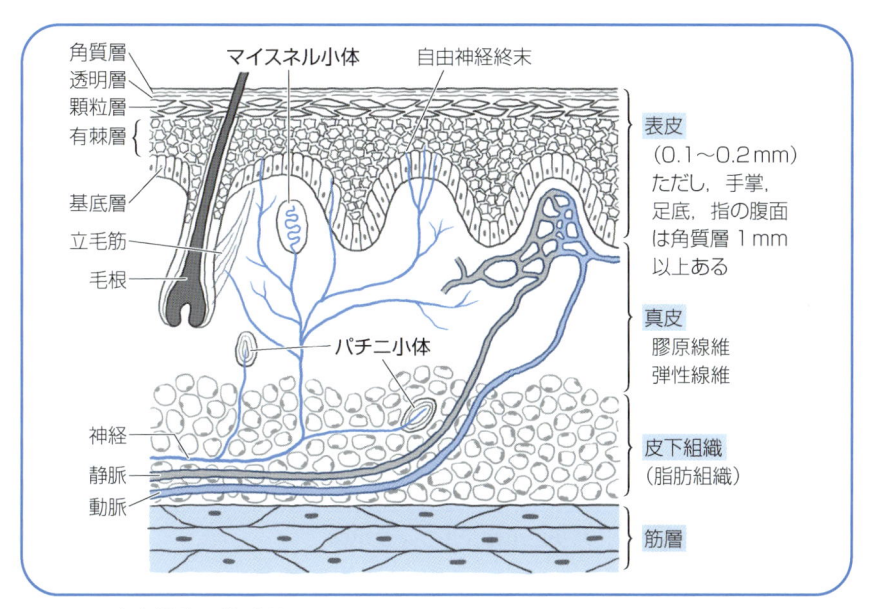

図6-3　皮膚構造の模式図

ラベル（図中）：角質層，透明層，顆粒層，有棘層，基底層，立毛筋，毛根，マイスネル小体，自由神経終末，パチニ小体，神経，静脈，動脈

表皮（0.1〜0.2mm）ただし，手掌，足底，指の腹面は角質層1mm以上ある
真皮　膠原線維　弾性線維
皮下組織（脂肪組織）
筋層

> **メモ　皮膚の構造**
>
> ★ **表皮**：（外胚葉由来）手掌では表皮の厚さは1mm前後である．細胞の層．角質層，透明層，顆粒層，有棘層（多層：厚い），基底層からなる．表皮の特殊形態として，爪，毛がある．汗腺，皮脂線，乳腺は上皮の陥凹である．痛み担当の自由神経終末（後述）が到達している．小体（後述），毛細血管は認められない．
>
> ★ **真皮**：（中胚葉由来）1〜3mmの厚さの緻密結合組織（膠原線維が多い）の層．真皮は表皮に乳頭という丸い突起を出している．血管，感覚ニューロンが到達している．毛細血管，触覚を担当するマイスネル小体（後述）を認める．真皮の浅層には痛みを感知する自由神経終末が存在するが，深層には存在しない．
>
> ★ **皮下組織**（＝脂肪組織）：（中胚葉由来）疎な結合組織（脂肪細胞あり）．動脈，静脈，触覚を担当するパチニ小体，ルフィニ小体を認める．皮膚の血管は，皮下組織から真皮に到達し，乳頭内で毛細血管ループを形成する．

B．自由神経終末のありか

マイスネル小体	パチニ小体	ルフィニ小体
30〜300μm	0.5〜3mm	〜3mmまで
楕円, 円柱	楕円	延びた餅状
指腹, 口唇	手の指腹	足底, 指趾
↓	↓	↓
触覚・圧覚	圧覚	皮下組織の緊張の度合い

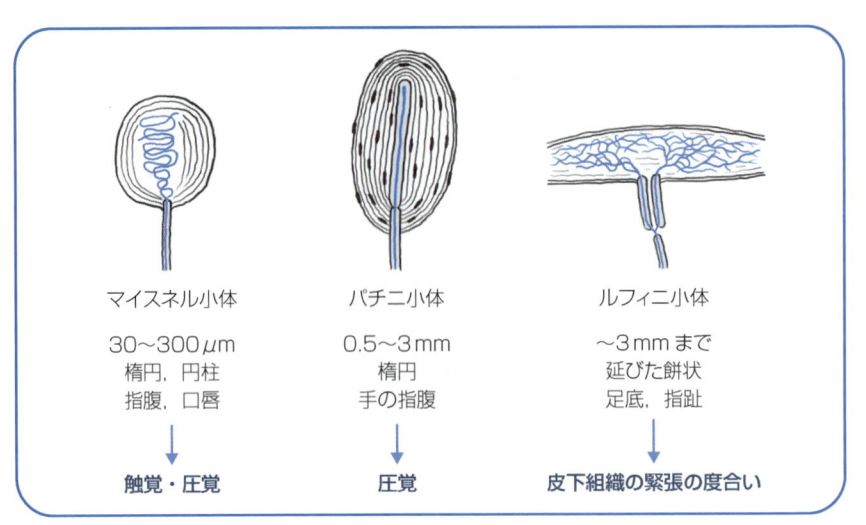

図 6-4　マイスネル小体, パチニ小体, ルフィニ小体

3　触覚の神経終末と痛覚の神経終末：小体と自由神経終末

　「触」を感じとり反応する神経終末として，小体と名付けられた解剖学的に特別な構造物がある．マイスネル小体，パチニ小体などである（図6-4）．組織学的に特徴のある形をしているという意味で特別な構造物といえる．皆さんも解剖や生理の試験のときには，その名前だけは必ず覚えたと思います．触れるとこれらの小体が感知し，「触」刺激を電気刺激に変換する．つまり，これらの小体にトランスデューサーが備わっている．Aβ線維の神経終末は，これらの小体を被っている．

　一方，侵害刺激（痛み刺激）を感じとり反応する特別な構造物（小体）があるかというと……ない．「痛」を感知する神経終末は，特別な構造をもたない．これを自由神経終末という．自由神経終末は，特別な構造物で覆われていない，いわば裸の状態にある．

> **メモ** 神経終末を覆う小体（図6-4）
>
> ★ **マイスネル小体**：指腹，手掌，眼瞼，口唇，外陰部の皮膚に多い．皮膚真皮の乳頭の中に存在．直径30〜300μmの楕円形構造物．マイスネルの触覚小体ともいう．
> ★ **パチニ小体**：直径0.5〜3mmの楕円形で，中心部の神経終末を層状に取り囲む構造物．手の指腹・手掌・足底・腹膜・陰茎・尿道・乳輪などの皮下組織，関節・靱帯の結合組織に存在．振動のような短時間に変化する機械的刺激や圧力のセンサー．
> ★ **ルフィニ小体**：皮膚深部の皮下組織に存在．足底部に多い．皮下組織の伸展や変形を感知するセンサー．横に長く3mmに達することもある．

4 皮膚の痛みの自由神経終末は皮膚のどこに？

さて，痛みを感ずる自由神経終末は皮膚の表皮のどのあたりに位置しているのであろう．それは，角質層や顆粒層にはなく，有棘層にある．真皮から飛び出して表皮に入ったあたりである（**図6-5**）．この位置は，神経の中でもっとも外界に近い場所である．痛みの自由神経終末は表皮に，触覚の神経終末は真皮に位置している．この解剖学的位置関係は以下に述べるように理に適っている．

侵害刺激は組織損傷を起こす．組織損傷は通常，出血を伴う．基本的に表皮内には血管はない．血管があるのは真皮からである．出血を起こすには，血管の存在する真皮まで損傷が及ばなければならない．別に表現するなら，侵害刺激がきても，真皮に至るまでに，つまり表皮の段階でその刺激をキャッチし，素早く逃げれば，真皮の損傷を回避できる（**図6-6**）．表皮には血管がないので，表皮のみの損傷は出血を伴わず，傷は浅い．したがって，侵害刺激（逃げないと組織損傷——ケガを起こす刺激）を傷の浅い段階でキャッチするためには，表皮に刺激が到達した段階で痛みとして早めに感じるのは都合が良い．実際，痛みを感ずる神経の自由神経終末は，皮膚の表層（つまり表皮）に存在している．縫針や安全ピンが当たって，手や指を素早く引っ込めた経験は，誰にでもあるだろう．

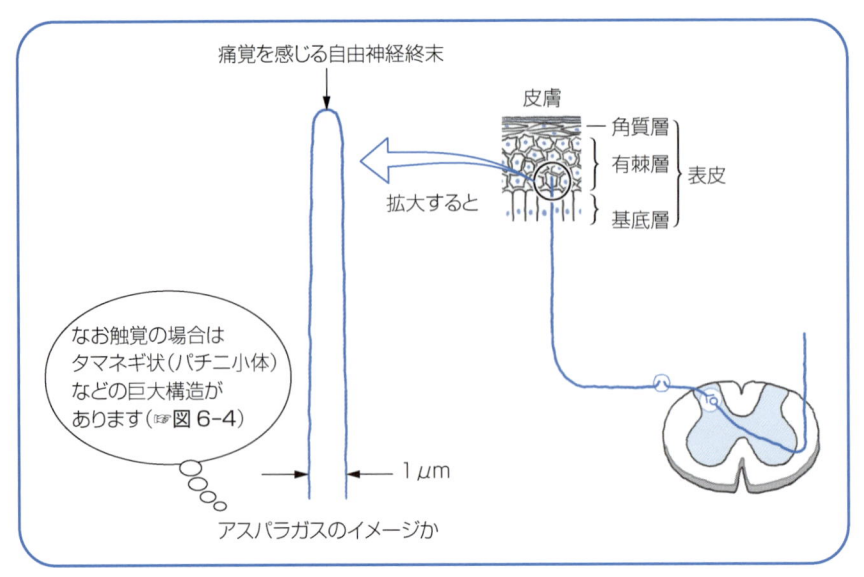

図 6-5　自由神経終末：痛みを感じる

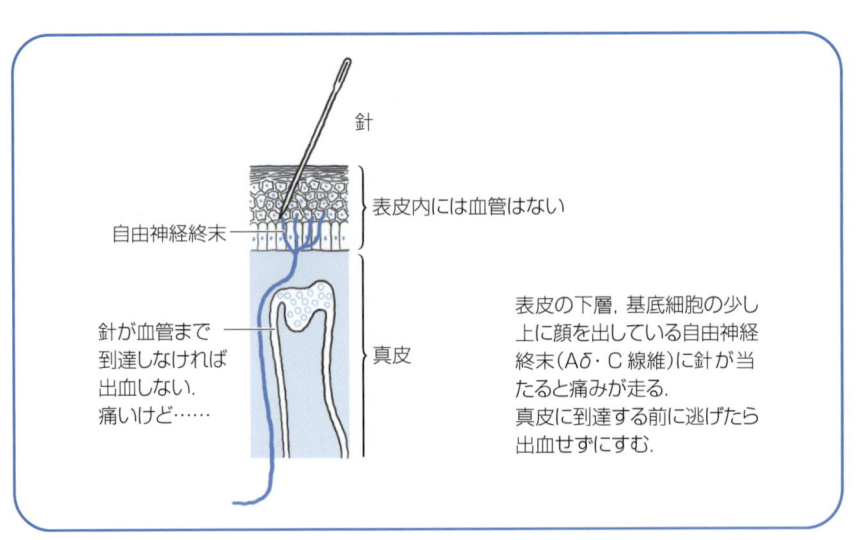

図 6-6　表皮・真皮・神経の位置と，針からの逃避

88　　6．痛みのセンサー

> **メモ　火傷の痛み**
>
> 　火傷はⅠ度，Ⅱ度（浅），Ⅱ度（深），Ⅲ度に分けられる．Ⅰ度は表皮のみ，Ⅱ度は真皮の浅層と深層，Ⅲ度は皮下組織に達している．Ⅰ度は皮膚の発赤，水ぶくれを特徴とし，ヒリヒリと痛い．Ⅱ度（浅）は赤く痛い，Ⅱ度（深）やⅢ度になると白くなる．
>
> 　痛みの程度は，Ⅰ度，Ⅱ度（浅）が痛く，Ⅱ度（深）はあまり痛くなく，Ⅲ度は痛まない．痛みを感じる自由神経終末は，表皮と真皮浅層に多く，真皮深層や皮下組織でかなり少ないか存在しないからである（図6-7）．

C　繋ぎの電位（起動電位）と活動電位：トランスデューサーチャネルとNaV

1　自由神経終末での出来事

　侵害刺激（切る，刺す，打つ，つぶす，挟む，引っ張る，火，高熱，酸，冷凍など）により痛みを伝える神経の自由神経終末で起こることは何か？

　　　それは，
　　　「刺激をトランスデューサーで電気活動に変える」
　　　　　　　　　　　　　　　　　　　　である．

　トランスデューサー（transducer）とは，辞書によると，「エネルギーの変換器」とある．血圧や脳圧測定では，圧トランスデューサーを用い，圧を電気信号に変えて測定している．
　痛みに当てはめると，「侵害刺激というエネルギーを電気活動に変える変換器（トランスデューサー）」が自由神経終末に存在し，さらにこのトランスデューサー（自由神経終末に存在）を細かくみてみると，細胞膜に各侵害刺激を担当する専用のトランスデューサーが配置されている．トランスデューサーは，前述（☞ p82）の部品に相当する．言い換えると，自由神経終末には，専門に分化し

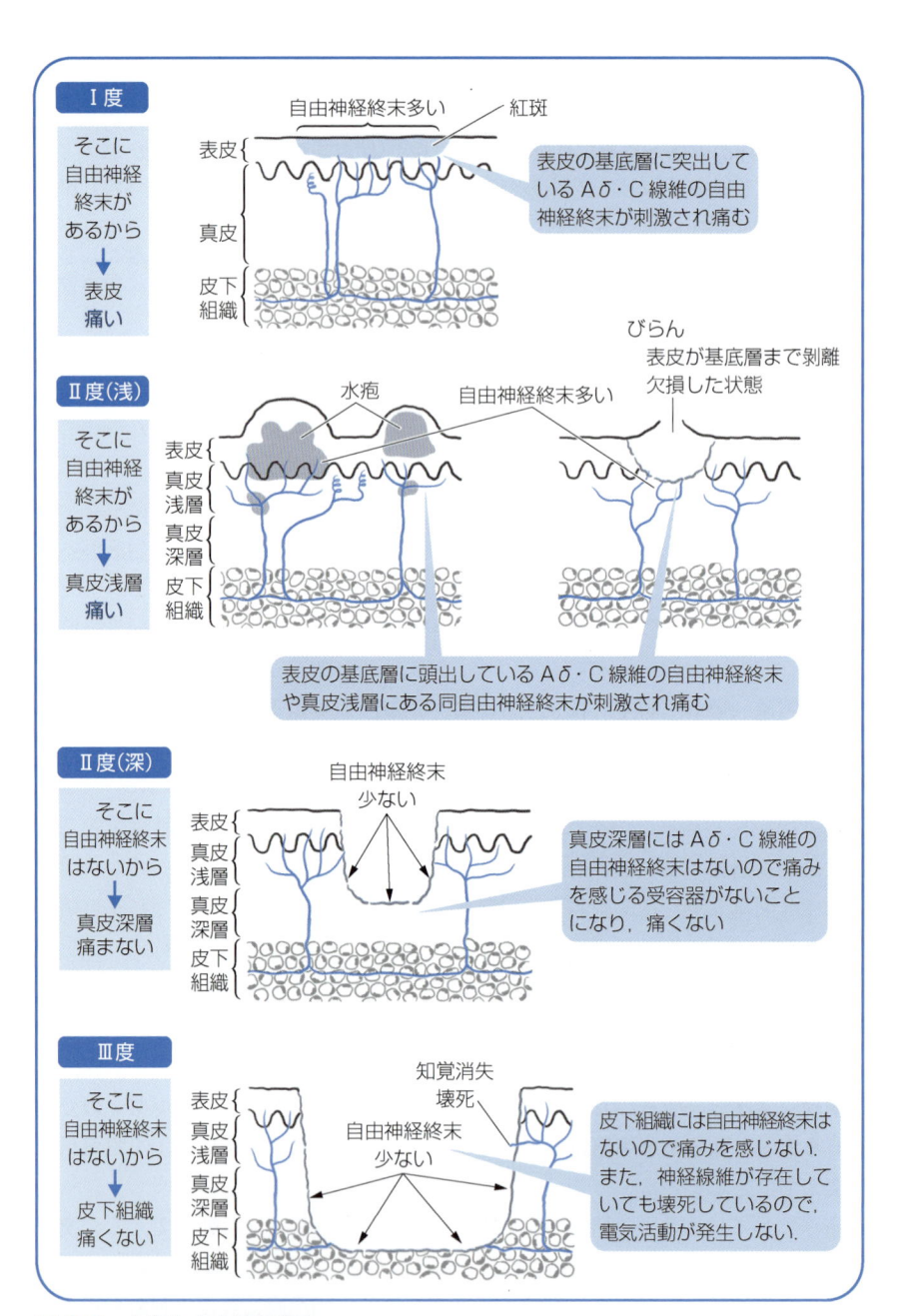

図 6-7　火傷と自由神経終末

た個々のトランスデューサーが集合している．具体的には，イオンチャネルや受容体である．刺激により開き Na^+ や Ca^{2+} が細胞内に入るか，閉じて K^+ が細胞内に溜まる．侵害刺激を電気活動に変換する意味で，トランスデューサーチャネルと呼ばれている（☞ p93）．

2 起動電位の発生

　トランスデューサーチャネルが開いた結果，陽イオン（主に Na^+，Ca^{2+} もあり）が流入すれば膜電位が上昇する．この膜電位の変化（receptor potential）が起動電位（generator potential）の源となる．起動電位に続発して活動電位（action potential）が発生する．この起動電位を生み出すトランスデューサーイオンチャネルがいくつも発見されてきて，色々と命名されているが，ローマ字の略語が多くて，大変ムズカシく感じてしまう．例えば，TRP（transient receptor potential）チャネル，ASI（acid-sensing ion）チャネル（ASIC），P2X（P2 ionotropic purinoceptor X）受容体などである．さらにそれぞれに対して，基本構造は同じだが，部分的に構造の異なるサブタイプ（亜型）が続々と発見され，TRP チャネルにはすでに 30 種類以上の型が発見されている（**図 6-8**）．今後も増えると思われる．ややこしい．しかし，基本を押さえれば分かりやすくなると思います．いつの頃からか　TRP（ティーアールピー）はトリップとも呼ばれている．

　　起動電位 ＝ generator potential ≒ receptor potential

　TRP チャネル
　　　　transient receptor potential ion channels
　　　　一過性の　　膜電位上昇を起こす　イオンチャネル

　シンプルに考えるなら，痛みを起こす刺激（切る，刺す，挟む，引っ張る，火，凍傷，酸・アルカリなど）による痛みの始まりは，「TRP チャネルなどのイオンチャネルの開口」である．

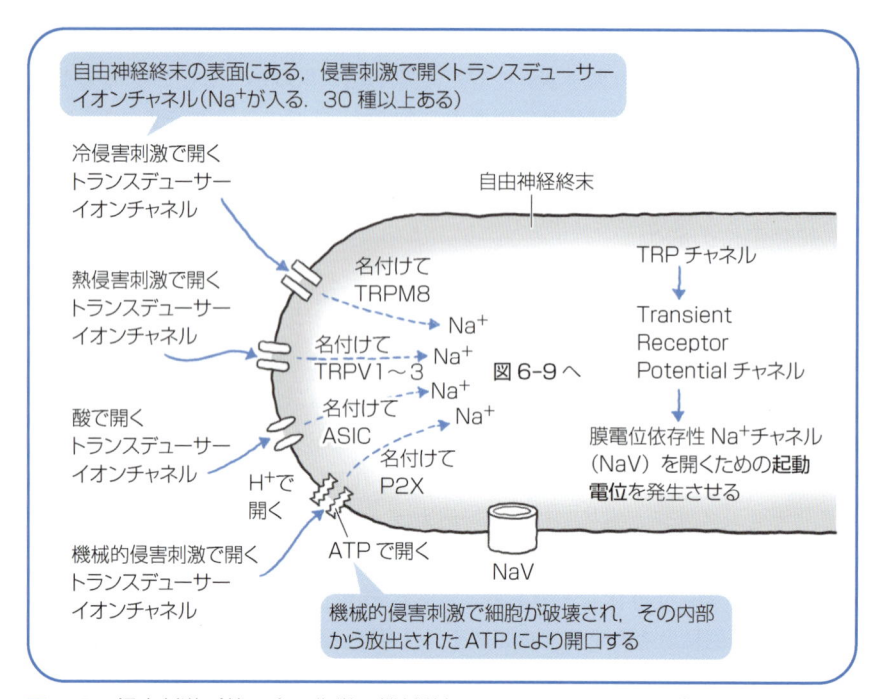

図 6-8 侵害刺激（熱・冷・化学・機械的）でまず開くトランスデューサーイオンチャネル

　このイオンチャネルの中でもっとも研究されているのは，熱刺激で痛みをもたらすイオンチャネルである．つまり，熱を感じとって開き，Na^+ が神経内に流入するイオンチャネルであり，TRP に属する，TRPV1（transient receptor potential vanilloid 1）チャネルと名付けられている（後述）．トリップブイワンともいう．

　transient とは，活動電位が出る前の一過性の繋ぎの膜電位（つまり起動電位）を発生させるチャネルというイメージであろうか．vanilloid とは，vaninyl 基を持つカプサイシンの類似物質の総称であり，TRPV1 とは，vanilloid で活性化される TRP のタイプ 1 型という意味である．カプサイシンは，唐辛子の成分で辛さ，熱感，痛みを誘発する物質である．

3 起動電位の発生から電位依存性 Na^+ チャネル（NaV）の開口へ

① transient receptor potential（TRP）チャネルといわれるイオンチャネルが

開き，②陽イオン（Na^+とCa^{2+}）が神経線維の細胞質内に流入する（**図6-8**），③すると自由神経終末内の膜電位が上昇する［＝receptor potentialの発生，generator potential（起動電位）と同義である］．④起動電位が閾値に達すると活動電位が発生し，脊髄に向かっての伝導が始まる．TRPチャネルは，トランスデューサーチャネルの1つであり，TRPチャネルを通過したNa^+により，いわば繋ぎの膜電位（起動電位です）が発生し，その後，本格的に電位依存性Na^+チャネル（NaV：☞3章p41）が開き，活動電位が発生する（**図6-9**，**図6-10**）．
①トランスデューサーチャネルそのものは，各種の刺激（機械的刺激，熱，化学物質，水素イオン，発痛物質……など）を，まず電気活動（神経細胞内へのNa^+イオン流入促進，外へのK^+イオン流出抑制）に変換し，②その結果，膜電位がある閾値を超えると起動電位となり（**図6-9**上），③NaVが開き（**図6-9**下），本格的な——つまり中枢へ向かう電気信号——活動電位が発生するのである．NaVがいったん開くと，常に一定の高さまでNa^+が流入する．その後，細胞外に排出され戻る．隣接するNaVが時間差で次々と開口し，次々とNa^+が入り次々と出てゆく．この一瞬をみると，Na^+の山（活動電位）の山ができて，その山が移動するようなイメージとなる．山が移動すると波のようにみえる．

4 刺激の種類と担当トランスデューサーチャネル

痛み刺激（＝侵害刺激）は各々の侵害刺激の種類に応じて，担当トランスデューサーチャネルを開く．

a．火傷・凍傷：TRPV1チャネル，TRPV2チャネル，TRPM8チャネル

熱侵害刺激で開くトランスデューサーチャネルとして，TRPV1チャネル（heat- and capsaicin-sensitive transient receptor potential vanilloid 1 channel），TRPV2チャネル，TRPV3チャネルと名付けられているイオンチャネルが知られている（**図6-8**）．TRPV1は，Aδ線維，C線維の双方に存在している．冷侵害刺激（凍傷）で活性化するトランスデューサーチャネルとして，TRPM8チャネル（cold- and menthol-sensitive transient receptor potential menthol channel）がある．

b．筋肉の使い過ぎ（乳酸の蓄積）：ASIC

酸［つまり水素イオン（H^+）］で開くトランスデューサーチャネルとして，ASIC（acid-sensing ion channel）と呼ばれるチャネルがある（**図6-8**）．

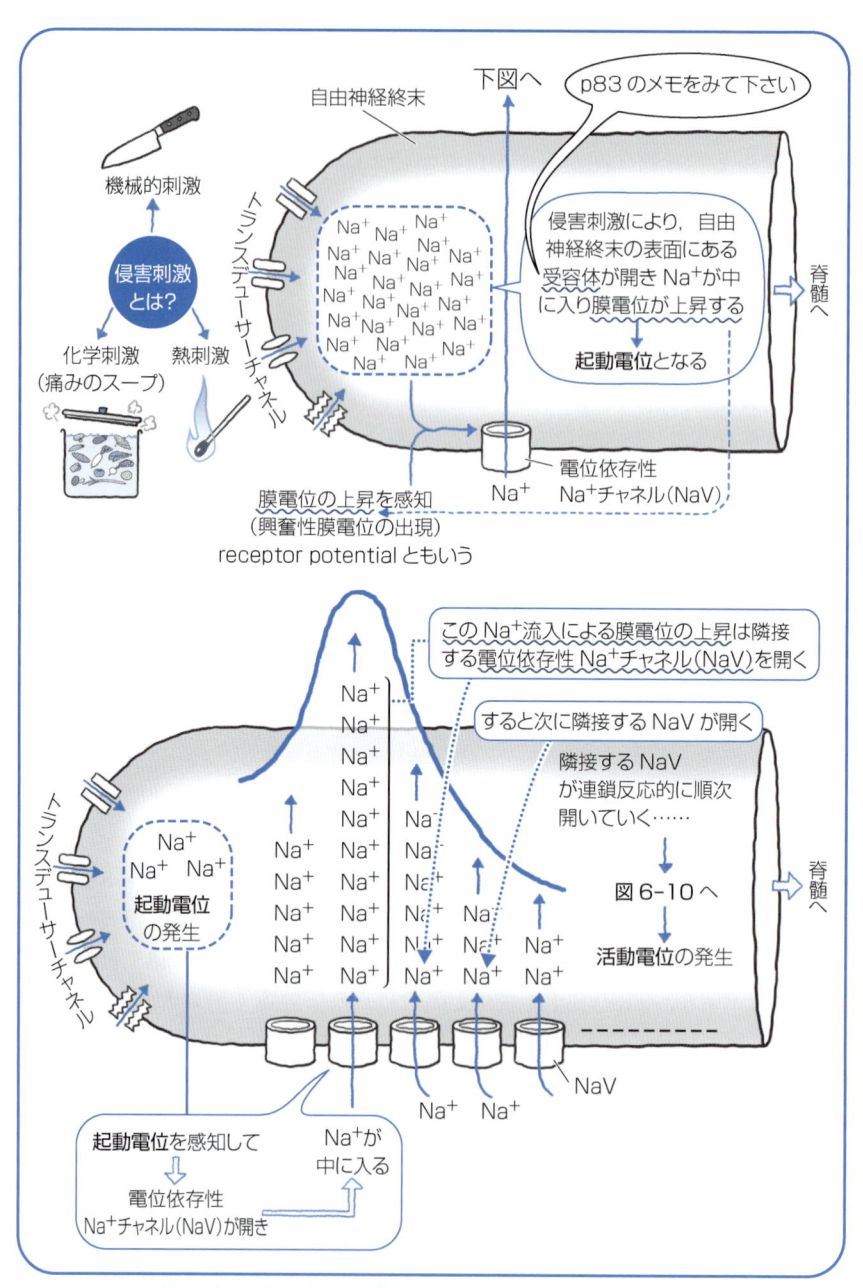

図 6-9　痛みの開始①：起動電位と活動電位の発生——それは Na^+ の流入です

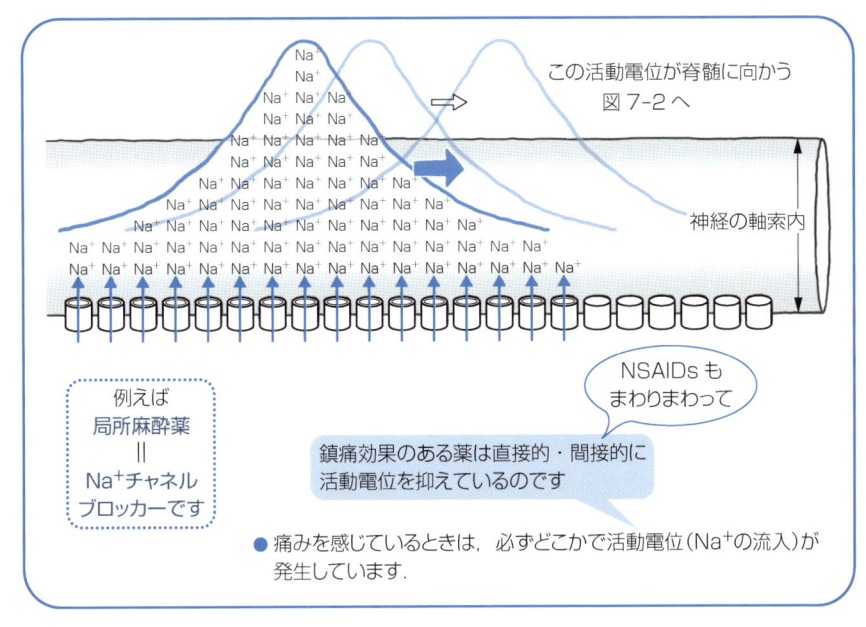

```
Na⁺
Na⁺
Na⁺ Na⁺ Na⁺
Na⁺ Na⁺ Na⁺
Na⁺ Na⁺ Na⁺ Na⁺
Na⁺ Na⁺ Na⁺ Na⁺ Na⁺
Na⁺ Na⁺ Na⁺ Na⁺ Na⁺ Na⁺
Na⁺ Na⁺ Na⁺ Na⁺ Na⁺ Na⁺ Na⁺
Na⁺ Na⁺ Na⁺ Na⁺ Na⁺ Na⁺ Na⁺ Na⁺ Na⁺ Na⁺ Na⁺ Na⁺
```

この活動電位が脊髄に向かう
図 7-2 へ

神経の軸索内

例えば
局所麻酔薬
＝
Na⁺チャネル
ブロッカーです

NSAIDs も
まわりまわって

鎮痛効果のある薬は直接的・間接的に
活動電位を抑えているのです

● 痛みを感じているときは，必ずどこかで活動電位（Na⁺の流入）が
発生しています．

図 6-10　痛みの開始②：ある瞬間の活動電位

ASIC

acid-sensing ion channel
酸　感受性　イオンチャネル

c. 叩く・刺す・切る・挟む：P2X／P2Y 受容体

　細胞内には ATP が存在する．細胞が機械的侵害刺激で破壊されると，ATP が細胞内から細胞外に放出される．つまり，組織損傷が起こるような刺激では，細胞の破壊が発生し，細胞内から放出された ATP が，P2X 受容体（イオンチャネル型受容体）や P2Y 受容体（G 蛋白共役代謝調節型受容体）を開き，Na⁺ が流入し，起動電位が発生する（**図 6-8**）．

d. ワサビ，唐辛子，ホルマリンなどの化学侵害刺激：TRP チャネル
★ ワサビ，ガーリック，マスタード：TRPA1 チャネル
★ 唐辛子（カプサイシン）：TRPV1 チャネル
★ メントール：TRPM8 チャネル
★ 催涙ガス，煙，次亜塩素酸，過酸化水素，ホルマリン：TRPA1 チャネル

C．繋ぎの電位（起動電位）と活動電位

これらの刺激物は，限度を超えると痛みを引き起こす．ワサビや唐辛子を傷口に付けたら痛いであろう．ホルマリンや過酸化水素があると目が痛くなる．焚き火の煙が目に入ると痛い（最近は，焚き火も簡単にはできませんが……）．これらの刺激物は，TRPチャネルに属するチャネルを開く．つまり，刺激性の化学物質は，何らかのTRPチャネルを開いて痛みを伝えると考えられている．

侵害刺激
↓
ASIC（乳酸の蓄積）
TRPV1チャネル（火傷）
P2X／P2Y受容体（ケガ）
↓
起動電位　　　→　電位依存性Na^+チャネル（NaV）が開く
(generator potential)
　　　　　　　　　　　活動電位
　　　　　　　　　　　(action potential)

起動電位の発生から活動電位の発生へ（図6-9，図6-10）

5　トランスデューサーチャネル開口のイメージ

　侵害性の熱刺激や機械的刺激，酸などがどのようにして，これらのチャネル（蛋白質，糖蛋白，脂質，炭水化物などで成り立っている）を開くのかは不明である．熱や機械的外力でチャネルの形が直接変わるのか，広くなるのか，それとも，何か別の物質を介して働くのか．イメージとして，餅（炭水化物と蛋白質を含有）が熱により柔らかくなって膨らみ，冷ますと小さくなって固くなることを思うと，熱により形状が変化するのは分かるような気がする．刺身（蛋白質，脂肪）も氷に浸せば身が締まる．また，叩いて形が変わると考えればある程度納得できる．詳細は今後，徐々に明らかになるのであろう．

D 治療についての考察

　本章では，「痛みのセンサー」と題して述べてみたが，このセンサーと治療の関係を考えてみたい．まず第1に，①侵害刺激そのものを避ける，②侵害刺激の強さを弱める．次に，③侵害刺激がきても，起動電位が発生しにくくする．さらに，④起動電位が発生しても活動電位が発生しないようにする，⑤活動電位が発生しても伝導しないようにする――という対策が考えられる．

　実際，治療の現場ではどうなっているのか？

① ケガ予防の啓発活動は，学校・職場・地域で行われている．ケガや事故に注意しなさい，というわけである．「注意一秒，ケガ一生」，「あぶない，遊ばない」などという標語をよくみかける．機械的刺激（☞2章 p26）がなければ，ケガは発生しないので，痛みも発生しない（当たり前ですが……）．

② 炎症物質（☞5章）は，侵害刺激の中の化学刺激である（☞2章 p27）．発痛物質の産生を抑制すれば，化学刺激を軽減できる．発痛物質であるプロスタグランジンEの産生を抑える非ステロイド抗炎症薬（NSAIDs）や副腎皮質ステロイドは鎮痛効果をもたらす．また，炎症物質の存在は，自由神経終末の機械的刺激に対する感受性を高める．つまり，通常は痛くないはずの触れるだけの行為も痛く感じてしまう．炎症物質の産生を抑制すれば，痛みの感受性が低下する．捻挫や骨折の後は冷やすが，この冷却は炎症を抑え，発痛物質や活性酸素の産生を抑制する．これらの対策は，センサーを刺激する物質を減らすという位置付けになる．

③ 発痛物質の存在は，起動電位を発生させるためにNa^+を細胞内に入れ，K^+を細胞内に保持する．そこで，センサーで起動電位が発生しないように発痛物質の産生を抑制する．

④ 活動電位は，電位依存性Na^+チャネルが開くと発生する．自由神経終末でこのNa^+チャネルの開口を抑制すれば，活動電位は発生しない．局所麻酔薬は，電位依存性Na^+チャネルにフタをするブロッカーで，Na^+の流入を抑制する（☞11章）．

⑤ 活動電位が上行する神経線維の途中に局所麻酔薬を注入しておけば，その地点より中枢には，活動電位は伝導しない．センサーは感知し伝導する役割を持つが，自由神経終末が感じて反応しても，伝導の方を神経線維の途中でブロックするという考え方である．

参考 本書を読み終わった後で、まとめとして見直してください（最初から読まないでください）。

受容体
- イオンチャネル型受容体
  - AMPA受容体（☞ 7章図7-2・3）　抗てんかん薬
  - NMDA受容体（☞ 16章図16-12）　三環系抗うつ薬
  - 5-HT$_3$受容体（☞ 8章図8-14）
  - GABA$_A$受容体（☞ 8章図8-11・15）　ベンゾジアゼピン
  - グリシン受容体（☞ 7章図7-8・9）
  - TRPチャネル（☞ 6章図6-8・9）
  - ASIC（☞ 6章図6-8・9）
  - P2X受容体（☞ 6章図6-8・9）
  - 電位依存性Na$^+$チャネル（☞ 2章図2-7、6章図6-9・10）　局所麻酔薬
  - 電位依存性Ca^{2+}チャネル（☞ 7章図7-4、13章図13-3・4）　プレガバリン
- 代謝調節型受容体
  - BK受容体（☞ 5章図5-13）
  - NK-1受容体（☞ 16章図16-12）
  - PGE受容体（☞ 5章図5-13、20章図20-6）　NSAIDs
  - μ、κ、δ受容体（☞ 12章図12-2b~d・6、20章図20-7・8・10）　オピオイド
  - P2Y受容体（☞ p95）
  - 5-HT$_1$、5-HT$_2$受容体（☞ 8章図8-14・15）　三環系抗うつ薬、SNRI、ノイロトロピン※、トラマドール、タペンタドール、アセトアミノフェン（下行性抑制系でセロトニンを放出）
  - α$_2$受容体（☞ 8章図8-13・15）
  - GABA$_B$受容体（☞ 8章図8-11・15）　ベンゾジアゼピン

※青字は各受容体・チャネルに作用する薬や物質です。
※※巻頭の略語一覧参照のこと。

味の素とアンパン 7

―――― グルタミン酸とAMPA(アンパ)受容体

A 1次ニューロンから2次ニューロンへの伝達

　痛みの原因となる刺激が発生して（☞1章図1-1，5章図5-1，6章図6-1），痛みを伝える神経線維（Aδ線維，C線維：☞2章図2-5）の自由神経終末（☞2章図2-7，6章図6-5・8・9）でのNa$^+$流入により，痛みを伝える電気（活動電位です）が発生する（☞3章図3-1・6）．この電気は痛みを伝える神経線維の軸索を上行し，脊髄後角に入る（☞4章図4-1・2）．皮膚・筋・関節・内臓などの末梢から脊髄までを1次ニューロンが担当している．

　1次ニューロンは，後根から脊髄内に入り，脊髄後角で2次ニューロンに連絡（リレー）する（☞4章図4-1・2）．連絡とは具体的に，2次ニューロンの細胞質内にNa$^+$が流入し，最終的に活動電位が発生する現象である．1次ニューロンと2次ニューロンは直接神経線維が繋がっているわけではなく，シナプスという接合部で結合している．1次ニューロン末端からシナプス間隙に神経伝達物質が放出され，この神経伝達物質により2次ニューロンのNa$^+$チャネルが開口し，2次ニューロンにおいて活動電位が発生する．

1 シナプスとは

　神経と神経の接合部，神経と効果器（例：筋，腺，網膜）などの接合部をシナプス（synapse）という（**図7-1**）．ニューロン同士がシナプスを介して連絡し

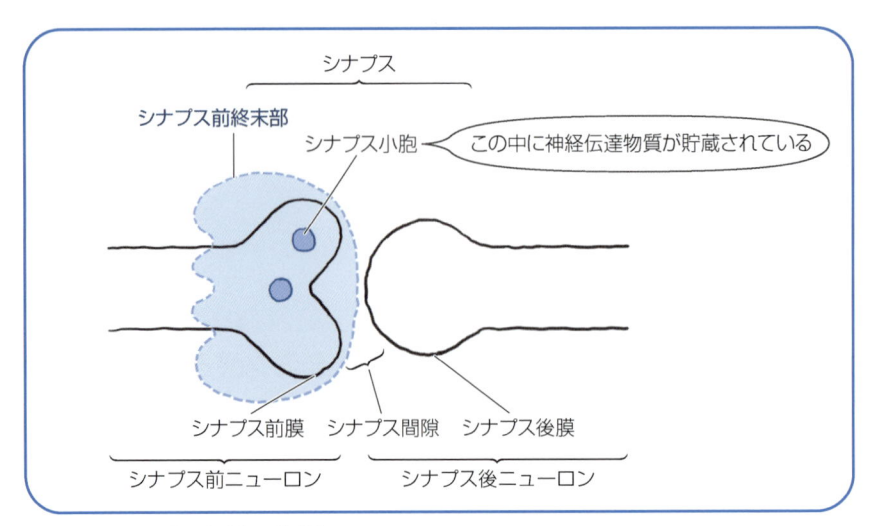

図7-1　シナプス各部の呼び名

ている．ニューロンは，その細胞体か樹状突起で，他のニューロンの軸索か樹状突起からシナプス伝達を受ける．

　シナプス前終末部から放出された神経伝達物質（シナプス伝達物質）が，シナプス後膜にある受容体に結合し，シナプス後ニューロンの興奮や抑制をもたらす．シナプス前終末部には，シナプス小胞があり，神経伝達物質が蓄えられている．シナプス前終末部に活動電位が到達すると，シナプス小胞に蓄えられていた神経伝達物質が放出される．痛みを伝えるニューロンのシナプスでは，グルタミン酸，サブスタンスP（SP）などが伝達物質として放出され，シナプス後ニューロンを興奮（活動電位の発生）させる．

> 1次ニューロンから2次ニューロンへの伝達は，神経伝達物質で

2　1次ニューロンから2次ニューロンへの連絡

　1次ニューロンから2次ニューロンへの伝達（☞4章図4-1）は，1次ニューロン（☞2章図2-7）での活動電位の発生（☞3章図3-1・6，6章図6-5・8・9）→シ

ナプス前終末部に活動電位到着（**図7-2**：☞6章図6-10）→シナプス間隙への神経伝達物質の放出（**図7-2**）→神経伝達物質が2次ニューロンの受容体に結合（**図7-2**）→2次ニューロンでの活動電位の発生（**図7-3**）という経路をとる．**図7-2**，**図7-3**までのフキダシを番号順に見てほしい．なお，1次ニューロンと2次ニューロンが直接シナプスする場合と，介在ニューロンを経由してシナプスする場合（☞4章図4-2）がある．

　いったん活動電位が発生したら，1つのニューロンの端から端まで連鎖反応的に電位依存性Na$^+$チャネルが開き，活動電位が波のように伝わる（**図7-2**：☞6章図6-10）．しかし，末端まで到着した波そのものが直接，次のニューロンの活動電位として伝わるのではない．シナプスに到着した活動電位の波は，1次ニューロンのシナプス前終末部の膜電位を上昇させて終わる（**図7-2**）．別に表現するなら，シナプス前終末部の活動電位は，シナプス間隙にグルタミン酸やサブスタンスPのような神経伝達物質を放出して終わる．次に，グルタミン酸がシナプス後膜に結合すると，そこでのNa$^+$流入が発生し，2次ニューロンでの活動電位が発生する（**図7-3**）．結果として，1次ニューロンの活動電位は2次ニューロンの活動電位の源になっているが，シナプスにおける神経伝達物質の放出を介して連絡（伝達）が行われている．

痛みの神経伝達物質はグルタミン酸

3 痛みの神経伝達物質：グルタミン酸

　1次ニューロンのシナプス前終末部から放出されたグルタミン酸は，シナプス後膜のAMPA受容体に結合する．AMPAはアンパと読む．「アンパン」みたいなので覚えやすいですね．AMPA受容体は，グルタミン酸と結合すると開き，Na$^+$の細胞内流入をもたらすイオンチャネル型受容体である．したがって，AMPA受容体が開くと，シナプス後ニューロンの膜電位上昇［興奮性シナプス後電位：自由神経終末での起動電位に相当（☞3章p32 Q&A）］から活動電位が発生し，2次ニューロンでの伝導が開始する．なお，私は「味の素の主成分はグルタミン酸であり，味の素をアンパンにかけたらおそらく大変（痛くなるくらい）まずい」と覚えております．

A．1次ニューロンから2次ニューロンへの伝達

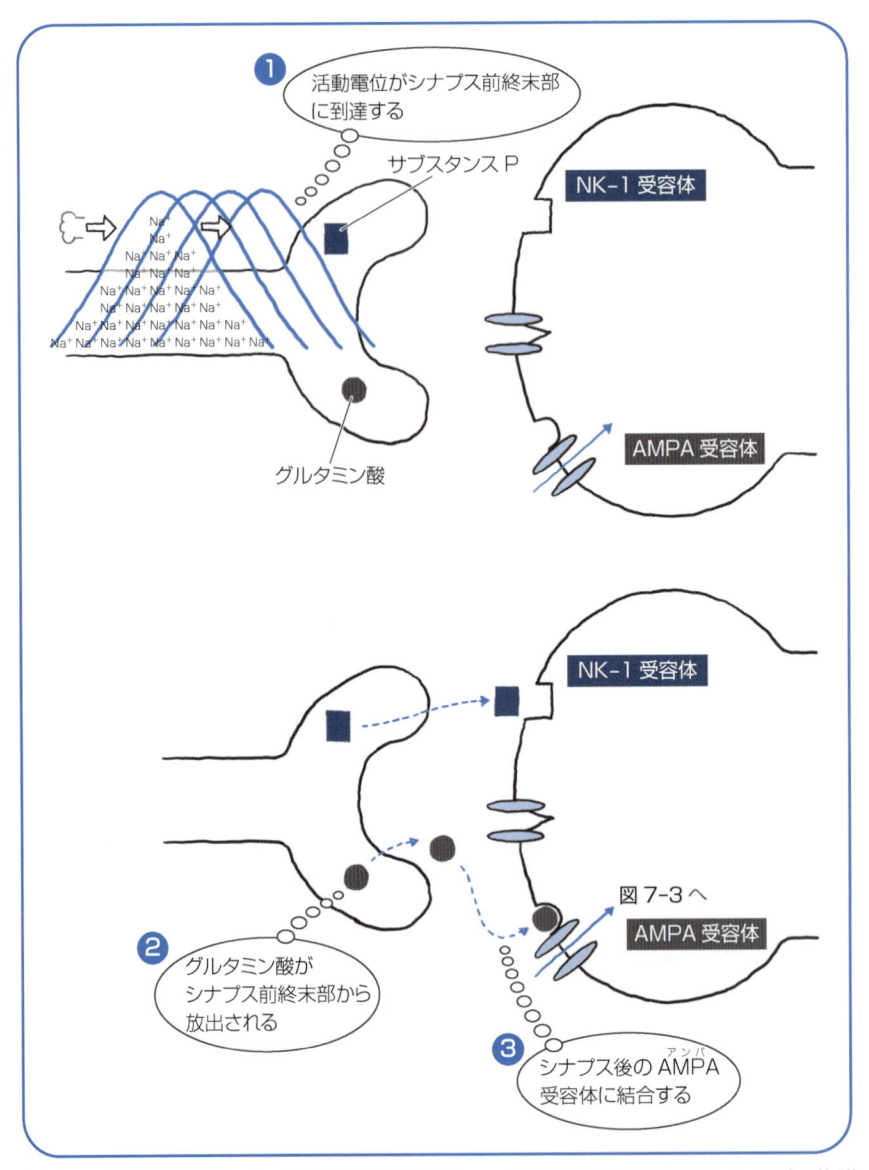

図 7-2 活動電位がシナプス前終末部に到着 ➡ 神経伝達物質の放出とシナプス後膜のAMPA受容体への結合

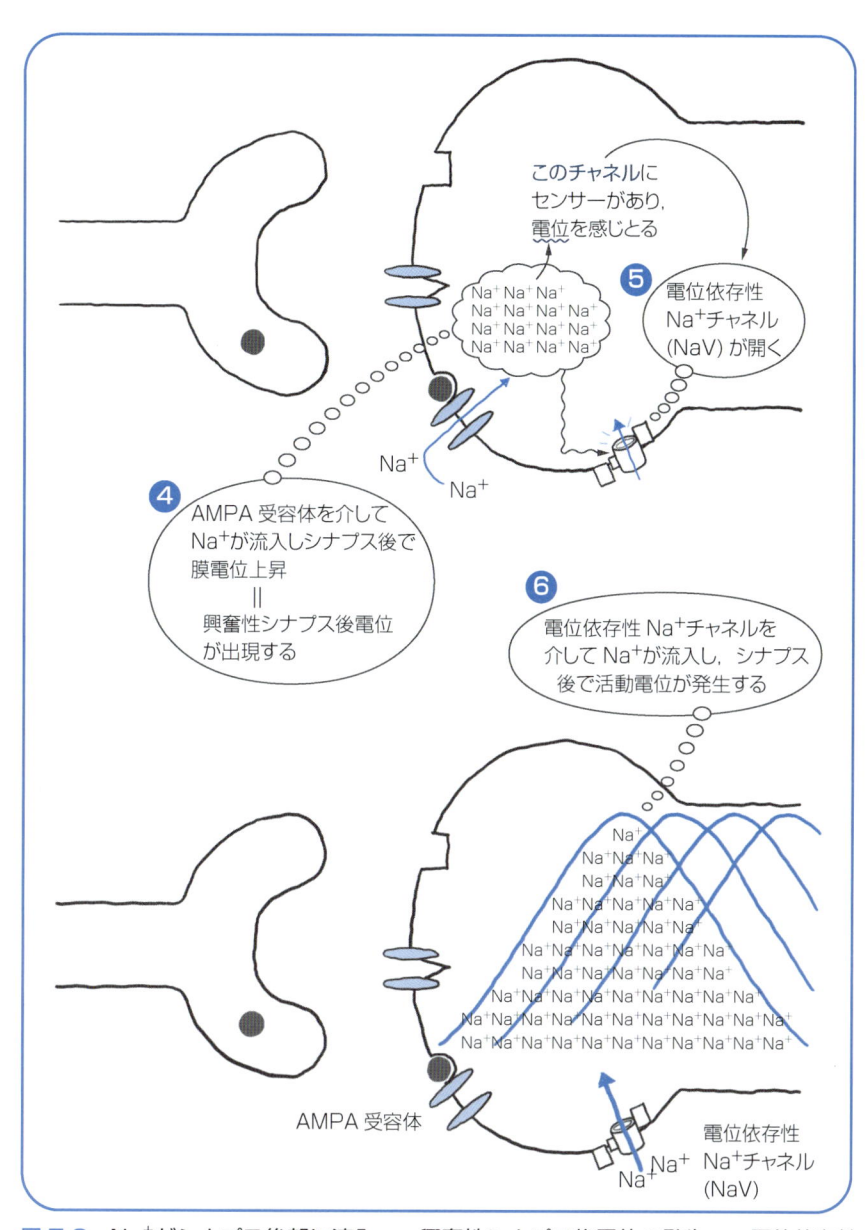

図 7-3 Na⁺がシナプス後部に流入 ➡ 興奮性シナプス後電位の発生 ➡ 電位依存性Na⁺チャネルが開き ➡ シナプス後ニューロンで活動電位の発生
シナプス後の2次ニューロンでも自由神経終末と同じ出来事が起きてます（☞図6-9）．

A．1次ニューロンから2次ニューロンへの伝達　　103

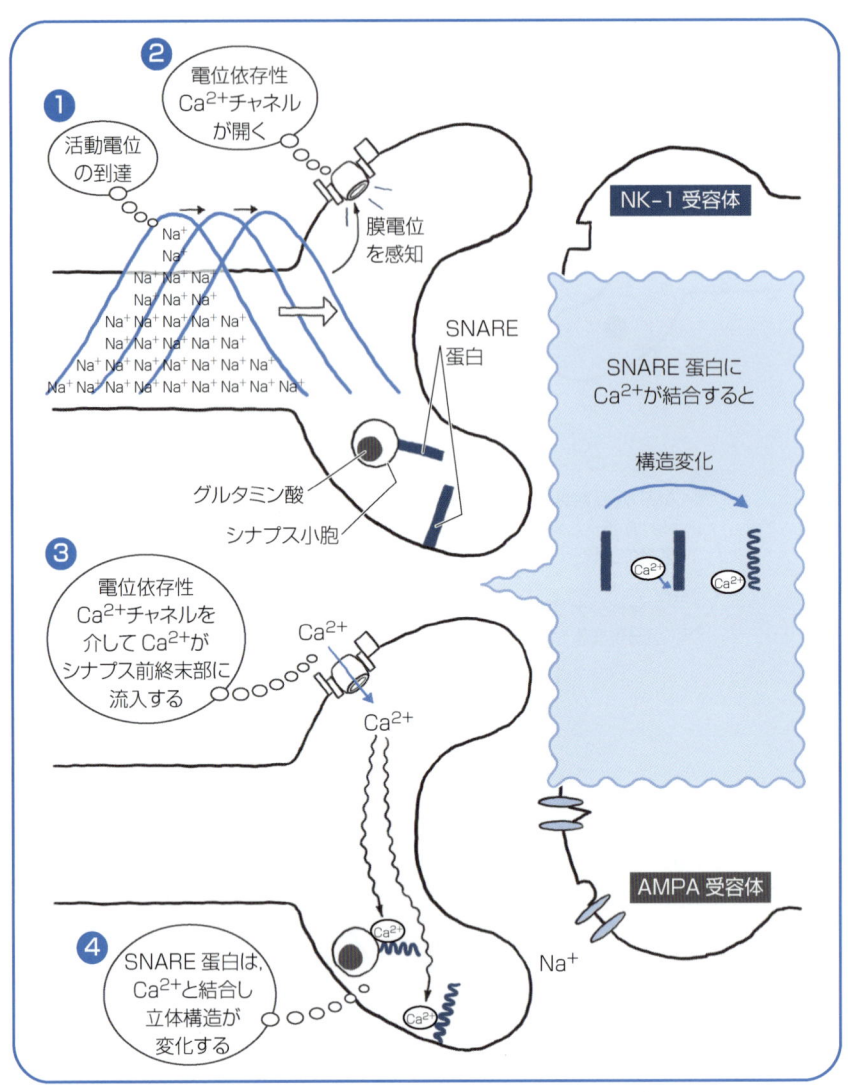

図 7-4　活動電位がシナプス前終末部に到達 ➡ 電位依存性 Ca^{2+} チャネル開口 ➡ SNARE 蛋白と Ca^{2+} の結合

グルタミン酸は AMPA（アンパ）受容体を開く

7．味の素とアンパン

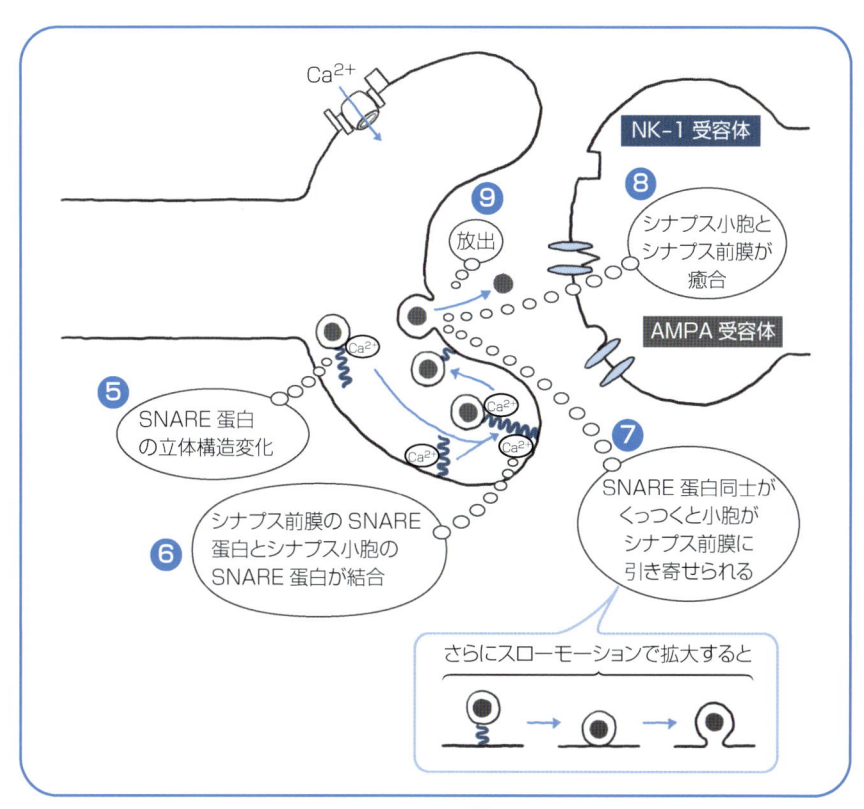

図 7-5　SNARE 蛋白の立体構造変化 ➡ Ca^{2+} の流入からシナプス間隙への伝達物質の放出

B　シナプスでの出来事

1　シナプスでの出来事：シナプス間隙への神経伝達物質の放出

　さて，シナプス前終末部への活動電位の到着から，神経伝達物質の放出までの出来事をやや詳しく見てみたい．前掲図 7-2 と図 7-3 の間の出来事である．治療薬の標的となる，カルシウムを通す穴が開くからである．図 7-4 から図 7-5 までのフキダシを番号順に見てほしい．

シナプス前膜からの神経伝達物質の放出機序
SNARE 蛋白に焦点を当てる

2 電位依存性 Ca^{2+} チャネル

　電位依存性 Ca^{2+} チャネルとは，膜電位（☞3章図3-2）の上昇を感じとって開く，Ca^{2+} を通す穴である．SNARE〔soluble NSF attachment protein（SNAP）receptors，可溶性のSNF接着蛋白質（SNAP）受容体（開口放出関連蛋白質の一群）〕という蛋白に Ca^{2+} が結合するとその立体構造が変化する（図7-4）．立体構造の変化したSNARE蛋白同士が結合した後，双方に結合しているシナプス小胞膜とシナプス前膜が融合し，小胞内の伝達物質がシナプス間隙に開口放出される．神経伝達を速やかに達成するため，すでに小胞内に貯蔵されている伝達物質を放出するという仕組みは理に適っている．刺激が来てから産生していては，時間がかかってしまうからである．痛みの伝達では，小胞内に貯蔵されている神経伝達物質はグルタミン酸やサブスタンスPなどである．

> **メモ** グルタミン，グルタミン酸，グルタメート：glutamine（Gln），glutamic acid（Glu），glutamate（図7-6）
>
> 　グルタミンとグルタミン酸はともにアミノ酸である．名前は似ているが同一物質ではない．グルタミン酸に NH_3 をくっ付けるとグルタミンになる．グルタミン酸は，昆布・チーズ・海苔の旨味の素である．ちなみに，カツオ節・マグロ・鶏肉・豚肉の旨味の素はイノシン酸である．味の素の主成分は，グルタミン酸のナトリウム塩であるL-グルタミン酸ナトリウムである．通常では考えられない大量のグルタミン酸ナトリウムを摂取すると，頭痛や紅潮をきたす．
> 　グルタメート（glutamate）と表現する場合には，カルボキシル基（carboxylate）を持つ陰イオン（anion）型と Na^+ と結合した型がある．つまり，グルタミン酸として存在する型とグルタミン酸塩として存在する型がある．

```
アミノ酸
  ○○○ グルタミン (Gln : glutamine)
  ○○
  ○○      ↕ — NH₃        神経伝達物質
  ○○
  ○○  グルタミン酸 (Glu : glutamic acid)
  ○○
  ○○      ↕ — NH₃
  ○○
       αケトグルタル酸

L-グルタミン酸 (Glu) + NH₃ ⟶ L-グルタミン (Gln)

グルタメート   ⟨ グルタミン酸
(glutamate)    ⟨ グルタミン酸塩
```

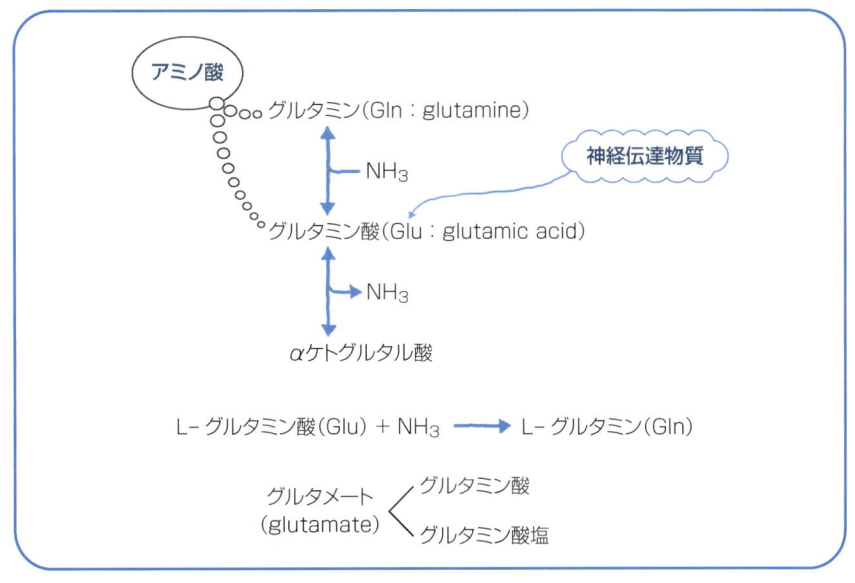

図 7-6　グルタミン（Gln）とグルタミン酸（Glu）

シナプス後膜

アンパ刺激で**塩**が入る
AMPA　　Na$^+$

Q　痛みの神経伝達物質として，グルタミン酸とサブスタンスPがあると書いてありましたが，サブスタンスPの方はどういうものなのですか？

　Aδ線維ではグルタミン酸が，C線維ではグルタミン酸とサブスタンスPが放出されます．つまり，サブスタンスPは，C線維で放出される神経伝達物質です．

　2次ニューロンでの活動電位発生にはグルタミン酸の刺激が必要ですが，サブスタンスPにより2次ニューロンのグルタミン酸に対する反応が強化されるのです．NK-1受容体にサブスタンスPが結合するとNMDA受容体という別のチャネルも開き，Na$^+$やCa^{2+}が2次ニューロンに入るようになるのです（☞16章図16-12）．慢性痛の発生に関与しています．詳しくは，16・17章で解説します．

B．シナプスでの出来事

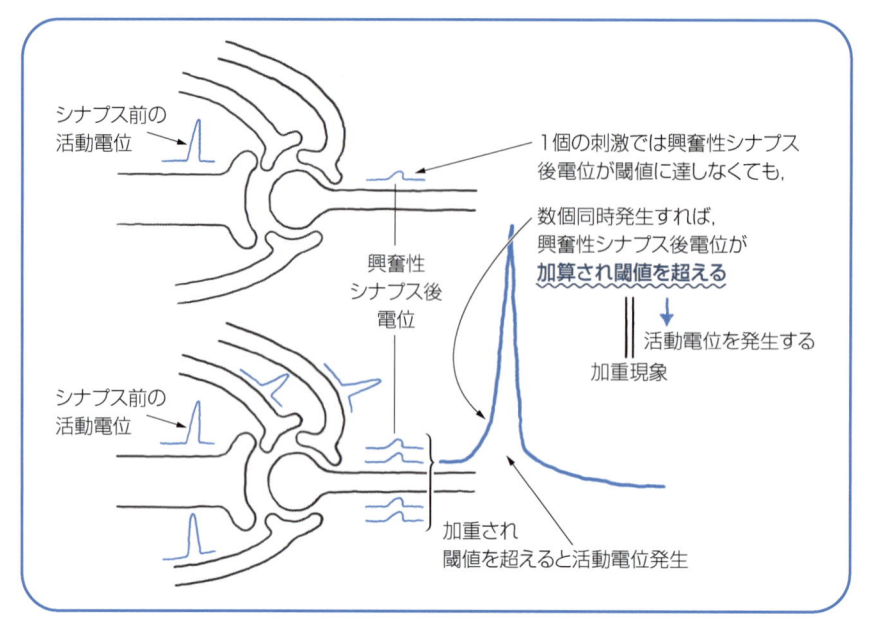

図 7-7　加重現象：複数の興奮性シナプス後電位を加算

C　興奮性シナプスと抑制性シナプス

1　大きな損傷では痛みも強い：興奮性シナプス

　興奮性シナプスは，シナプス前ニューロンがシナプス後ニューロンを興奮させる接合である．シナプス前終末部から，シナプス後ニューロンでの膜電位を上げる神経伝達物質（グルタミン酸など）が放出される．これまで見てきたイラストから，シナプス前ニューロンと後ニューロンで1：1の接合をしているイメージを持たれた方もいるかもしれない．しかし実は，1本のニューロンには，1,000本以上のニューロンの入力がある．

　1本のニューロンからの刺激では，シナプス後ニューロンでの興奮性シナプス後電位（☞3章p32 Q&A）が十分でなく，活動電位を発する閾値に到達しない場合でも，複数のニューロンから同時に刺激を受けると，各々のシナプス前ニューロンからの刺激で発生した興奮性シナプス後電位が加算され閾値を超え，活動電位が発生する．これを加重現象という（**図7-7**）．大きな損傷は，多くの

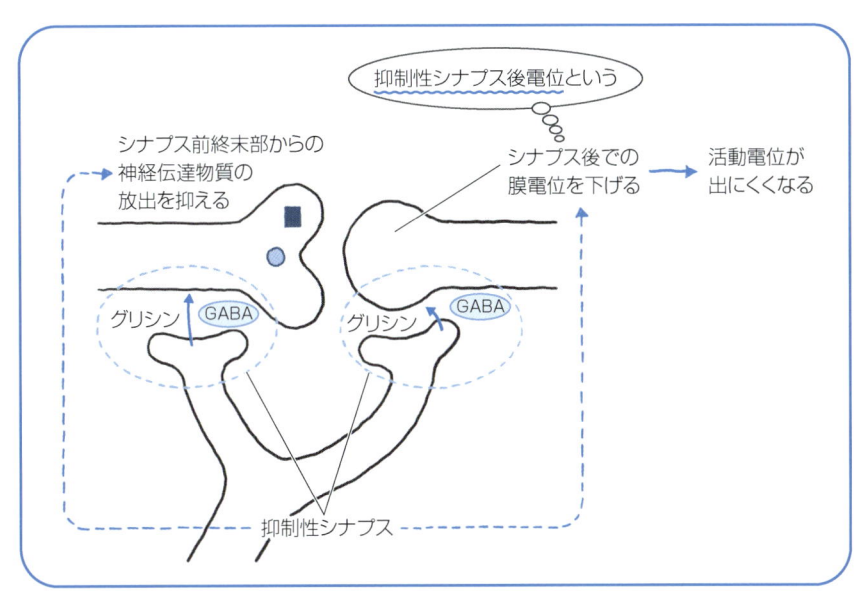

図 7-8　抑制性シナプス（☞ 8 章図 8-2・11・15）

1 次ニューロンを刺激するので，加重現象により促通され 2 次ニューロンの活動電位が発生しやすくなり，痛みは強くなる．

同義語コーナー

興奮性シナプス後電位は興奮性膜電位の一種です

2　抑制性介在ニューロンと鎮痛：抑制性シナプス

　抑制性シナプスは，シナプス前ニューロンがシナプス後ニューロンの興奮を起こりにくくする接合である．抑制性シナプスでは，シナプス前終末部から，シナプス後ニューロンでの膜電位を下げる神経伝達物質 [GABA（γ-アミノ酪酸，γ-aminobutyric acid），グリシンなど] が放出される（**図 7-8**）．
　痛みを伝える 1 次ニューロンに抑制性介在ニューロンがシナプスしていたら，1 次ニューロンの神経終末部からのグルタミン酸やサブスタンス P 放出が抑制される．2 次ニューロンに抑制性介在ニューロンがシナプスしていたら，2 次ニューロンでの活動電位の発生が抑制される．抑制性介在ニューロンが膜電位を下げる

C. 興奮性シナプスと抑制性シナプス

神経伝達物質を放出するからである．

　シナプス後での膜電位を下げる（これを抑制性シナプス後電位の発生という）には，陰イオンである Cl^- を細胞内に入れるか，陽イオンである K^+ を細胞外に出せばよい．Cl^- を細胞内に入れる伝達物質は GABA である．一般的に，GABA を神経伝達物質として放出する神経は抑制性ニューロンである．

　興奮性ニューロンと抑制性ニューロンの双方が同一のシナプス後ニューロンにシナプスしているとしよう．それぞれによる興奮性シナプス後電位と抑制性シナプス後電位の総和による膜電位が閾値を超えていればシナプス後ニューロンで活動電位が発生し，閾値を超えなければ活動電位は発生しない（図 7-9）．

3 シナプス伝達を抑制するために：内因性鎮痛物質とその受容体

　もし痛みを伝える 1 次ニューロンと 2 次ニューロンのシナプス間隙に，シナプス前からの神経伝達物質が出なかったらどうなるか？　痛みを感じないであろう．つまり，シナプスでの伝達を抑制すると痛みは止まる．

　次章（8 章）で述べるが，生体内には，自分で自分の痛みを抑制する機構が備わっている．言い換えると，体内で自ら痛みを抑える作用を持つ物質——内因性鎮痛物質——が産生・放出されている．内因性モルヒネ様物質（エンケファリンなどのエンドルフィン類），セロトニン，ノルアドレナリン，GABA，アデノシン，グリシンなどである（他にも多種存在する）．神経終末で放出されると，それが放出されたシナプスで作用をもたらす——というのがポイントである．一方，神経細胞以外からでも産生・放出される物質（例えばノルアドレナリンとかセロトニン）が全身的に増加したら血中濃度が上昇するが，鎮痛効果があるかというと，そうではない．つまり，内因性鎮痛物質が効果をもたらすには，神経伝達の行われる局所——シナプス——で産生・放出され，かつそのシナプスを構成しているニューロンの細胞膜上に結合部位（受容体）が存在しなければならない．

内因性鎮痛物質により痛みを抑える

　そこで，シナプス前とシナプス後の神経線維を見てみると，細胞膜上に内因性鎮痛物質に対する受容体が確かに存在している．μ 受容体，κ 受容体，δ 受容体，

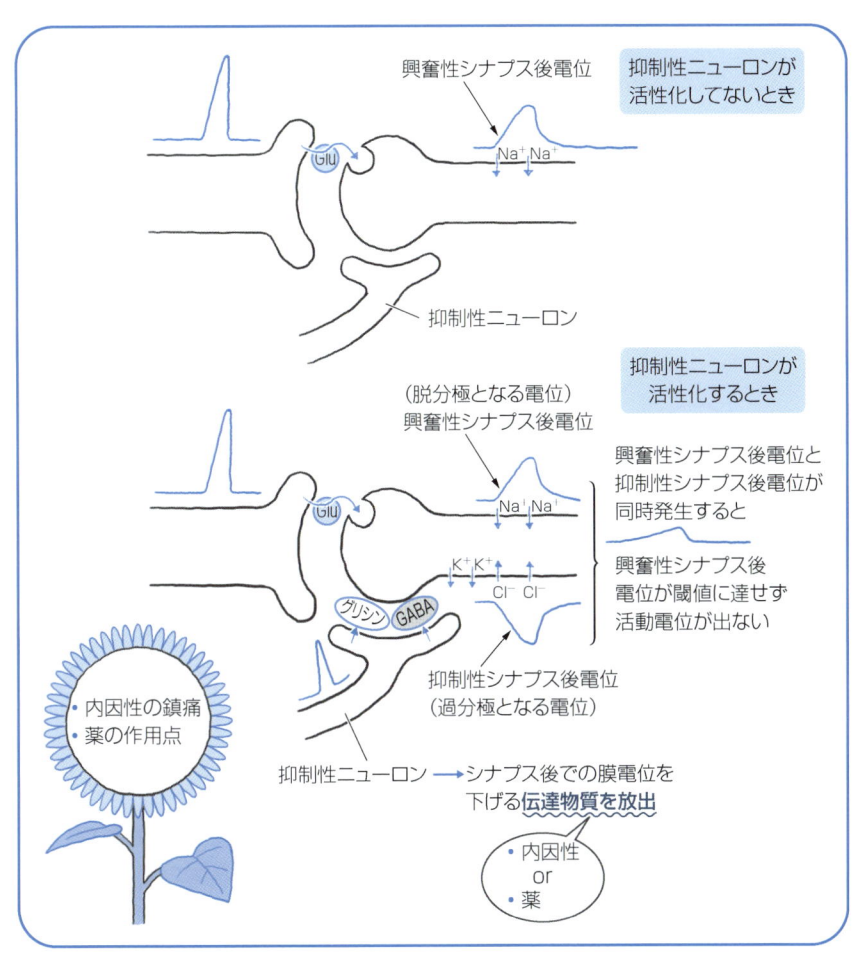

図 7-9　抑制性シナプス後電位

5-HT$_1$ 受容体，α_1 受容体，α_2 受容体，GABA 受容体，グリシン受容体，アデノシン受容体などである．同じ受容体がシナプス前ニューロンおよび後ニューロンの双方に備わっている（**図 7-10**，**表 7-1**）．

シナプス伝達を抑えれば痛みは止まる

C．興奮性シナプスと抑制性シナプス

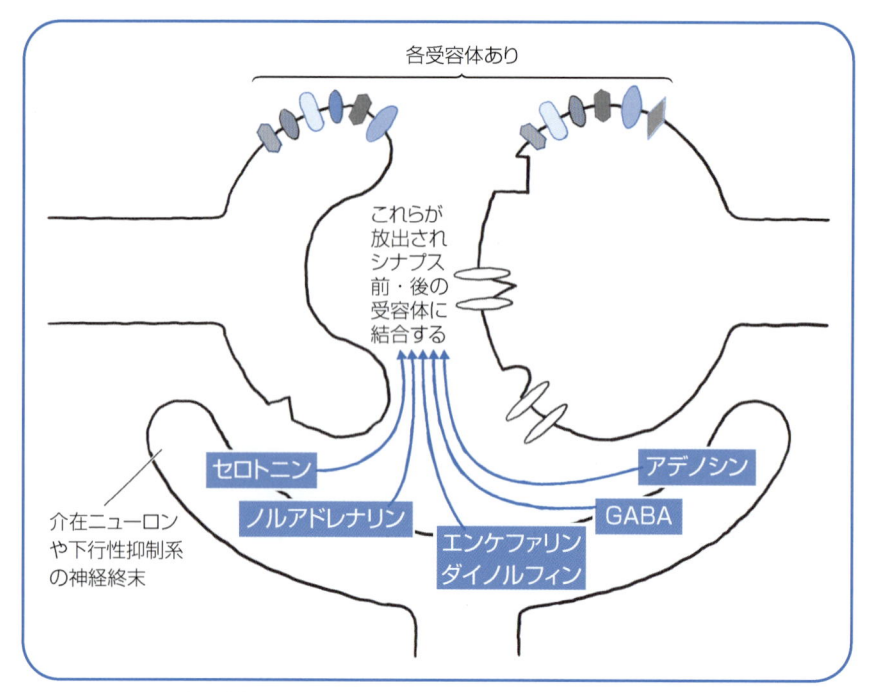

図 7-10 シナプス前後の受容体

表 7-1 シナプス前後の受容体に対応する内因性鎮痛物質（脊髄後角）

受容体	内因性鎮痛物質
μ（ミュー）受容体	エンケファリン
κ（カッパ）受容体	ダイノルフィン
δ（デルタ）受容体	エンケファリン
5-HT$_1$ 受容体	セロトニン
α$_1$ 受容体	ノルアドレナリン
α$_2$ 受容体	
GABA 受容体	GABA
グリシン受容体	グリシン
アデノシン受容体	アデノシン

7．味の素とアンパン

D 鎮痛との関係

1 シナプスと痛みの治療：まとめ

治療として，シナプス伝達を抑制するには，可能性として，どのように考えたらよかろうか．本章の途中ですでに触れたが，まとめてみる（以下，順不同）．

① 電位依存性 Na^+ チャネルを閉じ，活動電位の伝導を直接抑える（☞ 11 章）
② 伝達物質の放出を抑える（☞ 8 章図 8-10）
  - 活動電位がシナプス前終末部に到達しても，膜電位が上がらないようにしておく（☞ 8 章図 8-12，12 章図 12-2bc）
  - シナプス前終末部に Ca^{2+} が流入しないようにする（☞ 13 章図 13-5）
③ シナプス後で膜電位が上昇しにくい状態にする（☞ 8 章図 8-10，12 章図 12-2d）

2 実際の薬

本章の前半では，シナプス前終末部からの神経伝達物質の放出の仕組みを説明した．後半では，シナプス周辺に放出される内因性鎮痛物質（図 7-10）について解説した．内因性鎮痛物質（エンケファリン，セロトニン，ノルアドレナリンなど）はシナプス前の受容体に結合し，1 次ニューロンからの神経伝達物質（グルタミン酸）の放出を抑え，シナプス後の受容体に結合し 2 次ニューロンの膜電位を下げる（☞図 7-8）．したがって，シナプス周辺での内因性鎮痛物質を高めれば痛みの伝達は低下する：これは，内因性鎮痛物質の放出を高める（図 7-11①a）か，回収（再取り込み）を抑えれば（図 7-11①b）達成できる．現在，①下行性抑制系に作用し内因性鎮痛物質を高める薬（図 7-11①ab）と，②そのものがシナプス前後に直接的に作用する薬（図 7-11②），③双方の作用を持つ薬がある．薬そのものが直接的に作用し，1 次ニューロンシナプス終末部からグルタミン酸放出を抑える薬としてオピオイド［モルヒネ，フェンタニル，オキシコドン，トラマドール（肝での代謝産物 M1 が μ 受容体に結合），タペンタドール，ブプレノルフィン，リン酸コデインなど］，α_2 受容体刺激薬（クロニジン塩酸塩），プレガバリンがある．

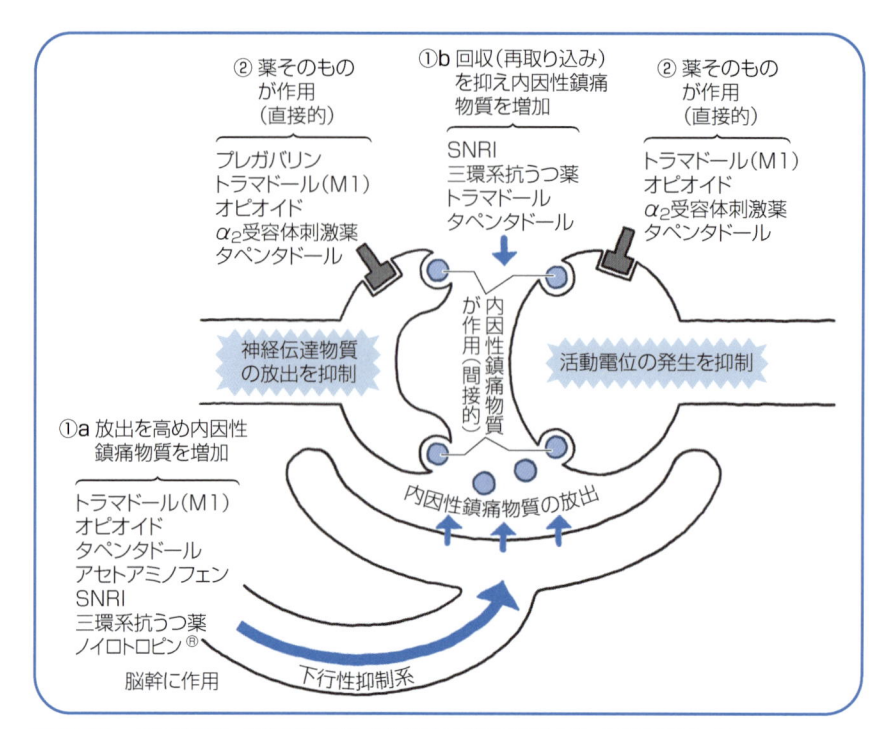

図 7-11　薬の作用：間接的（内因性鎮痛物質を高める）か直接的か？

心頭滅却すれば
火もまた涼し

8

―― 上からシナプス伝達を抑える：下行性抑制系

A 自分で痛みを抑える仕組み

　何かに集中しているとき，熱中しているとき，注意を向けているとき，歓喜に満ちあふれているとき，何かを思い出している最中は，痛み刺激があっても痛みに気付かない．これは誰でも経験している．この現象は，気のせいか，それとも医学的に説明できるのか．試合に熱中しているサッカー選手は，試合終了までは骨折の痛みを感じないと聞く（**図8-1**）．「痛み刺激があるのに，何かに集中しているので痛みを感じない」とき，脳や脳幹は，その『何か』のために活発に活動している．1965年にMelzackとWallは，ゲートコントロール理論［Melzack R, Wall PD: Science 150: 971-979, 1965：☞ 9章-B］で，この何かに集中している脳や脳幹の活動（つまり電気刺激）が脊髄後角に伝わり，「脊髄での痛みのリレーを抑制する」と考え，痛みの伝達に対する中枢からの調節（central control）の存在を提唱した．

図 8-1　試合中は骨折しても痛くない選手もいます

> **メモ**　central control：中枢による調節
>
> 　皮膚・筋・骨・内臓などの末梢で，痛みを引き起こす出来事（侵害刺激）は，1 次ニューロンの自由神経終末で感知され（☞ 2 章），電気信号に変化し（☞ 3・6 章），脊髄後角に達し，2 次ニューロンに伝達される（☞ 7 章）．この 1 次ニューロン（Aδ 線維，C 線維）から 2 次ニューロンへの伝達は，①末梢性および②中枢性に抑制を受ける．①末梢性には，当該脊髄レベル（1 次ニューロンが入力した脊髄レベル）に入力している Aβ 線維（触覚）の刺激で伝達が抑制される（☞ 9 章）．一方，②中枢性には，中枢（脳・脳幹）からの刺激によって，脊髄後角での 1 次ニューロンから 2 次ニューロンへの伝達が抑制される（図 8-2）．

　中枢性抑制の具体例を考えてみたい．何もしないで，ジーッと痛みのことばかりを一日中考えていると，痛みをさらに感じてしまう．慢性痛の患者さんに対して，「なるべく何かをするように」と説明している医師は多いのではなかろうか．その「こころ」は，「中枢を活性化し，脊髄後角での痛みのシナプス伝達を抑える」である．中枢を活性化するために，考える，見る，聞く，話す，読む，

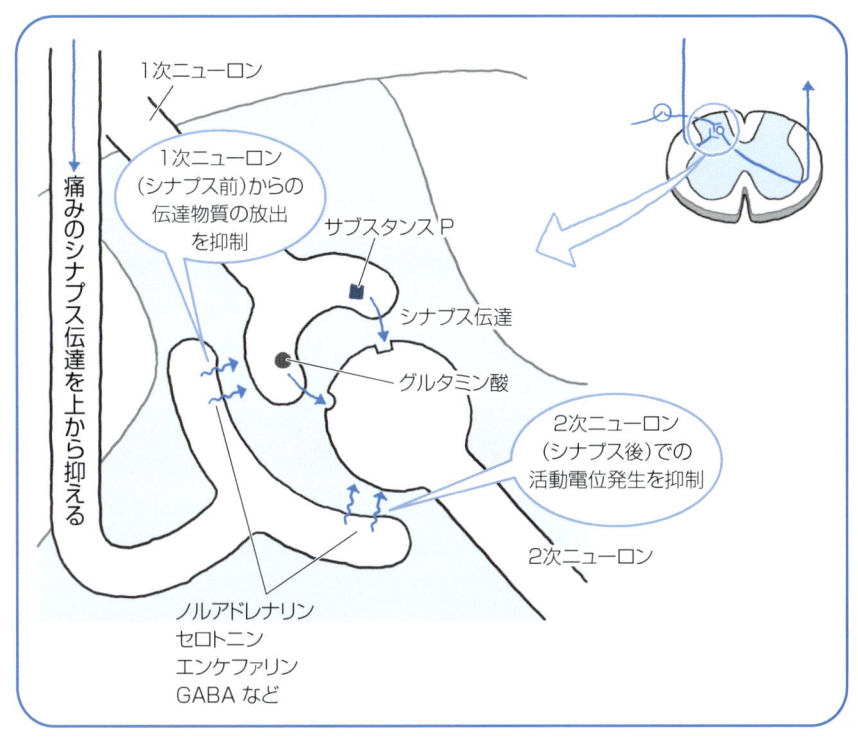

図 8-2 下行性抑制系：脳・脳幹からの抑え込み刺激

動かすなど，頭（脳と脳幹）を使う．

おそらく，狭心症・心筋梗塞のような痛みでは別のことを考える余裕はないが，もしもできれば，その痛みの程度は減少すると思われる．痛みの刺激は怖れ，不安，不快感，気持ち悪さをもたらす大脳辺縁系にも電気信号を同時に伝えているので（☞ 4・18 章），物事に集中する気にならないのも事実である．

本章では，中枢から脊髄後角へ指令が発射される経路（投射路）である下行性抑制系（下行性疼痛抑制系）について解説したい．日常的な行動や治療薬が，下行性抑制により鎮痛をもたらしているからである．

脊髄後角での痛みのシナプス伝達を上から抑える

下行性抑制，下行性疼痛抑制

A．自分で痛みを抑える仕組み

B 下行性抑制系：内因性の鎮痛物質の放出

1 下行性抑制

1969年に，Reynoldsらが，中脳中心灰白質（中脳水道周囲灰白質）を電気刺激すると，脊髄後角での痛みの伝達が抑制される事実を発見し［Reynolds DV: Science 164: 444-445, 1969］，上から痛みを抑える central control（中枢調節）の存在が具体的に明らかとなった．MelzackとWallの理論（☞ p115）が実験的に証明されたのである．Reynoldsらは，「descending inhibition」と表現したので，日本語に訳すなら「下行性抑制」となる．その後，他の脳幹部の刺激によっても，脊髄後角での痛みの伝達が抑制される事実が報告され，central mechanism（中枢機序），descending control（下行性調節），brainstem control（脳幹調節）などと表現されているが，これらは同じ意味である（図8-3）．中枢からの刺激で脊髄での痛みの伝達が抑制される現象が「下行性抑制」であり，それを司っている神経回路を下行性抑制系と考えるとよい．日本語では，「下行性疼痛抑制系」とも表現されている．

2 触刺激による中枢調節

触覚を伝えるAβ線維の刺激——つまり触れること——は，脊髄後角での1次ニューロンと2次ニューロンの連絡を抑制する（☞ 9章図9-5・8）．例えば，「痛いの痛いの飛んでけー」とさすっているとき（☞ 9章図9-4），この触刺激はまず，①脊髄レベルでの直接的な抑制をもたらす．同時に中枢（脳幹）にも伝わった後，脊髄後角に逆戻りし，②間接的な抑制をもたらす．①は横から「門」を閉じる刺激であり（☞ 9章），②は上から「門」を閉じる刺激である（図8-3：☞ 9章図9-10）．

触覚を伝えるのはAβ線維である．触れるという行為は，脊髄後索-後索核-毛帯交叉-視床-体性感覚野（後索-内側毛帯路）へと電気信号を伝え，脳で体性感覚野の皮質細胞を刺激する（図8-4）．四肢の固有感覚も同様である．一部，脊髄視床路（対側の前・側索，痛みと共有）を上行し視床に至る経路もあるが，後索-内側毛帯路が主である．

実験的には，大脳皮質の体性感覚野を電気刺激すると，脊髄後角で痛みを伝える1次ニューロンと2次ニューロンとの伝達が抑制される［Yezierski RP, et al:

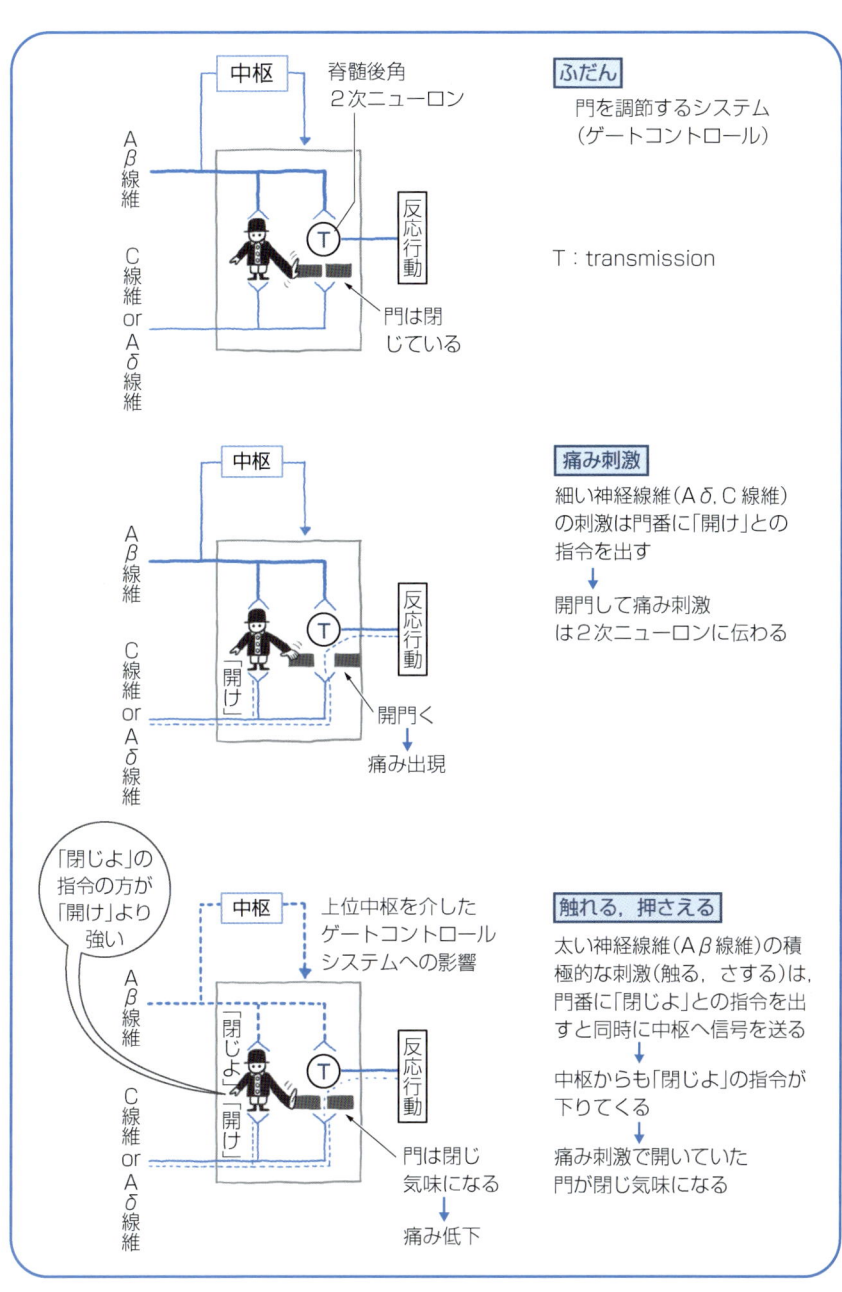

図 8-3 ゲートコントロールにおける中枢調節，中枢機序，下行性調節，脳幹調節

B. 下行性抑制系

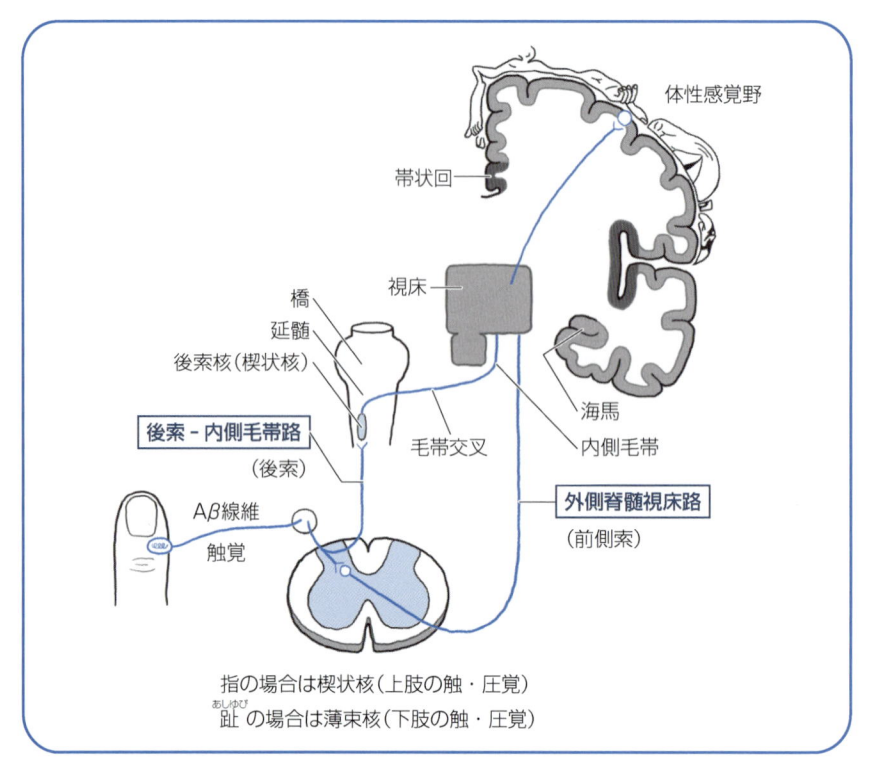

図 8-4 触覚の経路：後索-内側毛帯路

J Neurophysiology **49**: 424-440, 1983］．これは──①体性感覚野に到達する刺激，つまり触刺激が②体性感覚野を刺激後，③何らかの経路をたどり，④脊髄後角でのシナプス伝達を抑える──ルートの存在を示している（**図 8-5**）．

3 下行性抑制の経路

　脳や脳幹から下行する刺激が，脊髄後角での1次ニューロンと2次ニューロンのシナプス伝達を抑制するのが下行性抑制である．その司令塔として，少なくとも①脳幹部と②大脳皮質が想定されている．①脳幹-脊髄路と②大脳皮質-脊髄路である（**図 8-5**）．脳幹-脊髄路は，脳幹の神経細胞に源を発し，脊髄後角に降りるルートで，最初に発見されたのは中脳中心灰白質の刺激による鎮痛効果である．一方，大脳皮質-脊髄路は大脳皮質に源を発する運動を司る路で，錐体路とも呼ばれるが，下行性抑制にも参加している脳幹-脊髄路と共通なのか詳細は未

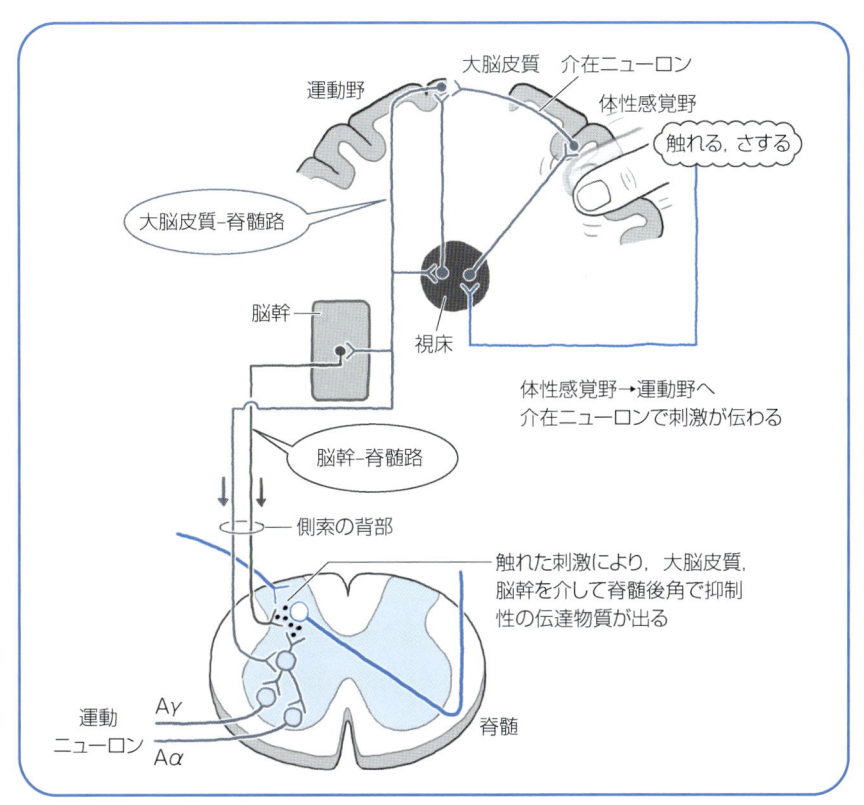

図 8-5 下行性抑制の代表的 2 経路（☞ p154 図 9-10）

解決である．書籍によっては，下行性抑制系は，脳幹部から脊髄後角に投射する経路のみを指すような記載も見られるが，これは，この系がもっとも解明されているからである．一般的には，脳幹経由で大脳皮質やその他の部位からでも（これらを「上から」という），脊髄後角に達し，後角での痛みの伝達を抑える経路も含めて下行性抑制系と考えられている．

4 脳幹部から発する下行性抑制系（図 8-6）

皆さんは，上から抑え込まれたことはあるでしょうか．現場には現場監督がいて，その上には支店長がいて，取締役がいて，社長・会長と連なっている．ホウレンソウ（報告・連絡・相談）は重要だが，現場で解決するのがまずは望ましい．しかしながら，報告・連絡した結果，上から指令が下ることも多い．痛みの

B．下行性抑制系　　**121**

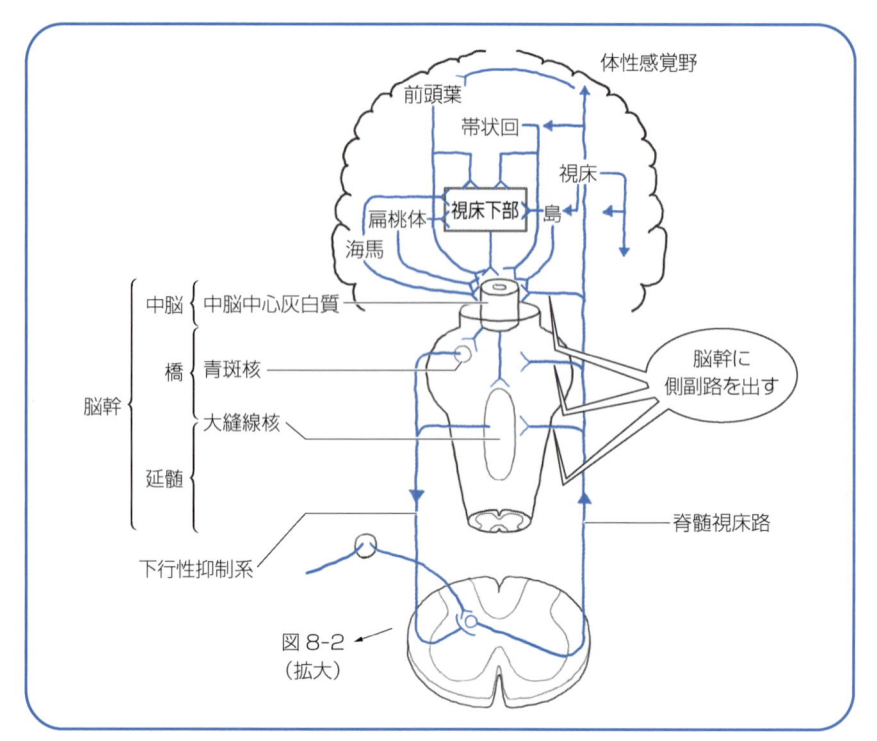

図 8-6 下行性抑制系への側副路

　伝達でも，上から抑えつける指令が発せられるのである．具体的には，痛みを抑える伝令として，ノルアドレナリンやセロトニンなどの内因性鎮痛物質（☞ 7 章 p110）が，上（脳幹など）から脊髄後角に送りこまれる．

　下行性抑制系の源の 1 つは，脳幹である．痛みの信号は，末梢から A δ 線維や C 線維を伝わり，脊髄後角に入り，2 次ニューロンに伝達され，視床に到達する．脊髄後角から視床に至る経路では，視床に至る途中で，脳幹（中脳，橋，延髄）に側副路を出している（**図 8-6**：☞ 4 章図 4-4）．

　もともと痛みは，身体に危害が加わったときにそれを避けるための警報であり，痛みがなければ逃げ遅れ，傷が深くなり重症化する．しかし，警報が伝わった後にも同じ強さの痛みが持続すると，必要以上に痛くなるので，今度は痛みそのものが苦痛となってしまう．そこで，過剰な痛みとならないように，痛みを弱める仕組みが身体に備わっている．その 1 つが下行性抑制である．末梢からの痛み刺激は，①痛いと感じさせるとともに，②痛みが過剰にならないようフィードバックをかける．ただし，フィードバックをかけても，完全に痛みを抑え込むこ

とはなく，やっぱり痛い．しかし，フィードバック機構がなければ，もっと痛いのであろう．なお，ヨガの行者の中には，完璧なフィードバックにより，瞑想中は針で刺してもまったく痛みを感じない人もいるようである．厳しい修行により，「ヒトは下行性抑制系を活性化できるようになるのか！」と思う．

何かに集中できればよいがそううまくいかないので，現在臨床では，下行性抑制系を活発化し鎮痛を図る薬もかなり使用されている．最初に承認された薬は，ノイロトロピン®（ワクシニアウイルス接種家兎炎症皮膚抽出液）であるが，三環系抗うつ薬，オピオイド，セロトニン・ノルアドレナリン再取り込み阻害薬，トラマドール，アセトアミノフェンも，脳幹から発する下行性抑制系を活発にする．鍼灸も同様である．

脊髄後角に
下行性抑制系から内因性の鎮痛物質を放出

末梢からの痛みの刺激は，視床へ向かうとともに，脳幹へも向かう．視床への信号は，痛みを感じさせる信号であり，脳幹への信号は過剰な痛みとならないようにするためのフィードバックの信号である．

STEP UP　脳幹を出発する下行性抑制系から放出されるノルアドレナリン，セロトニン，エンケファリン

　脳幹を出発する下行性抑制系の神経終末——つまり脊髄後角——で放出される物質で鎮痛のために重要なのは，ノルアドレナリン，セロトニン，エンケファリン，GABA，グリシンなどである．治療として，薬や理学的手技（鍼灸・電気刺激など）を用いて，それらの放出を増やせるからである．

　痛みは，①自由神経終末（☞2章）での活動電位の発生と伝導（☞3・6章），②脊髄後角での神経伝達物質によるシナプス伝達で伝わる（☞7章）．そこで，下行性抑制系で「鎮痛のためにノルアドレナリン，セロトニン，エンケファリンが重要である」とは，これらの物質が，①痛みの1次ニューロンのシナプス前からの伝達物質の放出（☞7章）を抑制，②シナプス後での興奮性シナプス後電位（自由神経終末の起動電位に相当）と活動電位の発生を抑制——する作用を意味している（後述）．

　脳幹を出発する下行性抑制系の神経線維には主として，ノルアドレナリン作動性とセロトニン作動性のニューロンがある（**図8-7**）．作動性とは，そ

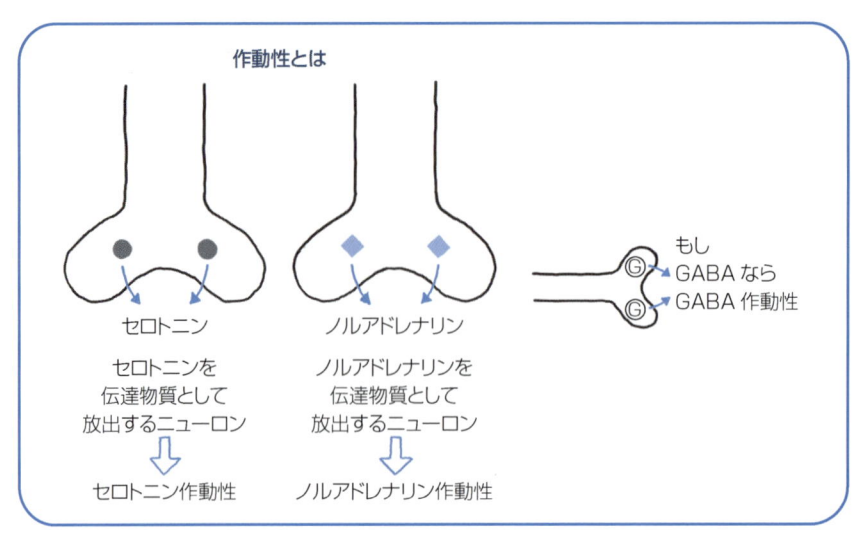

図 8-7 作動性神経：末端からノルアドレナリン，セロトニンを放出している

の物質がその神経終末から放出されるという意味である．細胞体で当該作動物質が産生され，神経終末まで移動し，神経終末内の小胞に貯蔵されていて，活動電位が到達すると，シナプス間隙や効果器に放出される．

細胞体と神経線維の配置から脳幹をみると，①ニューロンの細胞体が密集している部分（これを核という），②神経線維が集まって走行している部分，③細胞体と神経線維が網の目のように混在している部分（これを網様体という）に分けられる．核の部分は灰白質，神経線維の集まりは白質，網の目の部分は灰白質でも白質でもない部分といえる．核の部分には，同じような性質の細胞体が集合している．

1. 中脳中心灰白質（中脳水道周囲灰白質）

中脳中心灰白質の電気刺激が鎮痛をもたらす現象は，1960年代の終わり頃に初めて明らかとなった（☞ p118）．これは，中脳中心灰白質に発する，下行し，脊髄後角での痛みのシナプス伝達を修飾する系路の存在を示している．

中脳中心灰白質から延髄の大縫線核と青斑核に信号が送られ，双方から脊髄後角に直結する線維が下行し，後角の第Ⅰ層と第Ⅱ層に終わっている．実験的に，大縫線核にモルヒネを注入すると（マイクロインジェクションという），侵害刺激に対する脊髄後角2次ニューロンの反応が抑制される（**図 8-8**）．つまり，脊髄後角での痛みの伝達は，大縫線核を源とする下行性の信号により抑制される．

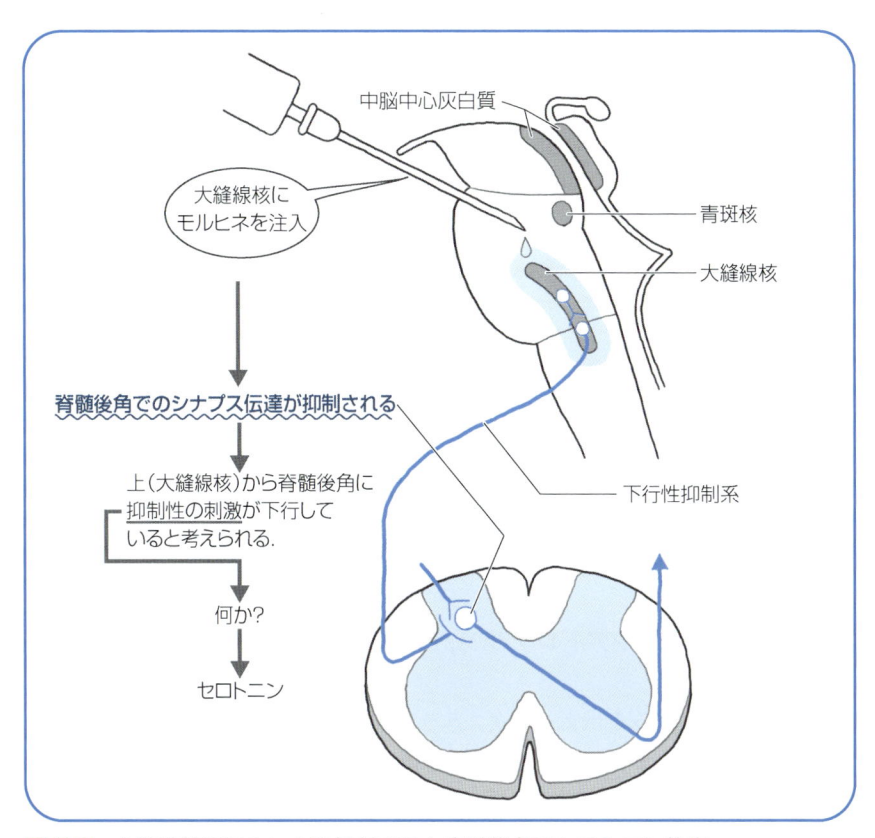

図 8-8　大縫線核にモルヒネを投与すると脊髄後角でセロトニン放出

　中脳中心灰白質は，間脳，大脳辺縁系，新皮質からの調節を受ける．中脳中心灰白質は少なくとも，間脳（視床下部），辺縁系（海馬・扁桃体），新皮質（前頭前皮質）や島と信号を双方向性にやり取りしている（**図 8-6**：☞20 章図 20-4）．例えば，視床下部にオピオイドを注入すると鎮痛効果が得られるが，これは下行性の抑制系の活発化と考えられている．

2. 青斑核，大縫線核（図 8-6，図 8-8）

　脳幹部に源を発した下行性抑制系は，脳幹から脊髄側索の背部（背側索，dorsolateral funiculus）を通って，脊髄後角に入る．

　脊髄後角でノルアドレナリンを放出するノルアドレナリン作動性神経（noradrenergic neuron の訳：作動性ニューロンの方が正確であるが，作動性神経と書いてある本が多い）の中心となる源は，橋にある青斑核（nucleus locus coeruleus）である．つまり，青斑核の神経細胞体はノルアドレナリンを産生している．

B．下行性抑制系

一方，セロトニン作動性神経（serotonergic neuron）の主たる源は，橋から延髄にかけて存在する大縫線核（nucleus raphe magnus）である．縫線核と名付けられる核は複数存在し，中脳・橋・延髄をまたいで正中とその周辺に位置し，セロトニン作動性神経が集合している．大縫線核はそのうちの1つである．

内因性鎮痛物質がシナプス伝達を抑える

C ノルアドレナリン，セロトニンの作用

1 脊髄後角でのノルアドレナリン，セロトニンの作用

　脊髄後角には，痛みを伝える1次ニューロン，2次ニューロン，介在ニューロンが存在している．下行性抑制系の神経線維は，これらのすべてにシナプス結合している．シナプス結合部位は，樹状突起，軸索，細胞体のいずれもありうる（図8-9）．

a. シナプス伝達を抑える方策

　7章でも考えたが，ここで再度確認したいのは，「痛みのシナプス伝達を抑えるには何が起こったらよいか？」である．現在，施行可能な治療の考え方は，①1次ニューロンのシナプス前終末部からの痛みの伝達物質（グルタミン酸，サブスタンスPなど）の放出を抑える，②痛みの伝達物質が2次ニューロンに結合しても活動電位が発生しないようにする，③その両者，である（図8-10）．治療上，これらはシナプス前後の膜電位を下げれば達成できる．

　いずれにしても，下行性抑制系ニューロンの神経終末部から放出された神経伝達物質（☞7章図7-10）は，1次ニューロン（シナプス前），2次ニューロン（シナプス後）または介在ニューロンの表面にある受容体に結合し，上述①，②の効果をもたらす．介在ニューロンは自身の神経伝達物質を放出し，自らがシナプスしている1次ニューロンや2次ニューロンの機能を調節する（☞図8-15）．

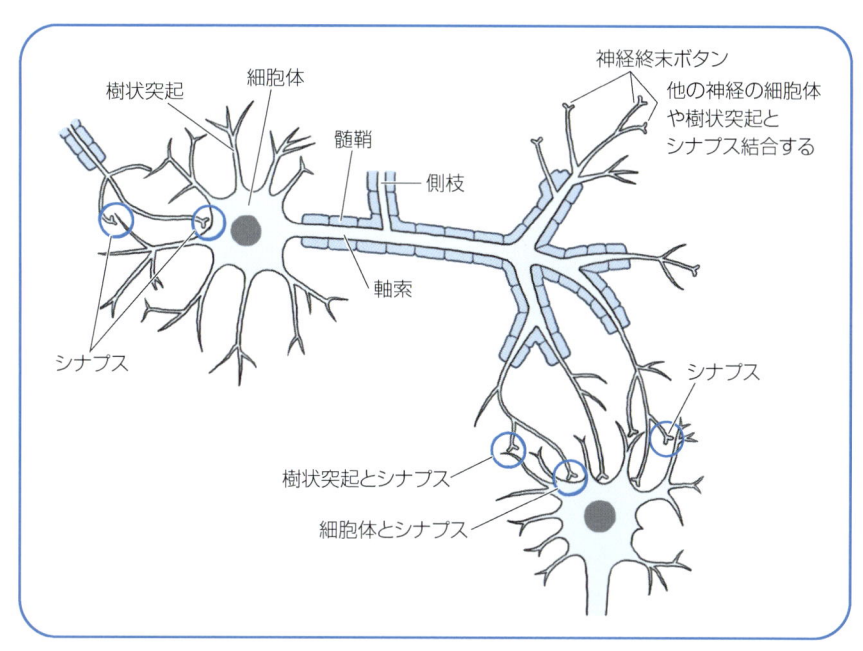

図 8-9　シナプス結合

Q 痛みの伝達を抑えるには?

シナプス前　サブスタンス P　シナプス後

グルタミン酸

①シナプス前からの伝達物質の放出を抑制

②シナプス後での膜電位上昇を抑え活動電位の発生を抑制

③(①+② の両方)

A シナプス前・後の膜電位を下げれば(＝過分極にすれば)①②が達成できます

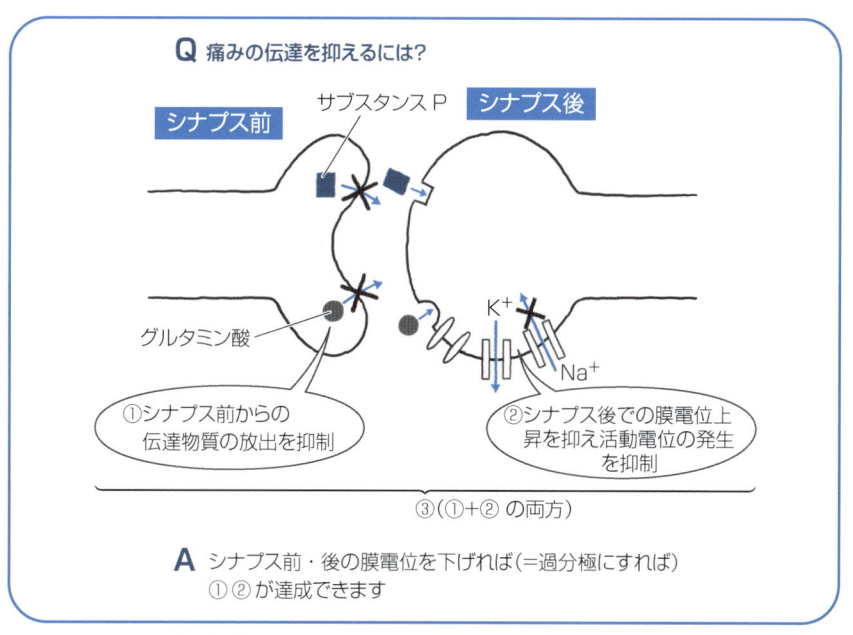

図 8-10　シナプス伝達を抑えるには

C．ノルアドレナリン，セロトニンの作用

> 膜電位の低下（過分極）➡ シナプス伝達の低下 ➡ 痛み低下

b. 膜電位を下げる

　神経伝達物質のシナプス間隙への放出は，シナプス前終末部における細胞内Ca^{2+}濃度の上昇による，シナプス小胞とシナプス前膜の癒合が必要である（☞ 7章図7-4・5）．痛み刺激で発生した活動電位は，シナプス前終末部に到達すると電位依存性Ca^{2+}チャネルを開き，Ca^{2+}が細胞外から細胞内に流入する．治療面から考えると，活動電位が到達しても，膜電位が上昇しなければ，電位依存性Ca^{2+}チャネルは開かずにすむ．活動電位の到着地点における膜電位が正常より低く（この状態を過分極という），落とし穴みたいになっていると，活動電位がやって来てもCa^{2+}チャネルが開くレベルまで膜電位が上昇できず，Ca^{2+}流入が発生しない（図8-12：☞図12-2bc）．痛みの1次ニューロンと2次ニューロンのシナプス間隙に，下行性抑制系の神経終末や介在ニューロンから放出されるノルアドレナリン，セロトニン，エンケファリン，GABA（γ-アミノ酪酸）のような内因性鎮痛物質（☞ 7章図7-10）は，シナプス前後ニューロンのK^+を細胞外に出して膜電位を落とす（図8-11：☞ 12章図12-2d）．つまり，落とし穴を掘る（図8-12）．

> K^+チャネル ➡ K^+を細胞外に出すチャネル
> K^+チャネルの開口により膜電位は下がる（過分極の発生）

2 ノルアドレナリン

　演歌で盛り上がるには，演歌好きな観客がいなければならない．民謡が受けるには，観客が民謡好きでなければならない．聞く耳を持つというか，感性が合わないと効果は出ないであろう．いい音楽や絵画に出会っても，観る目，聴く耳がないと響かないものである．刺激する側と刺激される側が合致しなければならない．そこで，ノルアドレナリンがあっても，それに結合する受容体がないとノル

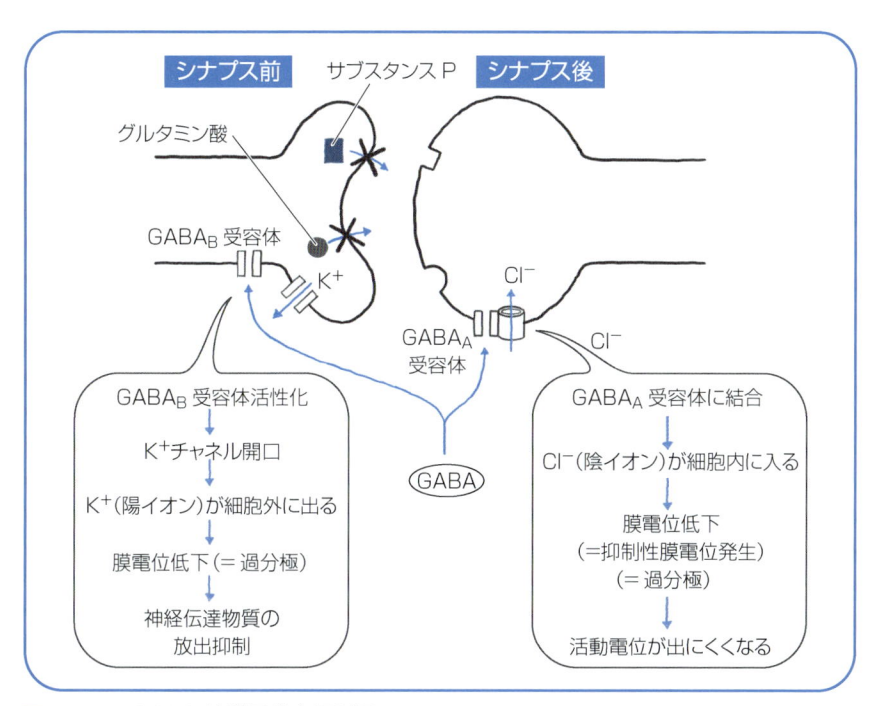

図 8-11　GABA は膜電位を下げる

アドレナリンの効果は得られない．演奏する人（伝達物質）がいても観客（受容体）がいないと盛り上がらないし，観客だけで演奏する人がいなければ何も起こらない．

　ノルアドレナリンは，$\alpha_1 \cdot \alpha_2$ および β 受容体に結合する．ノルアドレナリンが作用を示すには，そこに当該ノルアドレナリン受容体がなければならない．痛みのシナプス前とシナプス後には α_2 受容体が存在する．介在ニューロンには α_1 受容体が存在する．

　以下，α_1, α_2, G 蛋白，Gi, Gs, 5-HT$_1$, 5-HT$_2$ など，かなりムズカシく，ヤヤコシくなりそうですが，心配しないでください．それぞれ受容体（α_1, α_2, 5-HT$_1$, 5-HT$_2$）やその構成分子，セロトニンを表す略語や記号です．ゆっくり図を見ながら読んでいただき，イメージをつかんでいただければ幸いです．「K$^+$チャネルを開いてK$^+$を細胞外に出すと，膜電位が下がり，刺激の伝達が抑えられる」という治療に関わる現象を説明したいと思います．NSAIDs（☞ 10 章），オピオイド（☞ 12 章），三環系抗うつ薬（☞ 8 章），α_2 受容体刺激薬（☞ 8 章），セロトニン・ノルアドレナリン再取り込み阻害薬（☞ 8 章），アセトアミノフェン（☞

C．ノルアドレナリン，セロトニンの作用

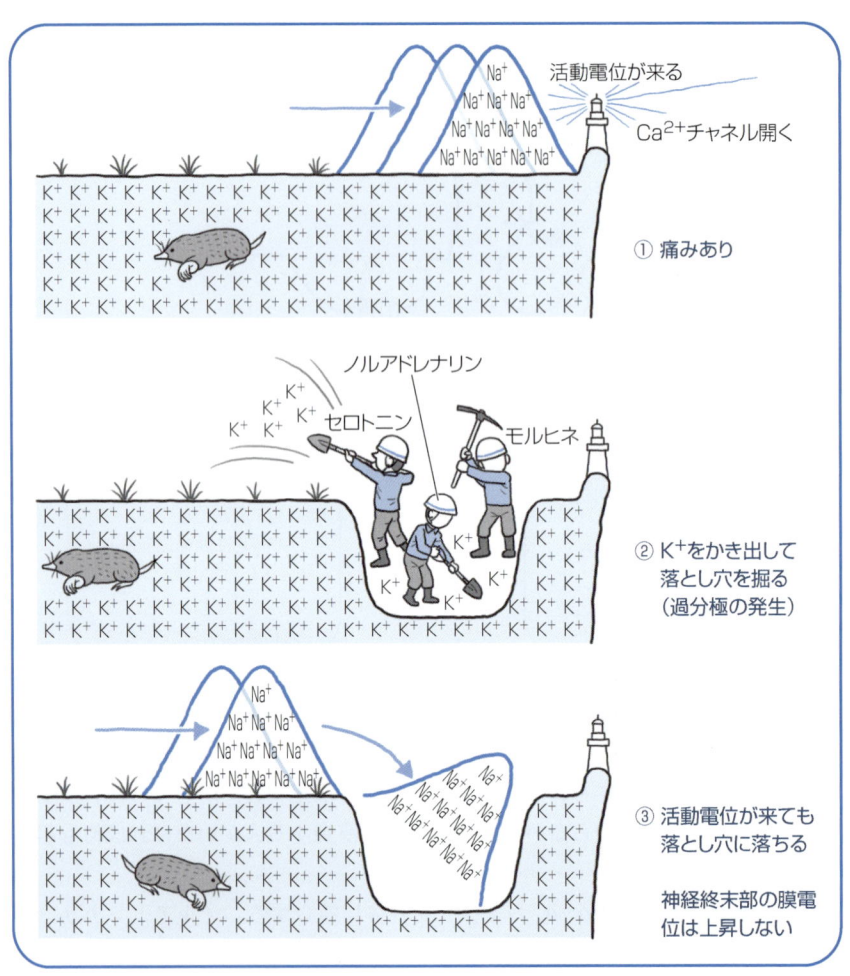

図 8-12 土（カリウム）を掘り出して，落とし穴を作る（＝過分極の発生）：オピオイド，セロトニン，ノルアドレナリンのシナプス前後での作用（☞ p128）．図はシナプス前をイメージしていますがシナプス後も同じです．

10章），ノイロトロピン®（☞ 8章），鍼灸（☞ 8章），瞑想（☞ 8章）などの作用機序に関与しているのです．

a．ノルアドレナリンの α_2 受容体に対する作用：K^+ チャネルの開口

1次ニューロンの神経終末部のノルアドレナリン α_2 受容体にノルアドレナリンが結合すると，Gi/o（☞ p136 メモ：G蛋白）活性化➡アデニル酸シクラーゼの活性が低下➡K^+ チャネルのリン酸化が低下➡K^+ チャネル（K^+ を細胞外に出

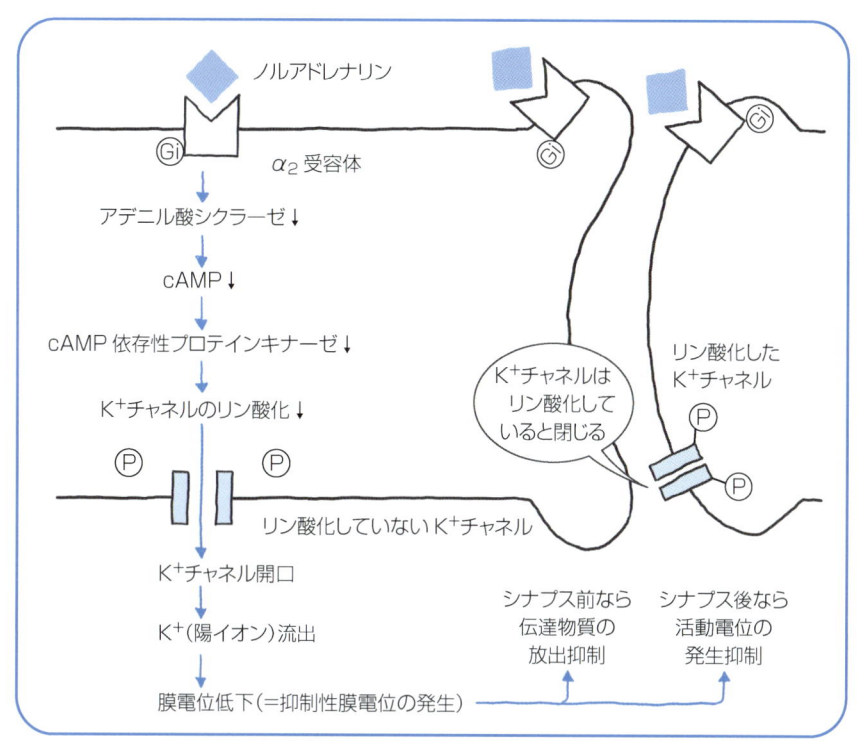

図 8-13 ノルアドレナリンにより神経線維内の膜電位が下がる

すチャネル：リンが付くと閉じます）が開き→神経終末部の膜電位の低下（過分極）が起こり（図 8-13），活動電位がやって来ても穴に落ちてしまう（図 8-12：☞ p136 メモ：G 蛋白）．つまり，膜電位の低下により，電位依存性 Ca^{2+} チャネルが開きにくくなる．

ノルアドレナリンは脊髄後角でのシナプス伝達を抑制（図 8-13）

α_2 受容体刺激 → K^+ チャネルの開口（＝過分極）→ 膜電位低下
　　シナプス前：Ca^{2+} チャネル開口抑制
　　　　→ 神経伝達物質の放出抑制
　　シナプス後：活動電位の発生抑制

C．ノルアドレナリン，セロトニンの作用

3 セロトニン（図8-14）

「頑張ってください」と励まされても，本当に頑張れる人もいれば，かえって負担になってしまう人もいる．「大嫌い」と言われても，「嫌いなのだな」と納得する場合もあれば，「本当は好きなのだな」と勘違いする人もいる．同じ言葉でも，人によって反応は様々である．受け取る側によって反応は異なる．受け手の種類が多いと，同じ物質に対する反応も異なってくる．セロトニンの効果は，そこにセロトニンがあり，その受容体がまずなければならない．セロトニンだけがあっても，受容体がなければ，その効果はない．セロトニンの受け手（受容体）には，痛みを起こす受容体と，痛みを抑える受容体がある．真逆であるが，その受容体の居場所が違うのである．適材適所というが，<u>脊髄後角にあるセロトニン受容体は痛みを抑える受容体で，自由神経終末にあるセロトニン受容体は痛みを起こす受容体である</u>．

セロトニン（5-HT）受容体は，多種知られている．5-HT受容体の多くは，G蛋白共役型の受容体（代謝調節型受容体）であるが，例外は5-HT_3受容体である．5-HT_3受容体は，それ自身がイオンを通過させるイオンチャネル型受容体（イオンチャネル内在型受容体）である（☞6章p83メモ）．

5-HT_3受容体は，嘔吐・不安・精神神経疾患に関与している．5-HT_3受容体は，約500個のアミノ酸からなる蛋白であり，キナーゼによりリン酸化される部位を持つため，その開閉は，①セロトニンとの結合，または②受容体のリン酸化により制御されている．5-HT_3受容体にセロトニンが結合するとK^+チャネルが閉じ，<u>膜電位は上昇する</u>（図8-14）．また，リン酸化によっても閉じ，膜電位は上昇する（発痛しやすくなる）．一方，<u>5-HT_1受容体にセロトニンが結合するとK^+チャネルが開き，膜電位が低下する</u>（痛みは抑制される：図8-14）．

> ❀ セロトニンは脊髄後角でのシナプス伝達を抑制する
>
> K^+チャネルの開口 → 膜電位を下げる

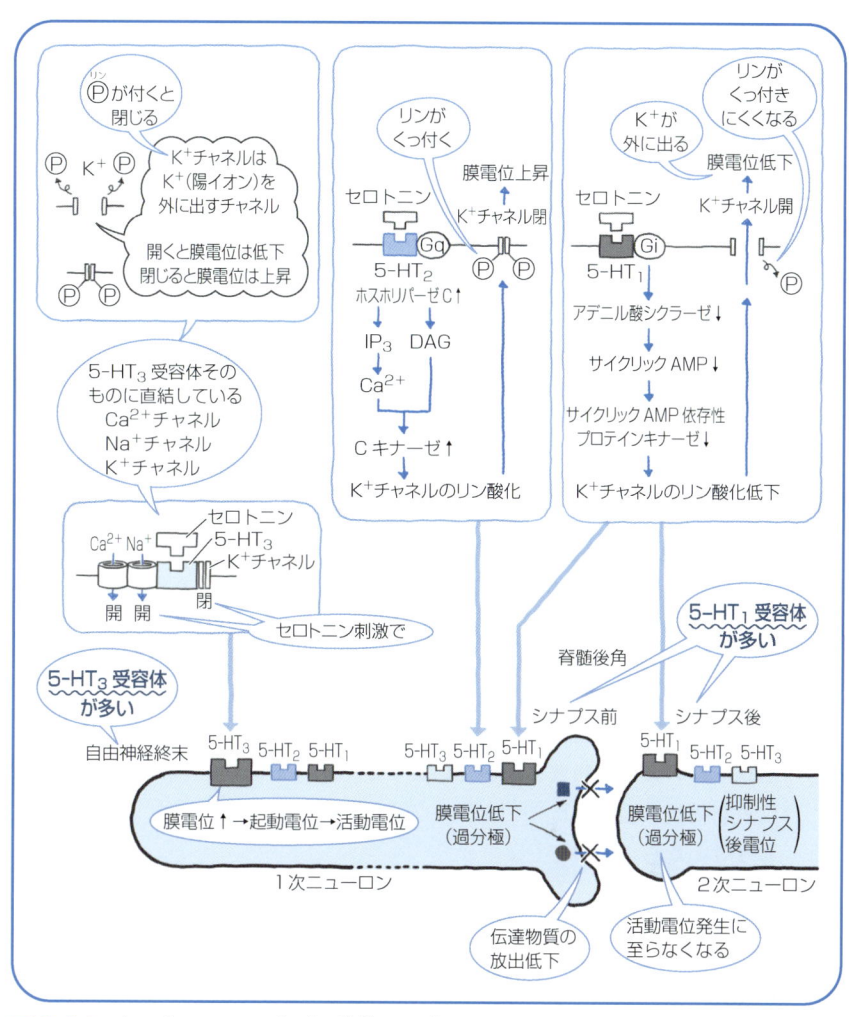

図 8-14 セロトニンのシナプス前後での作用：メインは 5-HT₁ 受容体を介する膜電位低下（詳しく知りたい人のために）

5-HT 受容体

代謝調節型受容体
（酵素活性を制御）

5-HT$_1$ 受容体　アデニル酸シクラーゼの抑制 ➡ K$^+$チャネル開 ➡ 膜電位 ↓
5-HT$_2$ 受容体　ホスホリパーゼ C の活性 ➡ K$^+$チャネル閉 ➡ 膜電位 ↑
5-HT$_3$ 受容体　自身が内包している K$^+$チャネル閉 ➡ 膜電位 ↑

イオンチャネル型受容体

ノルアドレナリンとセロトニンの働きはほぼ同じであるが，ノルアドレナリンは，Aδ線維の抑制が強い．一方，セロトニンは Aδ線維，C 線維の双方を抑制する（**図 8-15**）．したがって，ノルアドレナリンは Aδ線維による 1 次痛（☞ 2 章 p19），速い痛みの伝達抑制への役割が強いかもしれない．Aδ線維からはグルタミン酸，C 線維からはグルタミン酸とサブスタンス P が放出される．サブスタンス P は慢性痛の発生に関与している（☞ 16 章図 16-12）．

Q　セロトニンは発痛物質と聞いていますが（☞ 5 章図 5-2・9），脊髄後角では鎮痛物質（**図 8-15**：☞図 8-2，7 章図 7-10, 表 7-1）となっています．どう考えたらよいのでしょうか？

　そうですね．セロトニンは，血小板から放出される発痛物質であり，ケガをすれば，局所で放出されます．その局所に存在する自由神経終末にセロトニン受容体が存在していますが，その受容体は 5-HT$_3$ 受容体なのです．5-HT$_3$ 受容体は，K$^+$チャネルを閉じ，K$^+$ を細胞内に温存するため膜電位が上がり，活動電位が出やすくなるので，痛みを発生させる方向に作用します．
　一方，脊髄後角では，5-HT$_3$ 受容体も少しは存在しますが，5-HT$_1$ 受容体が多いのです．5-HT$_1$ 受容体にセロトニンが結合すると，K$^+$チャネルを開き，K$^+$ を細胞外に出しますので，膜電位が下がります．膜電位が下がると，シナプス前からの神経伝達物質の放出が低下し，シナプス後では，活動電位の発生が抑制されますので，痛みの伝達を抑える方向に作用します．
　まとめますと，セロトニンの受容体の種類（これをサブタイプという）が，末梢（ケガの場所：5-HT$_3$ 受容体）と脊髄後角（5-HT$_1$ 受容体）で違うため，「末梢では発痛」，「脊髄後角では鎮痛」に働くと考えればよいのです（**図 8-14**）．

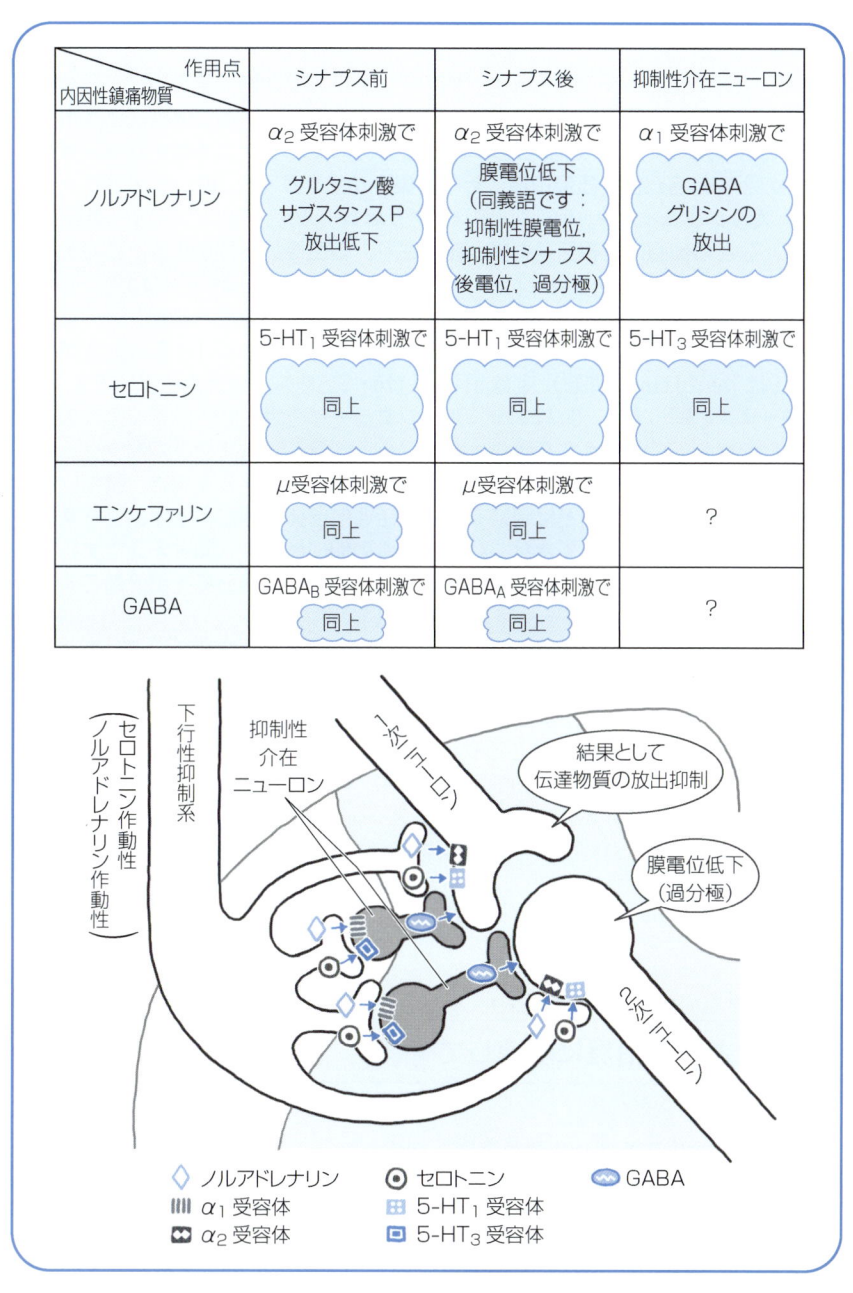

作用点 内因性鎮痛物質	シナプス前	シナプス後	抑制性介在ニューロン
ノルアドレナリン	α_2 受容体刺激で グルタミン酸 サブスタンス P 放出低下	α_2 受容体刺激で 膜電位低下 (同義語です： 抑制性膜電位, 抑制性シナプス 後電位, 過分極)	α_1 受容体刺激で GABA グリシンの 放出
セロトニン	$5\text{-}HT_1$ 受容体刺激で 同上	$5\text{-}HT_1$ 受容体刺激で 同上	$5\text{-}HT_3$ 受容体刺激で 同上
エンケファリン	μ 受容体刺激で 同上	μ 受容体刺激で 同上	?
GABA	$GABA_B$ 受容体刺激で 同上	$GABA_A$ 受容体刺激で 同上	?

図 8-15　ノルアドレナリン,セロトニンによる作用［抑制性介在ニューロン（GABA 作動性神経）の活性化例］と内因性鎮痛物質

C. ノルアドレナリン,セロトニンの作用

> **メモ** G蛋白
>
> GTP（guanosine5'-triphosphate, グアノシン5'三リン酸）結合蛋白．受容体に結合しており，受容体刺激により，細胞質内や細胞膜にある酵素（ホスホリパーゼA，ホスホリパーゼC，アデニル酸シクラーゼ，グアニル酸シクラーゼなど）の活性化を介在する蛋白質．その結果，サイクリックAMP，サイクリックGMP，カルシウムイオン，DAG（ジアシルグリセロール），IP_3（イノシトール三リン酸）などの細胞内情報伝達物質が産生され，細胞機能を発現する．このような受容体を metabotropic receptor（代謝調節型受容体）と呼ぶ．つまり，G蛋白は metabotropic receptor に連結した蛋白であり，酵素活性を調節している．
> G蛋白には，Gs, Gi（Gi/o, Goとも表現されます）などと名付けられた型があり［iは inhibition（抑制），sは stimulation（活性）と覚えたらよいです］，K^+チャネルに関しては，Gs はアデニル酸シクラーゼを活性化し K^+チャネルのリン酸化を高め，K^+チャネルを閉じ，膜電位を上げる．Gi はアデニル酸シクラーゼ活性を抑制し，K^+チャネルのリン酸化を下げ，K^+チャネルを開き，膜電位を下げる．一方，酵素活性とは別にG蛋白の活性化自体が特定のイオンチャネルを開閉することも分かってきた．K^+チャネルの開口は，K^+（陽イオンです）を細胞外に流出させるので，膜電位が低下する．つまり，過分極を引き起こす．過分極では電位依存性 Ca^{2+}チャネルが開かない．
> **$α_2$ 受容体**はGiを持つので，アデニル酸シクラーゼ活性を抑制し，K^+チャネルのリン酸化を下げ，K^+チャネルを開き，膜電位を下げる．
> **5-HT 受容体**には，① GiまたはGkを活性化し，K^+チャネルを開く受容体，② Gsを活性化しK^+チャネルを閉じる受容体，③ GoまたはGp1を活性化し，K^+チャネルを開く受容体，④ Gqを活性化しホスホリパーゼCを活性化する受容体が，少なくとも知られている（☞p134）．
> なお，オピオイドが結合する**μ受容体**は，Giと結合した受容体であり，アデニル酸シクラーゼ活性を抑制し，K^+チャネルのリン酸化を下げ，K^+チャネルを開き，膜電位を下げる．つまり，μ受容体は，痛みを抑える方向に作用する．

D　まとめ：治療に関連して

脊髄後角での内因性鎮痛物質の濃度を高めるには……
① **自分で出させる**：瞑想や別のことに集中すると脳幹も刺激され，下行性抑制系のセロトニン作動性神経，ノルアドレナリン作動性神経が活性化される．鍼灸治療にも同様の効果があり，2,000年の歴史を誇っている．不安は大脳辺縁系を介して，下行性抑制系の源（脳幹：☞図8-6）を抑えるので，痛みを強める．そのため不安をとる治療は，下行性抑制系からの内因性鎮痛物質の放出を

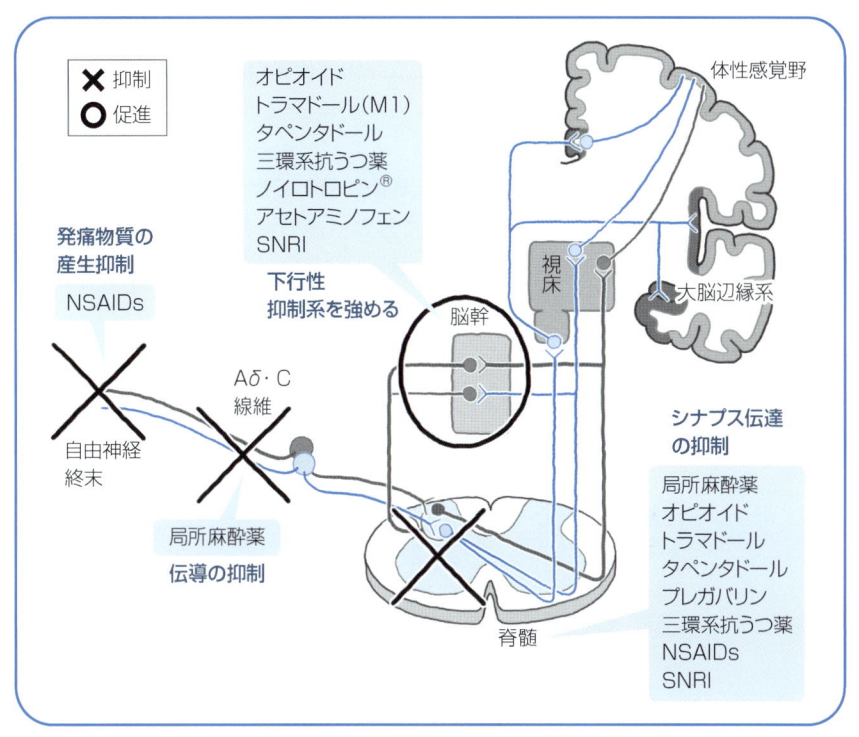

図 8-16 薬の作用点（☞巻頭目次マップ）

高める．
② **脳幹に存在するセロトニン作動性神経，ノルアドレナリン作動性神経を活性化させる薬剤を投与する**：具体的には，ノイロトロピン®，オピオイド，三環系抗うつ薬，アセトアミノフェンがある．脳幹（下行性抑制系の源）には，オピオイド受容体（μ受容体）が存在するため，オピオイドに反応するのである．
③ **脊髄後角で増加したセロトニンやノルアドレナリンが低下しないようにする**：セロトニンやノルアドレナリンは，下行性抑制系のセロトニン作動性神経，ノルアドレナリン作動性神経の神経終末から放出され，いったんシナプス間隙での濃度が増加した後，低下し元に戻る．双方を放出した神経終末に再び取り込まれるからである．この現象を，セロトニン・ノルアドレナリン再取り込みという．セロトニン・ノルアドレナリン再取り込みを抑制すれば，シナプス間隙のセロトニン・ノルアドレナリンは増加したままである．この作用をもたらす薬をセロトニン・ノルアドレナリン再取り込み阻害薬（SNRI）という．デュロキセチン（サインバルタ®），トラマドールおよびタペンタドールにこの作用

D．まとめ　　137

がある．三環系抗うつ薬にも同様の作用がある．なおトラマドールは，トラマドールそのものに SNRI の作用があり，活性代謝産物の M1 がオピオイド受容体に作用する．

ややこしくなってきそうなので，神経伝導路に沿って臨床で使用されている薬の作用点を目安として 図8-16 にまとめてみた（後の章に出てくる薬も入っています）．

開けゴマ 9

――― 痛みの伝達門の開閉：ゲートコントロール

A 痛みの伝導路

1 痛みについて：なぜデカルトが登場するか

「我思う，ゆえに我あり」とは，17世紀フランスの哲学者，デカルトの言葉である．哲学というと，人間とは何かとか，思想と人生の根本的なありかたなどについて思索にふけるイメージが強いが，当時の哲学者は，数学や医学についても探求している（図9-1）．言われてみれば，人間を考える観点には，心と体の双方が必須であり，体（身体）の機能は医学の領域である．現代の哲学の講義で神経経路の話はあまり……というか，全然出てこないので，当時と現代の哲学者では，違いがあるのであろう．

2 デカルトの痛みの概念

痛みの伝導についてデカルトが記載した内容は，現代医学に通じる．デカルトは，炎による痛みの経路について，以下のように例えている．
「燃えている炎から小さな火の粒子が飛んでくる．その粒子は非常に速い速度で動き，足に当たると，その当たった場所を動かす．そうすると皮膚が引っ張られ，その場所にくっついている糸を引っ張る．糸が引っ張られると，同時に糸の先にある頭の穴が開く．例えると，教会の鐘の紐を下で引っ張ると鐘が鳴るイ

図 9-1 デカルトの哲学とは

メージである．一方の端を引っ張るともう一方の端が鐘を打つような構造になっている」[Melzack R, Wall PD: Science 150: 971-979, 1965：デカルトはフランス人ですが，サイエンス誌には英文訳で紹介されています]．教会の鐘は，高い所にあって紐も長い．なお，日本の寺の鐘は，あまり高い所にはなく，横から棒で突くタイプが多いので，教会の鐘のイメージとはやや異なる．仮にデカルトが日本人で寺の鐘に囲まれていたとしたら，足の痛みを脳へ伝える「下から上へ」という発想は，湧かなかったかもしれない（図 9-2）．

つまり，痛みの発生源（火）があり，火の粉が着く場所（受容体）がある．火の粉が着いた場所（受容体）と頭（痛みを感じる場所）は1本の糸で結ばれている．一方の端を引っ張ると他方も動いて反応が伝わる．この糸が末梢神経と，脊髄から脳への投射路に該当するわけである．現在では，受容体から脳まで1本の電線のように繋がっているわけではなく，途中で神経を換えるし，横道にも入ると，皆なんとなく知っている．しかし，糸のように繋がったもの（つまり神経）により痛みが伝わるという概念は，正しかった．

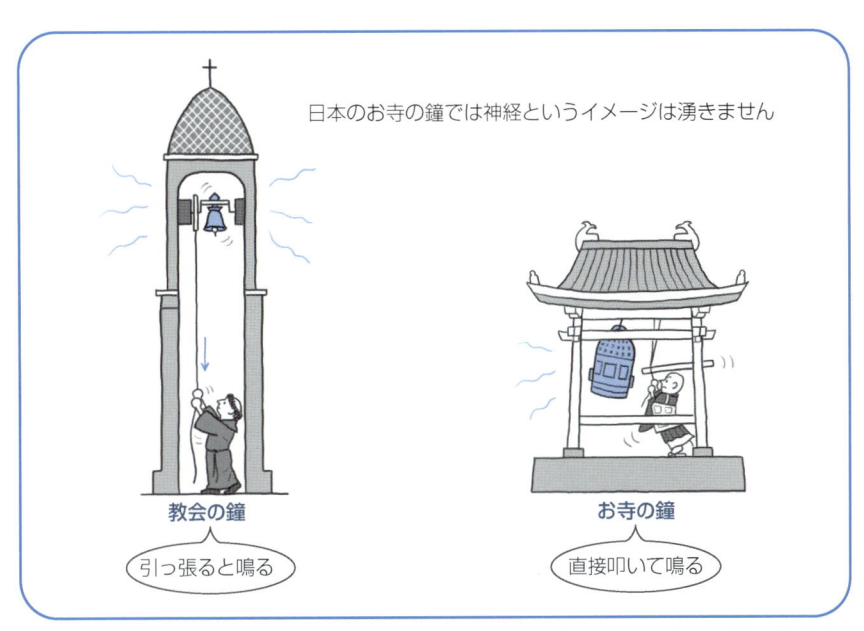

図 9-2　教会の鐘と寺の鐘「1本の糸を引っ張ると，痛みの鐘が鳴る．鐘の音が痛みとして感じとられる」．糸が神経で鐘が脳

3 痛みの理論の必要十分条件

　1895年に von Frey という人が，痛み刺激は痛み専用の受容器（言い換えるなら神経です）の自由神経終末で感知され，そして伝わると提唱した．これも，現在に繋がる考え方であり，自由神経終末については，そこに侵害刺激で活性化するイオンチャネルや受容体の存在が明らかになっている（**図 9-3**）．デカルト以来，現在まで以下のような現象をいかに説明するかが，痛みの理論の課題である．

a．その1

　ケガの後で傷が治っていても，触れるだけで痛かったり，風が当たっただけでも痛かったりすることがある．「痛み」が痛み専用の神経のみで伝えられるとしたら，「痛み」刺激ではない「触れる」という刺激を痛みとして伝えることはないであろう．痛み専用の神経以外も痛みを伝えると考えざるをえない．

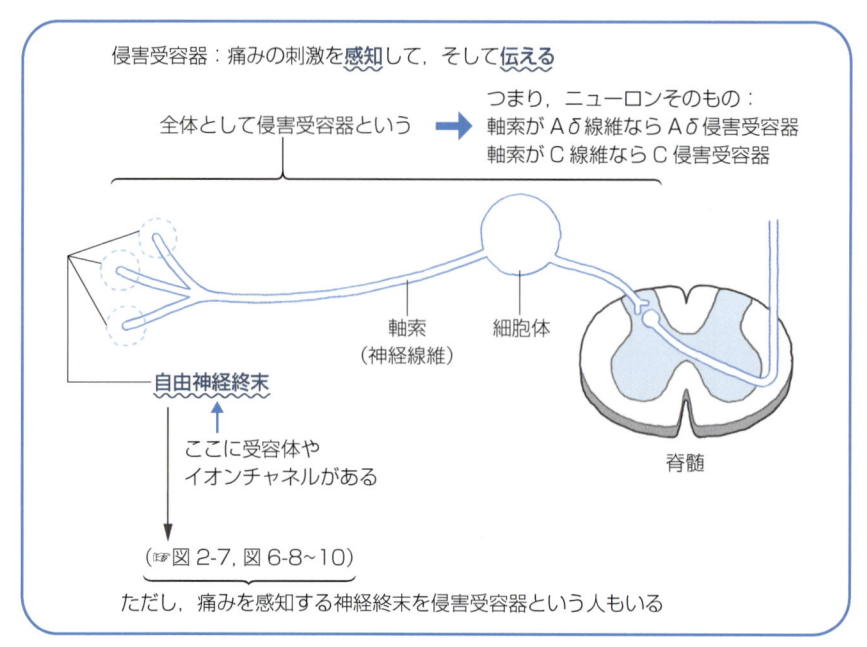

```
侵害受容器：痛みの刺激を感知して，そして伝える

全体として侵害受容器という  →  つまり，ニューロンそのもの：
                              軸索がAδ線維ならAδ侵害受容器
                              軸索がC線維ならC侵害受容器

                    軸索      細胞体
                  （神経線維）

自由神経終末
  ↑
ここに受容体や
イオンチャネルがある
                                        脊髄
  ↓
(☞図2-7, 図6-8〜10)

ただし，痛みを感知する神経終末を侵害受容器という人もいる
```

図9-3 侵害受容器の2つの役割：痛み刺激を感知し，そして伝える

b. その2

　神経を切断しても，その支配領域の痛みを感じてしまう．幻肢痛は，切断後に，切断されてすでに存在しない足や手が痛いと感じる現象である．切断により，痛みの自由神経終末が除去されているのに痛い．この現象は，痛みの自由神経終末とそこからの刺激を伝導する専用回路のみで痛みが伝わるわけではないことを示している．

c. その3

　傷の周囲で，傷害を認めない場所も痛くなる．痛みの受容器が刺激を受けていないのに痛いのはなぜか？

d. その4

　何かに熱中していると痛みを忘れる．例えば，運動選手が試合中に骨折をしても痛みを感じず，試合後に痛くなってからX線写真を撮ったら骨折していたという例．「心頭滅却すれば，火もまた涼し」の境地が実際ある．どうしてか？

e. その5

　「痛いの痛いの飛んでいけー」．子供が痛がっているとき，さすると痛みがとれて，子供が泣き止むのは，気のせいか（**図9-4**）？

図 9-4 「痛いの痛いの飛んでいけー」

B ゲートコントロール理論：門番は誰？

1 痛みの門：痛みを伝達する刺激が門を通る

　痛い場所から脳まで神経は1本の糸で繋がっているわけではなく，中継点があり，糸を換えて上行している．頭に到達するまで，最低2つの中継点があり，さらに多くの中継点を経由して頭に到達する線維もある．最初の中継点は，脊髄後角にある．この最初の中継点に「門（扉）」があり，この門の開き具合によって痛みの刺激が通過しやすくなったり，しにくくなったりする——痛みを伝達する刺激は，門を通過しようとするが，閉じていれば通過できなくなり，開けば通過しやすくなる——ゲートコントロール理論［Melzack R, Wall PD: Science 150: 971-979, 1965：**図 9-5**，**図 9-6**］．

　ゲート（gate）は門である．現在，受容体や神経伝達物質，細胞内情報伝達物質の解析により，脊髄後角でのシナプス伝達の仕組みが明らかにされつつあるが，介在ニューロン（☞ 4章 p45, 図 4-2）によるシナプス伝達の促進・抑制は，「ゲートコントロール」の分子薬理学的実体と考えられる．つまり，「故きを温ねて，新しきを知る」世界がある．

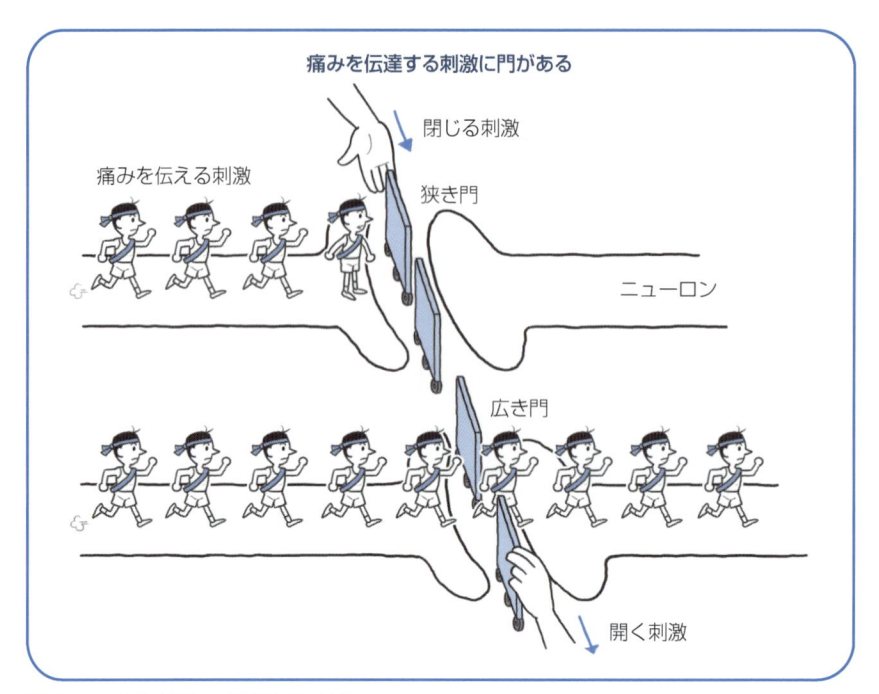

図 9-5　痛み刺激の伝達と狭き門

🌸 ゲートコントロールのイメージ：門は開いているか，閉じているか？

　痛みを伝える 1 次ニューロンは，脊髄後角で 2 次ニューロンにシナプスしている．この痛みの中継点（脊髄後角）には，門がある．ここでの伝達には，門の広さが問題となる．門が広ければ，痛みのタスキはすぐにリレーされる．門が狭ければ，痛みのリレーは滞る．

2　脊髄後角の門：門番は SG 細胞です

a．SG 細胞とは何か？

　いきなり SG と書かれても何のことか，ムズカシく感じてしまうのが問題ではあると，正直いって思う．「SG 顆粒なら処方したことがある」とか，ペインクリニックの人々なら「SG とは星状神経節（stellate ganglion）」と思うであろう．本項での SG 細胞というのは，ゲートコントロールのオリジナルの図〔Melzack

R, Wall PD: Science 150: 971-979, 1965］で使用されている表記であるが, substantia gelatinosa（膠様質）の略で, 脊髄後角の膠様質とは, 今では第Ⅱ層と同じ意味である. つまり, SG 細胞とは, 脊髄後角膠様質, つまり脊髄後角第Ⅱ層に存在する細胞である. 脊髄後角は, 6層（脊髄全体では 10 層）に分けられるが, 脊髄の染色において第Ⅱ層のみが染まらなかった時代に, その染まりにくい場所（今では第Ⅱ層）を膠様質と名付けたのである. かつて, 膠様質というのは染色がむずかしく, 染まりにくい物質として知られていた.

　第Ⅱ層に細胞体を持つ神経線維の軸索は無髄で, 脊髄後角内に留まって, 脊髄後角の各層に到達している. つまり, 第Ⅱ層の細胞は, 投射神経［離れた2ヵ所（例えば脊髄と脳）を繋ぐニューロン］ではなく局所に留まっている介在ニューロンとしての役割を持つ. 介在ニューロンには, 他のニューロンを興奮させる興奮性介在ニューロンと他のニューロンを抑制する抑制性介在ニューロンがある. 現在的にいうなら, 抑制性介在ニューロン（☞ 7 章図 7-8, 8 章図 8-15）を, とくに SG 細胞と考えたらよい.

門番は抑制性介在ニューロン

　以下は, ややこしいので, 図 9-6 を見ながら読んでください.
　痛みは細い神経線維（Aδ 線維, C 線維：☞ 2 章表 2-2）で 2 次ニューロンへ伝達される. 一方, この細い神経線維である 1 次ニューロンは, 2 次ニューロン以外にも SG 細胞にシナプスする. さらに SG 細胞の終末をたどっていくと, 1 次ニューロンの神経終末に回帰している. つまり, 末梢から到達した刺激のメインルートは 2 次ニューロンへの接続であるが, SG 細胞を介したルートからの修飾を受ける.

b. 門番（SG 細胞）の普段の仕事：門を閉じておく

　1 次ニューロンと 2 次ニューロンのシナプスに門があるとすると, 刺激が通過するには門が開いていなければならず, 門が閉じていると刺激は通過しない（図 9-7a）. 昔でいうなら, 門の開閉を行うのが門番であるが, この門番にあたるのが SG 細胞である. SG 細胞の仕事中（活性化）は「門を閉めておく」であり, SG 細胞のお休みのとき（抑制）は「門を開く」である. 一般的に, 門は通常閉じている時間の方が長い. 門や扉がいつも開いていたら, 泥棒が入りやすくなっ

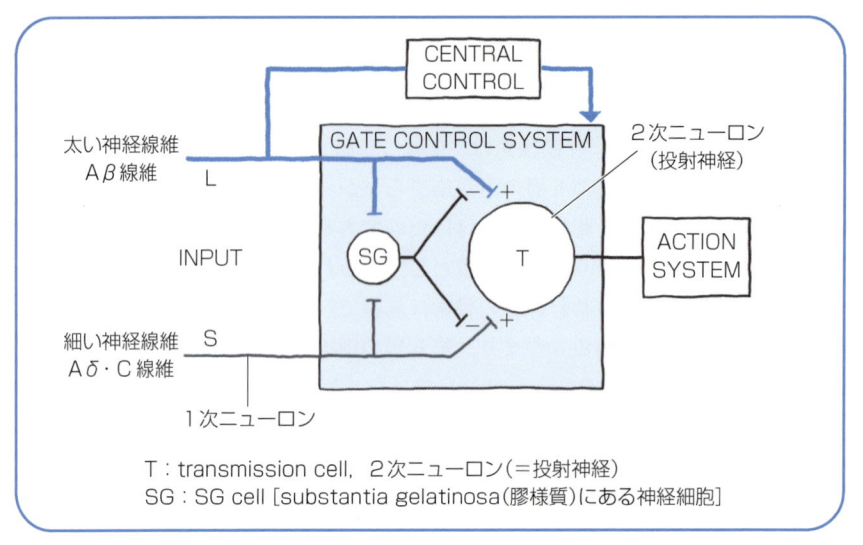

図9-6 ゲートコントロール理論：MelZack と Wall による最初の図
[Melzack R, Wall PD: Science 150: 971-979, 1965 より引用]

てしまう．
　平常では，SG 細胞の終末からは，1次ニューロンと2次ニューロンとの伝達を抑制する刺激が出ている．

> 門番は基本的に門を閉めてます：SG 細胞は抑制性の介在ニューロン
> - ★ 抑制性ニューロンの通常　→　抑制…………閉門
> - ★ 抑制性ニューロンの活性　→　抑制の増強……閉門
> - ★ 抑制性ニューロンの抑制　→　活性…………開門

c. 門番がお休みすると：開門
　細い神経線維（Aδ・C 線維）の刺激は SG 細胞をお休みさせ（抑制し），門を開く方向に作用する（図 9-7b）．言い換えると，細い1次ニューロンは2次ニューロンにシナプスする（主経路）前に側枝を出し，SG 細胞をお休みさせる刺激（開門する刺激）を送っている．痛み刺激自身が，SG 細胞を介し門を開かせるのである（フィードフォワード）．

a.「何もしていない」→ 痛みなし → 正常

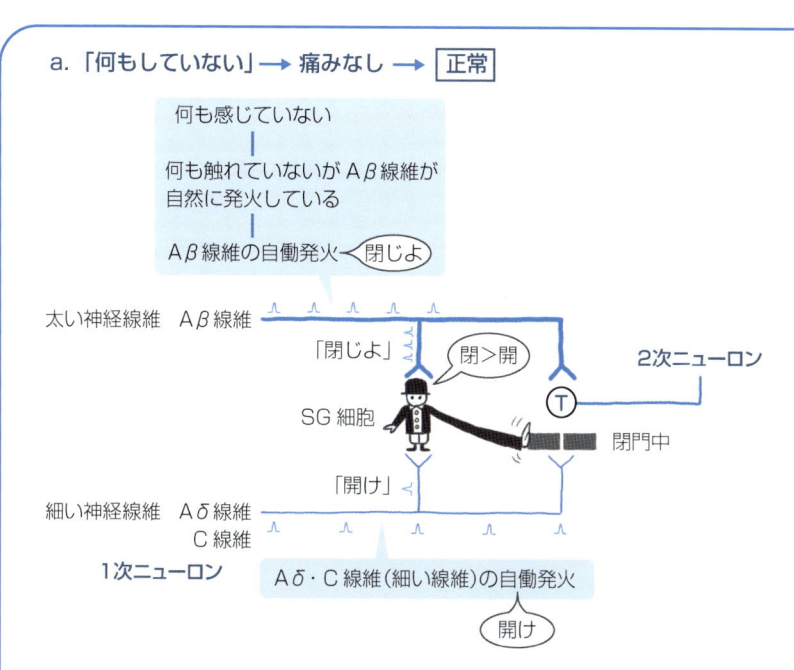

何も感じていない
｜
何も触れていないがAβ線維が自然に発火している
｜
Aβ線維の自動発火 ← 閉じよ

太い神経線維　Aβ線維
「閉じよ」
閉＞開
2次ニューロン
SG細胞
閉門中
「開け」
細い神経線維　Aδ線維
　　　　　　　C線維
1次ニューロン
Aδ・C線維（細い線維）の自動発火
開け

痛み刺激・触れる刺激ともにない状態（つまり何もしていない）では，Aβ線維の自動発火による「閉じよ」との指令がC・Aδ線維の自動発火による「開け」という指令に勝るのでゲートは閉じている．

b.「痛み」刺激あり → 痛い

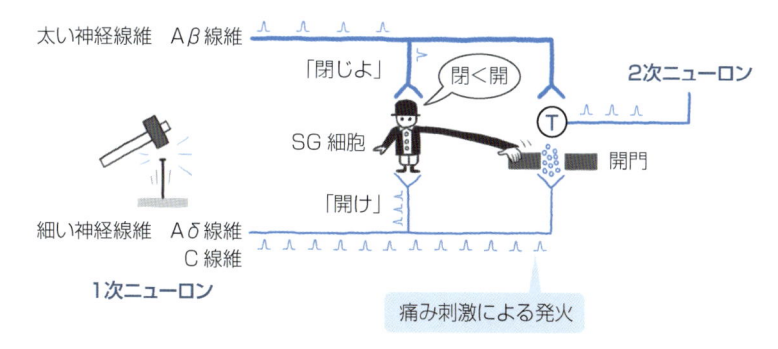

太い神経線維　Aβ線維
「閉じよ」
閉＜開
2次ニューロン
SG細胞
開門
「開け」
細い神経線維　Aδ線維
　　　　　　　C線維
1次ニューロン
痛み刺激による発火

Aδ・C線維の積極的な刺激（痛み刺激）により「開け」との指令が大きくなり，Aβ線維の自動発火による「閉じよ」との指令に勝るとゲートが開く．

図9-7　門番はSG細胞：「開け」と「閉じよ」の指令が入る
①2次ニューロン

B．ゲートコントロール理論

痛み刺激 ↘
　　　　　SG細胞の抑制 → 開門 → 痛み刺激は通過しやすい → 痛み
触覚の低下 ↗
　　　　　　　　　　　　　　　　　（図9-9も参照してください）

d. 門番をしっかり働かせる：閉門

通常，門は閉じているが，SG細胞には別の太い神経線維［触覚担当：Aβ線維（☞2章表2-2）］もシナプスしており，この太い線維からの刺激はSG細胞を通常以上に活性化し，門をさらに強く閉じる方向に作用する．つまり，SG細胞を働かせると，痛みの伝達は抑制される．

触れる → SG細胞の活性化 → 閉門 → 痛みの刺激は通過しにくい
　　　　　　　　　　　　　　　　　　　　　→ 鎮痛

e. 閉門と開門のバランス

門番であるSG細胞には，「閉じよ（働け）」という指令と「開け（休め）」という指令が入り，その強弱のバランスで，門の開き具合が決まる．つまり，SG細胞は，太い神経（Aβ）線維からの「閉じよ」という刺激で門を閉じ，細い神経（Aδ，C）線維からの「開け」という刺激で門を開く．SG細胞に対して，細い神経線維と太い神経線維は反対に作用している．門は普段は閉じている．

3 「痛いの痛いの飛んでいけー」：痛み刺激があるときに皮膚をさすると

「痛いの痛いの飛んでいけー」と皮膚をさすると，痛がっている子供が泣き止むのは，気のせいか？──答えは，「気のせいではなく，実際痛みが低下している」である．これをゲートコントロールで説明すると以下のようになる（図9-8）．①痛み刺激（侵害刺激）によって1次ニューロン（細い神経線維：Aδ・

「触れる」刺激を追加 → 「痛み」低下

触刺激による
Aβ線維の積極的発火

Aβ線維
（本文⑤〜⑨）

「閉じよ」　閉＞開　痛み低下
SG細胞
「開け」　　閉門気味

Aδ線維
C線維
（本文①〜④）

痛み刺激による発火

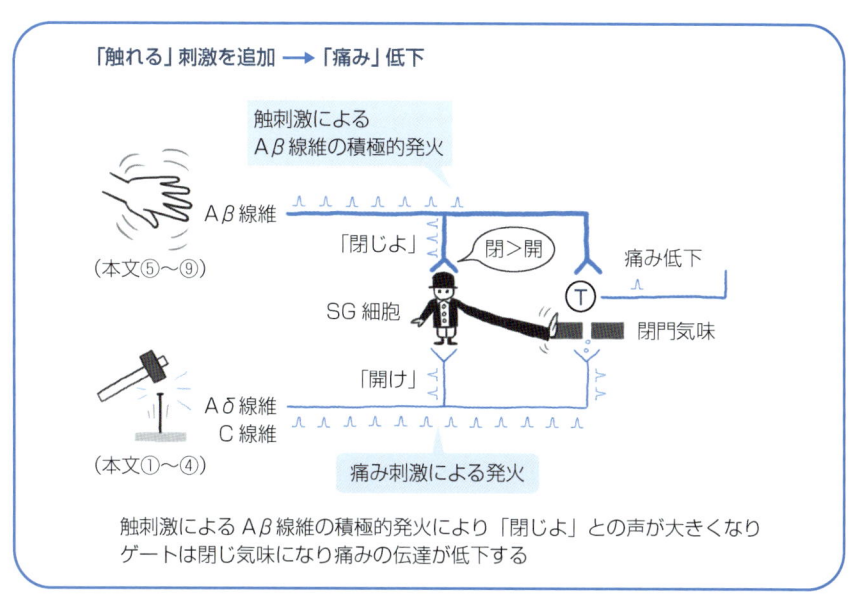

触刺激によるAβ線維の積極的発火により「閉じよ」との声が大きくなり
ゲートは閉じ気味になり痛みの伝達が低下する

図 9-8　Aβ線維の刺激による鎮痛作用

①2次ニューロン・C線維）が刺激される．②刺激は2次ニューロンへの活性化刺激になると同時にSG細胞（門番）への抑制刺激（門を開く刺激）となる．③SG細胞が抑制され，門が開く．④痛みの刺激は伝わりやすくなり，痛みを感じる．⑤この状態で付近の皮膚をさする．⑥太い神経線維であるAβ線維（触覚を伝える神経）が刺激される．⑦この刺激は2次ニューロンに伝わると同時にSG細胞への活性化刺激（門を閉じる刺激）となる．⑧痛みで開かれていた門が，今度は閉じ気味になる．⑨痛みの刺激が伝わりにくくなり，痛みが低下する．①〜④が「痛いの痛いの」であり，⑤〜⑨が「飛んでいけー」に該当する．つまり，皮膚の非侵害刺激（Aβ線維の刺激）により侵害刺激（Aδ・C線維の刺激）による痛みの程度を下げることができる．したがって，痛いときに「皮膚をさする」とか「手で押さえる」とかしている患者さんがいたら，それは，確かに痛みを抑制しているので，今後も積極的にさすってもらうようにするとよい．「気付いたら，腹部を押さえている，またはさすっている自分がいる」――と患者さん自身が気付いている．知らず知らずに自分で，太い神経線維を刺激しているのである．

　さて，太い神経の刺激法であるが，「単に押さえるだけ」と「さするような反復運動」では，後者の反復運動・振動を伴う方が，効果が大きい．単に押さえる静的な動作では，SG細胞が順応してしまい，閉門効果が弱まるからである．

C 何もしなくても痛い

1 痛み刺激（侵害刺激）のない状態

a.「普段は痛くない．何もしなければ痛くない」

　細い神経線維（Aδ・C線維）には，自発的な発火が常にあるが，その頻度は少なく，侵害刺激がない状態では痛みとはなっていない．太い神経線維（Aβ線維）にも自発的な発火があるが，とくに何も感じていない．これらの自発的な発火を自働発火と名付ける．Aδ線維，C線維の自働発火はSG細胞に伝わり，SG細胞を抑制し門を開く方向に作用する．しかし正常では，太い神経線維（Aβ線維）の自働発火も同時にSG細胞に伝わり，門を閉じる方向に作用している．SG細胞に入力されるこの「開・閉」の指令は「閉」の方が強いため，細い神経線維の自働発火は門を通過できず痛みを感じない．つまり，Aδ・C線維（痛みを伝える神経）の自働発火は，Aβ線維（触覚を伝える神経）の自働発火により抑制され，脊髄後角2次ニューロンに伝わらない．したがって，普段は痛くない．

b.「普段でも痛い．何もしなくても痛い」

　侵害刺激のない状態では，細い神経線維（Aδ・C線維）の自働発火と太い神経線維（Aβ線維）の自働発火がSG細胞に入り，門は相対的に閉じている．触れたり，さすったりすると，Aβ線維からSG細胞への刺激が強くなり，門はさらに閉じる方向となる．

　一方，病的状態では──太い神経線維が障害を受けたり，死滅し数が減少したりすると（帯状疱疹，糖尿病性神経障害）──太い神経線維（Aβ線維）からの自働発火が低下し，門番（SG細胞）への「閉じよ」という指令が低下する．このため，開閉のバランスは相対的に，細い神経線維の自働発火による「開け」の指令が強くなり，開門状態となっている（図9-9）．この状態では，侵害刺激がなくても，細い神経線維の自働発火が開いている門を通過し，2次ニューロンが刺激され，痛みが伝わる．侵害刺激が入ると発火頻度がさらに増加し，すでに門が開いているため，通常より強い痛みとなる．これは，痛覚過敏が発生する仕組みの1つである．

> 「何もしなくても痛い」状態 → **異常**
> 「Aβ線維の障害」→「自動発火なくなる」→「閉じよ」の声消失
> 　　　　　　　　　→ つまり触覚の低下です

Aβ線維が切断され自動発火消失

Aβ線維
SG細胞
「開け」　「開けのみ」　開門
Aδ線維
C線維
自動発火

Aβ線維が切れるとAβ線維の自動発火は消失し，Aδ・C線維の自動発火による「開け」という声のみになる

何もしていなくても痛みを感じるようになる．Aδ・C線維の自動発火が痛みとなる．「除神経後疼痛」とかつては言っていた．

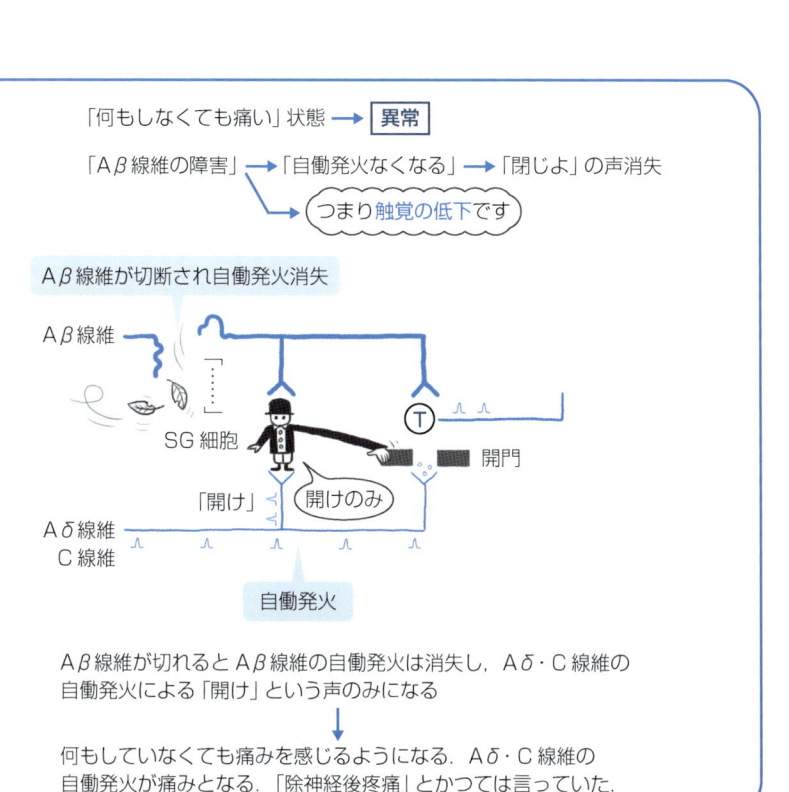

図 9-9　太い神経線維（Aβ線維）が障害を受けると：何もしなくても痛い
①2次ニューロン

Aβ線維の障害は門を開く

2 臨床的考察

医師（以下医）　刺すような痛みですか？
患者（以下患）　はい．
医　電気が走りますか？
患　はい．
医　焼けるような痛みですか？

C. 何もしなくても痛い

- 患　はい．
- 医　締め付けられますか？
- 患　はい．
- 医　触れると痛いですか？
- 患　はい．
- 医　<u>触っているのに，触れているのが分からないことはありますか？</u>
- 患　はい．
- 医　何もしなくても痛いですか？
- 患　はい．

……という人がいたとする．実際，ペインクリニックの外来ではよくある患者さんです．しかし，どの科の先生方でも，これに近い痛みの患者さんを経験することはあると思う．診断名は，「神経障害性疼痛」である．<u>帯状疱疹，糖尿病，外傷後，手術創，虚血性壊死，神経炎，長期に渡る神経圧迫</u>などに伴って発生する．

★ 「触れると痛い」は，触覚が痛覚になっている状態——異痛症（アロディニア：☞16章）——を示している．
★ 「触れても分からない」は，触覚を伝える神経が機能していない，つまり切れているなどの障害を受けている可能性を示している．
★ 「何もしなくても痛い」は侵害刺激がなくても痛む状態を示している．
★ 「刺す，焼ける，電気が走る，締め付ける」と表現される痛みは，神経そのものの器質的障害で発生する痛みの性質である．

a．この患者の状態を，上述のゲートコントロールに当てはめてみよう

　痛みを伝える細い神経線維は，Aδ・C線維である．太い神経線維は，触覚を伝えるAβ線維である．患者は，「触れているのが分からない」と言っているので，Aβ線維からの刺激が伝わってないと考えられ，神経が切れている（何らかの障害を受けている）と判断できる．これは，<u>太い神経線維による自働発火のSG細胞への入力低下を意味するので，門番であるSG細胞は門を開いてしまう．</u>C線維やAδ線維の自働発火が通常と変わらなくても，開門されるため，C線維やAδ線維の自働発火が2次ニューロンに伝わり，痛みとなる．通常はAβ線維からの自働発火が，知らず知らずのうちにSG細胞を活性化し，門を閉じている．しかし，神経障害によりそのAβ線維の自動刺激がSG細胞に入力されなくなると，痛みを感じるようになってしまう．かつて，この機序を「<u>除求心線維性疼痛（神経障害性疼痛，求心遮断性疼痛，除神経後疼痛，deafferentation pain）</u>」

と呼んでいた時期があったが，疼痛機序を表した命名法といえる（☞16章p257）．除神経とは，障害を受けてAβ神経の機能が低下した状態を指している．現在でいう神経障害性疼痛の一種である．

さて，もしC線維，Aδ線維の自働発火が通常より亢進していたら，この刺激はSG細胞への開門の指令となり，門はさらに開き，痛みは増強する．Aδ線維，C線維の自働発火が亢進する仕組みは，交感神経とのクロストーク（☞18章図18-7），痛みのスープの存在（☞5章図5-2・9），neuromaの形成（異所性ノルアドレナリン受容体の出現，Na^+チャネルの感受性変化：☞18章図18-8・9）などである．加えて，2次ニューロン［広作動域ニューロン，wide dynamic range（WDR）ニューロン］の感受性も亢進しているかもしれない（中枢性感作：☞16章図16-5）．これらの変化が同時多発していたら，痛みはかなり強くなるであろう．

3 閉門で起こる分子薬理学的実態

「門が閉じる」は，神経伝達物質から考えると，「シナプス前終末部からの痛みの神経伝達物質（グルタミン酸やサブスタンスP）の放出を抑制する」になる．表現を現代的に変えるなら，「門が閉じるとき/閉じているとき」には，内因性の鎮痛物質——内因性モルヒネ様物質，セロトニン，ノルアドレナリン，GABA（γ-アミノ酪酸）など（☞7章表7-1，図7-10）——が，シナプス周辺に十分存在している．

D 簡単なまとめ

本章では，ゲートコントロール理論について説明したが，依然としてややこしいのではないかと思う．ゲートコントロールは，痛みの伝達を第1中継点，つまり脊髄後角で修飾する現象である．この章では，ゲート（門）を開閉する刺激は，同じ脊髄レベルまたは近隣の脊髄レベルからの痛みを伝えるAδ・C線維と触覚を伝えるAβ線維から出されていると説明した．しかし実は，さらに上位中枢（大脳，脳幹）からの刺激が，脊髄後角に下行して，脊髄後角での刺激の伝達，つまり門の開閉に影響を与えている（**図9-10**）．上位中枢を介した門の開閉への影響については，8章の下行性抑制系で解説している．

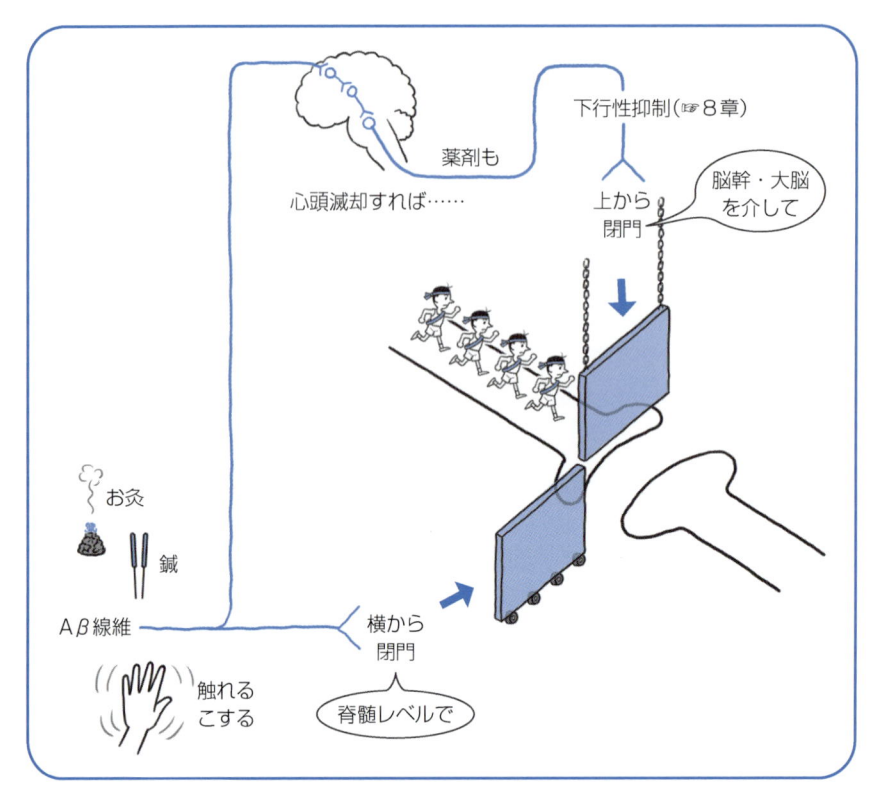

図9-10 閉門：横から，上から（☞ p121 図8-5）

E 治療方法と門との関係

1 薬物療法

　ノイロトロピン®（☞8章），三環系抗うつ薬（アミトリプチリン，イミプラミン，ノルトリプチリン：☞8章），セロトニン・ノルアドレナリン再取り込み阻害薬（☞8章），アセトアミノフェン（☞10章），オピオイド（☞12章），トラマドール，タペンタドールは，脳幹に作用すると最終的に上からゲートを閉じる（図9-10）ため［下行性抑制系（☞8章）の活性化］の薬剤である．脊髄後角で内因性鎮痛物質（☞7章図7-10）を増加させる．

2 理学療法

　さする，こする，押さえる，理学療法，鍼灸は，Aβ線維を刺激して，横から門を閉じる（**図 9-10**）．さらに，これらの操作による刺激は，脳に到達した後，下行し上から門を閉じる指令となる（☞ 8 章図 8-5）．また，何かに精神的・肉体的に熱中・集中すると，同様に上から門を閉じる刺激となる．これらも脊髄後角で，上述の内因性鎮痛物質を増加させる．

じゆうちょう

10 いつでも，どこでも，まずは NSAIDs

COX の問題

A　アラキドン酸と COX の大きさ比べ

　炎症は，痛みの原因の1つである．炎症の場で産生される物質——炎症物質——は，発痛物質である．炎症の場で産生・蓄積する発痛物質の集まり——痛みのスープ（☞5章図5-2）——の中で，臨床的に重要なのは，プロスタグランジンEである．抗炎症薬によって，その産生を抑制できるからである．つまり，対策を打てる．抗炎症薬には，ステロイド抗炎症薬と非ステロイド抗炎症薬がある．非ステロイド抗炎症薬を NSAIDs（non-steroidal anti-inflammatory drugs）という．NSAIDs の作用は，シクロオキシゲナーゼ（COX）の阻害である．

　プロスタグランジンEは，アラキドン酸の代謝産物である（図10-1）．生化学や生理学の講義では必ず出てくるし，試験のヤマの1つではあるが，何回覚えても，代謝の順番がどうだったか忘れてしまう．さて当時（学生の頃），「シクロオキシゲナーゼとアラキドン酸のどちらが大きいか？」などとは，考えたこともないし，考える意義も分からなかった．

先輩医師（以下先）　ボルタレン®とかロキソニン®の作用機序って，知っていますか？
後輩医師（以下後）　シクロオキシゲナーゼの阻害薬です．
先　どういう作用ですか．
後　アラキドン酸を代謝する酵素のシクロオキシゲナーゼを抑制して，プロスタ

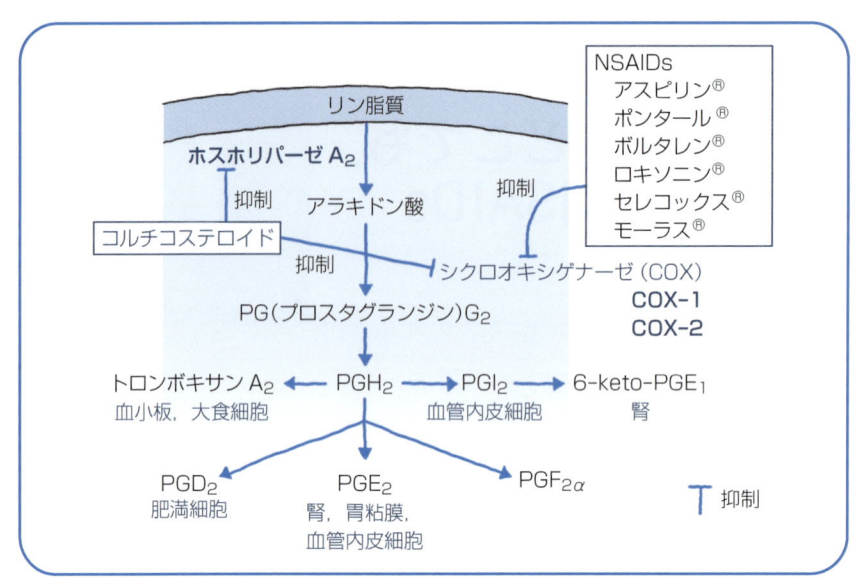

図 10-1　アラキドン酸の代謝とシクロオキシゲナーゼ阻害薬

グランジンの産生を抑えます．プロスタグランジン E は発痛物質なので，痛み止めとして使用しています．
㊤　そうですね．じゃあ，シクロオキシゲナーゼとアラキドン酸のどちらが大きいか分かる？
㊦　えっ……，考えたことありません．それって重要なのですか？
㊤　と思うけど，COX-1 と COX-2 ってあるでしょ．
㊦　COX-2 ってシクロオキシゲナーゼ 2 ですよね．
㊤　シクロオキシゲナーゼの方が，アラキドン酸よりかなり大きいのです．大きいものの中に小さいものが入り込んで代謝されるわけです．
㊦　？？？？……．

　シクロオキシゲナーゼはどこに？ それは細胞内で，小胞体や核膜に結合して存在している．図 10-2 のようなイメージで，シクロオキシゲナーゼの開口部から内部にアラキドン酸が入り込んで，酵素活性部位に結合すると，アラキドン酸の代謝が開始する．まずは，①アラキドン酸がシクロオキシゲナーゼ内部に入り込み，②さらに酵素の活性部位に到達しなければならない．アラキドン酸は，ホスホリパーゼ A_2 により，細胞膜成分であるリン脂質から産生される．

10．いつでも，どこでも，まずは NSAIDs

金の
シャチホコ

COXの形は
シャチホコに
似とります

COXの活性中心 → COX

① アラキドン酸 ア は，シクロオキシゲナーゼ（COX）の中に飲み込まれるように入り込む

② 活性中心にアラキドン酸が結合する

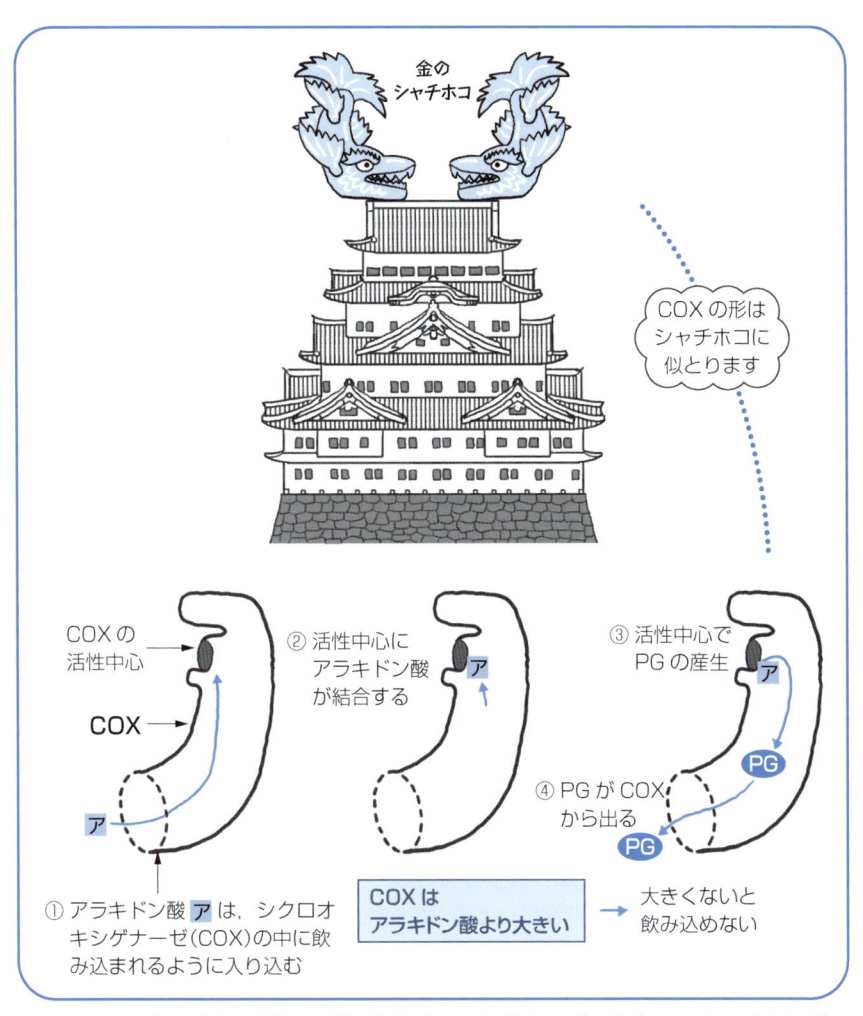

③ 活性中心でPGの産生

④ PGがCOXから出る

COXはアラキドン酸より大きい → 大きくないと飲み込めない

図 10-2　シクロオキシゲナーゼによるプロスタグランジン産生：シクロオキシゲナーゼ（COX）に飲み込まれるアラキドン酸（ア）

シクロオキシゲナーゼに入口あり

アラキドン酸が入り込む

A．アラキドン酸とCOXの大きさ比べ　　159

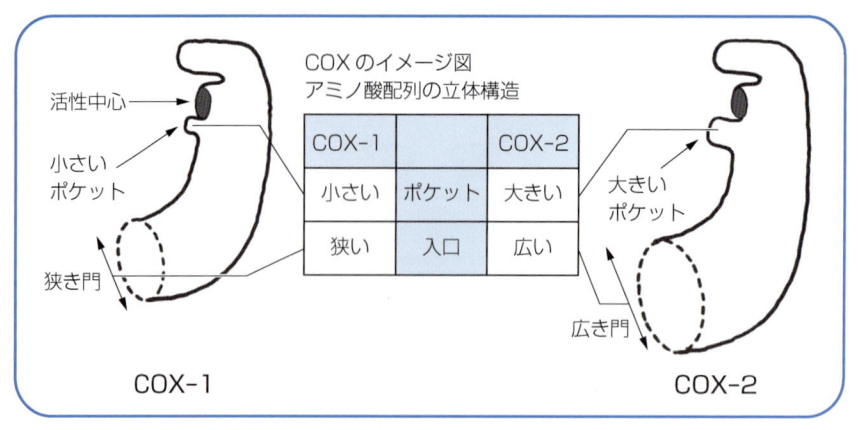

COXのイメージ図
アミノ酸配列の立体構造

	COX-1	COX-2
ポケット	小さい	大きい
入口	狭い	広い

活性中心
小さいポケット
狭き門
COX-1

大きいポケット
広き門
COX-2

図 10-3　COX-1 と COX-2 の構造上の違い

1 シクロオキシゲナーゼに2種類あり

　シクロオキシゲナーゼには，シクロオキシゲナーゼ1とシクロオキシゲナーゼ2がある．それぞれ，COX-1，COX-2と呼ばれ，皆さんお馴染みである（**図10-3**）．COX-1は常に存在していて，とくに腎臓や胃の細胞の維持に必要なプロスタグランジンEを常時産生し続けている．正常な構造や機能を維持するのを，家事になぞらえ，「ハウスキーピング」という．家事とは，毎日の食事や掃除，足りなくなった物資の補給，整理整頓，修理などであるが，おろそかにすると家は乱れ，足の踏み場もなくなったりして，めちゃくちゃになってしまう．プロスタグランジンEは腎臓や胃粘膜の血管拡張と血流改善をもたらし，細胞の構造と機能を維持する役割を持つので，これを産生するCOX-1は別名「ハウスキーピングシクロオキシゲナーゼ」ともいう（英語になるのは，この概念が外国発だからです．でも分かりやすいと思います）．

　さて，COX-2であるが，炎症の場でサイトカインの作用により，新たに産生される酵素である．「新たに産生される」──を「誘導される」といい，COX-2は誘導型シクロオキシゲナーゼである．炎症の場では，炎症が強ければ強いほど産生量が増加する．炎症症状の1つに痛みがあり，その原因が炎症時のプロスタグランジンEの産生であり，誘導型のシクロオキシゲナーゼ（COX-2）によって産生されている．したがって，炎症時の鎮痛対策として，COX-2の抑制がある．ロキソニン®やボルタレン®は，COX-2を抑制し，鎮痛効果をもたらすが，同時にCOX-1も抑制するので，COX-1とCOX-2の双方を抑制するという意味

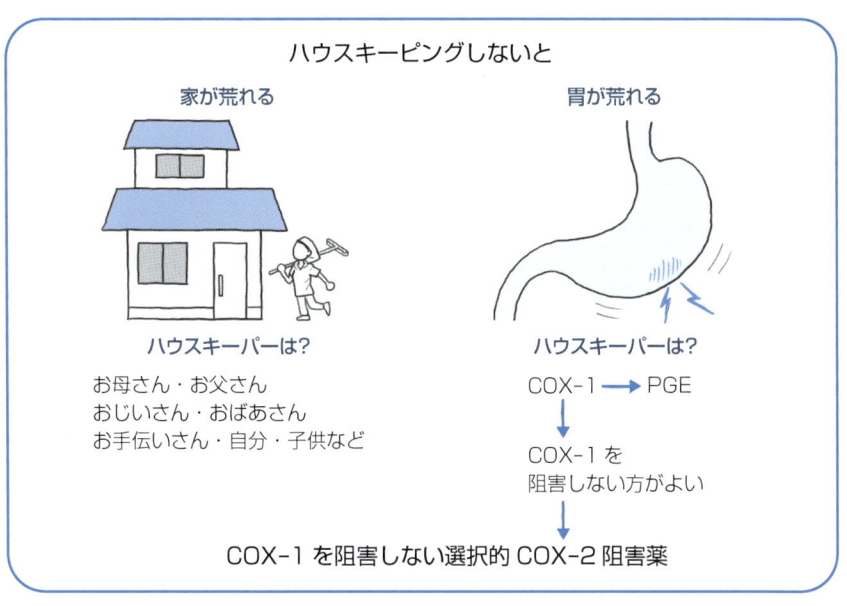

図 10-4 家事は誰がする？：プロスタグランジン E（PGE）によるハウスキーピング（とくに胃と腎の）

において，非選択的 COX 阻害薬といわれている．

　痛みの原因となるプロスタグランジン E の産生を抑え，痛みを止めるために COX 阻害薬を頻用しているが，ハウスキーピングシクロオキシゲナーゼ（COX-1 です）を抑制してしまうと，腎障害や消化管潰瘍の原因となる．つまり，COX-1 の阻害による腎障害と胃十二指腸潰瘍の副作用発生が大問題となる（**図 10-4**）．したがって，COX-1 に対する抑制作用を持つ非選択的 COX 阻害薬を長期使用する際には，プロスタグランジン E_1 誘導体（例：サイトテック®）や E_2 誘導体，胃粘膜のプロスタグランジンを増加させる薬（例：ムコスタ®）を併用し，副作用の防止効果を期待する．このときプロスタグランジン E による血流増加作用が修復促進に作用している．

B NSAIDsの分類

1 COX 阻害薬の種類

『今日の治療薬2014』(南江堂)などを見ると,非ステロイド抗炎症薬(NSAIDs)は,酸性抗炎症薬と塩基性抗炎症薬,その他に分類され,酸性抗炎症薬には,サリチル酸系,アントラニル酸系,アリール酢酸系,プロピオン酸系,ピラゾロン,オキシカム系に分類されている.大変ややこしい.薬剤師の先生方でなければ,この分類を諳んじられないであろう.普通の先生方にとっては,アスピリン®(サリチル酸系),ポンタール®(アントラニル酸系),ボルタレン®(アリール酸系),インダシン®(アリール酸系),ハイペン®(アリール酸系),オステラック®(アリール酸系),ロピオン®(プロピオン酸系),ロキソニン®(プロピオン酸系),バキソ®(オキシカム系),フルカム®(オキシカム系),ソランタール®(塩基性抗炎症薬),セレコックス®[中性抗炎症薬(コキシブ系)]などが比較的よく知られた薬であり,痛い患者さんに処方している.使い分けはあるのか? COX 阻害の仕組みに基づいて,4種類の機序があるので紹介する.

> **NSAIDs:COX にはフタ**
> フタは入り口で or 活性中心で

a. アスピリン(アスピリン®,元祖鎮痛薬):サリチル酸系

COX の活性部位に非可逆的に結合する(**図 10-5**).COX-1,COX-2 双方の同じ場所に結合する.いったん結合したら再び離れることがないので,「非可逆的」と表現するのである.すでに薬が結合していると,アラキドン酸が結合できなくなるので,アラキドン酸の代謝は進まず,プロスタグランジン E の産生が抑制される.

b. メフェナム酸(ポンタール®),イブプロフェン(ブルフェン®):アントラニル酸系

COX の活性部位に可逆的に結合する(**図 10-6**).COX-1,COX-2 双方の同じ場所に結合する.活性部位に結合するが,可逆的である.可逆的であるため,薬がアラキドン酸と活性部位で競合する.言い換えると,アラキドン酸が増えれ

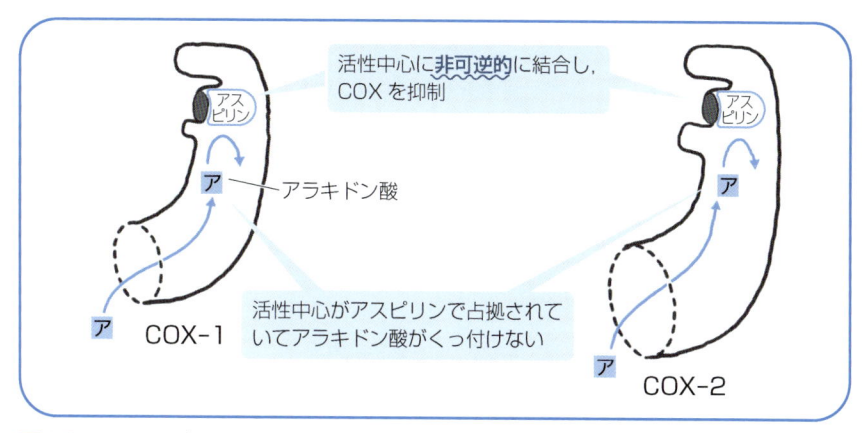

図 10-5 アスピリンと COX-1, COX-2：非選択的 COX 阻害

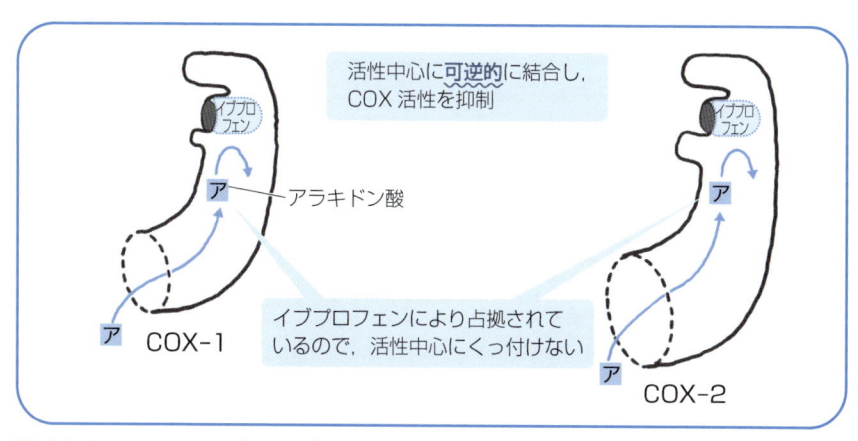

図 10-6 メフェナム酸, イブプロフェンと COX-1, COX-2

ば，薬との競合に打ち勝ち，アラキドン酸が活性部位に結合し，アラキドン酸の代謝が進む．

c. **ジクロフェナクナトリウム（ボルタレン®），インドメタシン（インダシン®）：アリール酢酸系**

 COX の 120 番目のアミノ酸であるアルギニンに結合する（**図 10-7**）．COX-1，COX-2 ともに 120 番目のアルギニンを持つので，双方に対し同一部位に結合する．この部位自体は活性部位ではない．しかし，ここへの結合により，COX の立体構造が変化し，アラキドン酸が COX の内部に入り込めなくなる．言い換

B．NSAIDs の分類

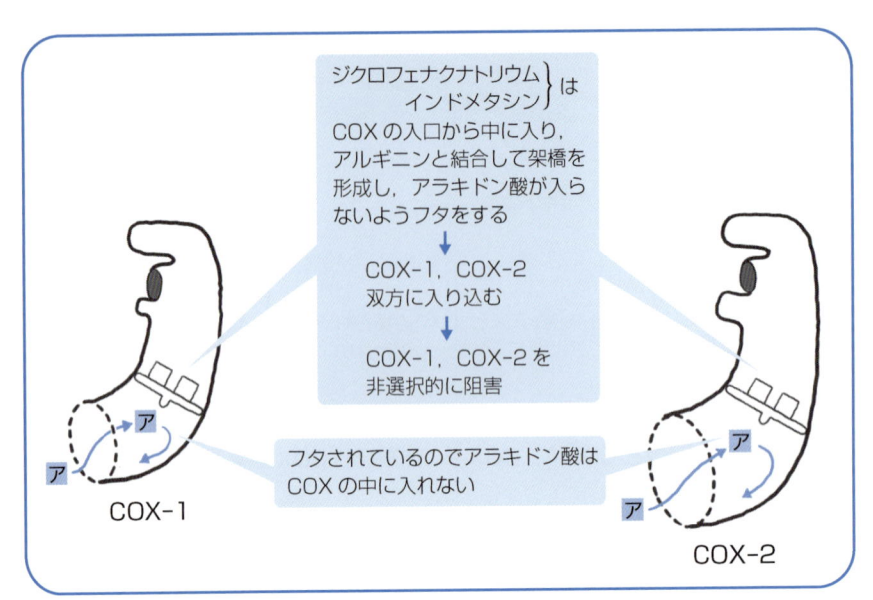

図 10-7　ジクロフェナクナトリウム，インドメタシンと COX-1，COX-2

えると，COX の入り口が閉ざされ，中に入れないので活性部位にアラキドン酸が到達できないために，プロスタグランジンの産生が抑制される．

d．セレコキシブ（セレコックス®）：コキシブ系

　COX-2 の活性部位に隣接するポケットに入り込み，活性部位を覆うような形でフタとなり，アラキドン酸が到達できなくなる（図 10-8）．アラキドン酸の活性部位に隣接してポケットが存在するが，このポケットの大きさが COX-1 と COX-2 で異なり，COX-2 のポケットが大きい［Kurumbail RG: Nature 384: 644-648, 1996］．セレキシブの構造は COX-2 のポケットに合うように設計されているので，COX-2 のポケットに入り込み COX-2 を阻害する．セレコキシブの構造は COX-1 のポケットより大きく，サイズが合わないため COX-1 には結合できない．この点で，セレコキシブは選択的 COX-2 阻害薬と呼ばれている．本薬剤は，COX-2 の構造が明らかになった後に，構造に合わせて創薬された点で，他の薬剤と開発の過程が異なる．

　なお，ハイペン®（エトドラク）という薬は，COX の阻害薬として開発され，発売後に作用機序として COX-2 のみを抑制していることが判明した，偶然の賜物である．

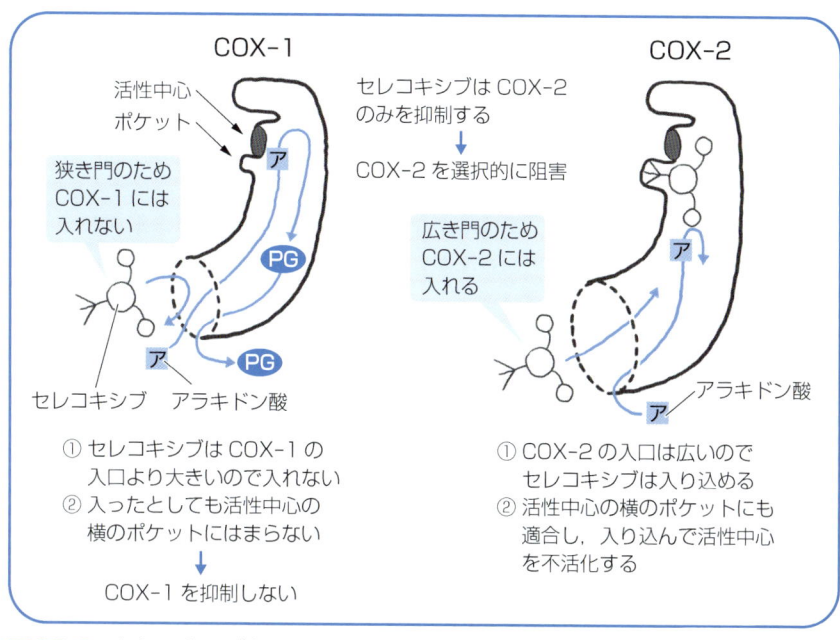

図 10-8　セレコキシブと COX-1, COX-2

| STEP UP | 種類の異なる COX 阻害薬の併用について |

　これまでの図をみれば分かりやすくなるが，各抗炎症鎮痛薬は，同じ COX を標的としている．例えば，インドメタシンでブロックされた COX があったとして，アスピリンを追加したとする．どうなるか？ ①すでにインドメタシンでブロックされ活性が抑制されているシクロオキシゲナーゼの別の部分にアスピリンがくっ付いたとしても，すでに抑制されているので，それ以上抑制は増強しない．②入り口がインドメタシンで塞がれているのでアスピリンが入り込めず活性中心に結合できない，または③入り込んでも活性中心の立体構造が変化しているため結合できない——というような理由でアスピリン追加による相加効果や相乗効果は期待できないと考えられる．したがって，抗炎症鎮痛薬を複数併用することはあまりない．

B．NSAIDs の分類

C 用量と作用の関係

1 NSAIDs の投与量

ナース（以下ナ）　ボルタレン®では効かないと言っています．何か追加しましょうか．
当直医（以下当）　何 mg ですか？
ナ　25 mg です．
当　もう 25 mg 追加して，次回は 50 mg に増量してください．
ナ　それで効かない場合は，どうします？
当　次はオピオイド系ですかね．

　NSAIDs には用量-作用関係が存在するが，やがて頭打ちになる．つまり，添付文書の用量を超えて投与したら，鎮痛効果はやや上がるがその程度は高くはなく，副作用が増加する．副作用発現の危険と増量により得られる鎮痛のメリットをどのように考えるかの問題である．適用量以上の増量のメリットはないと判断する人が多い．

　NSAIDs の適用量は，鎮痛効果と副作用発現のバランスで設定されている．添付文書の適応に沿った使用が原則である．「どの薬が強いか？」とは，よくある質問であるが，むずかしい質問である．

　各薬の添付文書の最大使用量での鎮痛効果を明瞭に比較した信頼できる臨床研究が見当たらないため，どの NSAIDs がもっとも鎮痛効果があるとは特定できない．投与量が増えると鎮痛効果も上がるが，副作用発現率も上がる．添付文書の投与量は，副作用発現度の程度を考慮して決められている．副作用発現がやや高くても鎮痛効果を重視した適用量設定をするのか，副作用の少ない範囲で設定するのか，添付文書での適用量設定のコンセプトが製剤によって異なるようである．非選択的な COX 阻害薬では，鎮痛効果の強い印象のある NSAIDs の副作用発現率は高い．別の表現をするなら，添付文書の適用量とは別に，投与量を増やせば，どの NSAIDs でも同じような鎮痛効果が得られると考えられる．

2 別の NSAIDs の併用について

　では，NSAIDs を 2 種類併用するとどうなるか．NSAIDs のターゲットは

COXであり，各々の薬が同一の酵素に結合しようとし，むしろ，同じ酵素の取り合いとなる．あるNSAIDsを最大適用量使用した上で他のNSAIDsを併用しても，鎮痛効果は増強せず副作用が増すであろう．

また，一剤を最大投与量まで使用して効果が不十分な場合，他剤に切り替えて最大投与量まで投与しても，あまり効果に差はないと予想される．そこで対策として，1種類のNSAIDsを最大適用量まで使用し，効果が不十分な場合は，別の作用機序を持つ薬［オピオイド，抗てんかん薬，三環系抗うつ薬，セロトニン・ノルアドレナリン再取り込み阻害薬，N型Ca^{2+}チャネルの阻害薬，ノイロトロピン®（下行性抑制系の賦活薬）など］との併用や切り替えを考えた方がよい．

3 投与経路の問題

坐薬は，経口投与に比べると，同じ投与量でも血中濃度が早期に，かつ高くなる．このため，坐薬による投与での効果は，同量の経口投与より強い印象がある．

静脈内投与可能なNSAIDsであるフルルビプロフェンアキセチル（ロピオン®）の適応は，「術後の鎮痛，各種がんの鎮痛であり，経口不可能または効果が不十分な場合」である．

4 関節リウマチに対するロキソプロフェンナトリウム（ロキソニン®）の投与量はいかにして決められたか？

ロキソプロフェンナトリウムの手術後，外傷後ならびに抜歯後の鎮痛，抗炎症に対する適用量は，1回60 mg, 1日3回，もしくは頓用1回60〜120 mgである．図10-9のように，用量-作用関係を認めている．

関節リウマチに対する臨床試験では，60・120・180・240 mg/日と段階的に増量する試験が行われ，60 mgでは効果が少なく，240 mgでは副作用が増加する傾向が認められた．そこで，120 mgか180 mg/日を6週間投与する試験では，副作用発現率に差がなく，180 mgで有効率が高かったため，添付文書では「1回60 mg, 1日3回」となった．この経緯は，①鎮痛効果に用量-作用関係が存在する，②実際の適用量は，副作用発現を考慮して決められていることを示している．

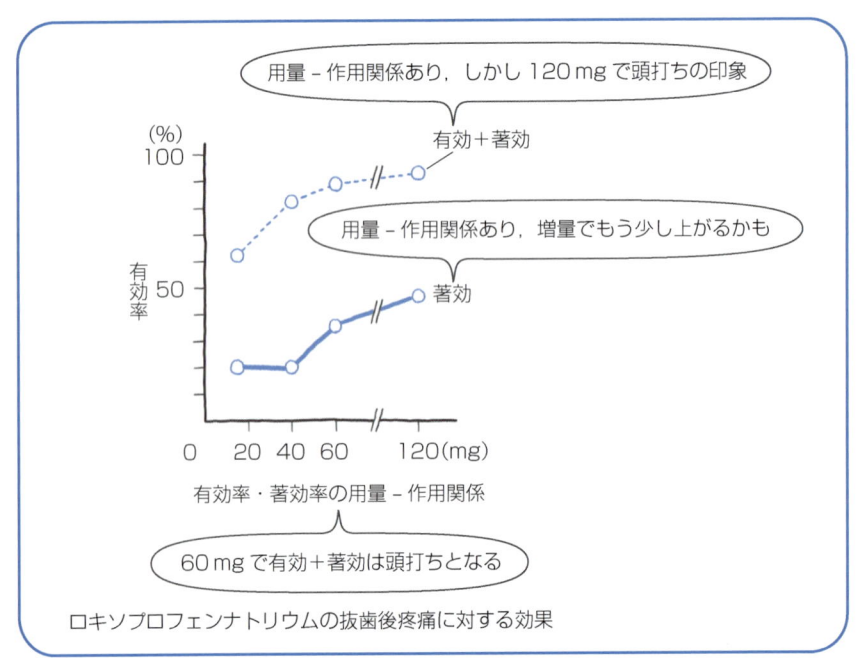

図 10-9 NSAIDs の用量−作用関係 その①：ロキソプロフェンナトリウムを例に

（グラフ中の注釈）
- 用量−作用関係あり，しかし 120 mg で頭打ちの印象
- 有効＋著効
- 用量−作用関係あり，増量でもう少し上がるかも
- 著効
- 有効率・著効率の用量−作用関係
- 60 mg で有効＋著効は頭打ちとなる
- ロキソプロフェンナトリウムの抜歯後疼痛に対する効果

5 投与量の決まり方：セレコキシブを例に

　セレコキシブは，抗炎症・鎮痛を効能・効果として，関節リウマチでは1回 100〜200 mg を1日2回，変形性関節症，腰痛症，肩関節周囲炎などには1回 100 mg を1日2回，手術後，外傷後ならびに抜歯後の抗炎症・鎮痛には初回のみ 400 mg, 2回目以降は1回 200 mg として1日2回の経口投与となっている．用法・用量というのは，至適用量設定試験の結果によって決まる．対象疾患によって，添付文書での用法・用量は異なる．関節リウマチや変形性関節症・腰痛症・肩関節周囲炎などは慢性痛であり，手術後，外傷後ならびに抜歯後の痛みは急性痛である．変形性関節症・腰痛症・肩関節周囲炎での投与量が1回 100 mg になっているのは，200 mg に増量しても効果に差が認められなかったからである．つまり，この疾患群では，用量−作用関係が 100 mg で最大に達したと判断されたのである．言い換えると，この疾患群で発生している COX の量は，外傷後や抜歯後に比べて少量と考えられる．

10. いつでも，どこでも，まずは NSAIDs

図10-10 NSAIDs の用量-作用関係 その②：セレコキシブを例に
［代田達夫ほか：歯薬物療 20：154-172, 2001 より引用］

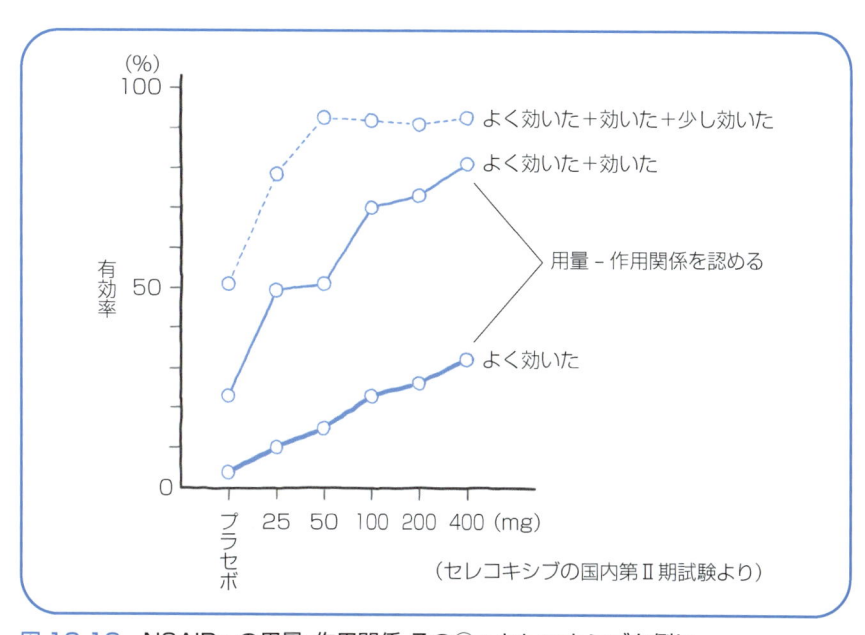

　ここで強調したいことは，急性痛に対する抗炎症鎮痛効果の用量依存性である．抜歯後疼痛患者に対してのセレコキシブ単回投与の効果は，用量依存性を認めている（図10-10）．1回25 mgから400 mgまでを投与したところ，投与量が増えるにつれて「よく効いた」「効いた」患者の割合は増加した．副作用の発現率は全体で4.3%，各投与群で差はなかった．この結果から，効果は最大で副作用も増加しなかった400 mgが，単回投与の適用量となった．400 mg以上の用量では，検討されていないので不明だが，この用量-作用曲線から推定すると，有効率はさらに増加すると予測される．しかし，400 mgで有効率82%に達しているので，増加するといっても微増であろう．疾患や病態で適用量が違うのは，産生されているCOXの量が疾患や病態により異なるからである．

C. 用量と作用の関係

- 1878 年　　アスピリンと似たような作用を持つ物質として合成
- 1887 年　　臨床使用開始
  　　　　　　フェナセチンの陰に隠れる
- 1950 年台　米国で再注目され始める
- 1955 年　　米国で承認
- 1956 年　　イギリスで承認
- 1970 年　　安全な薬との認識が広がる

―以来，欧米では，非常によく使用されている―

フェナセチン（日本では2001年から販売中止）の腎障害が問題となったため

表 10-1　アセトアミノフェンの歴史

- 解熱鎮痛薬であるが，抗炎症鎮痛薬ではない
- シクロオキシゲナーゼ阻害作用は弱い ➡ 消化器の副作用は少ない
- 確定的な作用機序はいまだに確立していない．おそらく，複数の作用機序が同時に関与
- 中枢性作用が主
- セロトニン作動性下行性抑制系（☞8章図8-15）を賦活
- 内因性マリファナ（カンナビノイド）を増加

表 10-2　アセトアミノフェンの特徴

D　アセトアミノフェン：NSAIDsではありません（表 10-1，表 10-2）

　アセトアミノフェンはNSAIDsではない．解熱鎮痛薬ではあるが抗炎症鎮痛薬の範疇ではない．抗炎症作用があるとはいえない．古くからある薬だが，いまだ作用機序が十分に分かっていない薬である．日本では，用法・用量が2010年になって増量（4,000 mg/日まで）されたので，今後使用量が増加すると予想される．なお外国では3,000 mg/日となっている．2011年に，トラマドールとアセトアミノフェンの合剤（トラムセット®）が発売され2013年には，静脈内投与できるアセトアミノフェン（アセリオ®）（効能/効果：経口製剤および坐剤の投与が困難な場合における疼痛および発熱）が発売された．

　現在想定されている作用機序として，アセトアミノフェンは，下行性のセロトニン作動性神経（☞8章図8-2・5~8・15）のセロトニン放出を増加させる（**図**

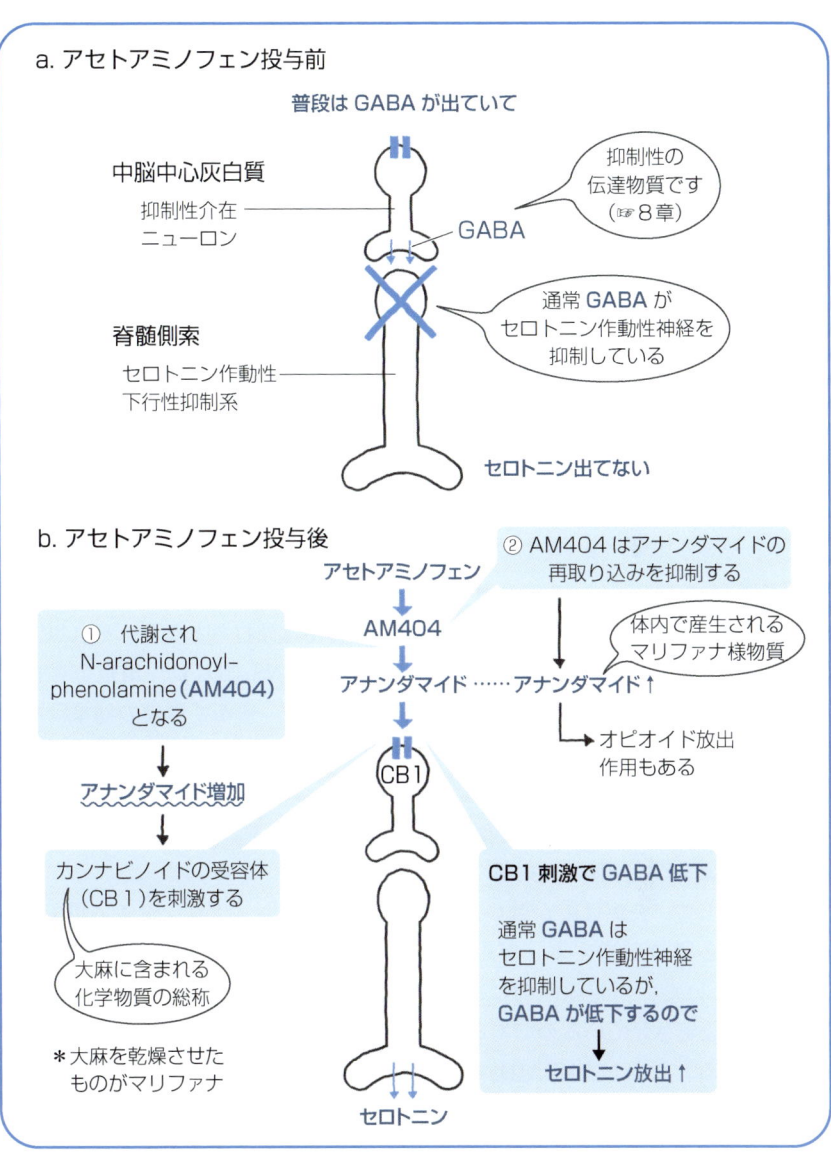

図 10-11　アセトアミノフェン投与前後の中脳中心灰白質と下行性抑制系

10-11)．脊髄後角でのセロトニンは，①シナプス前での神経伝達物質の放出抑制と，②シナプス後での抑制性シナプス後電位の発生により，痛みのシナプス伝達を抑制する．

> 抑制の解除 → 活性

E　まとめ：投与量の問題

　シクロオキシゲナーゼ（COX）は，炎症の場で産生（誘導）されている．産生量が多ければ，それに結合する NSAIDs の量は増える．COX がすべて NSAIDs でブロックされた時点で，NSAIDs の作用は頭打ちとなり，それ以上増やしても鎮痛効果の増強は期待できない．つまり，NSAIDs は，用量依存性に COX に結合し，用量依存性に鎮痛効果をもたらすが，やがて増量の効果はなくなる．一般に急性痛では，活発な炎症反応のため COX の量が多く，これをブロックするために NSAIDs の必要量が多くなる．つまり，急性痛では，用量-作用関係が頭打ちとなる NSAIDs の量は多くなる．これに，前述のセレコキシブの例が当てはまる（☞図 10-10）．

　考え方として，炎症反応が強い，つまり COX の産生（誘導）が多い場では，NSAIDs の必要量が増える．疾患や病態に応じて，産生（誘導）されている COX 量はだいたい一定範囲内にあるとの前提に立って，各効能・効果別の用法・用量が設定されているのである．したがって，個人差も実際のところ存在すると思われる．しかし，NSAIDs を増量しても効果に変化がない場合は，COX が NSAIDs ですでに飽和していると考え，元の量に戻した方がよい．

11 ナトリウムチャネルをブロックせよ

———— 局所麻酔薬です

A 局所麻酔薬の作用

　Ca^{2+} チャネルブロッカー（Ca^{2+} 拮抗薬）は，高血圧や狭心症の治療薬であり，よく知られている［なお，2010 年より神経障害性疼痛にも Ca^{2+} チャネルをブロックする薬が使用されるようになった（☞ 13 章）］．一方，Na^+ チャネルブロッカーというと，あまり馴染みがないようだが，局所麻酔薬や抗てんかん薬の一群は Na^+ チャネルブロッカーである．キシロカイン®といえばすべての科の医師や看護師が知っているし，カルバマゼピン（テグレトール®：三叉神経痛の薬）やフェニトイン（アレビアチン®）も聞いたことがあるであろう．

　本章では，局所麻酔薬の性質について述べたい——外科系ではケガの傷口の縫合，内科系では処置・検査のときの痛み止めとして使用する．誰でも，歯の治療時に局所麻酔を受けた経験がある．慢性痛では押さえて痛いところに局所麻酔薬を用いてトリガーポイント注射（☞ 15 章図 15-7）を繰り返すと効果持続時間がだんだん延びてくる．

後輩医師（以下㉨）　局所麻酔薬って，効果は一時的ですよね．
先輩医師（以下㊛）　だから，注射しても仕方ない？　すぐ戻るから．
㉨　でも患者さんにとっては，一時的でも痛みがなくなればいいと思いますけど．
㊛　本当に心からそう思います．医学的に大変重要な治療と思います．ところで，キシロカイン®の作用時間，知っていますか？

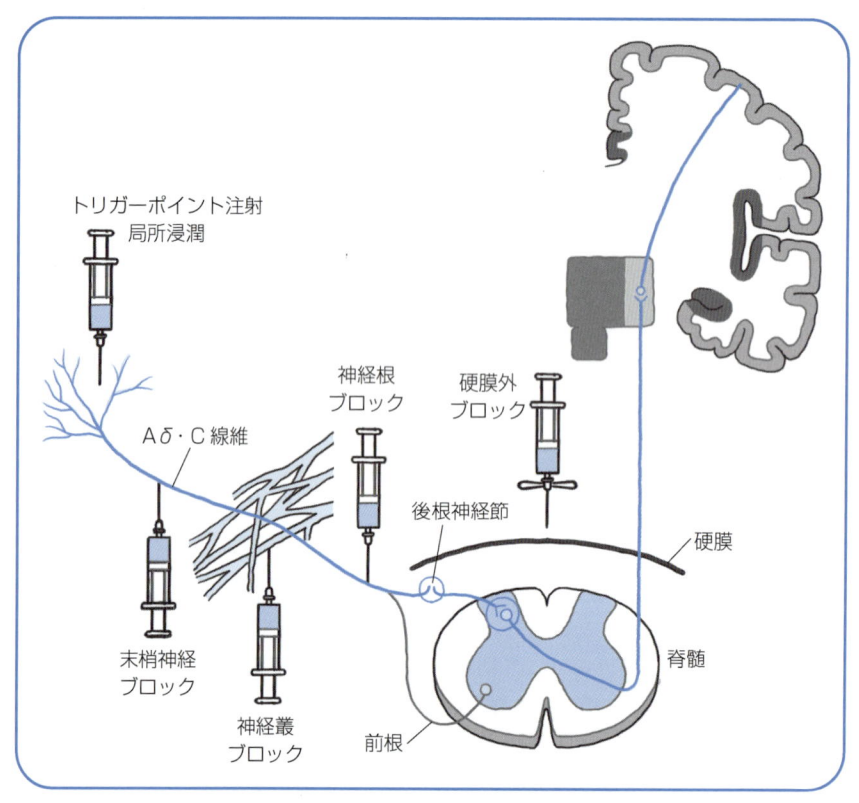

図 11-1　ブロックの名は？：局所麻酔薬の注入部位によります
注入部位で Na⁺ チャネルをブロックします（☞ 8 章図 8-16）.

㊥　うわ，試問ですか……90 分ぐらいですか．
㊛　そう．薬は 90 分ぐらいで代謝されますが，そこから消えても，鎮痛効果が 2〜3 日あることって多いですね．どう考えます？
㊥　？ ……その間は，神経そのものが治っていて，痛まなくなっている？
㊛　痛くない時期を作ると，痛みを忘れるようになる（☞ 17 章）……というイメージです．

神経ブロック

局所麻酔薬で活動電位を抑える（図 11-1）

11．ナトリウムチャネルをブロックせよ

神経障害性疼痛の発症機序が明らかになるにつれ（☞ 16 章），「局所麻酔薬を注射し，痛みを抑える治療は対症療法で，一時的である」というコンセプトが見直されつつある．痛みを「記憶＝メモリー」と捉える考え方が広まってきたからである．もし，痛みが「記憶」なら，「忘れさせる」のが治療となる（☞ 17 章）．普通，物事，例えば嫌な人を「忘れる」には，冷却期間を置く，思い出さない，会わない，逃げる，別のことをする，しばらく刺激しないようにする，近づかないようにすれば，記憶はやがてセピア色となり，忘却の彼方に去る．痛みの治療における冷却期間とは，痛みを感じさせない――つまり鎮痛――の期間である．さて，痛みの記憶はどこにある？　には，痛みの記憶の場は，「脳ではなく脊髄レベル」と答えたい．これは 17 章で説明する．

　痛みの持続（常に反復している状態）そのものが，脊髄での痛みの記憶を強化する．強化させないためには，反復させない，休ませる．痛みの持続は痛みを脊髄に覚え込ませてしまうので，痛くない時間を少しでも長くし，忘れさせ，痛みの記憶が色褪せてゆくのを待つイメージである．一時的にでも，繰り返して痛みを断つと，痛みが和らぐ時間が延びてくる．痛みの一時的な神経遮断が痛みの長期的な軽減に繋がるのである．

1　神経を麻痺させるとは

　神経は，遠心性には運動を司り，求心性には，触覚，温痛覚，圧覚，位置覚，視覚，聴覚，嗅覚，味覚などを司っている．「動かせ」という指令や「痛い」という感覚は，神経を伝導して伝えられるが，この伝導は神経線維内への Na^+ の流入によってもたらされている（**図11-2**）．Na^+ チャネルブロッカー（局所麻酔薬）は，電位依存性 Na^+ チャネル（本章では，以下「Na^+ チャネル」）を塞ぎ，Na^+ 流入を抑制し，神経伝導を遮断する（☞ 8 章図 8-16）．運動を担当する神経線維（$A\alpha$ 線維）の Na^+ チャネルが遮断されれば運動麻痺が起こり，触覚を担当する神経線維（$A\beta$ 線維）の Na^+ チャネルが遮断されれば触覚が麻痺する．局所麻酔薬が神経線維の Na^+ チャネルに到達すれば，その神経線維の担当機能に関わらず Na^+ チャネルが遮断され，その機能が麻痺する．

　神経が機能しているときは必ず，その機能の種類に関わらず，Na^+ が Na^+ チャネルを通じて神経線維内に流入している．「痛い」と感じているならば必ず，神経線維内への Na^+ 流入がある．そこで，痛みを伝える $A\delta \cdot C$ 線維の Na^+ チャネルを通過する Na^+ 流入を抑えれば，痛みは止まる．局所麻酔薬は，直接的に Na^+ の流入を抑制する薬である．

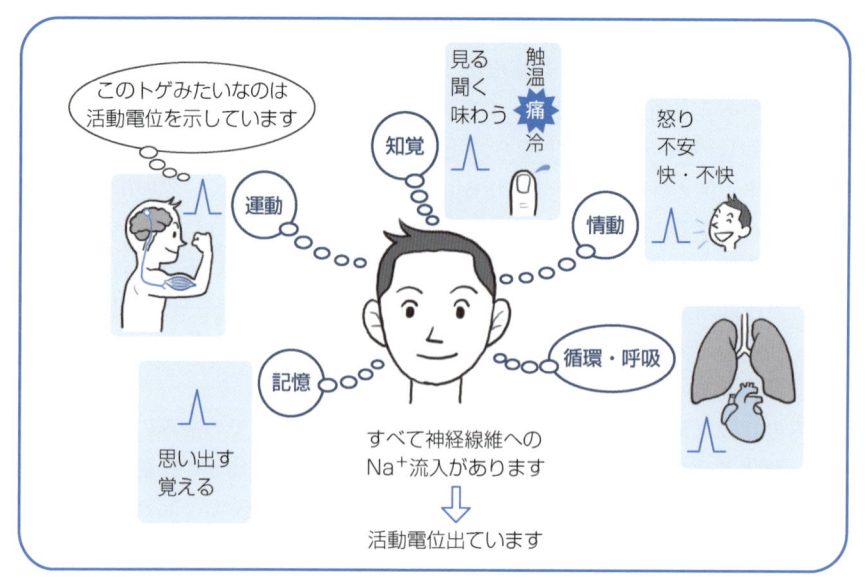

図11-2　神経の働き：活動電位の発生——Na⁺の流入

2 局所麻酔薬は電位依存性 Na⁺ チャネルをブロックする

　局所麻酔薬は，Na⁺チャネルをブロックし，活動電位の発生を抑える（インパルスブロック）．神経線維の細胞膜の Na⁺チャネルに結合し Na⁺の流入を抑制するのだが，どのようなイメージでブロックするのだろうか？　ブロック様式については，①局所麻酔薬そのものが，Na⁺の通路にフタや栓をして通過を妨げる，②局所麻酔薬が Na⁺チャネルを構成している蛋白に結合すると，チャネルの立体構造が変化し通路が閉ざされる，という2つの機序が想定されている．栓をするとか，フタをするというイメージは分かりやすい．ただ，注意すべきは，局所麻酔薬の Na⁺チャネルへの結合は，細胞膜の内側からのアプローチで発生する点である．局所麻酔薬は，神経線維の外側から細胞膜を通過し，いったん神経線維内に入って，内側からチャネルに栓をするのである．
　さらに，局所麻酔薬の非イオン型とイオン型の問題が発生する［炎症部位（酸性）では局所麻酔薬の効果が薄まると，試験で勉強していると思います］．細胞膜はリン脂質であり，イオン化した物質は通りにくい．つまり，イオン化した局所麻酔薬は，細胞膜を通過しにくく，膜を通過するのは非イオン型である（図11-3）．一方，膜通過後は，イオン型に再変化し，イオン型が Na⁺チャネルに

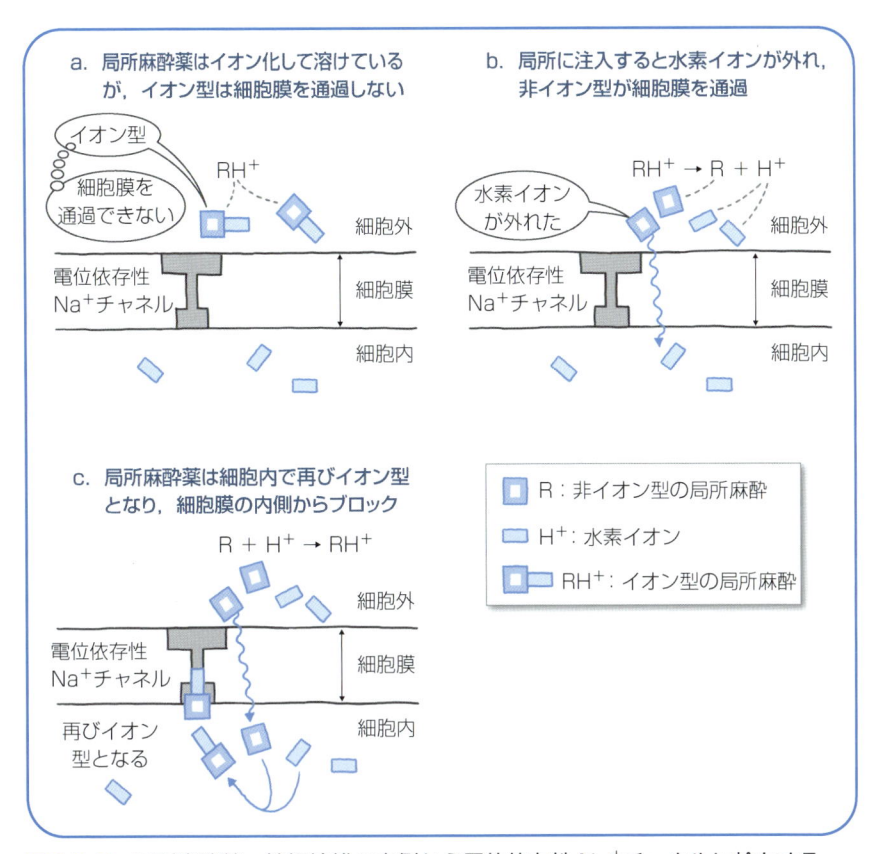

図11-3　局所麻酔薬：神経線維の内側から電位依存性Na⁺チャネルに栓をする

a. 局所麻酔薬はイオン化して溶けているが，イオン型は細胞膜を通過しない

b. 局所に注入すると水素イオンが外れ，非イオン型が細胞膜を通過

c. 局所麻酔薬は細胞内で再びイオン型となり，細胞膜の内側からブロック

R：非イオン型の局所麻酔
H⁺：水素イオン
RH⁺：イオン型の局所麻酔

結合する．

> 局所麻酔薬 ＝ Na⁺チャネルブロッカー
> 電位依存性Na⁺チャネルを塞ぎます

イオン型局所麻酔薬が非イオン型に変化 ➡ 非イオン型の局所麻酔薬が細胞膜を通過 ➡ 神経線維内のH⁺と結合し，イオン型に再変化 ➡ イオン型の局所麻酔薬がNa⁺チャネルに細胞膜の内側から結合する．

A．局所麻酔薬の作用

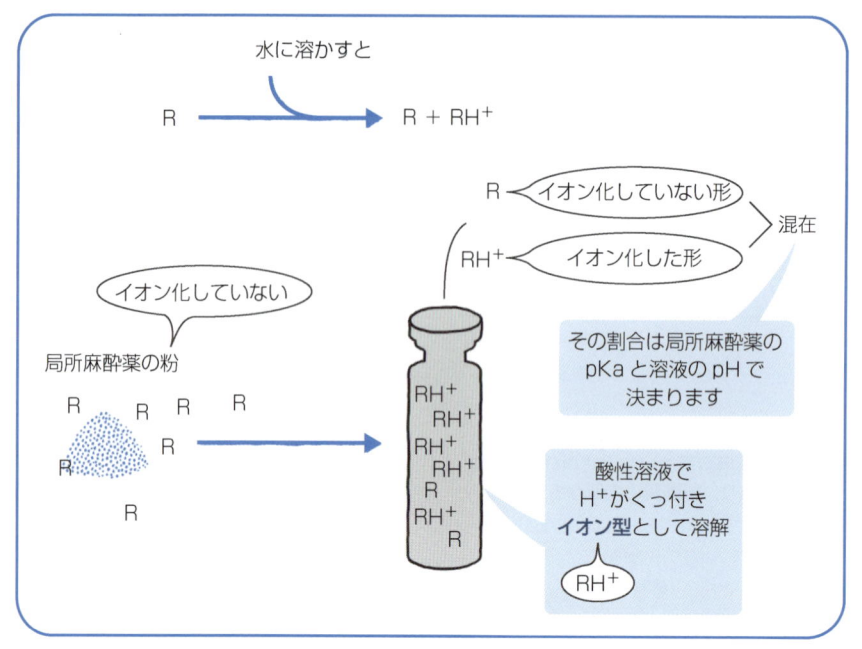

図 11-4 局所麻酔薬はイオン型と非イオン型になる

3 局所麻酔薬

　水に溶かす前の局所麻酔薬は，水がないのでイオン化していない非イオン型である．水に溶かすときはイオン化すると溶けやすくなり，水溶液中では非イオン型とイオン型が混在している（**図 11-4**）．局所麻酔薬は，非イオン型（R）に水素イオンが結合しイオン型（RH$^+$）となる．局所麻酔薬は，水溶液としてバイアルやアンプル，シリンジで供給されている．水に溶けやすくするには，イオン化している方がよい．そこで，局所麻酔薬は酸性溶液で供給されている．

　イオン化していない局所麻酔薬を R，水素イオンが結合しイオン型となった局所麻酔薬を RH$^+$ とすると，

$$R + H^+ = RH^+$$

イオン化してない形
局所麻酔薬のイオン型は，陽イオンである

イオン化した形

となる．

表 11-1　局所麻酔薬の性質比べ

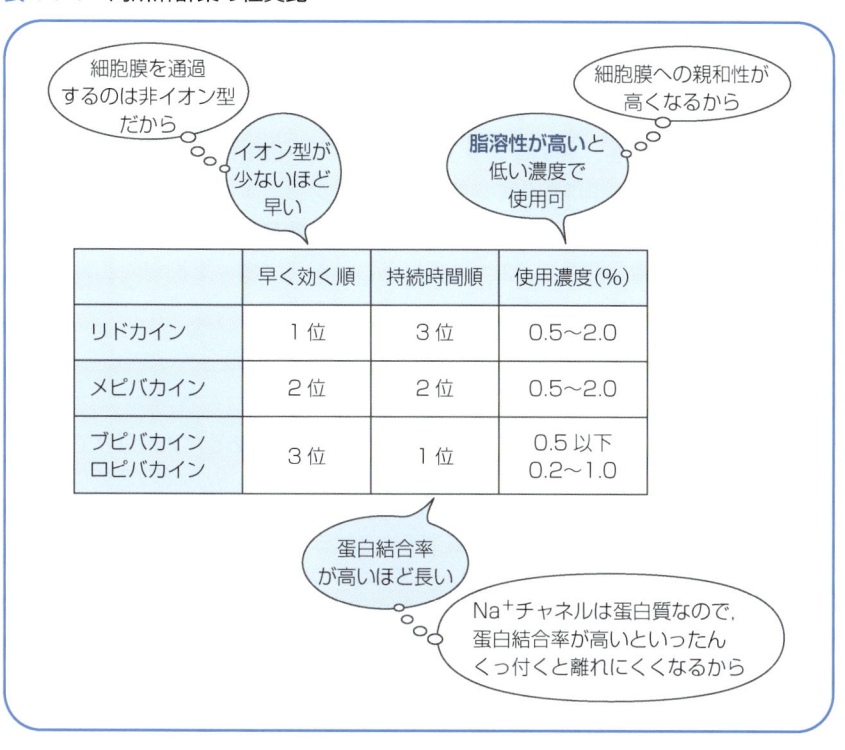

- 細胞膜を通過するのは非イオン型だから → イオン型が少ないほど早い
- 細胞膜への親和性が高くなるから → 脂溶性が高いと低い濃度で使用可

	早く効く順	持続時間順	使用濃度(%)
リドカイン	1位	3位	0.5〜2.0
メピバカイン	2位	2位	0.5〜2.0
ブピバカイン ロピバカイン	3位	1位	0.5以下 0.2〜1.0

- 蛋白結合率が高いほど長い → Na^+ チャネルは蛋白質なので，蛋白結合率が高いといったんくっ付くと離れにくくなるから

B　局所麻酔薬の使い方

1　局所麻酔薬の臨床現場的考察

　リドカイン（キシロカイン®），メピバカイン（カルボカイン®），ブピバカイン（マーカイン®），ロピバカイン（アナペイン®）などが使用されている．

　早く効かせたいとき，例えば，ケガで皮膚縫合するときに，すぐ縫い始めたい場合は，リドカインがもっともよく使われているが，これは速く効いて待たなくてよいからであろう（**表 11-1**）．一方，ペインクリニックや術後鎮痛では，リドカインより持続性時間の長いメピバカインやロピバカインを使用する頻度が高くなる．

2 日本オリジナルのジブカイン，サリチル酸ナトリウムの配合剤注射液

　日本では，古くから，ジブカイン（0.1％），サリチル酸ナトリウム，臭化カルシウムの配合剤注射液（ネオビタカイン®）が痛みの治療に使用されてきた．トリガーポイント注射に頻用されている．ジブカインは，アミド型の局所麻酔薬である．この注射液は，サリチル酸ナトリウムで発痛物質の産生を抑え，ジブカイン塩酸塩で神経伝導を抑える．2つの作用点に効かせて痛みを抑えるという今日的なコンセプトを考えると，古くて新しい薬といえる．

> **メモ　ブピバカインとロピバカインの関係**
>
> 　ブピバカイン（マーカイン®）は副作用が重篤な場合があるため，避けている医師も多い（脊髄くも膜下麻酔を除く）．かつて米国では，0.75％のブピバカインを用いた帝王切開で，心停止後の蘇生不能が続出した．ブピバカインによる心停止は，ストーンハートといい，蘇生不能となる．心筋が石のように硬くなって動かなくなってしまうというイメージである．細胞質内のCa^{2+}濃度が低下しないためである．そこで，米国では，0.75％のブピバカインは発売中止になった（日本では，最初からこの濃度では発売されていない）．このブピバカインの好ましくない副作用を軽減した，ブピバカインの誘導体がロピバカイン（アナペイン®）である．アナペイン®は別名，クリーンマーカインと呼ばれている．ロピバカインの性質は基本的にブピバカインと似ている．

> **メモ　経口投与のNa^+チャネルブロッカー：メキシレチン**
>
> 　循環器科の先生方にとっては，Na^+チャネルブロッカーといえば，抗不整脈薬であろう．リドカインは，抗不整脈薬であり局所麻酔薬である．メキシレチン（メキシチール®）という抗不整脈薬はNa^+チャネルブロッカーであるが，糖尿病性神経障害に伴う自発痛・しびれ感に対して効能・効果がある．経口投与で，当該神経のNa^+チャネルをブロックして自発痛・しびれ感を抑制すると考えられる．

オピオイド 12

身体の中でも作られています

A　オピオイドとは

1 アヘン，モルヒネ，コデイン

　むかしむかし，薬がない時代には，植物を使って痛みを止めていた．人々に受け継がれていた草を経験的に使用してきたのであろう．マンダラゲ（チョウセンアサガオ）やケシが使われていた．チョウセンアサガオは，根・茎・葉が使われていた．ケシは，その実が使われていた．ケシの未熟果皮の裂け目から滲出する汁を乾燥させるとアヘン（opium）になり，鎮痛効果と陶酔をもたらしてきた（**図12-1**）．ケシは英語で poppy, papaver という．余談であるが，red poppy はヒナゲシ，虞美人草である．ケシの栽培は法律で禁止されている．一方，ヒナゲシもケシ科の一種であるが，こちらは「丘の上，ヒナゲシの花で，占うの……」というようにそこらで咲いているので（アグネス・チャン，古いですね），アヘンとは関係ない．

　アヘンの主成分は，モルヒネ（5〜15％），コデイン（0.1〜2.5％），ナルコチン（2〜8％），パパベリン（0.5〜2.0％：血管拡張作用あり．心臓外科の先生方は使っていますね），テバイン（微量）などのアルカロイドである．アルカロイドとは，窒素原子を含む天然由来の有機化合物（炭素を含む化合物）で，アミノ酸，ペプチド，蛋白，核酸（DNA，RNA）を除いた物質であり，アルカリ性を示すことからアルカロイドと名付けられている．

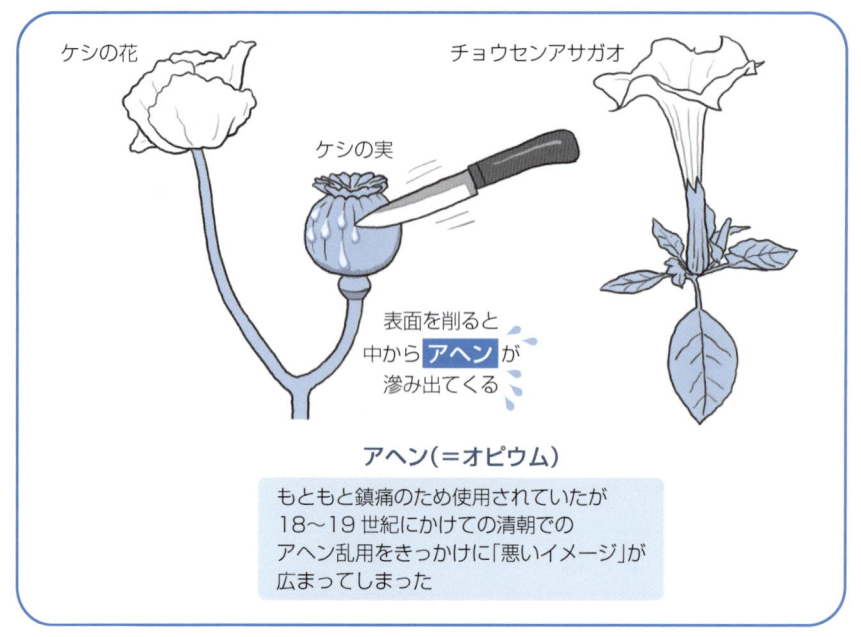

図 12-1　ケシとアヘン：鎮痛に使われていた草

　モルヒネは，1800年頃にアヘンから分離されたアルカロイドであり，チロシン（アミノ酸です）から生合成される，$C_{17}H_{19}NO_3$（分子量285）のケシ由来の天然物質である．テバインからオキシコドンが合成される．

　コデインは，別名メチルモルヒネとも呼ばれ，生体内でメチル基が外れ，モルヒネとなり鎮痛効果をもたらす．コデインは体内で約10％がモルヒネに代謝される．コデイン自体もオピオイド受容体に弱いながらも結合するので，コデインの投与量をモルヒネに換算するには，コデインそのものの効果とモルヒネに変化した分の効果を合わせて，コデイン×0.15と計算する．つまり，60 mgのコデインはモルヒネ9 mg程度となる．

$$コデイン（mg）\times 0.15 = モルヒネ（mg）$$

2 麻薬処方箋の問題

　現在，処方できるコデインとして，コデインリン酸塩®錠（20 mg）は麻薬処方箋となるが，コデインリン酸塩®散（粉）は，普通の処方箋でよい．同じ物質でも剤形により，一方は医療用麻薬となり，他方はそうなっていない．なぜそうなのかは知らないが，麻薬処方箋でない方が出しやすいのではないかと思う．コデインリン酸塩®の効能・効果は，①各種呼吸器疾患における鎮咳・鎮静，②疼痛時における鎮痛，③激しい下痢症状の改善である．非ステロイド抗炎症薬（NSAIDs）で効かない場合，鎮痛効果を期待して，コデインリン酸塩®散 60 mg/日，分 3 を追加してみるとよい．コデインは，市販の総合感冒薬の成分として頻用されているので，身近な薬であり，麻薬というイメージは少ない．もともと麻薬という言葉は，一般的にも法律上にも用いられるが，「麻薬及び向精神薬取締法」で規定されている薬剤を指すのであって，医学用語ではない．状況により，以前は麻薬でなかった薬が，あるときから麻薬になってしまうのである．例えば，静脈麻酔薬として古くから使われてきたケタミンは，法律により 2007 年に麻薬になってしまい，今では麻薬処方箋を書かねばならなくなってしまった．

　モルヒネ・オキシコドン・フェンタニル・ヒドロモルフォンなどを医学的・薬理学的に表現するなら，オピオイド（後述）がふさわしい．また，患者への説明で，いきなり「麻薬」「モルヒネ」の響きはよろしくないイメージがつきまとうので，医療用，硫酸，塩酸という正しい名称をつけて，医療用麻薬，モルヒネ塩酸塩水和物錠，モルヒネ硫酸塩水和物徐放剤といった正式名称で正確に説明した方がよい．正確な物質名でよからぬイメージを払拭できるなら，それに越したことはない．なお外国では，モルヒネに比しオキシコドン・フェンタニルという名前はイメージが悪くないため，患者による受け入れが良いようである．

3 オピオイド

　オピオイドとは，アヘン様の作用を示す化合物である．opium とは，アヘン（阿片），オピウムである（前出）．opiate（＝アヘン剤）とは，ケシから抽出されたモルヒネやモルヒネ関連物質である．つまり，アヘン様の作用とは opiate のような作用，モルヒネ様作用と同義である．その作用は，鎮痛，陶酔，便秘，多量で呼吸抑制などである．このアヘン様の作用をもたらす化合物には，①植物であるケシ由来のモルヒネ様物質（opiate），②内因性オピオイドペプチド（内因性とは，体内で合成されるという意味：内因性モルヒネ様物質，内因性モルヒ

ネ様ペプチド），③化学的に合成されたモルヒネ様物質（フェンタニルなど）の3種があるが，まとめてオピオイド（opioid）と名付けられている．モルヒネ様物質とは，その作用または構造がモルヒネに類似しているという意味である．ペプチドとは2つ以上のアミノ酸がペプチド結合した物質である．内因性オピオイドペプチドとして，エンケファリン，エンドルフィン，ダイノルフィンなどがある．

B 内因性モルヒネ様物質

1 内因性モルヒネ様物質（内因性オピオイドペプチド）の大発見（表12-1）

　アヘンが体内に入ると，鎮痛や陶酔・多幸感が発生する――古代から知られていた事実であり，アヘンから精製されたモルヒネによる同様の作用も200年前から分かっていた．1961年になり，アヘンやモルヒネ，モルヒネ様物質の合成中に，逆にモルヒネの作用に拮抗する物質が偶然みつかった．現在も使用されているオピオイド拮抗物質，ナロキソンである．1960～70年にかけて，「外から投与したモルヒネやモルヒネ様物質に結合する受容体が体内に複数存在する」と提唱され，μ, κ, δ受容体と命名された．1973年になり，モルヒネ様物質やナロキソンに対する受容体が，実際に薬理学的に（特定の薬に対する反応の違いにより）同定された．1975年には，Goldsteinらが，体内でモルヒネ様物質が産生・放出されていることを予測し［Goldstein A, et al: Life Sci **17**: 927-931, 1975］，これを内（endogenous）にあるモルヒネ（morphine）という意味において，エンドルフィン（endorphine）と名付けた．モルヒネと同じ受容体に結合する，内因性モルヒネ様物質という意味である．同年（1975年），ブタの脳から，Hughesらが，アヘン様作用を持つペプチドを2種類同定しエンケファリンと名付けた［Hughes J, et al: Nature **258**: 577-579, 1975］．翌年（1976年），Li, Chungらが，ラクダの脳下垂体から31個のアミノ酸からなるモルヒネ様ペプチドを単離し，このペプチドはGoldsteinが提唱していたエンドルフィンに相当すると報告した［Li CH, et al: Proc Natl Acad Sci USA **73**: 1145-1148, 1976］．1981年には，ブタの脳下垂体からダイノルフィンが精製された［Goldstein A, et al: Proc Natl Acad Sci USA **78**: 7219-7223, 1981］．

表 12-1　オピオイドの歴史

1800 年頃	アヘンからモルヒネの精製
1960〜70 年	モルヒネと結合する受容体（μ，κ，δ）の存在が予測される
1961 年	ナロキソン（モルヒネの拮抗物質）が偶然合成される
1973 年	モルヒネやナロキソンと結合する受容体が薬理学的に同定される
1975 年	エンケファリンの発見（初の内因性モルヒネ様物質）
1976 年	エンドルフィンの発見
1981 年	ダイノルフィンの発見
1990 年代	オピオイド受容体の分子配列の同定

歴史的には，体外から投与するモルヒネに対する①受容体の存在が予測され，②同定され，その後，③体内で産生されている内因性モルヒネ様物質が発見された．

内因性モルヒネ様物質

体内で生まれる
エンケファリン，エンドルフィン，ダイノルフィン

　体内でのモルヒネ様物質の産生が，実際，エンケファリン（1975 年），エンドルフィン（1976 年），ダイノルフィン（1981 年）の発見によって証明されたのである．治療から考えると，モルヒネ塩酸塩，モルヒネ硫酸塩，オキシコドン塩酸塩，フェンタニル，フェンタニルクエン酸塩，ヒドロモルフォン塩酸塩などの投与は，体内にすでにあるモルヒネ様物質を体外から投与する，外因性モルヒネ様物質の補充療法と考えられる．言い換えると，体内には，オピオイド受容体とそれに結合する内因性オピオイドが存在しているが，薬として投与するモルヒネ，オキシコドン，フェンタニル，ヒドロモルフォンなどは，オピオイド受容体に結合する外因性オピオイドといえる．

2　オピオイド受容体

オピオイド

オピオイド受容体に結合

オピオイド受容体は，約 400 個のアミノ酸からなるペプチドであり，細胞膜上にある．

オピオイド受容体を持つ細胞にオピオイドが結合する．その存在は当初，脳，腸，輸精管を用いて研究されてきた．オピオイドは，鎮痛を目的に使用されるが，副作用として，便秘，悪心・嘔吐，眠気の 3 大副作用がある．その原因は，腸・延髄の嘔吐中枢・脳にオピオイド受容体が存在しているためである．もし，そこにオピオイド受容体がなかったら，副作用の発現はないであろう．つまり，もし，腸にオピオイド受容体がなければ，モルヒネ投与による便秘という副作用はないであろう．オピオイドによる便秘の発生機序については，後述する（☞ p193）．

> **STEP UP**
>
> オピオイド受容体は，G 蛋白（☞ 8 章 p136）に結合した metabotropic receptor（代謝調節型受容体）である．metabotropic とは，酵素活性の調節による細胞内伝達物質の変化という意味である．①まず，オピオイドがオピオイド受容体に結合すると膜の立体構造（conformation）が変化し，②この受容体に結合している細胞内の抑制性 G 蛋白を活性化する．③抑制性 G 蛋白（Gi）が活性化されると抑制が起こる．その結果，④ G 蛋白に連結しているアデニル酸シクラーゼ（酵素です）が抑制され，サイクリック AMP（cAMP）が低下する．それから先は，cAMP 低下 ➡ cAMP 依存性プロテインキナーゼ活性低下 ➡ K^+ チャネルのリン酸化低下 ➡ K^+ チャネルの開口 ➡ 細胞内から外への K^+ 流出 ➡ 膜電位低下（＝過分極の発生）➡ 活動電位が落とし穴に落ちる（**図 12-2bc**：☞ 8 章図 8-12）➡ シナプス前からの神経伝達物質の放出低下 ➡ その伝達物質による生理作用の低下，という過程をとる．伝達物質が痛みを伝えるグルタミン酸やサブスタンス P なら，それらの放出が低下するので鎮痛効果が現れる．腸管の神経伝達物質であるアセチルコリンなら便秘となる（☞ p193）．

3 シナプス前でのオピオイドの作用（図 12-2a〜c）

7・8 章ですでに述べたが，シナプス前にはオピオイド受容体が存在し，オピオイドが結合すると，シナプス前（1 次ニューロン）からの神経伝達物質の放出が抑制される．**図 12-2bc** を見てほしい．シナプス伝達が抑えられるので痛みは止まる．オピオイドはシナプス前の K^+ を外にかき出して穴を掘るイメージで膜電位を下げる（☞ 8 章図 8-12）．

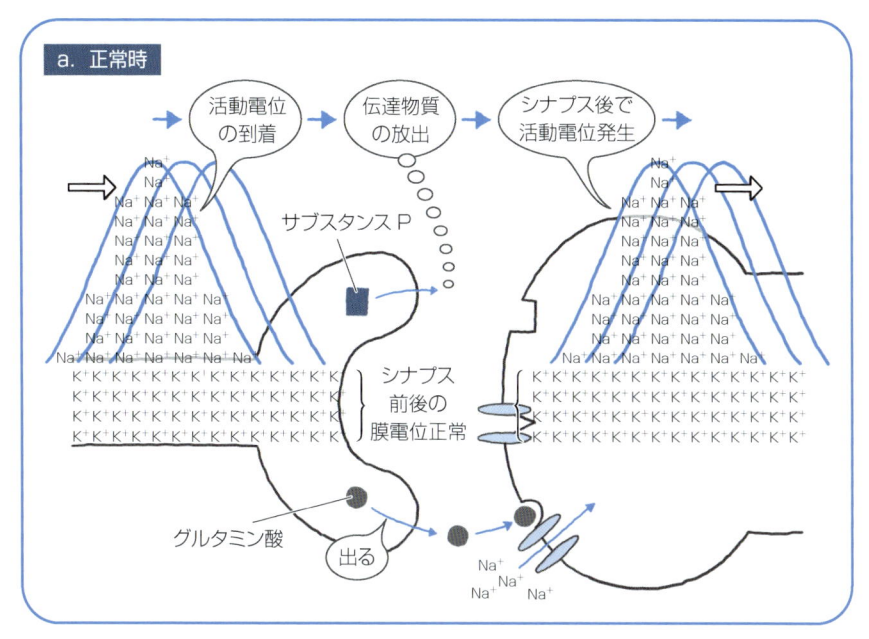

図 12-2a　正常なシナプス伝達（オピオイドのないとき）

4　シナプス後でのオピオイドの作用（図 12-2d）

　シナプス後（2次ニューロン）のオピオイド受容体にオピオイドが結合すると，K^+が外にかき出されて膜電位が下がる．ここでも穴が掘られるイメージである（☞ 8章図8-12）（過分極：抑制性シナプス後電位）．**図 12-2d** を見てほしい．シナプス後の膜電位がいつもよりマイナスになるので，伝達物質が来たとしてもスタートラインより後ろからのスタートとなり，閾値に達しないため，活動電位（☞ 3章図3-6）の発生に至らない．2次ニューロンで活動電位が出ないので痛みは止まる．

オピオイドの作用

K^+チャネルを開く → 膜電位を下げる

B．内因性モルヒネ様物質

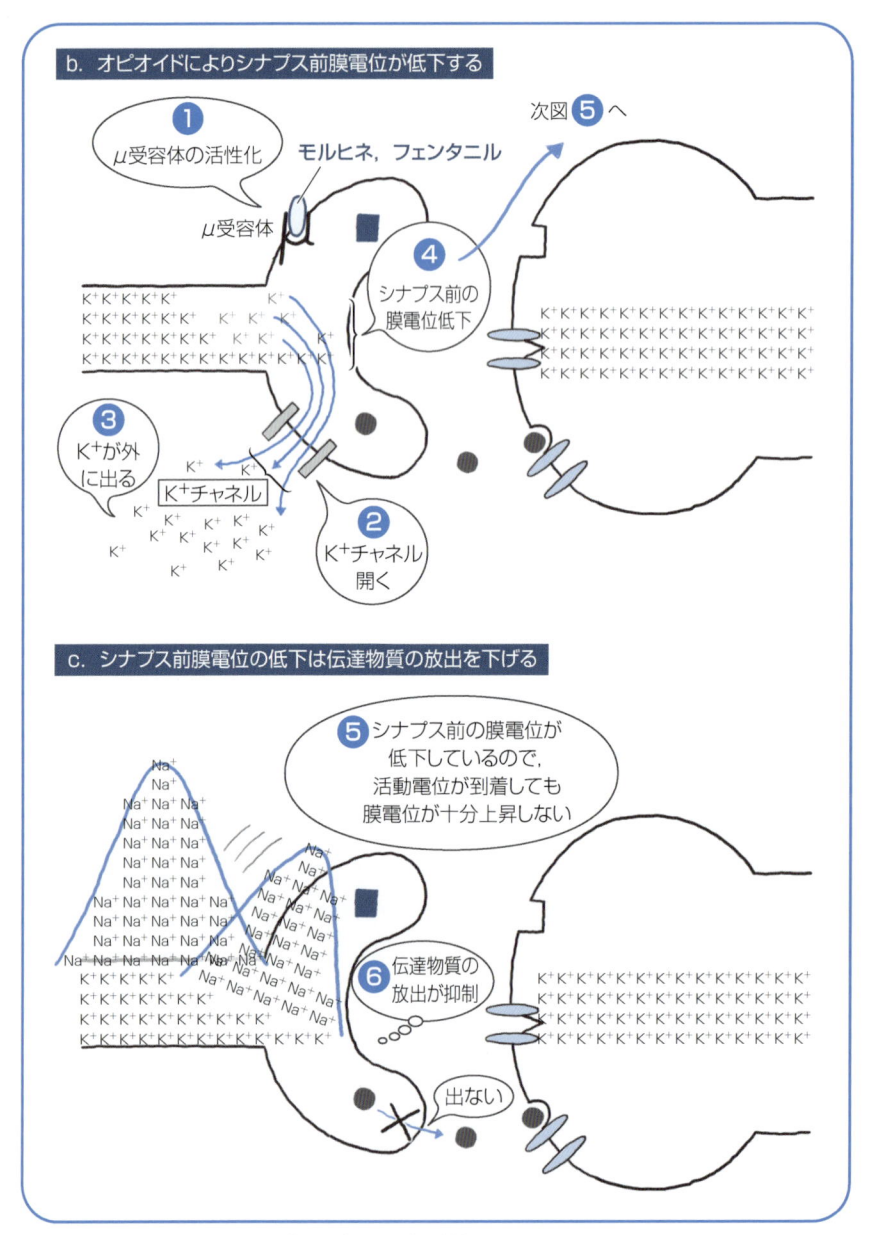

図 12-2bc　オピオイドの作用（シナプス前）

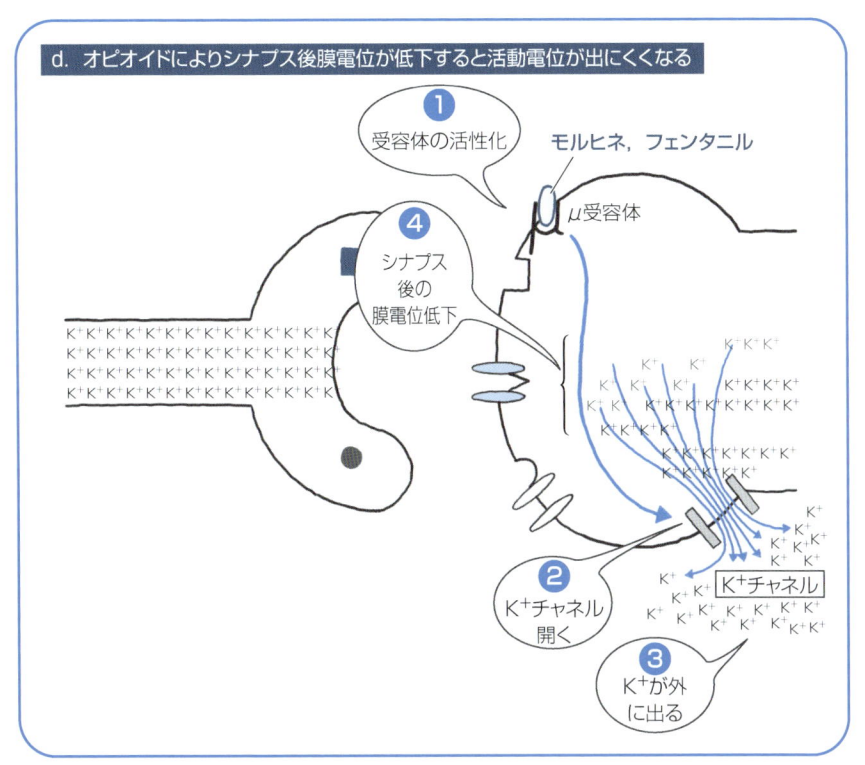

d. オピオイドによりシナプス後膜電位が低下すると活動電位が出にくくなる

❶ 受容体の活性化
モルヒネ，フェンタニル
μ受容体
❹ シナプス後の膜電位低下
❷ K⁺チャネル開く
❸ K⁺が外に出る
K⁺チャネル

図12-2d　オピオイドの作用（シナプス後）

C　オピオイド受容体

1　受容体

　受容体の定義は，「細胞表面あるいは細胞質内で，ホルモン，抗原，神経伝達物質など特定の因子と結合する構造蛋白分子」である．受容体をレセプター，レセプターを刺激する物質をアゴニスト（刺激薬），レセプターを抑制する物質をアンタゴニスト（拮抗薬）という．レセプターとの結合しやすさを親和性（affinity）といい，結合した結果，そのレセプター固有の反応を引き起こす能力を効力（efficacy）という．

　なお，上述のように受容体は「特定の因子と結合」する構造蛋白分子であるが，この「特定の因子と結合」とは，「物質と結合」の他に「温度や触・圧など

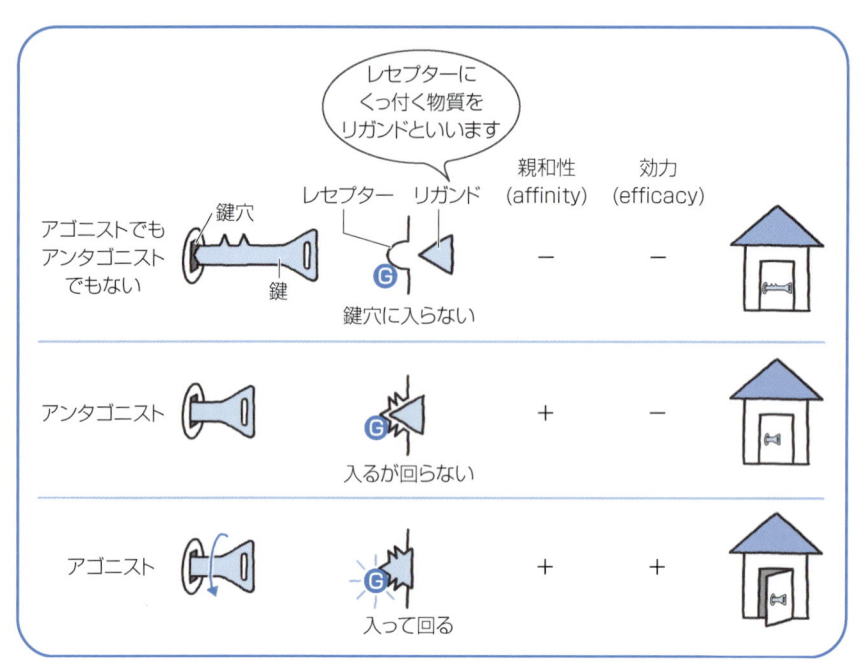

図 12-3 アゴニストとアンタゴニスト

の機械的因子に反応する」という作用も含まれる（☞ 5 章 p63）．

STEP UP

　鍵と鍵穴の関係に例えると，①レセプターは鍵穴，②アゴニストは鍵穴に入れて回すことができ扉を十分に開けられる鍵，③アンタゴニストは鍵穴に入るが回すことができずに扉を開けられない鍵，である（**図 12-3**）．鍵穴への入りやすさが親和性であり，入った後の回しやすさが効力といえる．アンタゴニストは，レセプターへの親和性はあるが，効力がない状態である．アゴニストは親和性も効力も高い．

　医学においては，何らかの現象や作用があるとき，鍵と鍵穴そのものがあるのかないのかがまず問題となる．アヘンにより鎮痛や陶酔がもたらされるという事実があり，アヘンにはモルヒネという物質が含まれていることが，まず分かった．次に，モルヒネによる作用は鍵と鍵穴の関係で，モルヒネ（鍵）が入り込む受容体（鍵穴）があるのではないかとの想定のもと，受容体の存在が 1960 年代に提唱された．1970 年代にはその受容体は複数あるという薬理学的状況証拠が報告され，機能的分類として mu（μ），kappa（κ），delta（δ）受容体と名付けられた．薬理学的とは，薬に対する反応による

分類という意味で，分子構造や遺伝子配列などの分子生物学的解析による分類ではない．mu（μ）受容体はmorphineに結合するという意味で頭文字のMをとってμ，kappa（κ）受容体はketocyclazocineという物質に結合するという意味で頭文字のKをとってκ，delta（δ）受容体は，vas deferens（輸精管）を使って見つかったので，deferensのDを取ってδ，と呼ばれるようになり，現在に至っている．その後，1990年代になり，それぞれ分子配列が解明され，名実ともに体内でのオピオイド受容体の存在が証明された．命名は発見のきっかけとなった現象によっているが，実際，モルヒネは，μ，κ，δのいずれにも結合する．内因性オピオイドペプチドでは，エンケファリンはδ受容体とμ受容体，βエンドルフィンはμ受容体，ダイノルフィンはκ受容体に比較的強く作用する．

オピオイド受容体

ミュー　カッパ　デルタ
μ　　κ　　δ

2 フルアゴニスト，パーシャルアゴニスト

　フル（full）アゴニストにより，その受容体は効力を最大限発揮できる．パーシャル（partial）アゴニストでは，受容体の効力は最大限発揮できず，途中で頭打ちとなる．この頭打ちとなる現象を天井効果（ceiling effect）という．オピオイド受容体では，モルヒネやフェンタニルはフルアゴニスト（完全作動薬）であるが，ブプレノルフィンはパーシャルアゴニストである（部分作動薬）．つまり，モルヒネ，フェンタニルには天井効果はないが，ブプレノルフィンには天井効果がある．
　ブプレノルフィンはモルヒネやフェンタニルと比較して，μ受容体にくっ付きやすく，長期間くっ付いている（これを親和性が高いという）．しかし，その効力は弱く，μ受容体の力を完全に発揮できない．それゆえブプレノルフィンは，部分作動薬と呼ばれている．そこで注意点だが，フェンタニルやモルヒネで鎮痛効果を得ている患者にブプレノルフィンを投与してはいけない．逆に痛くなる可能性があるからである．ブプレノルフィンは，μ受容体への親和性が高いため，フェンタニルやモルヒネを受容体から追い出してしまい，効力の弱いブプレノルフィンに置き換わってしまう．すると，それまでフェンタニルやモルヒネで完全に得られていた鎮痛効果が，置き換わったブプレノルフィンにより不完全になっ

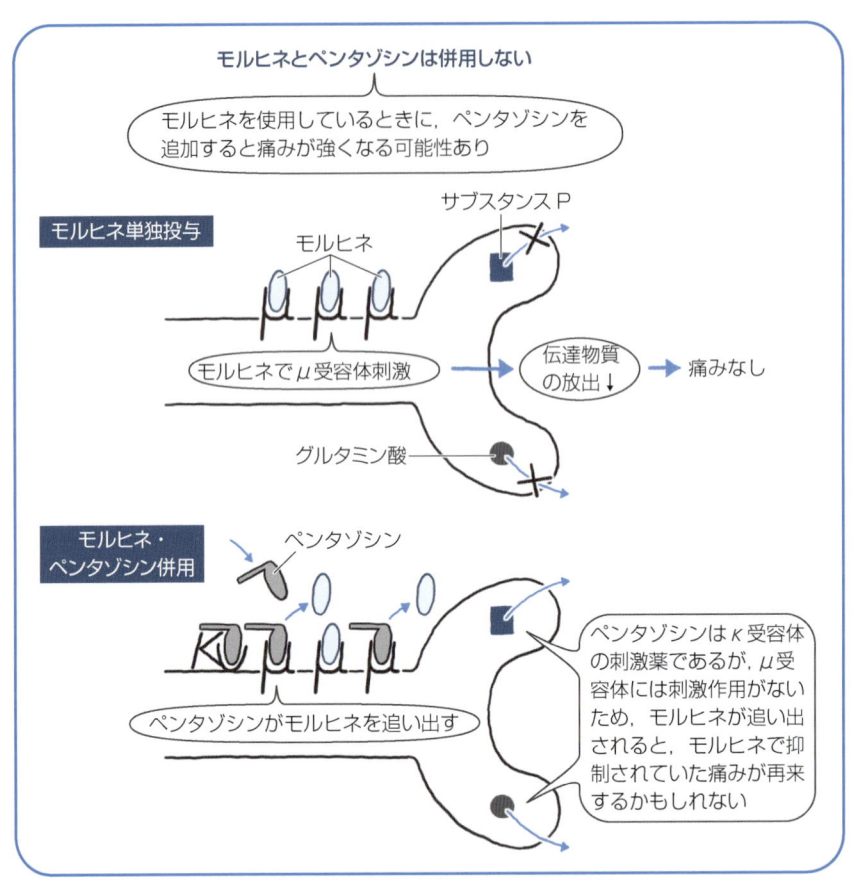

図 12-4 ペンタゾシン：κ受容体にはアゴニスト，μ受容体にはアンタゴニスト

てしまうからである．

3 アゴニストアンタゴニスト

　ある受容体にはアゴニストとして作用し，別の受容体にはアンタゴニストとして作用する場合，アゴニストアンタゴニストという．ペンタゾシンやブトルファノールは，κ受容体のアゴニストであるが，μ受容体にはアンタゴニストとして作用する．κ受容体は脊髄レベルに存在し，脊髄後角での神経伝達物質のシナプス間隙への放出を抑制して，鎮痛をもたらす．
　モルヒネを使用しているときにペンタゾシンを併用すると，モルヒネが入り込

んでいたμ受容体にペンタゾシンが入り込み，モルヒネの作用を減弱する可能性がある．したがって，通常，モルヒネとペンタゾシンは併用しない（**図 12-4**）．ペンタゾシンは，μ受容体に対してはアンタゴニストとして作用するからである．ペンタゾシンはκ受容体を介して鎮痛効果を発揮する．

4 オピオイド受容体と便秘

オピオイドによる便秘

腸管平滑筋の神経終末に作用
アセチルコリン放出を抑制します

「オピオイド受容体は腸管にもあるため，便秘の副作用がある」と知っている人は多い．「では，腸のどこにオピオイド受容体があるのか？」になると，「？？？」となってしまう．腸の平滑筋なのか，どこなのか？ 実は，腸管平滑筋を支配している神経終末にμ受容体があり，神経終末からのアセチルコリンの放出が低下するため，腸管平滑筋の動きが低下するのである（**図 12-5**，**図 12-6**）．アセチルコリンは，腸管平滑筋を収縮させる伝達物質である．

痛み担当のμ受容体はμ_1受容体で，腸管のμ受容体はμ_2受容体という説がある．これは，薬物に対する反応の違いで分けた分類（これを薬理学的分類という）で，分子構造が明らかになっているわけではない（μ_2受容体というのは実際には存在しないと言っている研究者もいる）．治療に使用する現存のオピオイドは，おそらくμ_1・μ_2受容体に対して非選択的に結合する．したがって，オピオイドで便秘なしに鎮痛を得るには，「選択的μ_2受容体拮抗薬を併用し便秘を抑制する」という考えかたがあり，海外では同薬の開発が進行中である．一方，わが国で，血液脳関門を通過しないμ受容体拮抗物質（ナルデメジン）が開発された．ナルデメジンは，腸管のμ受容体の作用のみを抑えるので，オピオイドによる便秘に効く（☞ p 202 メモ）

5 オピオイド受容体と多幸感：βエンドルフィン

a. ランナーズハイ

走り続けていると，気分が高揚し，陶酔感が出てくる状態——ランナーズハイ

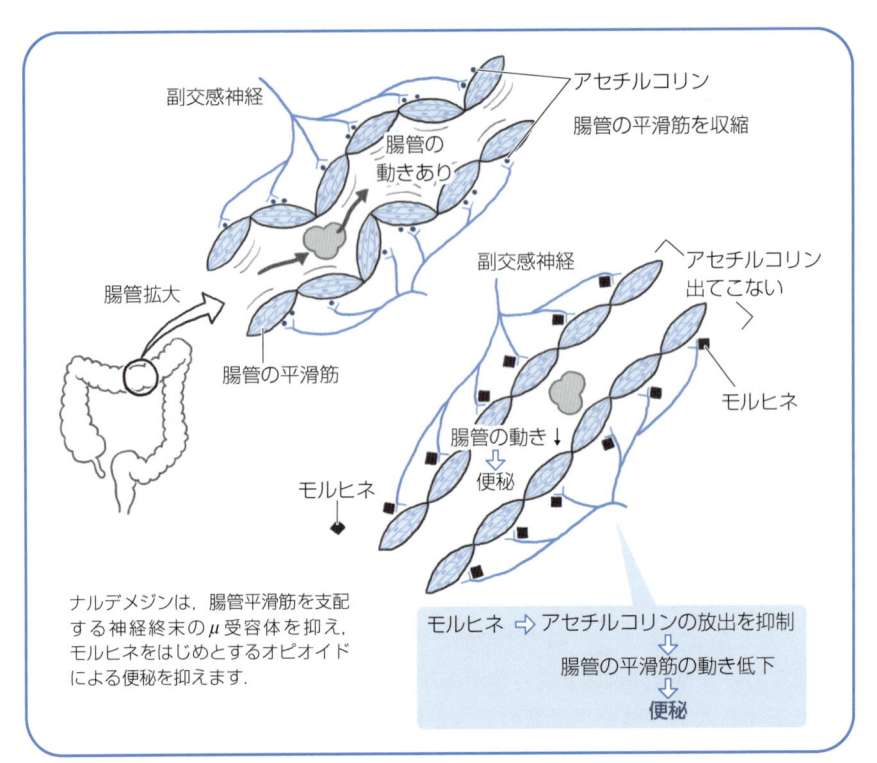

図12-5 腸管平滑筋とオピオイド

――を聞いたことがあると思う．ストレスの極限状態でも，意外と不安がなかったり，高揚したりするのも経験する．こうした状況では，視床下部の細胞からストレス対策のコルチコトロピン放出ホルモン（CRH）に加えて，気分を高める，快感の元となる内因性オピオイド――βエンドルフィンが同時に放出されている（CRH，βエンドルフィンともにペプチドです）．快感が起こるのは，①快が沸き起こる場所（側坐核，線条体など）が活性化するか，②不快が沸き起こる場所（帯状回前部，扁桃体）が抑制されるからである．双方のバランスによって快・不快が決まる．では，βエンドルフィンが快をもたらす仕組みはどうなっているのか？

b. 側坐核でのドパミン上昇により快感あり

視床下部で産生されたβエンドルフィンは，中脳被蓋（次頁メモ参照）のドパミン作動性神経を刺激する（ドパミン作動性とは伝達物質としてドパミンの産生を意味する：図12-8）．中脳被蓋のドパミン作動性神経は，視床の斜め下前に

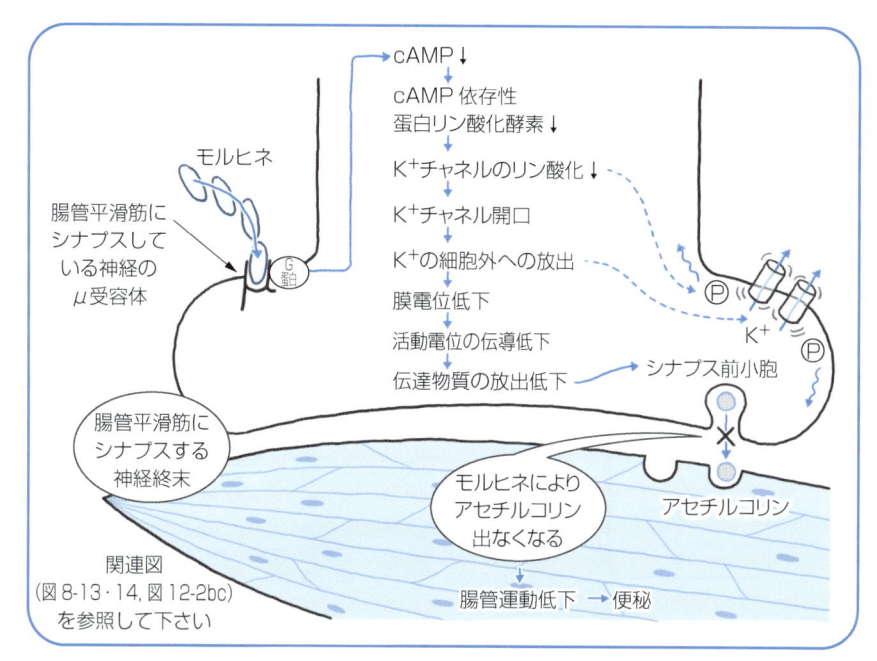

図 12-6 腸管を動かす神経終末でのオピオイドの作用：アセチルコリンの放出抑制

ある側坐核に神経線維を送って（投射して）いる（☞図12-10）．側坐核でのドパミン上昇は多幸感をもたらす．つまり，βエンドルフィンは，側坐核のドパミン上昇を介して，多幸感をもたらす．その過程をもう少し詳しく説明したい．

> **メモ** 中脳被蓋とは：「被害」と関係あり？
>
> 　図12-7は中脳の横断面である．中脳は，中脳蓋・中脳被蓋・大脳脚からなる．中脳水道より背部が中脳蓋であるが，蓋板または視蓋ともいう（なお，上丘・下丘は中脳蓋の一部である）．これは，蓋であり，もともと四足動物では，背側が上になるので，中脳の蓋のような場所という意味である．そして，中脳被蓋は，蓋で被われている中脳という意味で中脳被蓋という．日本語の「被害」は，害を被るという意味であるので，「被蓋」は蓋を被るということになる．

c. βエンドルフィンによる脱抑制

　βエンドルフィンは，ドパミン作動性神経を直接刺激するのではなく，介在ニューロンを通じて刺激する．βエンドルフィン➡介在ニューロン➡ドパミン作動性神経という順である．実は，ドパミン作動性神経に結合している介在ニュー

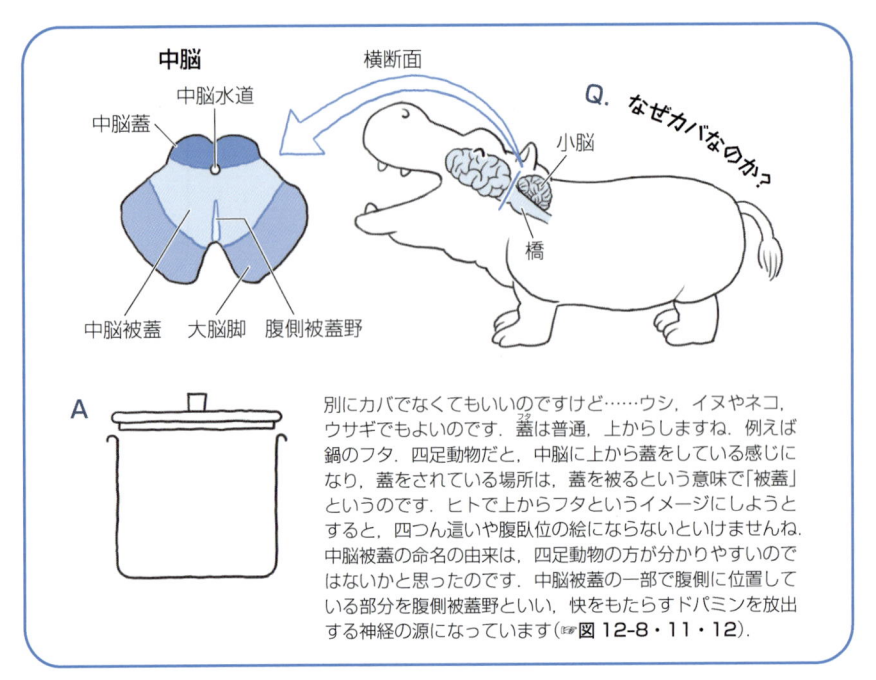

図 12-7　中脳の断面図

図中ラベル：中脳／中脳水道／横断面／中脳蓋／中脳被蓋／大脳脚／腹側被蓋野／小脳／橋／Q. なぜカバなのか？

A：別にカバでなくてもいいのですけど……ウシ，イヌやネコ，ウサギでもよいのです．蓋は普通，上からしますね．例えば鍋のフタ．四足動物だと，中脳に上から蓋をしている感じになり，蓋をされている場所は，蓋を被るという意味で「被蓋」というのです．ヒトで上からフタというイメージにしようとすると，四つん這いや腹臥位の絵にならないといけませんね．中脳被蓋の命名の由来は，四足動物の方がわかりやすいのではないかと思ったのです．中脳被蓋の一部で腹側に位置している部分を腹側被蓋野といい，快をもたらすドパミンを放出する神経の源になっています（☞図12-8・11・12）．

ロンは普段，ドパミン作動性神経を抑制している．したがって，ドパミン作動性神経を活性化するには，この介在ニューロンによる抑制を外せばよい（ややこしいですね）．βエンドルフィンは，この抑制性介在ニューロンのμ受容体に作用し，その抑制作用を解く．この現象を，脱抑制という（**図12-8**）．

　抑制性介在ニューロンから普段出ている神経伝達物質はGABAであり，GABAは相手方の神経を抑える（それゆえ，GABAは抑制性の伝達物質と呼ばれている）．つまり，介在ニューロンからGABAが出て，ドパミン作動性神経からのドパミン放出が抑制されている．

　一般にμ受容体の刺激は，膜電位を下げる方向に作用するので，神経伝達物質の放出を抑制する．抑制性介在ニューロンにあるμ受容体に対する刺激により，GABA放出が抑制されるため，逆にドパミンの放出が亢進するのである．

　まとめると，βエンドルフィンは，中脳被蓋にあるドパミン作動性神経に対する，抑制性介在ニューロンによる抑制を解く（**表12-2**）．ドパミンの上昇は多幸感をもたらす．これは，内因性βエンドルフィンの「安心感をもたらす作用」を説明している．

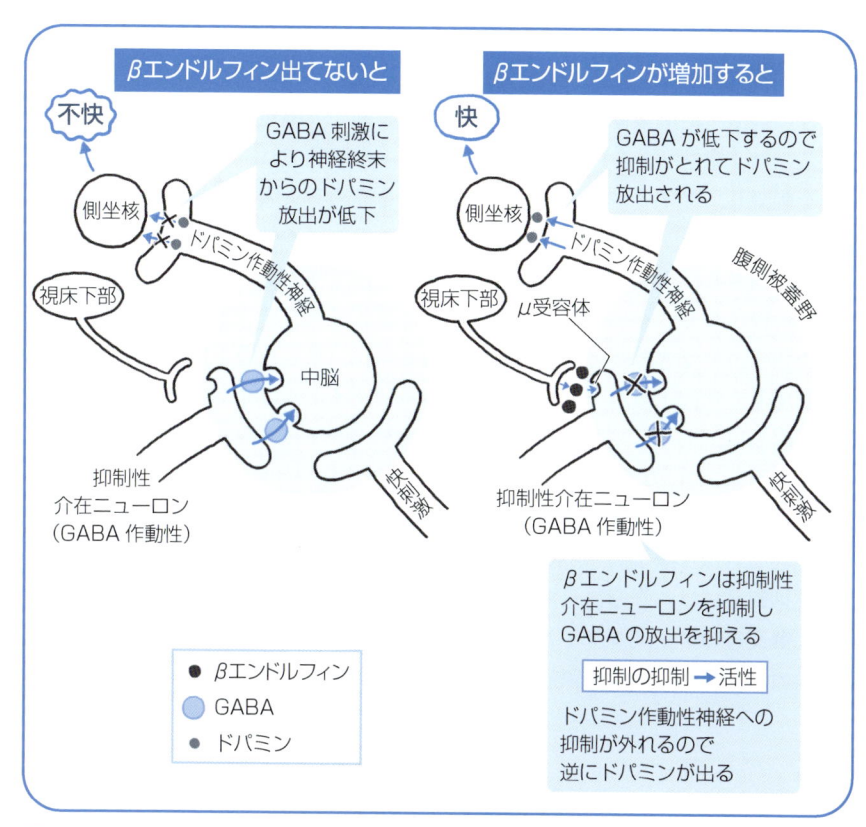

図 12-8 βエンドルフィンによる脱抑制（抑制性介在ニューロンの抑制）

表 12-2 βエンドルフィンは GABA の放出量を下げることにより，ドパミン放出量を上げる

	中脳での βエンドルフィン	中脳での抑制性介在 ニューロンからの GABA 放出	側坐核でドパミン作 動性神経終末からの ドパミン放出
快のパターン	↑	↓	↑
不快のパターン	↓	↑	↓

　痛くない人にオピオイドを投与すると，多幸感による依存症の発症が問題となる．しかし，痛い人にオピオイドを投与する場合は，精神依存は発生しない．この理由については，以下に述べる．

C．オピオイド受容体

6 痛みと不快感：ダイノルフィン，大脳辺縁系にて

　痛みの刺激（活動電位）は，大脳の体性感覚野，大脳辺縁系および脳幹にも到達する（☞4章図4-3・4）．そして，大脳辺縁系や脳幹ではダイノルフィン作動性神経を刺激し，ダイノルフィンの放出と産生を高める．大脳辺縁系では，側坐核に放出されたダイノルフィンは，ドパミン作動性神経の神経終末にあるκ受容体に結合・刺激し，ドパミンの放出を抑制する．側坐核のドパミンが低下すると，ヒトは不快になる．つまり，①痛み刺激は，ダイノルフィン放出を介して不快感をもたらす（κ受容体刺激はμ受容体刺激と同様，膜電位を下げ伝達物質の放出を抑制する：☞図12-12）．さらに②痛み刺激はダイノルフィンの産生も高める．その仕組みは，ダイノルフィン作動性神経内でのダイノルフィン産生の転写因子（リン酸化CREB）の上昇である（☞20章p326）．

　一方，脳幹に達した痛み刺激は，脳幹経由で上行する経路と下行する経路をとる（☞巻頭目次マップ）．下行する経路が下行性抑制系である（☞4章図4-4）．下行性抑制系では，脊髄後角でダイノルフィンを含む内因性鎮痛物質が放出される．脊髄後角のダイノルフィンは，痛みの1次ニューロンと2次ニューロンのシナプスのκ受容体を刺激し鎮痛をもたらす（☞7章図7-10）．

ダイノルフィンの役割
- ★ 大脳辺縁系：不快感
- ★ 脊髄後角　　：鎮痛

D　オピオイドと依存

1 痛いかぎりはオピオイドを増量できる理由

　WHO（世界保健機関）の3段階ステップラダー（**図12-9**）は，今や世界中で使用されている，がんの痛みに対する薬物療法の指針である．弱い薬から開始し，弱オピオイド，強オピオイドと段階的に強い薬を加え，強オピオイドは痛みが止まるまで増量する．「弱い」，「強い」の明確な定義は不明だが，弱い薬とは

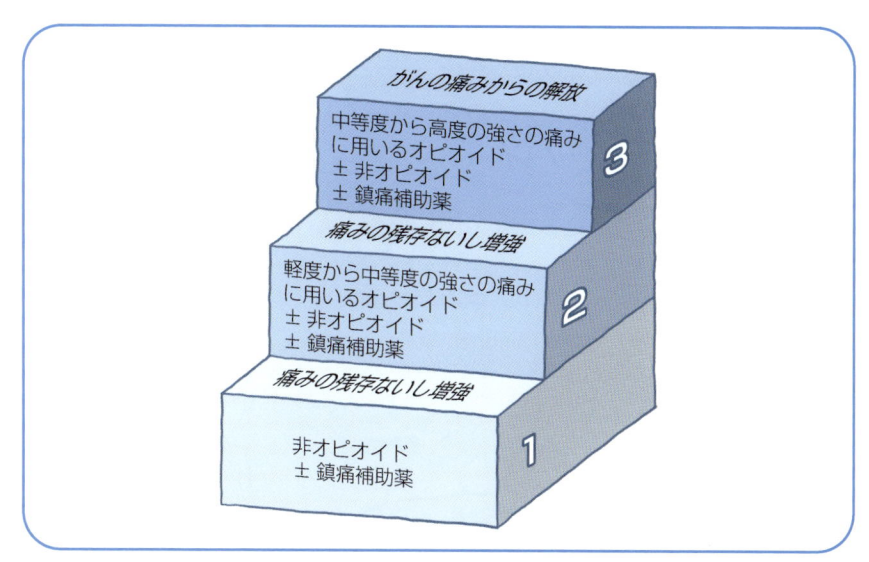

図 12-9　WHO の 3 段階ステップラダー

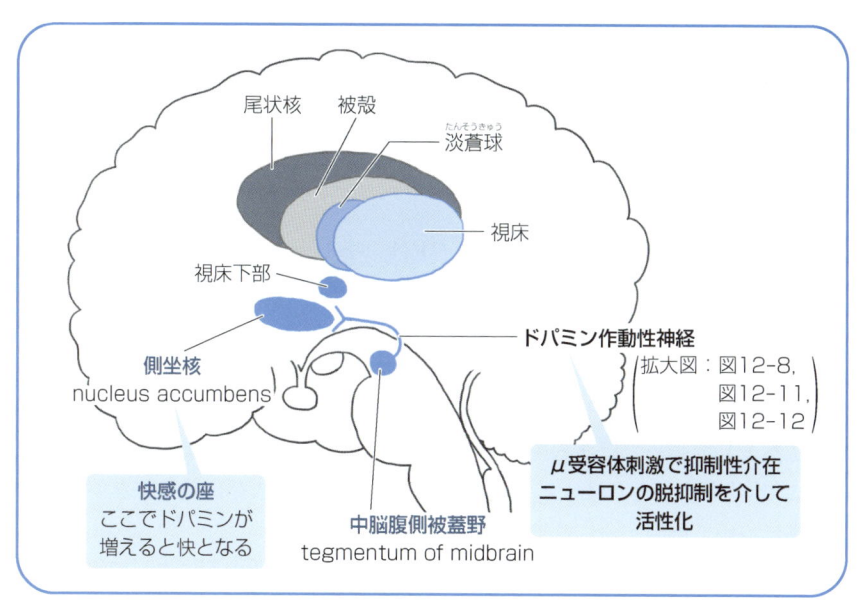

図 12-10　快感の座の解剖学的位置関係

非オピオイドで，具体的には NSAIDs やアセトアミノフェンである．弱オピオイドは，コデイン，ブプレノルフィン，トラマドール（代謝産物の M1 が μ 受容

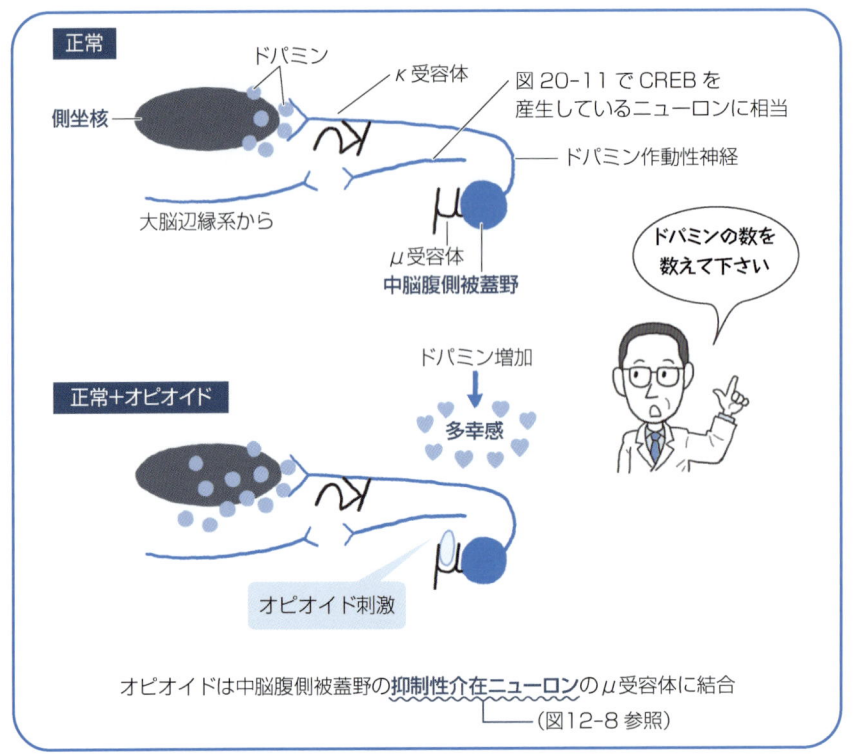

図 12-11 正常な人にオピオイドを投与すると ➡ ドパミン上昇 ➡ 快感

体を刺激する）などである．強オピオイドは，モルヒネ，フェンタニル，オキシコドン，タペンタドールなどである．

　強オピオイドの使用は，患者さんも医師も精神依存の発生が心配となるのだが，WHO が「痛みが止まるまで増量してよろしい」と啓発活動をしてきたおかげで，がん性の痛みに対しては，オピオイド投与の垣根が低くなってきた．しかし，依然として高めではある．

　そこで，「痛いかぎりはオピオイドを増量しても精神依存は発生しない」医学的根拠について解説する．

　まず，薬を執拗に求める精神依存が発生する理由は，その薬によって快感・多幸感が発生するからである．快不快は，新皮質で感じる高等な感覚ではなく，大脳辺縁系で沸き起こる本能的な感覚である（図 12-10，図 12-11）．薬を服用しても快感が発生しなければ，精神依存の形成はまず起こらない．ここで，快の源はドパミン上昇である．言い換えると，薬を投与してもドパミンレベルが正常

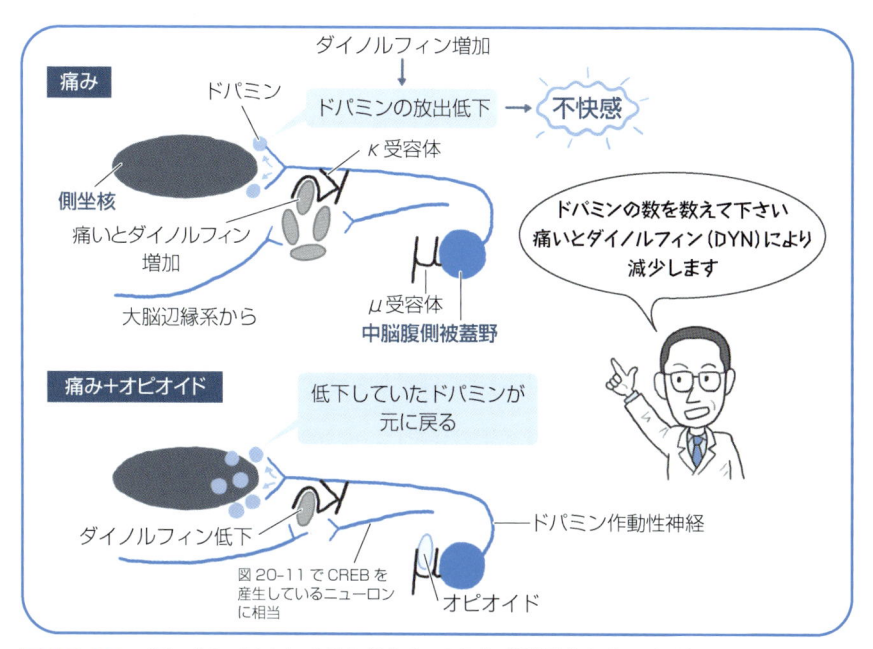

図 12-12　痛い人にオピオイドを投与して多幸感が発生しないわけ
痛み：痛い人では，ドパミンが枯渇（低下）している ➡ 不快感
痛み＋オピオイド：痛い人にオピオイドを投与 ➡ 低いドパミンレベルから上昇 ➡ 痛いかぎり，ドパミンレベルは正常を上回らない ➡ 快感は発生しない

より上昇しなければ，快感は発生しない．

　さて，4章でも述べたが，痛がっている人で気分の良い人はいない．言い換えると，痛い人が多幸感・幸福感を感じることはない（理由は☞1章p2~3）．医学的には，大脳辺縁系でのドパミン低下が発生している．つまり，痛い人は正常な人と異なり，快感の源であるドパミンが枯渇している．この状況の中で，オピオイドを鎮痛のために投与すると，どうなるか？　まず，オピオイドは脊髄後角のμ受容体を刺激し，鎮痛をもたらす．これは，主たる目的である．

　一方，オピオイドは中脳被蓋の抑制性介在ニューロンのμ受容体にも結合し，結果としてドパミン作動性神経を刺激し，中脳被蓋からの投射を受ける大脳辺縁系でのドパミン量を上げる（**図 12-12**）．しかしこのとき，痛みのため大脳辺縁系のドパミン量は低下しているので，ドパミン量が上がるといっても低レベルからのスタートとなる．つまり，オピオイドでドパミン量が上昇しても，正常レベルにも到達しないのである．痛みが存在するかぎり，ドパミン量は正常レベルを超えないと考えられる．そこで痛いかぎり，オピオイドを投与しても，快感と

はならず，精神依存は発生しないと説明されている．

　もし仮に，痛みがとれた後にもオピオイドを増量し続けたとしたら，多幸感や快感が発生するかもしれない．したがって，痛みがゼロになった時点で，オピオイドの増量は止める．痛くなく，眠い状態となったら，オピオイドを減量する．

　オピオイドの耐性・依存については，20章でも詳しく取り上げているので参照してほしい．

> **Q** モルヒネの作用には，鎮痛・便秘・快感・悪心（嘔吐）がありますが，どうして1つで3つの作用があるのでしょうか？
>
> 　モルヒネに代表されるオピオイドの作用は，μ，κ，δ などのオピオイド受容体にオピオイドが結合してもたらされます．オピオイド受容体を持つニューロンにオピオイドが結合すると，そのニューロンの神経伝達物質の放出が抑制されます．基本的にオピオイドの作用は，ニューロンの種類に関わらず，神経伝達物質の放出抑制です．そのニューロンが痛み担当であれば，その神経伝達物質であるグルタミン酸の放出が抑制されるので，痛みが止まるのです．そのニューロンが腸管運動担当であれば，その神経伝達物質であるアセチルコリンの放出が抑制され，便秘となります．ドパミン作動性神経に対する抑制性介在ニューロンであれば，GABA（抑制性伝達物質）の放出が抑制され，結果としてドパミン作動性神経に対する抑制が外れ（脱抑制），ドパミン放出を起こし，快感が沸き起こるわけです．モルヒネは，オピオイド受容体を持つニューロンすべてに結合し，各々のニューロンの神経伝達物質の放出を抑制するのです．ですから，モルヒネ1つで複数（実際は3つよりもっと多いです）の作用があるのです．言い換えますと，そのニューロンにオピオイド受容体がなければ，オピオイドを投与しても作用はありません（当たり前？）．

> **メモ** ナルデメジン登場：オピオイドによる便秘に対して
>
> 　2017年から臨床で使用できるようになったナルデメジン（スインプロイク®）は，μ・κ・δ 受容体の拮抗薬であるが，「オピオイド誘発性便秘症」が効能・効果である．ナルデメジンは，血液脳関門（脳と脊髄に存在）を通過しにくい．つまり，腸の蠕動を支配する神経の μ 受容体に結合するが（到達できるので），脊髄や脳の μ 受容体には結合しない（到達できないので）．そこで，ナルデメジンにより，鎮痛効果を下げることなく，オピオイドによる便秘を抑えることができる．

カルシウムチャネルの問題 13

高血圧だけではありません

A　Ca^{2+}チャネルの異常と病気

1　慢性痛とCa^{2+}チャネル

　16章でも述べるが，慢性痛の特徴は，①弱い痛みを強い痛みに（痛覚過敏），②痛くないことを痛く（異痛症＝アロディニア），③何もしなくても痛い（自発痛），である．急性の炎症が治まった後，ケガの傷が治癒した後（通常3ヵ月後）でも上述の特徴を持つ痛みに遭遇したら，これは「普通でない痛み——異常な痛み」と考えた方がよい．この異常な痛み——多くの人々がこれに悩んでいます——では，痛みを伝える神経でのCa^{2+}チャネルの働きが正常より亢進していることが多い．このとき亢進しているのは，神経にあるN型Ca^{2+}チャネル（後述）というカルシウムを通す穴である．

2　高血圧とCa^{2+}チャネル

　高血圧の患者さんでは，血管平滑筋でCa^{2+}チャネルの働きが亢進していて，Ca^{2+}が血管平滑筋内に入りやすくなり，血管平滑筋が収縮気味になっている人がいる（図13-1）．狭心症では，冠動脈のスパスム（攣縮）が原因となるタイプがある．これらで亢進しているのは，血管平滑筋にあるL型Ca^{2+}チャネル（後述）というカルシウムを通す穴である．

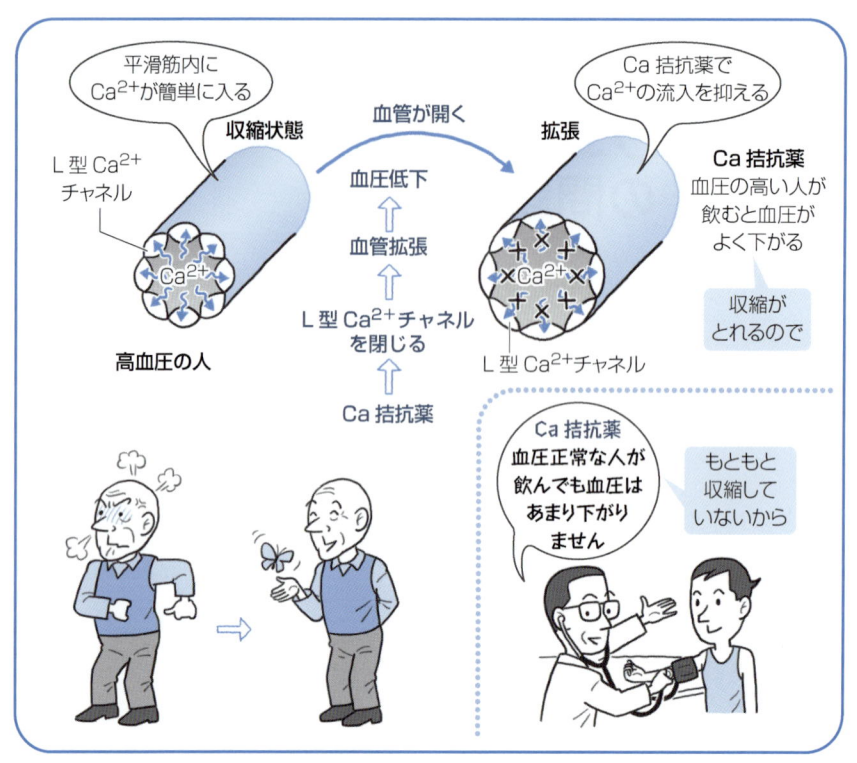

図 13-1　Ca 拮抗薬による降圧

B　Ca^{2+} チャネルの種類

　Ca^{2+} チャネルに作用する薬でまず思い浮かぶ疾患は，狭心症と高血圧である．
　いわゆる「カルシウム拮抗薬」といえば，まず高血圧の薬である．「拮抗」の意味は，「互いに負けず，張り合うこと」であり，文字通りに考えると，Ca イオンの作用を抑制するという意味になる．医学的定義はどうなっているのか？ 元祖 Ca 拮抗薬：ニフェジピン（アダラート®）以来，「血管や心臓の Ca^{2+} チャネルに作用して，細胞外から細胞内への Ca^{2+} の流入を抑制する薬」を Ca 拮抗薬と呼んでいるようである．一方，2010 年頃から日本でも，痛みの治療薬として，神経の Ca^{2+} チャネルに作用する薬［プレガバリン（リリカ®）］が使用されるようになった．血圧降下作用は，……ない（図 13-2）．

13．カルシウムチャネルの問題

図 13-2　Ca²⁺チャネルを抑えるなら，どうして血圧が下がらないの？

そこで，Ca^{2+}チャネルの種類と構造，およびCa^{2+}チャネル内での薬の作用点の違いについて述べる．

Ca^{2+}チャネル

血管は L 型	神経は N 型
long-lasting	neuronal

1 Ca^{2+}チャネルの種類

血管平滑筋や神経には膜電位が上昇すると開くCa^{2+}チャネルがあり，電位依存性Ca^{2+}チャネル（voltage-dependent Ca^{2+} channel）と呼ばれている（☞7章図7-4）．電位依存性Ca^{2+}チャネルには，膜電位を感知する場所があり，膜電位が上昇する（脱分極する）と開口し，細胞外から細胞内にCa^{2+}が流入する．膜電位とは関係ないCa^{2+}チャネルとして，受容体作動性Ca^{2+}チャネル（receptor operated Ca^{2+} channel），伸長依存性Ca^{2+}チャネルなどがある．

B．Ca^{2+}チャネルの種類

2 電位依存性 Ca^{2+} チャネルの種類

電位依存性 Ca^{2+} チャネルは，T型，L型，N型，P型，Q型，R型に分かれる．最近では構造も解明されているが，当初は薬理学的（薬に対する反応様式），電気生理的（膜電位の変化），存在部位による機能的・解剖学的な命名であった．すなわち，T：transient（一過性），L：long-lasting（持続性），N：neuronal（神経の），P：Purkinje（プルキンエの）である．T型，L型は心筋・平滑筋・骨格筋・脳・網膜・膵臓など多様な細胞に存在しているが，N型，P型は脳・神経細胞に存在する．高血圧の患者さんでは，血管平滑筋にあるL型 Ca^{2+} チャネルが亢進している．神経障害性疼痛や慢性疼痛の患者さんでは，神経にあるN型 Ca^{2+} チャネルが亢進している．

> **メモ　静止膜電位**
> ★ 心筋細胞：$-80 \sim -90\,mV$
> ★ 血管平滑筋細胞：$-45 \sim -50\,mV$

3 電位依存性 Ca^{2+} チャネルの構造

Ca^{2+} チャネルは，糖とアミノ酸の結合からなる糖蛋白であり，一定の構造を持つ．膜電位が高くなると開く電位依存性 Ca^{2+} チャネルは，α_1, α_2, β, δ, γ の5種のサブユニット（アミノ酸配列）から成り立っている．ここで，サブユニットのイメージを説明したい．例えばユニットバスとは，工場であらかじめ天井・浴槽・床・壁などを成型しておき，現場に搬入した後にそれらを組み立てる浴室であるが，この天井・浴槽・床・壁などのパーツがサブユニットにあたる．実際 Ca^{2+} チャネルは，各サブユニットを作る担当遺伝子群があり，各サブユニットができてから集合して1つの Ca^{2+} チャネルができあがる（図13-3）．

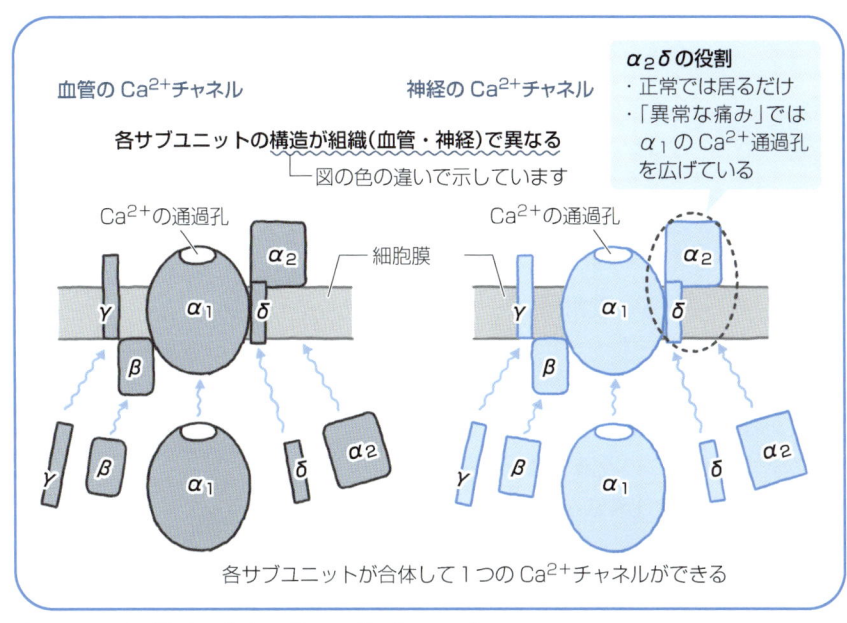

図 13-3　Ca^{2+}チャネルの5つのサブユニット

> **メモ　ユニットとは**
>
> 複数のメンバーによって活動する集団．最近では，音楽業界用語としても使用されている．2人ならコンビ，3人ならトリオ，4人ならカルテットというが，まとめてユニットといえる．さらに個々のユニットの中での，さらなるグループをサブユニットという．受容体はアミノ酸というメンバーによる集団であるが，特定のアミノ酸配列をサブユニットと考えればよい．Ca^{2+}チャネル全体は，5つのサブユニットからなる（図 13-3）．

a. $α_1$サブユニット：Ca^{2+}が通過する穴

　$α_1$サブユニットが Ca^{2+} の通過する穴（チャネル）となっている．$α_1$サブユニットは，少なくとも10種類の遺伝子産物で成り立っており，$α_1$サブユニットの中にも様々な型がある．また，$α_1$サブユニットには，膜電位を感知するセンサーの役割を持つ部分がある．

　いわゆる Ca 拮抗薬は，血管平滑筋の L 型 Ca^{2+} チャネルの $α_1$サブユニットにフタをする薬である．

b. $\alpha_2\delta$ サブユニット：α_1 サブユニットの Ca^{2+} の通過量を増やす

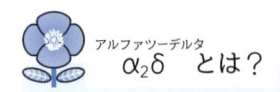

> アルファツーデルタ
> $\alpha_2\delta$ とは？
> Ca^{2+} チャネルを構成する 1 つのサブユニット名

　$\alpha_2\delta$ サブユニットの役割は，——Ca^{2+} が通る穴である α_1 サブユニットでの Ca^{2+} の通過量を増やす——である．α_1 サブユニットを補助するが，正常では働いていない．もし，皆さんに「異常な痛み」がなければ，$\alpha_2\delta$ サブユニットは関係していない．ケガをしていて痛いとか，炎症があって急性に痛い場合は「普通の痛み」であり，この段階では，$\alpha_2\delta$ サブユニットはまだ関係しない．しかし一方，痛みが長引き，「異常な痛み」となってしまったら関係してくるのである．「異常な痛み」の場合は，$\alpha_2\delta$ サブユニットが α_1 サブユニットの立体構造を変化させ，Ca^{2+} を通過させやすくしている．

　$\alpha_2\delta$ サブユニットに結合する薬を，通称 $\alpha_2\delta$ リガンドと呼ぶ（一般的にリガンドとは，細胞表面の受容体に結合する物質で，ここではチャネルを受容体として捉えてます）．臨床応用されている元祖 $\alpha_2\delta$ リガンドはガバペンチン（ガバペン®）で，ガバペンチンを改良したのがプレガバリン（リリカ®）である．

c. β サブユニット：チャネルを抑制したり，促進したりする

　細胞質内に局在するサブユニットで，α_1 サブユニットの発現量に関与する．β サブユニットの種類により，チャネルを抑制したり，促進したりする．

C　Ca^{2+} チャネルを抑える：$\alpha_2\delta$ リガンド

1　高血圧と Ca^{2+} チャネルと Ca 拮抗薬

　いわゆる Ca 拮抗薬は，血管平滑筋の L 型 Ca^{2+} チャネルの α_1 サブユニットにフタをして，細胞外から細胞内への Ca^{2+} 流入を抑制する．つまり，主に血管平滑筋の L 型 Ca^{2+} チャネルの α_1 サブユニットにフタをする薬を通称 Ca 拮抗薬という（図 13-4）．

　一般に，Ca 拮抗薬は高血圧患者の降圧に有効だが，正常血圧の人の血圧はあ

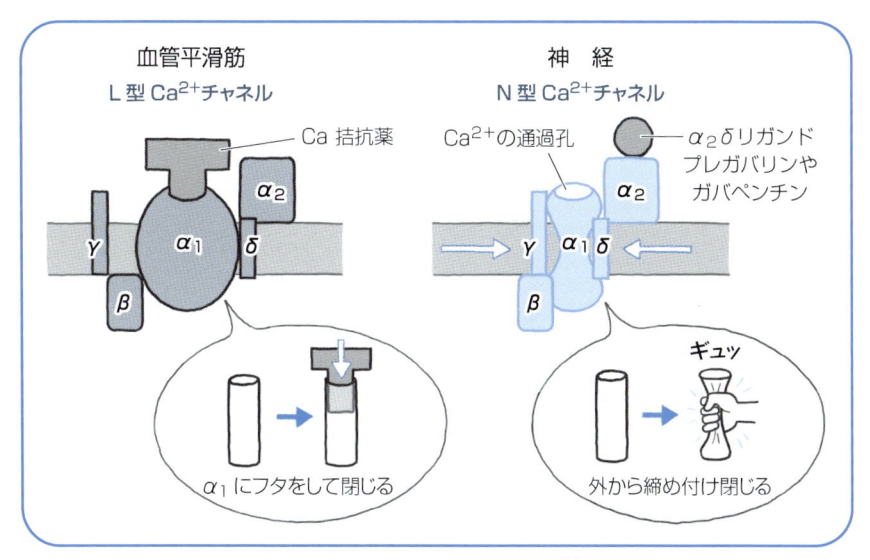

図 13-4 Ca 拮抗薬の作用点：α_1 サブユニット（Ca^{2+}の通過孔）の閉じ方——フタをするか，外から握りつぶすか

まり下げない．Ca 拮抗薬の L 型 Ca^{2+} チャネルへの親和性は，膜電位が高いと高まり，膜電位が低いと低下する（使用依存性遮断という）．つまり，膜電位が高く，収縮を促進している Ca^{2+} チャネル（高血圧）によく結合し，正常膜電位のチャネル（正常）には作用しにくいという性質がある．

Ca 拮抗薬の性質

高血圧患者の降圧，正常血圧には影響少ない

2 痛みと Ca^{2+} チャネルとプレガバリン

a. Ca^{2+} と痛みの伝達

痛みの伝達における，シナプス前終末部の Ca^{2+} チャネルの役割について復習してみたい．活動電位がシナプス前の神経終末に到達すると，シナプス前から，グルタミン酸やサブスタンス P（SP）がシナプス間隙に放出される．放出されたグルタミン酸や SP は，シナプス後のニューロンを刺激し，1 次ニューロンか

C. Ca^{2+} チャネルを抑える

ら2次ニューロンに刺激が伝わる．グルタミン酸やSPはシナプス前終末部のシナプス小胞に貯蔵されている．シナプス前の神経終末部内のCa^{2+}濃度が上昇すると，SNARE蛋白（☞7章p106）とカルシウムが結合し，シナプス間隙に神経伝達物質（ここではグルタミン酸，SP）が放出される（☞7章図7-4・5）．

シナプス前終末部にCa^{2+}が流入すると伝達物質がシナプス間隙に出る

さて，シナプス前終末部でのCa^{2+}上昇が，どこから？どのように？もたらされるかというと，神経終末部周囲から神経終末部内へ，Ca^{2+}チャネルを介してCa^{2+}が流入する（☞7章図7-4・5）．これは，細胞外から細胞内へのCa^{2+}の流入である．治療面から考えると，伝達物質（グルタミン酸やSP）が放出されなければ，痛みは止まる．Ca^{2+}が伝達物質を放出させるので，痛みを止めるには，シナプス前終末部にCa^{2+}が流入しなければよい．方法は2つある（図13-5）．①Ca^{2+}は，電位依存性であるN型Ca^{2+}チャネルを通って流入するので，シナプス前終末部の膜電位が上がらないようにし，Ca^{2+}チャネルが開かないようにする（☞8章図8-12，12章図12-2bc）．②異常な痛みの場合，Ca^{2+}チャネルが正常よりも「開き気味」になっていて，Ca^{2+}流入が増加している．そこで，異常な痛みを止めるには，正常よりも開き気味になっているCa^{2+}チャネルを閉じて，正常レベルに戻せばよい．この「開き気味」の原因が，$\alpha_2\delta$サブユニットの機能または発現の亢進である．

b．プレガバリンは過剰に開いたCa^{2+}チャネルを元に戻す

痛みの伝達に関与しているCa^{2+}チャネルは，神経にあるN型Ca^{2+}チャネルである．2010年に日本でも使用可能となったプレガバリンは，神経障害性疼痛を適応とした最初の薬であるが，その作用機序は，N型Ca^{2+}チャネルの抑制である．しかし，その作用点は，従来のいわゆるCa拮抗薬の作用点（α_1サブユニット）とは異なり，Ca^{2+}チャネルの$\alpha_2\delta$サブユニットである．プレガバリンがN型Ca^{2+}チャネルの$\alpha_2\delta$サブユニットに結合すると，Ca^{2+}の通り道であるα_1サブユニットを外から締め付けて閉じる（図13-4）．プレガバリンは，平時に正常より過剰興奮している神経——つまり，異常な痛みを起こしている神経——にあるCa^{2+}チャネルの$\alpha_2\delta$サブユニットに結合すると効果を現すが，正常な神経には効果を認めない．例えるなら，興奮している状態を鎮めて普通の状態に戻すイ

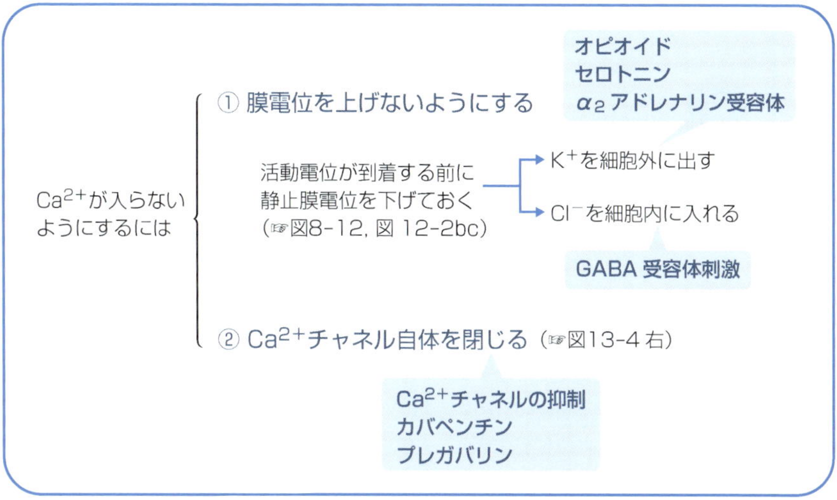

```
                                                                    オピオイド
                                                                    セロトニン
                     ① 膜電位を上げないようにする    α₂アドレナリン受容体

                        活動電位が到着する前に        → K⁺を細胞外に出す
  Ca²⁺が入らない       静止膜電位を下げておく
  ようにするには       (☞図8-12, 図12-2bc)         → Cl⁻を細胞内に入れる

                                                    GABA受容体刺激

                     ② Ca²⁺チャネル自体を閉じる (☞図13-4右)

                                 Ca²⁺チャネルの抑制
                                 ガバペンチン
                                 プレガバリン
```

図 13-5　シナプス前終末部に Ca^{2+} が入らないようにするには

メージである．つまり，「異常な痛み」の人だけに効き，正常な人には効かない（**図 13-7**）．

　プレガバリンやガバペンチンは「Ca^{2+} チャネルに作用して，細胞外から細胞内への Ca^{2+} の流入を抑制する薬」であるが，いわゆる Ca 拮抗薬には分類されていない．その作用点が，Ca^{2+} チャネル内の $α_2δ$ サブユニットと呼ばれる場所であり，従来の Ca 拮抗薬（$α_1$ サブユニットに結合）とは異なるからである．Ca^{2+} チャネルを抑制する仕組みの点で，歴史的に新しい薬と言え，前述のように $α_2δ$ リガンドと呼んでいる．新しい $α_2δ$ リガンドとしてミロガバリンが開発中（2017年現在）である．

> **メモ**
>
> 　一般的な Ca 拮抗薬は，L 型 Ca^{2+} チャネル（血管平滑筋にある）の $α_1$ サブユニットに結合するが，N 型 Ca^{2+} チャネル（神経にある）の $α_1$ サブユニットにも結合する例外がある．シルニジピン（アテレック®）が該当する．この作用のため，2000 年頃には，同薬の鎮痛作用が実験的に報告されている．つまり，「神経の N 型 Ca^{2+} チャネルを遮断する薬が鎮痛薬として使える」という発想は以前から注目されてきた．一方，ガバペンチンやプレガバリンは N 型 Ca^{2+} チャネルの $α_2δ$ サブユニットに結合して，チャネルを遮断する．

STEP UP 神経障害性疼痛における $\alpha_2\delta$ サブユニットの発現亢進

神経障害性疼痛

$\alpha_2\delta$ サブユニットが増加している

　前述したが，神経終末にある N 型 Ca^{2+} チャネルの $\alpha_2\delta$ サブユニットは，正常では Ca^{2+} チャネルの活性（Ca^{2+} の通過量）に影響をほとんど与えていない．つまり，正常の痛みでは，$\alpha_2\delta$ サブユニットは関係なく，神経終末に到達した活動電位を α_1 サブユニットで感知し，Ca^{2+} が流入する．イメージとしては，正常な痛みの伝達においては，$\alpha_2\delta$ サブユニットが仮になくても，痛みは同じように伝わる．一方，神経損傷や抗がん剤［パクリタキセル（タキソール®）など］による神経障害性疼痛では，脊髄後角での $\alpha_2\delta$ サブユニットの発現が亢進している（図 13-6）．1 次ニューロンの神経終末部での $\alpha_2\delta$ サブユニットの発現亢進は，膜電位依存性 N 型 Ca^{2+} チャネルの活性化を伴い，シナプス間隙への神経伝達物質の放出を増加させる．痛みの 1 次ニューロンと 2 次ニューロンの伝達が促進されれば，「弱い痛みを強く」，「痛くないことを痛く」感じてしまうであろう．

$\alpha_2\delta$ サブユニットが増加していないかな？

プレガバリン，ガバペンチンの出番です

　$\alpha_2\delta$ サブユニットは，異常な痛みの伝達に一役買っているといえる．そこで，このサブユニットに結合する薬物は神経障害性疼痛を抑制する可能性がある．考え方として，神経障害性疼痛以外でも，$\alpha_2\delta$ サブユニットの発現が上昇している痛みの病態であれば，プレガバリンによる鎮痛効果を期待できる．$\alpha_2\delta$ サブユニットに結合するプレガバリンやガバペンチンは，SP や CGRP（カルシトニン遺伝子関連ペプチド）などの神経伝達物質の放出を抑制する．ガバペンチンは神経障害性疼痛を抑制するが，炎症性の侵害性疼痛抑制効果は少ない．一方，プレガバリンは神経障害性疼痛と炎症性疼痛の双方を抑制するため，$\alpha_2\delta$ サブユニット以外の疼痛経路にも作用しているかもしれない．

　健常な人にガバペンチンやプレガバリンを投与しておいたら，侵害刺激による痛みが低下するか？　というと，それはない（図 13-7）．健常な人で

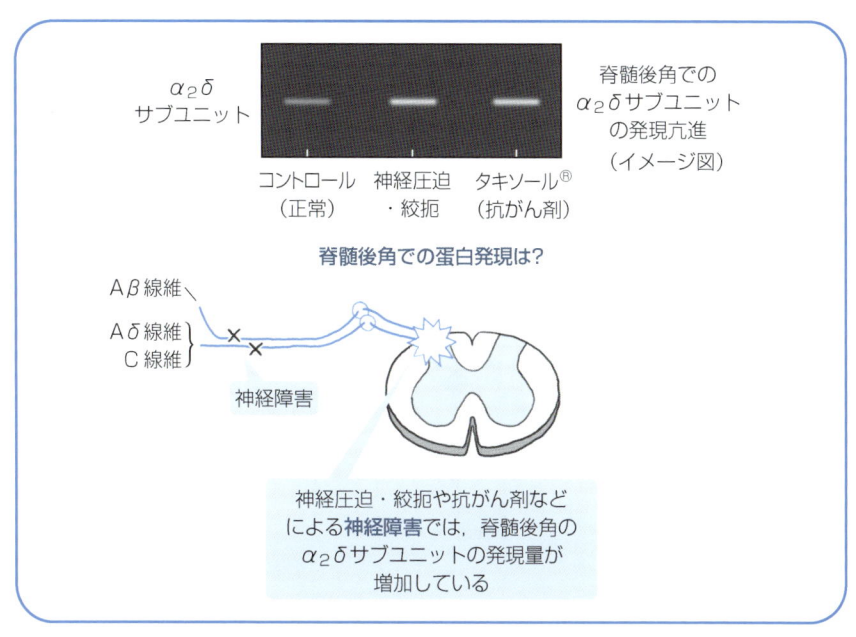

図 13-6　脊髄後角での$\alpha_2\delta$サブユニットの発現亢進

は，$\alpha_2\delta$サブユニットの機能亢進や発現亢進はないからである．ガバペンチンやプレガバリンが有効なのは，あくまで$\alpha_2\delta$サブユニットの機能や発現亢進が存在する状態での話である．つまり，痛くない人に投与しても，痛み止めにはならない．しかし，今後痛くなるかもしれない人（例：手術後創部痛）では，術前から服用すると術後の痛みを予防する効果が期待できるかもしれない．

　$\alpha_2\delta$サブユニットの発現亢進によりCa^{2+}の通過量が増える——とは，言い換えるなら，このサブユニットが増えていると，Ca^{2+}を通す穴（α_1サブユニット）を通過するCa^{2+}量が増える——であり，Ca^{2+}の流入量に影響する．正常状態では，この$\alpha_2\delta$サブユニットはCa^{2+}流入に影響を与えていない．しかし，神経障害性疼痛では増加し，Ca^{2+}が入りやすくなっている．つまり，病的なとき（$\alpha_2\delta$サブユニットが増加しているとき）に役割を発揮する．これは，神経障害性疼痛において，1次ニューロン終末部でのCa^{2+}上昇が発生しやすく，神経伝達物質のシナプス間隙への放出が亢進する原因となる．

C．Ca^{2+}チャネルを抑える

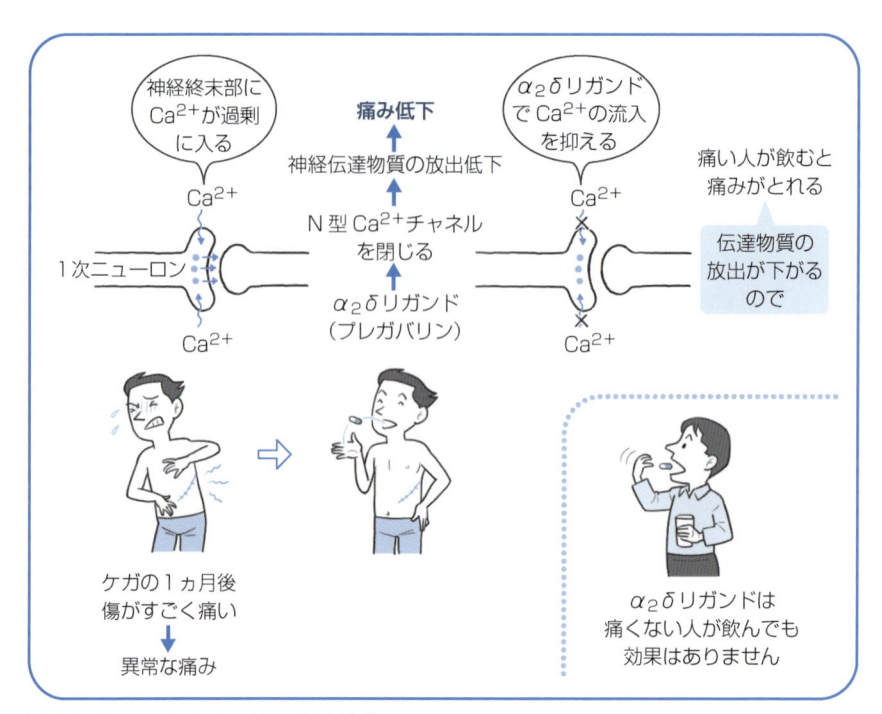

図13-7　$\alpha_2\delta$リガンドによる鎮痛

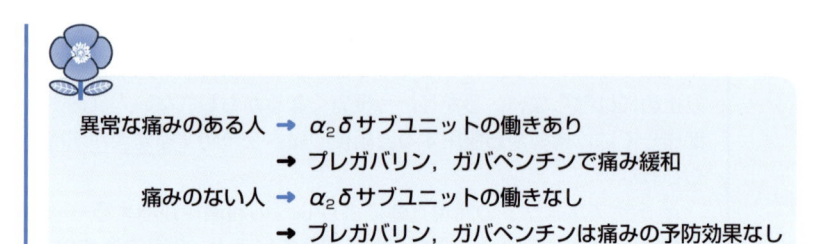

異常な痛みのある人 → $\alpha_2\delta$サブユニットの働きあり
　　　　　　　　　→ プレガバリン，ガバペンチンで痛み緩和
痛みのない人 → $\alpha_2\delta$サブユニットの働きなし
　　　　　　　→ プレガバリン，ガバペンチンは痛みの予防効果なし

筋肉の痛みの会話 14

―― 隣の筋肉痛と Aγ(エーガンマ) 運動ニューロン

A 筋の緊張

　（患者さんや高齢者を抱いて支える）ヘルパーの人，いつもキーボードを打ち続けている人，同じ姿勢で同じ動作を繰り返す作業をしている人には，頸・肩・腕・腰に痛みを持つ人が多い．X線写真やCTでは異常を見つけられない．器質的異常がないのに，痛い．この種の患者数は非常に多い．その仕事や作業の特徴と痛みの要因は，①過重な外的負荷，②不適切な体位，③単調で正確な操作，である．つまり，常に筋が静的収縮状態（＝筋緊張状態）であったり，単調で一本調子な筋運動を継続していたりすると，そのような筋群は痛みを発生する．悪いことに，1つの筋群に発した痛みが他の筋群にも広がってしまう．最初に痛みが発生した筋群では，機械的刺激や発痛物質「痛みのスープ」（☞5章図5-2）の出現などにより痛みが発生するが，その周囲の筋群には，脊髄レベルでの反射による筋収縮や，痛めた筋肉をかばうための筋緊張などにより痛みが続発する．1つの脊髄レベルに入った求心性線維は，その上下の脊髄レベルの運動ニューロンにも，直接に，または介在ニューロンを経由して間接的に連結しているので，近隣の筋緊張に影響するのである．

無理な姿勢は痛みのもと

先輩医師（以下先）　筋弛緩薬ってありますよね.
後輩医師（以下後）　麻酔ですか.
先　そうじゃなくて，ミオナール®，リンラキサー®，テルネリン®，アロフト®，ギャバロン®，リオレサール®……など，聞いたことありますでしょ.
後　腰痛や頸肩腕症候群など筋骨格系の痛みに使います.
先　筋肉がこっていると痛むのですね.
後　筋の緊張をとるってよく言いますよね.
先　これらの薬は，脊髄の多シナプス反射を抑制したり，Aγ運動ニューロン（☞2章表2-1・2）に作用したりして筋紡錘の感度を下げるのですね.
後　??　……筋緊張の調節ってどうなっているのか知っておいた方がよさそうです.
先　高齢になってくると，肩や腰が痛い患者さん，多いですからね.
後　ところで，Aγ（エーガンマ）って何ですか？

1　ゆく神経，くる神経：運動ニューロンと感覚ニューロン

先　「ゆく年，くる年」って知ってる？
後　大みそかのNHKの定番です．先生，観てるんですか？
先　これから，「ゆく神経，くる神経」って言ったらおかしいかな.
後　どういうことですか？
先　脊髄から筋肉に「行く神経」，筋肉から脊髄に「来る神経」.
後　遠心性線維と求心性線維ってことですよね.
先　まあ，そうなのですけど，筋肉以外へでも，脊髄からどこかへ行く神経は運動ニューロンと呼びます.
後　筋肉に行く神経（運動ニューロン）は，筋肉を動かします．筋肉から来る神経（感覚ニューロン）は，筋肉からの感覚を伝えます.
先　どんな感覚ですか？
後　痛みの感覚は，来る神経で伝わります．つまり，筋肉痛——多いですね.
先　他にも，何か伝えていますか？

- ㊡ ……？
- ㊙ 運動するとか，姿勢を保つとかの動作は，運動ニューロンだけでできますか？
- ㊡ 固有感覚ってありましたよね．
- ㊙ そう，筋肉の動いている速さとか，長さ，位置，緊張度，伸展の具合——これらを総称して固有感覚という——をモニタしながら，運動ニューロンは信号を出しているのです．モニタした結果は，筋肉から脊髄に来る（伝わる）わけです．ですから，脊髄に来る神経は，筋肉の固有感覚も伝えます．
- ㊡ フィードバックですか．
- ㊙ 伸び過ぎそうになったら，縮める．速すぎたら，遅くする．オーバーランを防ぐようなイメージです．
- ㊡ 「来る神経（感覚ニューロン）」でモニタして，「行く神経（運動ニューロン）」を調節するわけですね．

筋紡錘

筋肉の動く速さ，長さ，張力，位置をモニタ

2 筋肉の成り立ち：筋細胞と筋紡錘

- ㊙ 図 14-1 を見てください．何に見えますか？
- ㊡ マグロ，みたいなのがいて，その上にコバンザメが乗っています．マグロって筋肉の塊ですよね．
- ㊙ マグロが筋肉全体で，コバンザメはそのマグロ全体の長さや伸長の程度をモニタするセンサーをイメージしています．このセンサーは，特殊な筋細胞で筋紡錘といいます．小判のような形に描いてありますが，実際は，紡錘形なので，筋紡錘と名付けられています．
- ㊡ 運動ニューロンが脊髄から筋肉に行って，感覚ニューロンが筋肉から脊髄に来ています．
- ㊙ 運動ニューロンは何種類ありますか．
- ㊡ 2種類ありますね．1本は，筋細胞に行っています．もう1本は筋紡錘に行っています．

A．筋の緊張

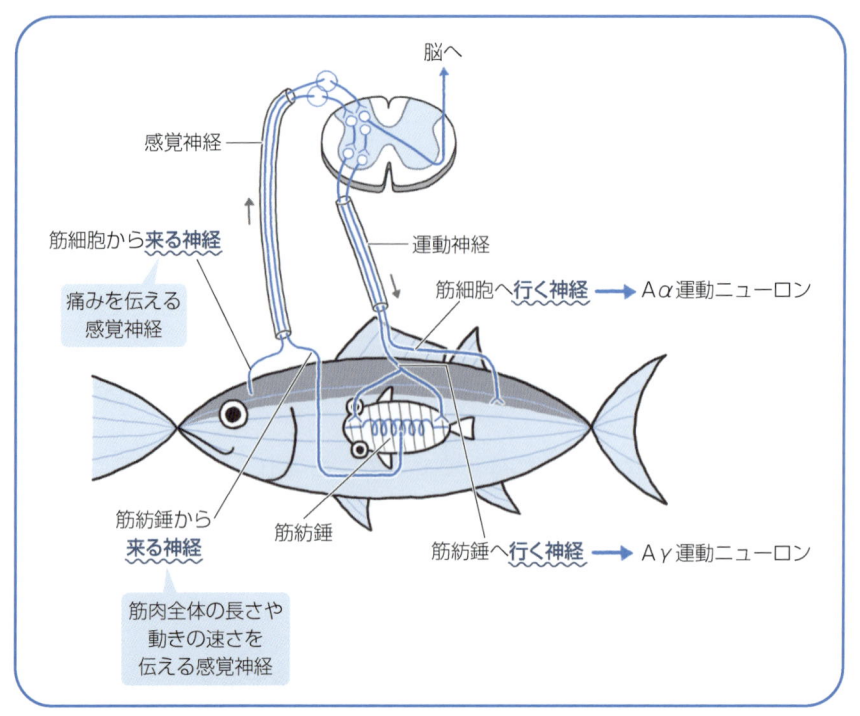

図 14-1　筋肉と筋紡錘：筋肉に筋紡錘が乗っかっているイメージ

㊗先　筋細胞に行っている神経を Aα 運動ニューロン，筋紡錘に行っている神経を Aγ 運動ニューロンといいます．
㊗後　筋肉そのものは，Aα 運動ニューロンからの指令で収縮するのは分かりますが，筋紡錘の役割って何ですか？
㊗先　筋肉全体が伸びたら……筋紡錘も伸びますか？　縮みますか？　変わりませんか？
㊗後　つられて，伸びると思います．
㊗先　そうです．筋肉全体が伸びたら，筋紡錘も伸びます．逆に，筋紡錘が伸ばされたら，筋全体が伸ばされたと判断されるのです．すると，この判断が刺激として筋紡錘から脊髄に来て，今度は筋全体を収縮させる反射となって，Aα 運動ニューロンを通って，筋肉全体に向かって行くのです．その結果，今度は筋全体が収縮するのです．この一連の反応を伸張反射といいますね．

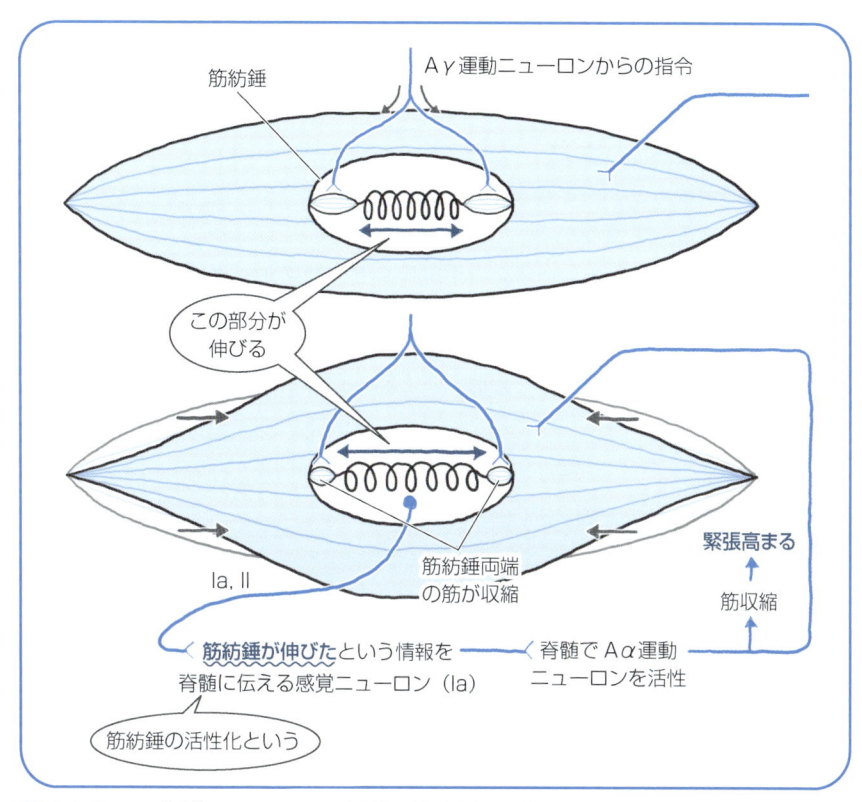

図 14-2 Aγ運動ニューロンの刺激で筋紡錘が活性化：筋紡錘が伸びたという固有感覚がIa線維とⅡ線維を通って脊髄に来る（☞2章図2-6）

3 こりとAγ運動ニューロン

- 後 Aγ運動ニューロンの指令で筋紡錘はどうなるのですか．
- 先 筋紡錘の両端が収縮します．**図14-2**を見てください．
- 後 筋紡錘を構成している両端の筋が収縮し，結果として真ん中の部分が伸びています．筋全体が伸びてなくても，筋紡錘の真ん中が伸びた状態となるため，「筋全体が伸びた」と筋紡錘は判断するのですかね．
- 先 その通り．その結果，筋全体としてはどうなりますか．
- 後 収縮する……．
- 先 そう，収縮します．収縮した結果，動けば運動したと分かりますが，動かなかったら，どうなりますか？

A．筋の緊張　219

- 後 腕相撲で，お互い筋は収縮しているけれども，動かず膠着状態というイメージですね．収縮しても動かない状態は，「緊張した」状態です．
- 先 その筋肉を触れると？
- 後 たぶん硬くなっています．
- 先 緊張状態が続くと……どうなりますか？
- 後 痛くなる，こってくる．
- 先 とすると，Aγ運動ニューロンの指令により，筋緊張（静的な収縮）が発生し痛みの原因になると考えられるのです．肩こりや腰痛などの筋肉の痛みには，Aγ運動ニューロンの活動が亢進している場合が多いのです．
- 後 それで，Aγ運動ニューロンを抑える薬や手技（理学療法）が筋肉の痛みに有効なのですね．

> 筋紡錘からの信号が増えると，筋緊張が高まる
> ↓
> Aγ運動ニューロンの活動は筋紡錘を活性化

4 筋肉は伸ばされると張力を発生する（図 14-3）

- 先 ずっと下を向いていたら，頸が痛くなりませんか？
- 後 はい．姿勢が悪いと痛みの原因になる——と教えられてきました．でも，なぜですか？
- 先 頭が，置物みたいに脊椎に乗っていれば，頸の筋肉に力は要りません．でも下を見ていると……．
- 後 前に落ちそうになるので，頸の後ろの筋肉で落ちないように引っ張ります．
- 先 そう．引っ張る．頸の筋肉が引っ張られて伸びる．伸ばされると，筋が収縮して筋緊張が高まるのです．ムズカシく言うと，筋紡錘が活性化してAα運動ニューロンによる収縮が起こる．
- 後 収縮が起こったら短くなるのではないですか．
- 先 収縮が起こっても短くならない場合には，緊張がかなり高まります．つまり，硬くなる．

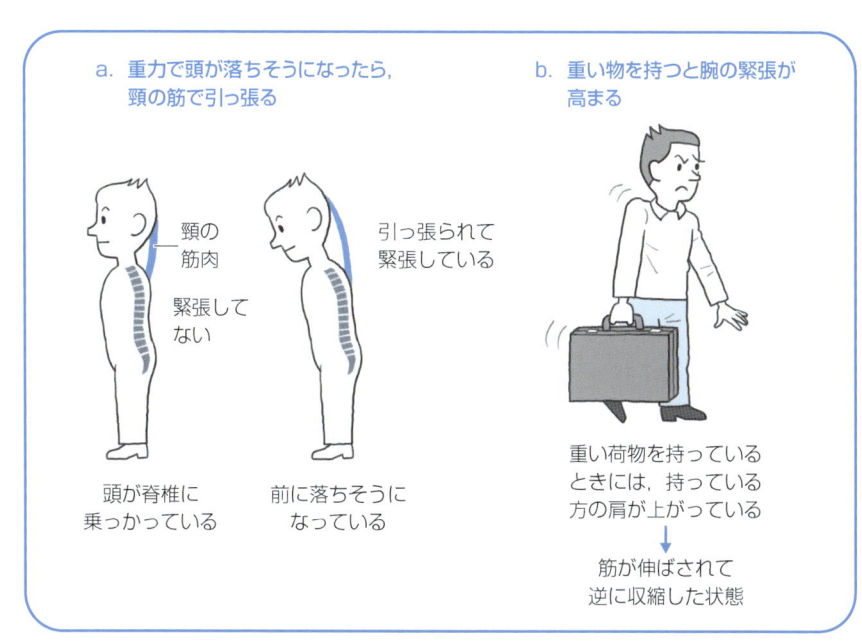

図 14-3　頸肩腕のこりが発生する仕組み

(後)　分かりました．引っ張られた状態が続くと筋緊張が高まり，筋緊張が高まると血管が圧迫され，血流が低下し，発痛物質が出て，痛みの原因となります．
(先)　無理な姿勢をすると，過度に引っ張られる場所（筋）が出てくるのですね．
(後)　それで，多少引っ張られて収縮しても疲れないように，日頃から体操などで筋を使用し，鍛えておくことが重要なのですね．良い姿勢で，一部の筋群に負担がかからないようにするのも大切です．

収縮しても，伸ばされても

筋緊張 ＝ 筋内圧上昇 → 筋膜にかかる圧が上昇 →　自由神経終末を刺激
　　　　　　　　　　　　　　　　　　　　　　　　　血流低下
　　　　　　　　　　　　　　　　　　　　　　　　　発痛物質産生・停滞

A．筋の緊張

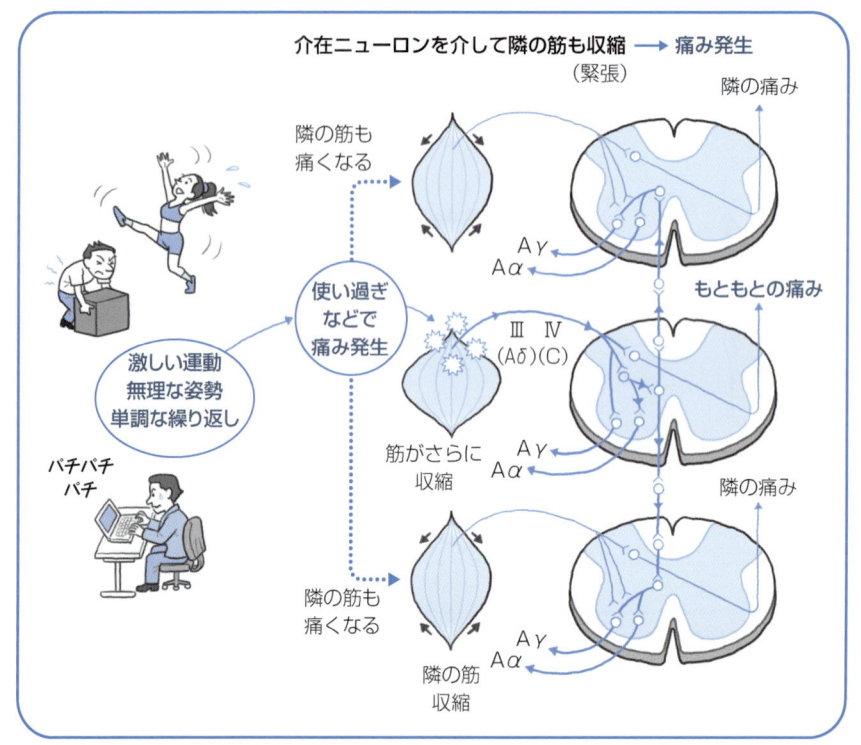

図 14-4　隣の痛み（筋肉痛）の発生

B　筋の痛み

1 痛みは巡る

- 先: 1ヵ所が痛むとその周りも痛くなってくるのですよね．**図 14-4** を見てください．
- 後: 最初，使い過ぎで痛んだ筋からの刺激が，上下の脊髄分節の $A\gamma$ 運動ニューロンと $A\alpha$ 運動ニューロンにも伝わっています．
- 先: そうです．介在ニューロンにより，同じ脊髄レベルの神経のみならず上下の脊髄レベルの運動ニューロンを刺激するのです．ですから，上下・左右の隣も痛むようになってしまうのですね．痛みの悪循環の図（**図 14-5**）を見

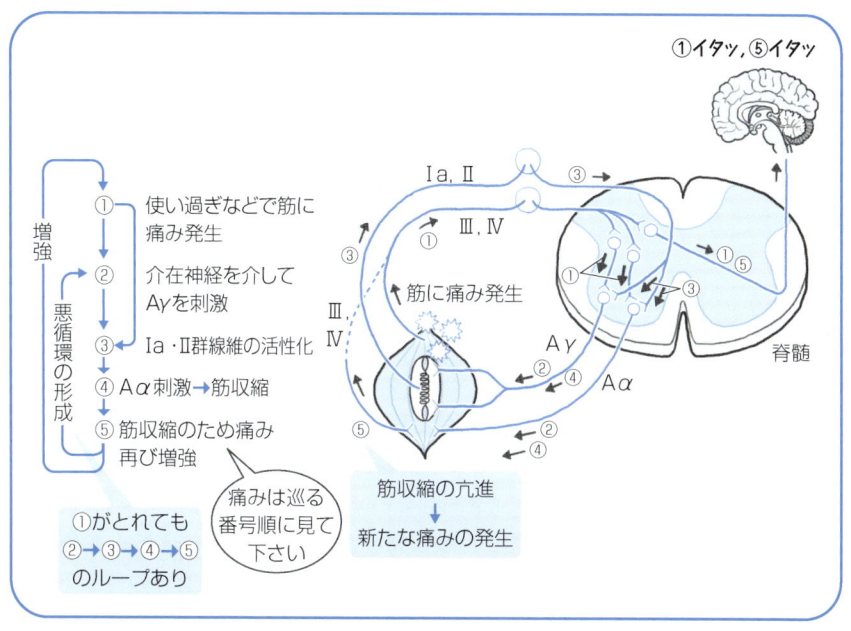

図14-5 痛みの悪循環と筋肉痛（神経線維の種類：☞2章p24）

てください．
- 後 ややこしや，ややこしや，ですね．
- 先 まあ，そう言わずに，順番を追ってみてください．
- 後 まず，使い過ぎなどで痛みの原因（①）が発生して，脊髄後角に刺激が入り，この刺激はAα運動ニューロン（②）を刺激すると同時に，Aγ運動ニューロンを活性化します（②）．Aγ運動ニューロンの活性化により筋紡錘が刺激され（③），これがIa・Ⅱ群線維経由でAα運動ニューロンとAγ運動ニューロンをさらに刺激します（④）．Aα運動ニューロンにより筋緊張はさらに高まり（②+④），発痛物質の産生が増加し，痛みが増強します（⑤）．
- 先 ①から始まった痛みのループは，最初の痛みの原因がなくなっても，Aγ運動ニューロンがいったん活性化されると悪循環のループに入ってしまう．つまり，途中から，筋緊張が原因となる痛みが加わってしまう．
- 後 まとめますと，慣れない運動・激しい運動・力仕事・無理な姿勢は最初，機械的外力・虚血・痛みのスープの形成などにより，痛みを伝える神経線維を活性化し，痛みの悪循環を開始します．いったんAγ運動ニューロンが活性

B. 筋の痛み

化されると，最初の原因（機械的刺激，乳酸などの痛みのスープ）が消退しても，悪循環のループが継続してしまいます．この悪循環ループのキーポイントは，脊髄レベルでの神経反射による筋緊張（reflex mediated muscle stiffness）です．

2 筋のこり：筋緊張

「肩こり」「筋肉のこり」「腰のこり」「筋のこわばり」「筋肉がかたくなっている」とは，よく聞く表現だが，どれも同じような現象を示している．マッサージ師や理学療法士の方々は，筋肉をもみほぐす専門家であるが，筋肉がかたくなっているのが分かるという．「かたい」は漢字にすると，「固い」，「堅い」，「硬い」がありどれがもっとも適当かは，あまり話題にならないが，「硬結」を触れるとかよく言うので，「硬い」というイメージなのであろうか．医師の方々に，「かたい」というのはどのような基準ですかと聞いてみると，「押さえてみて硬いかな？という感じ」というような答えが多い．分かりにくい．筋肉の硬さを測定できる，信頼性のある「硬度計」があれば便利だが，現時点ではまだ確立されていない．一方，「こり」という概念自体を好まない医師もいる．

英語では，muscle stiffness という用語があり，stiffness を日本語に訳すと「強直，（筋などの）硬いこと」「緊張」［医学英和大辞典，改訂第12版，南山堂，2005／ポケット医学英和辞典，改訂第2版，医学書院，2002 より］なので，硬い筋肉，筋肉の緊張を意味している．強直とは，1回の刺激で筋痙縮が持続している状態である．

> 余分な筋緊張は痛みのもと
>
> 縮むとき，伸ばされるとき，ともに緊張は高まる（図 14-6）

3 筋肉が硬い

例えば，痙攣を起こしたふくらはぎ（ヒラメ筋）を触れたら，どのように表現するであろうか．一般人，メディカルスタッフ，医師に関わらず，おそらく，「筋肉がかたくなっている」と言うであろう．痙攣していないとき，普通のときは，筋肉は軟らかい．触れてみて硬いか軟らかいかは，主観的な面もあるが，痙

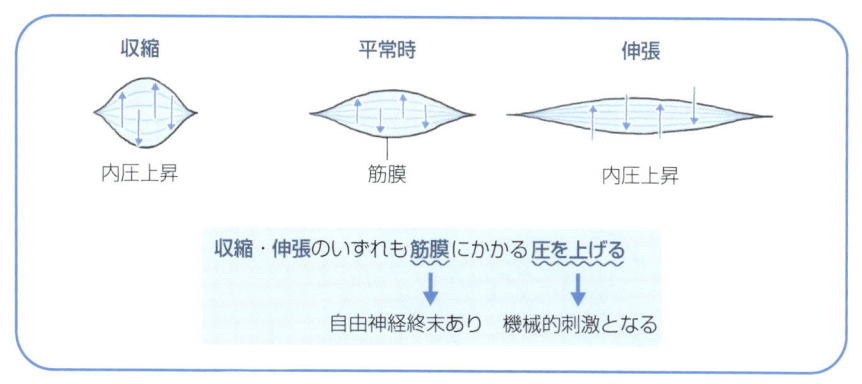

```
    収縮              平常時              伸張
    ◇              ◇              ◇
  内圧上昇           筋膜             内圧上昇

   収縮・伸張のいずれも筋膜にかかる圧を上げる
              ↓         ↓
         自由神経終末あり   機械的刺激となる
```

図 14-6　緊張が高まると筋肉の内圧が高まり，筋膜にかかる圧が上昇する

攣を起こしたような筋肉については，皆「硬い」と言う．つまり，筋肉には「硬さ」があり，「硬さ」は筋肉の状態によって変化する．一方，「身体がかたい」は「身体が固い」であり，前屈しにくいときがこれに相当する．「固い」は，緩いの反対で，頭が固い，団結が固い，決意が固い，地盤が固いなどであり，「揺るぎない」という意味が強い．

「こり」とは英語の muscle stiffness に相当し，筋肉が硬くなっている状態である．患者さんが自分で「こってます」と言うことが多いが，医療従事者は筋の硬さに注意して触診する．

筋痛症とは，筋肉の痛み，症状を示す用語であるが，病態として，ドイツでは筋硬症，イギリスでは結合織炎，アメリカでは筋筋膜炎が相当する．

> 筋肉が硬い → 収縮している
> （＝テンションがかかっている，緊張している）
> 筋肉の内圧は上昇しています

筋肉の長さが変化せずに筋力のみが上昇すると，筋肉の硬さ（stiffness）は増強する．具体的状況で言うと，力を入れても動かないと筋肉は硬くなる．つまり，力を入れても筋肉が短縮しないときに筋肉の硬さは増す（図 14-7）．

B．筋の痛み

図 14-7　腕相撲で膠着(こう)しているとき

4 筋肉の硬さの原因

　筋肉の硬さを決める要因は，①筋肉組織そのものの硬さ（弾性線維やコラーゲン線維の量），②脊髄反射による脊髄レベルでの神経反射による筋緊張（reflex mediated muscle stiffness）である．つまり，触診で筋が硬い場合や患者さんの訴えが「こり」である場合，筋肉そのものがもともと硬いのか，脊髄反射で硬いのかを考える．脊髄反射で形成されている筋緊張では，運動ニューロン（Aγ線維）が，不随意な遠心性発火を出している．ここに入力される信号は，皮膚・関節・筋肉，そして内臓からの求心性刺激と脳からの下行性遠心性刺激である．これらの信号がAγ運動ニューロンで合流（専門的には収束という）して，同ニューロンの発火頻度が決まり，筋肉の硬さが決まる（図14-8）．

　例えば，他動的に上肢前腕を急に伸展すると強い抵抗を感じるが，ゆっくり伸展すると抵抗は少ない．これは，急に伸ばすと筋紡錘からの信号が強くなり，反射的に収縮反応が起こるからである．一方，他動的にゆっくり伸ばす場合は，筋紡錘からの求心性刺激が少ないため，反射的収縮を発生する遠心性刺激が少なくなる．この現象は，ストレッチングを行うときは，ゆっくり伸ばした方が伸ばしやすい理由を説明している．急に伸ばすとかえって抵抗を感じて伸ばしにくいのは，皆さん経験があると思う．運動するときのウォーミングアップではゆっくりするのがよく，急に伸ばすと，例えばアキレス腱断裂の原因となる（図14-9）．急に伸ばすことにより，脊髄反射による強い収縮が発生するからである．

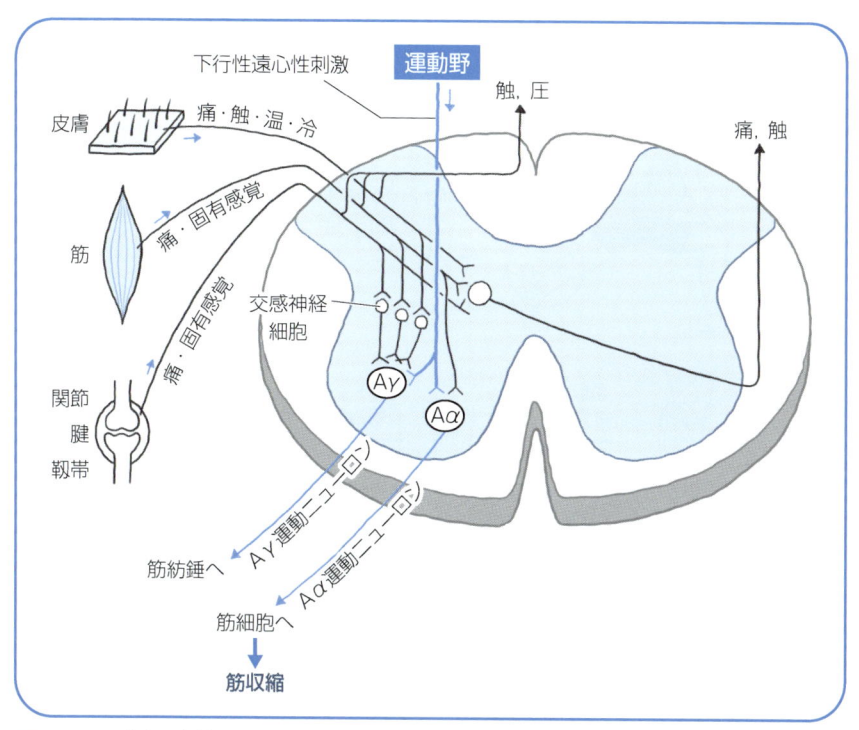

図14-8 中枢（脳）から，末梢（皮膚，筋，関節，内臓）から，Aγ運動ニューロンに入力

Aγ運動ニューロンの発火により一定の筋緊張がもたらされている

　神経反射で筋が硬い要素がある場合，「神経反射経路のループをループのどこかで断ち切る」のが治療に繋がる．最終的にAα運動ニューロンの抑制がゴールであるが，ループ開始のきっかけとなった痛みを伝える感覚ニューロンとAγ運動ニューロンを抑制する治療を目指す．

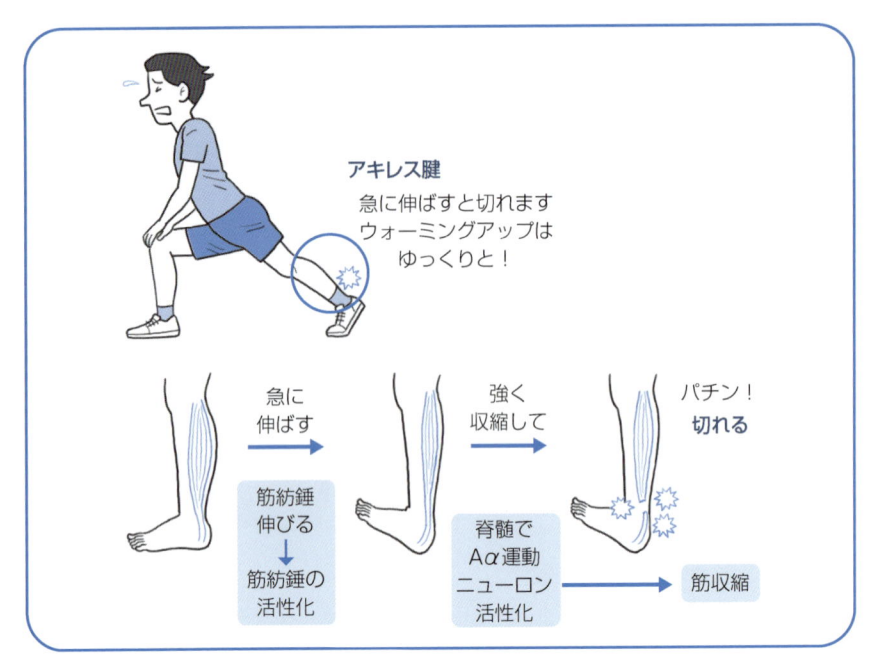

図 14-9　ウォーミングアップはゆっくりと

> **メモ**　強直・収縮・緊張
>
> 　受動的に筋が動かされるときにも抵抗がある．これを筋のトーヌスという．トーヌス（筋緊張）は姿勢を保つための筋収縮の一種である．姿勢は筋の緊張の分配様式によって決まる．普通，トーヌスはエネルギー消費が少なく，疲労することも少ない．緊張が亢進した場合を強剛という［医学大辞典，改訂第19版，南山堂，2006 より］．

5　再び，肩こりについて

　「こり」は，筋肉が硬くなっている状態である．筋肉が硬くなるのは，最終的に $A\alpha$ 運動ニューロンが活性化しているからである．$A\alpha$ 運動ニューロンは，筋紡錘からの求心性刺激（Ia 線維による：☞ 2 章図 2-6）があると，反射的に活性化し，筋収縮を起こす．また，筋紡錘両端は $A\gamma$ 運動ニューロンからの遠心性刺激で短縮し，この短縮は筋紡錘からの求心性刺激をさらに高める．つまり，筋紡錘を活性化する刺激は筋緊張を高める．別に表現するなら，筋紡錘が存在するこ

とにより，筋緊張が高まる機会が増す（筋紡錘がもしなければ，反射的収縮の機会は減少するであろう）．つまり，筋紡錘は，筋緊張という収縮をもたらすセンサーといえる．したがって，センサーの多い筋群は緊張しやすくなる．実際，肩や筋・筋膜性疼痛を発生する筋群には筋紡錘が多いので，肩こりなどの「コリ」の原因として，筋紡錘の活性化を介した筋緊張の亢進は重要である．

求心性線維 ➡ 遠心性線維 ➡ 効果

筋紡錘 ┬ Ⅰ群線維 ➡ Aα運動ニューロン ➡ 筋全体を収縮
　　　 └ Ⅱ群線維 ➡ Aγ運動ニューロン ➡ 筋紡錘の両端を収縮
　　　　　　　　　　　　　　　　　　　➡ Ⅰ群線維の活性化

筋紡錘は，筋肉の収縮具合を常にモニタして，目的の動作に合うように微調整する．

6 治療の考え方：まとめに代えて

　筋肉の痛みは，筋の使い過ぎや無理な姿勢による筋への負荷で発生する．いったん痛みの発生源が出現すると，脊髄反射により当該筋の緊張が亢進し，さらに介在ニューロンを経由して，周囲の筋肉の緊張が高まる．
　Aγ運動ニューロンが活性化すると筋紡錘が活発化し，脊髄レベルでAα運動ニューロンの活動が高まり，筋肉全体がさらに収縮し，筋緊張が高まる．筋緊張が高まると筋の内圧が上昇するため血管が圧迫され，血流が低下し，筋の虚血が発生する．虚血は発痛物質の産生をもたらし，痛みを伝える神経が活性化し，痛みが増強する．そこで，治療対策として，Aγ運動ニューロンの活性化を抑制する．
　現在使用可能な筋弛緩薬のうち，ミオナール®（エペリゾン塩酸塩）は，脊髄レベルで脊髄反射を抑制して，Aγ運動ニューロン系に作用し，筋紡錘の感受性を抑制する．リンラキサー®（クロルフェネシンカルバミン酸エステル）は，脊髄多シナプス反射経路における介在ニューロンを選択的に抑制し，Aα運動ニューロンおよびAγ運動ニューロンを抑制する．これらの薬は，筋に直接作用するのではなく，神経に作用して，間接的に筋緊張を抑制する．しかし，薬より

大切なのは，正しい姿勢とストレッチングである．

筋緊張を緩めるために
Aγ（エーガンマ）を抑え込め

　理学療法士の皆さんは，筋をもみほぐすとき，「ストレッチングを繰り返すと，筋が軟らかくなってくる」のを経験していると思う．外から，筋肉全体をゆっくり伸ばす操作と戻す操作を繰り返すと，伸張反射（☞ p218）の程度が低下するからである．つまり，ストレッチング後は筋紡錘から脊髄後角への求心性刺激が低下した結果，脊髄レベルでのAγ運動ニューロンの活性化が抑制される．硬い筋肉は，伸張反射が亢進した状態にあり，Aγ運動ニューロンが活性化している．この反射を抑制できれば，原因に対する対策となり，筋緊張が低下する．筋緊張が下がれば，痛みの原因の1つが除去されたことになる．

　薬および理学療法により，Aγ運動ニューロンの活性を低下させる——というのが治療の考え方である．

　一方，痛くなる寸前までゆっくり伸ばすと，その後，楽になるのを経験する．伸張が十分強いと反射による収縮が低下し，逆に筋は弛緩する．これを逆転伸張反射という．この反射は，Golgi腱受容器からの求心刺激［Ib線維による（☞ 2章図2-6）：腱が伸ばされたという刺激］➡脊髄で抑制性介在ニューロンを活性化➡Aα運動ニューロンを抑制という経路をとる．

7 姿勢の問題

　ニュートラルとは，中立であり，左右，前後への偏りがない状態である．一方に偏ると双方に余分な力が入る．短時間でも偏りが強いとギックリ腰になってしまう．いつもだと慢性の変化が発生し，一方の筋が短縮し，他方の筋が伸張して固まってしまう．偏った姿勢や体位で仕事や生活していると発生する．短縮して固まった筋は，伸ばすと筋肉内の圧が上がりやすいので，神経終末が反応しやすくなり，体動時の痛みの原因となる．対策として，①偏らない姿勢を保持し，②短縮した筋を伸ばし，伸びた筋を縮め，筋肉の短縮・伸張を直し，左右・前後の偏りをなくすためにストレッチングを常に行う（図14-10）．これは，痛みの源に対する根本的対策であり，筋紡錘とAγ運動ニューロンの活発化を下げる

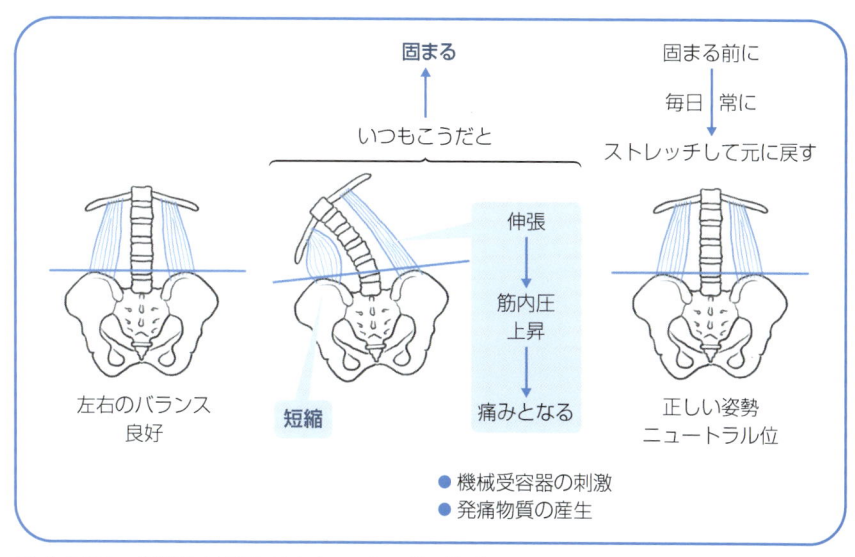

図 14-10 短縮と伸張をストレッチングで治す

もっとも重要なポイントである．つまり，筋・筋膜の痛みには，理学療法や体操を軽くみてはいけない．分かっちゃいるけど，つい忘れてしまう．

🌼 姿勢：ストレッチング 軽ろんずべからず

　　　一方が伸びれば，一方が短くなる
　　短くなって固まると，次に伸ばすときに痛む
　　　　伸ばされると，張力が高まり痛む
　伸びきると，支えにならない──いつも，姿勢を良くしておく

🌼 筋肉痛の根本対策

　　　　短くなっていれば，伸ばす
　　　　伸びていれば，縮める

B．筋の痛み　231

じゆうちょう

15 トリガーポイントを探せ

押さえて痛い：関連痛

A 痛みの局在

　1980年頃の本は，関連痛を連関痛と表現していたが，いつ頃からか関連痛と表現されるようになってきた．同じ現象を示している．一方，最新医学大辞典［改訂第3版，医歯薬出版，2005］によると，関連痛は「疼痛の原因病巣から多少離れた部分に感じる疼痛」で，異所痛・連関痛・遠隔痛・投射痛と同義語としていて，それぞれ関連痛の特徴の一面を強調した用語といえる．よく知られているのは，狭心症や心筋梗塞での，左腕や肘の痛み，胆石での右背部の痛み，虫垂炎での臍(へそ)周囲の痛みなどである．心筋梗塞や狭心症では，「心臓の痛みが左腕に投射される」と表現する場合もある．心臓に病変があるときの腕の痛みについて，「心臓が原因であるのに異なった場所である腕が痛い」という意味で異所痛，「心臓から離れているという意味」で遠隔痛とも表現できる．

　本章では，①痛みの源となっている場所とは異なる場所が痛いと感じる現象（＝関連痛），②最初の痛みの源が次の痛みの源を作ってしまう現象について述べたい．前者は病巣の局在診断について重要である．後者も治療として痛みの源，源の源，源の源のそのまた源を絶つという考え方に繋がるので重要である．とくに筋・筋膜性疼痛については，他の部位に痛みをもたらす源となっている発痛点――トリガーポイント――に対する対策が治療上有効だからである．

1 痛みの局在：表面にあるから皮膚が源である痛みは場所がはっきりしている

皮膚に触れた場合，例えば親指とか臍とか，場所が分かる．この「場所」というのは，皮膚の場所である．皮膚は外から見え，直接触ると分かるので，どこなのかはっきりしている．つまり，指差し可能で，皮膚からの刺激は局在が明瞭である．当たり前といえば，当たり前である．サラッと表現すると「体性神経の支配領域は局在が明瞭」になる．

一方，胃とか腸，肝臓などは，外から見えず，おおまかな場所は，知識として知っているが，実際触れる機会もないため，胃腸，肝臓の場所を指差すことは不可能で，「大体この辺り」という感じである．つまり，内臓からの刺激は，局在が不明瞭である．これを生理学的に表現すると，「内臓求心性線維の支配領域は局在が不明瞭」という具合になってしまい，大変分かりにくくなる．腹部に痛みを感じたとき，その痛みが皮膚から来たのか？　腹壁から来たのか？　内臓から来たのか？　――が大問題になる．皮膚から来た痛みなら，場所がはっきりしていて，触れたり押さえたりすると痛みは増強するであろう．一方，内臓から来た痛みは，場所がはっきりしていない．

2 皮膚からの痛み

皮膚の各場所にある神経終末で発生した活動電位は，神経線維を伝導して，脊髄に到達する．皮膚のどの部位からの神経線維がどの脊髄レベルに入っているかは，研究者によって違いはあるが，大体分かっている（**図 15-1**）．例えば，乳頭からの神経線維は胸髄4番目（T4），剣状突起からの神経線維は胸髄6番目（T6），臍からの神経線維は胸髄10番目（T10）に入る．これを，神経支配の皮膚分節といい，試験にも出るので，皆さん一度は覚えさせられたと思います（**図 15-1**）．でも，いつも使っていないと，つい忘れてしまう（**表 15-1**）．

3 内臓からの神経と体性神経の合流

さて，脊髄後角に入る神経線維は，皮膚からのみではない．皮下組織，筋肉や骨や内臓からの神経線維も入力している．皮膚，皮下組織，腱，筋肉，関節，骨からの神経線維は体性神経の構成員である．一方，内臓からの神経線維（内臓求心性線維）も脊髄後角に入力している．例えば，回腸からの求心性線維は胸髄9

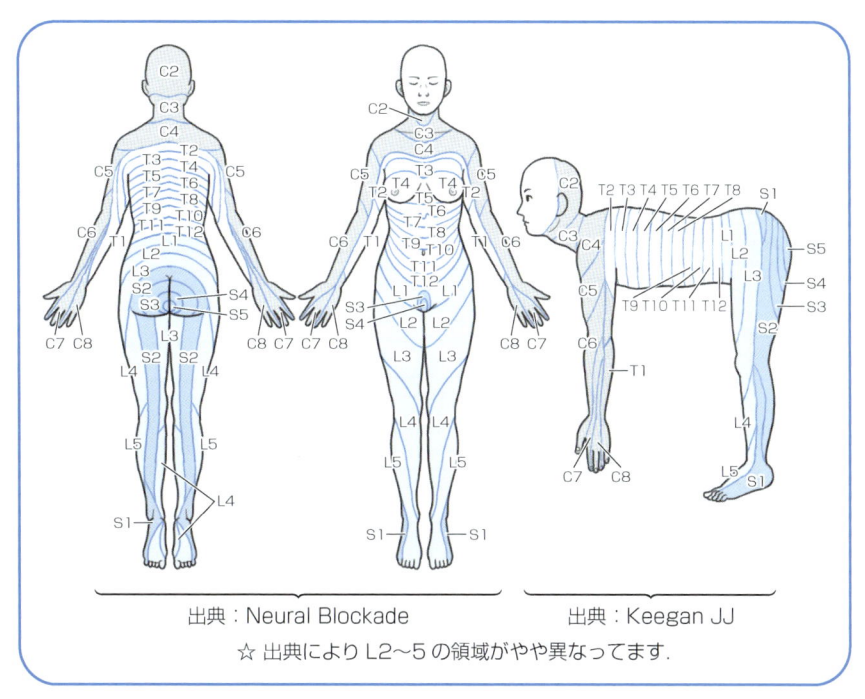

出典：Neural Blockade   出典：Keegan JJ
☆ 出典によりL2〜5の領域がやや異なってます.

図 15-1　皮膚分節の図

[Keegan JJ, et al: Anat Rec **102**: 409-437, 1948 を改変して引用]

表 15-1　皮膚の脊髄分節支配

部　位	脊髄分節	部　位	脊髄分節
乳房乳頭	T4	第1足趾	L5
剣状突起	T6	第5足趾	S1
臍部	T10	肛門	S5
鼠径部	L1		

番目から11番目（T9〜11）の脊髄分節に入力する（**表15-2**）（なお，書籍により，1〜2分節の違いがある場合がありますので，あらかじめご了承願います．皆さんが記憶している場所と若干異なりましても，あまり深く考えないでください）．

　さて，なぜ内臓からの神経線維（内臓求心性線維）と体性神経の神経線維が同じ脊髄後角に入っているという，当たり前のことをあえて強調するかというと，「痛」を感じる場所に関与しているからである．同一の脊髄分節に入る，内臓か

A．痛みの局在　　**235**

表 15-2 内臓の脊髄分節支配

臓器	脊髄分節	臓器		脊髄分節
甲状腺	T1～2	盲腸，上行・横行結腸		T9～11
気管，気管支	T2～7	虫垂		T10～L1
肺	T1～7	下行・S状結腸，直腸		L1～2, S2～4
心	T1～4(5)主に左	腎		T10～L2
胸部大動脈	T1～5(6)	尿管		T11～L2
腹部大動脈	T6～12, L1～2	膀胱	底部	T11～L1
食道	T6～L2		頸部	S2～4
胃	T6(7)～8(9)	睾丸		T10
肝，胆囊	T5(6)～8(9)右	前立腺		T10～11, S2～4
脾	T6～8	卵巣		T10
膵	T6～10	子宮	体部	T11～12
十二指腸	T6～8		頸部	S2～4
空腸，回腸	T9～11			

らの神経線維と体性神経が同一の2次ニューロンにシナプスするルートがあり，この合流で痛みの場所の説明ができる場合がある．虫垂炎の痛みの推移で説明したい．

> ニューロン合流
>
> 皮膚から，筋肉から，内臓から

B 関連痛とは

1 虫垂炎の痛み（図 15-2）

　典型的な虫垂炎の最初の症状は，心窩部痛，臍の周りの違和感，鈍痛である．つまり，剣状突起の下あたりから臍の下あたりに違和感・鈍痛を自覚する．これは，胸髄6番目（T6）から胸髄11・12番目（T11/12）ぐらいまでの皮膚分節に該当する．虫垂の場所は右下腹部であるが，虫垂炎発症直後は臍の周りに痛みを感じる患者が多い．虫垂で発生した侵害刺激を伝える神経（内臓求心性線維）

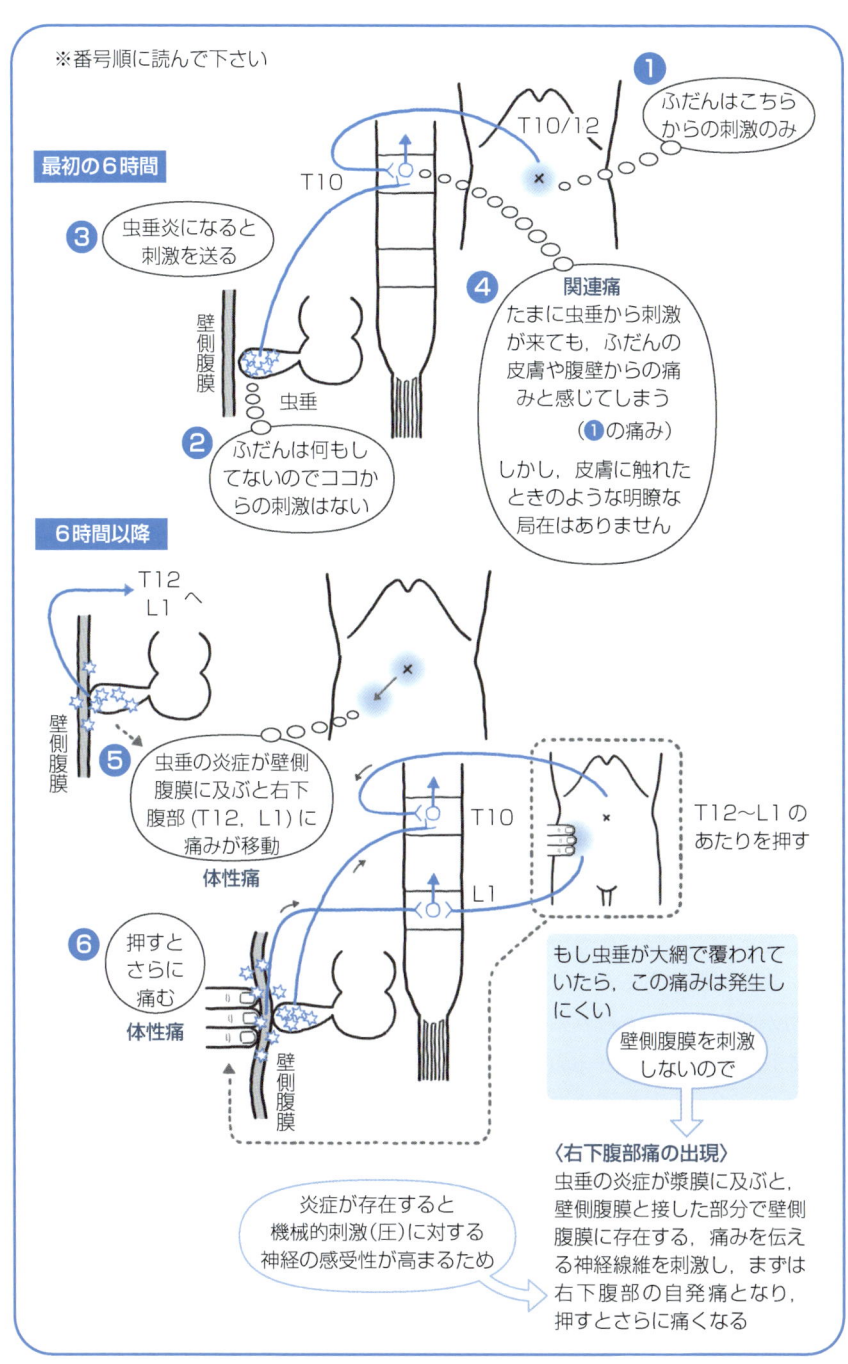

図 15-2　虫垂炎と臍周囲の痛み

B．関連痛とは

は，交感神経幹を経由して胸髄10・11番目（T10/11）に入る．

虫垂炎の症状は，食欲不振，臍周囲の痛みで始まり，その後，痛みは右下腹部痛に移動し，悪心を伴うようになり，やがて発熱・嘔吐が発生する——というパターンが全体の1/2〜2/3の患者で認められる．炎症が発生した虫垂の場所は，右下腹部であるが，最初の痛みは臍周囲である頻度が高い．

痛みは活動電位の発生と伝導なので，虫垂炎に当てはめて考えると，①炎症そのもの，虫垂の内腔の拡張や内圧上昇，虫垂や結腸における腸管平滑筋の収縮などの侵害刺激が，②内臓求心性線維（＝求心性交感神経線維）終末での活動電位の発生をもたらし，③その活動電位が神経叢・大内臓神経を介して，④胸髄10番目（T10）を中心とした脊髄後角に入り，⑤脊髄後角にある2次ニューロンで活動電位を起こし，⑥その活動電位が脊髄を上行する——になる．さて，虫垂炎が発生した場合には，この胸髄10番目（T10）を中心とした脊髄後角に虫垂から信号が入力するが，普段は，虫垂からの信号は……ない，というか大変少ない．一方，皮膚からの信号は，多い．常にあるといってもよい．服を着たり，ベルトをしたり，触れたりするし，つねれば痛む．つまり，この胸髄10番目（T10）を中心とした上下の2次ニューロンは，普段，皮膚からの神経（体性神経）による触・痛の信号を受けている．そこで，たまたま，例えば18歳になって生まれて初めて虫垂から侵害信号がやってきた場合，どう感じるか？脊髄後角の2次ニューロンは，この内臓からの普段こない信号を，普段やってくる皮膚からの信号と，いわば勘違いしてしまう．結果として，痛みの発生源は虫垂だが，臍の周りが痛いと感じてしまうのである．ただし，臍にまさに指で触れているときのような明瞭な局在があるのではなく，臍のあたりという感じであり，指で1点を示すことはできない．実際は，臍の皮膚に触れているのではなく，臍の皮膚に痛みの源があるわけでもないからである．

刺激が発生している痛みの源となっている場所とは別の場所が痛むとき，その痛みを関連痛（referred pain）という．以前卒業された医師の方々は，連関痛と覚えているかもしれません．

2 その他の関連痛の例

a．肩の痛み

横隔膜中央部が原因となる痛み刺激は，横隔神経内の求心性線維により頸髄3〜5番目（C3〜5）に入るため，頸髄4番目（C4）に入る体性神経の支配する皮膚分節——肩——に関連痛が発生する．したがって，横隔膜中心部に波及した病

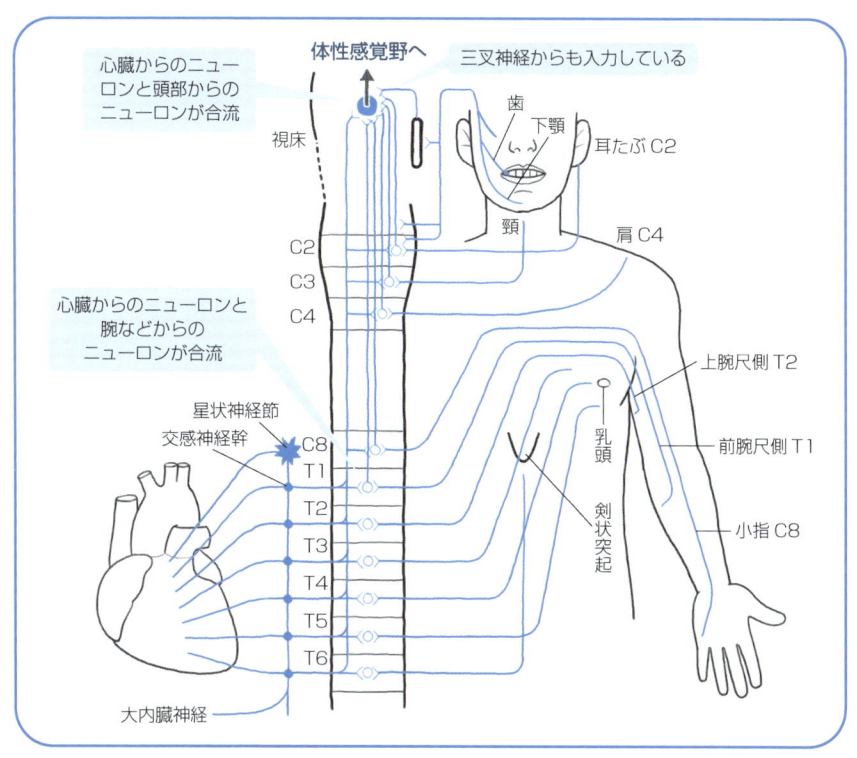

図 15-3 体性神経の神経線維と交感神経求心性線維の合流：
心臓の関連痛に関連して

変は，肩の痛みの原因となりうる．

b. 心臓の痛みと左腕の痛み

心筋梗塞の痛みは，前胸部の鈍い圧迫感，絞扼感，締め付け感，何か重い物が胸に乗っているような感じ（外国人なら「象が胸に乗っているような感じ」と言うらしい）である．心筋虚血により発生した乳酸の水素イオンや細胞外に出たカリウムイオンにより，内臓求心性線維（交感神経系の求心性線維）の自由神経終末で活動電位が発生し，この活動電位は交感神経幹を経由して，胸髄1番から5番（T1～5）の脊髄後角に入る（**図 15-3**）．胸髄の1番目（T1）に入る体性神経は，前腕尺側（第1胸神経）からの神経線維であり，胸髄2番目（T2）には上腕尺側（第2胸神経）からの神経線維が入り，同部にも痛みを自覚する．左手の小指（第8頸神経）からの神経線維は，頸髄の8番目（C8）に入る．結果として，前胸部の痛みが左手に広がったような感じとなる．この痛みは，心臓とは離れた場所の痛みであり，関連痛である．心筋梗塞では，他にも，顎・歯（三叉

神経），耳たぶ［頸髄2番目（C2）］，頸［頸髄2番目，3番目（C2/3）］，肩［頸髄4番目（C4）］にも関連痛が発生する．

c. 心臓の痛みと歯の痛み

　心臓の関連痛のうち，左腕尺側に放散する痛みは，心臓からの痛みを伝える求心性線維が，脊髄後角で体性神経の神経線維と同一の2次ニューロンに合流しているという解剖学的裏付けで説明できる．一方，顎・歯・耳たぶ・頸・肩・小指に放散する関連痛は，どのように考えればよいのだろうか（**図15-3**）？ 肩の皮膚分節は，第4頸髄（C4）であり，第4頸神経の枝は基本的に心臓を支配しているわけではない．心臓からの求心性線維はあくまで，第1〜5胸神経内を通る．しかし，実際に関連痛が発生しているので，どこかで，顎・歯・耳たぶ・頸・肩・小指からの体性神経の神経線維と，心臓からの求心性線維との合流があるはずである．実際，第1〜5胸神経から脊髄に入った求心性線維の中には，①脊髄内を上行し頸髄各レベルで脊髄後角2次ニューロンに合流する線維と，②視床まで上行し体性神経からの刺激がシナプス伝達する3次ニューロンに合流する線維が報告されている．

3 膵臓の痛みと背部痛

　膵臓の炎症や膵管の拡張は痛みの原因となる．この痛みの種類として，①内臓痛，②関連痛，③筋肉痛がある——①膵臓からの内臓求心性線維は，腹腔神経叢を経由して，大内臓神経を通過し，交感神経幹を介して，胸髄6番目から10番目（T6〜10）の脊髄分節で脊髄に入り，2次ニューロンに連絡し上行する［なお，胸髄5番目から9番目（T5〜9）と記載している本もあります］．②同部位に入る体性神経の支配領域の皮膚分節に関連痛が発生するため，背部や腹部に痛みを感じる．③さらに背部や腹壁の筋肉の緊張亢進による痛みも発生する（**図15-4**）．この筋肉の緊張亢進は，膵臓から脊髄後角に入った求心性刺激が介在ニューロンを経由して，運動ニューロンを活性化する神経反射（内臓-体性神経反射，自律-体性神経反射）のためである．緊張の亢進は，いわば筋の使い過ぎの源となり，筋痛の原因となる．膵臓という内臓に原因があっても，背部の筋肉に痛みが発生するのである．したがって，患者の痛みは，膵臓そのものに由来する痛みと背部の筋肉に由来する痛みが混在することなる．そこで，①膵臓からの痛み刺激の伝達を抑制する治療と並行して，②筋肉痛に対する治療（局所麻酔薬注入，理学療法，鍼灸治療，マッサージ，温熱療法，近赤外線照射など）も行うのがよい．具体例を示すと，膵がん患者の背部痛に対して，①オピオイドによる

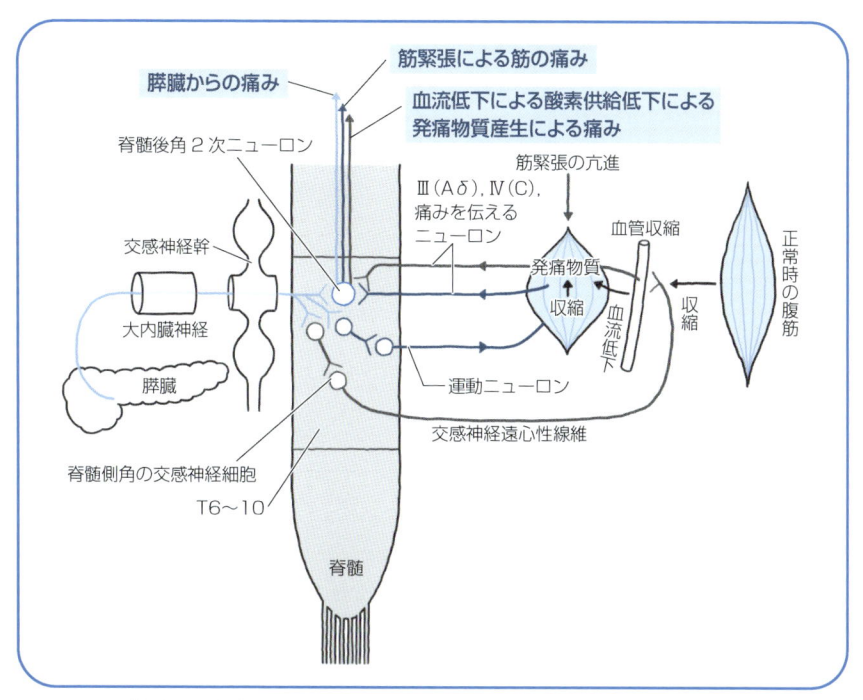

図 15-4 膵がんと背部痛：内臓からの痛みのみではありません．筋肉痛もお忘れなく

治療と並行して，②背部の圧痛点への局所麻酔薬の注射，抗炎症鎮痛薬含有の貼付剤，近赤外線照射，鍼灸治療などを積極的に行う．この際，脊椎のX線写真や脊髄MRIでは，異常を発見できないため，整形外科的には問題なしと判断される場合も多い．主治医，そして患者自身も，膵臓の痛み（例えば，膵がんの痛み）と思い込んで対応してしまうことがある．

C トリガーポイント

1 関連痛とトリガーポイント

　保険診療をしていると，処置の中にトリガーポイント注射というのがある．トリガーポイントに局所麻酔薬を注射する処置である．さて，トリガーポイントと

C．トリガーポイント　**241**

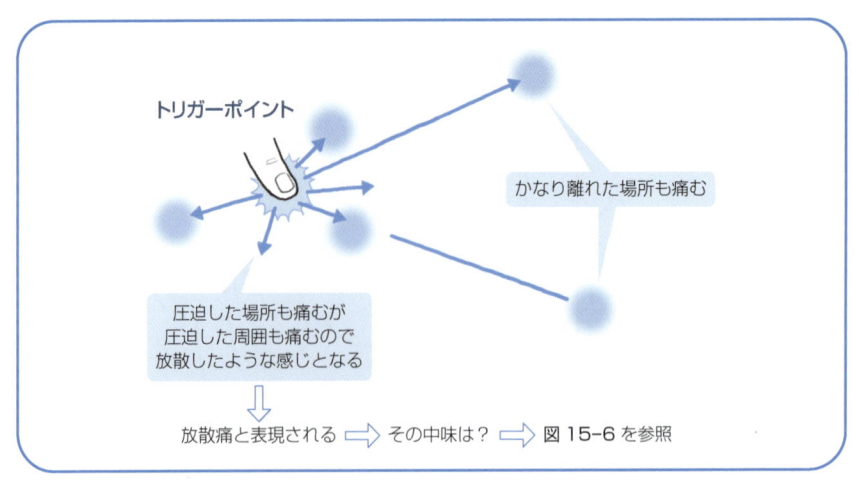

図 15-5　放散痛のイメージ

は何か？　押さえた場所が痛む場合，その場所を圧痛点という．押したときの感覚は触覚と圧覚であり，正常では痛覚ではない．したがって，押さえて痛ければ，正常とはいえない．トリガーポイントは，押さえた場所以外にも，押した場所から離れた場所に痛みや筋収縮を惹起してしまう圧痛点であり，別の場所にも痛みを起こすという意味で発痛点ともいえる．

　日常診療では，押さえると，押さえた場所とは別の離れた部位に，①痛み，②筋収縮（ビクッと動く）を起こす場所をトリガーポイントと判断する．トリガーポイントを探すため，入念に体表面を圧迫する診察を行う．トリガーポイントの直下には，痛みの源となっている筋肉，腱，靱帯，関節包などがある．

　押さえた場所の周囲が痛む場合，痛みがそこから放散しているようなイメージとなる（**図 15-5**）．

　理由として，圧迫部を中心に力が直接周囲に及ぶため──と考えがちである．しかし一方，脊髄反射を介して，周辺部の筋収縮が連動して発生したために，そこに痛みを感じ，あたかも押した場所から痛みが放散しているように感じられる──という機序も存在する（**図 15-6**：☞ 14 章図 14-4）．これは，関連痛である．

　本によると，トリガーポイントの特徴は，①索状硬結物を触れる，②索状硬結物に圧痛がある，③関連痛を発する，④自律神経反応がある，⑤症状が再現できる──とある．圧迫・加熱・冷却などの刺激により，②〜⑤の反応が誘発される．

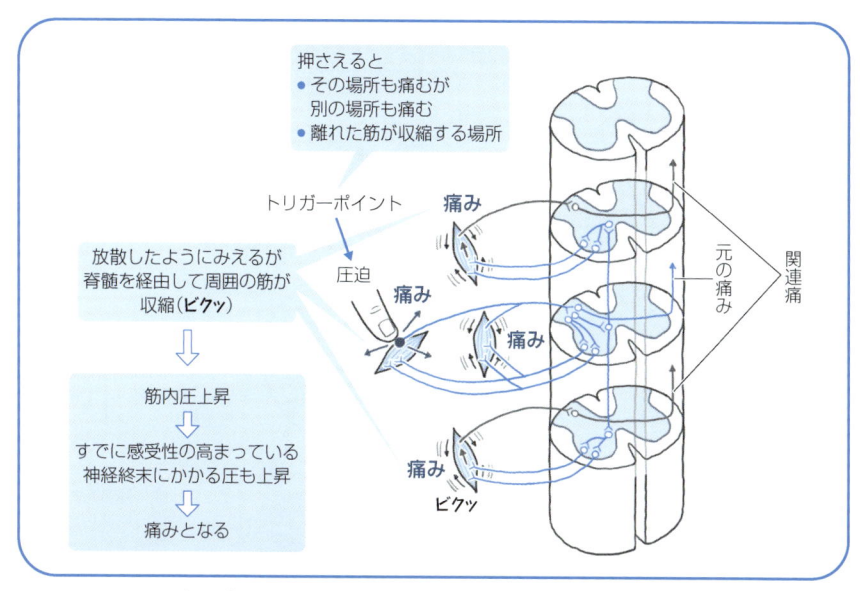

図 15-6　トリガーポイントと関連痛：筋肉の場合

① 「索状硬結物」とは，過度に収縮した筋肉の部分である．
② 「圧痛」は機械受容器の感受性増加を示している．発痛物質があると，押さえるという普通は痛みとならない刺激が痛みとなってしまう．
③ 「関連痛を発する」とは，押さえた部分とは別の離れた部分に痛みが発生する現象である．押さえた求心性刺激は脊髄後角に入ると，a) 2次ニューロンに信号を送るとともに，b) 介在ニューロンを経由して，同じ脊髄分節と上下の脊髄分節の交感神経細胞（☞ 18 章図 18-6），Aα 運動ニューロン，Aγ 運動ニューロンを刺激し，別の筋群の緊張を高める（☞ 14 章図 14-4・8）．c) その筋群の自由神経終末の感受性が高まっていれば，筋緊張という機械的刺激で痛みの信号が発火し，痛み――関連痛――を感じる．
④ 「自律神経反応」とは，発汗，立毛，皮膚の色調変化である．トリガーポイントからの刺激は，③b で述べたように介在ニューロンを経由して交感神経細胞にも伝わるので，汗腺活性化，血管収縮，立毛筋の収縮を起こす（体性-自律神経反射という）――意識的にこれらを探すように観察する必要があるが，必ずしも簡単に発見できるわけではない．血管収縮による血流低下は，局所の虚血をもたらし，発痛物質（乳酸，カリウムイオン，ブラジキニンなど）を産生・蓄積し，痛みの原因となる（☞ 5 章図 5-2）．

C．トリガーポイント

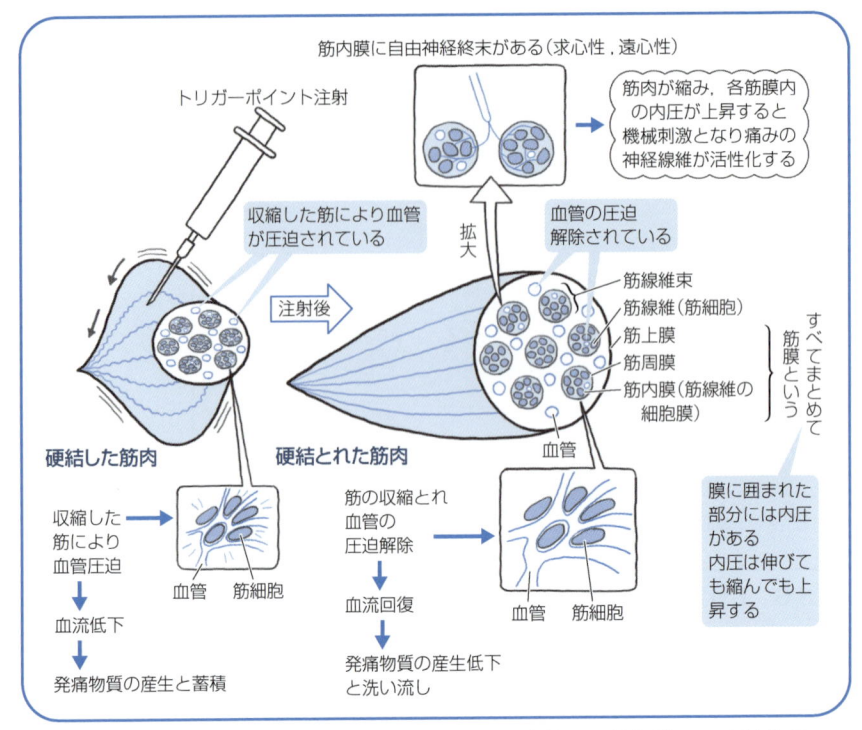

図 15-7 トリガーポイント注射：筋収縮解除 ➡ 血管の圧迫解除 ➡ 血流改善

⑤ 症状とは，痛みや反射的な筋収縮（ビクッと動く）である．「症状が再現」できれば，神経経路の繋がりの存在が確実となる．

> 痛みありトリガーポイントより来（きた）る，亦（また）硬からず乎（ヤ）

2 トリガーポイントに注射すると

　トリガーポイントに局所麻酔薬を注入する処置をトリガーポイント注射という．局所麻酔薬により，①トリガーポイントに存在する自由神経終末の電位依存性 Na^+ チャネルがブロックされ，痛みを伝える神経での活動電位の発生が抑制され，脊髄後角への入力が減少するので痛みが低下する．②脊髄後角への入力が

15．トリガーポイントを探せ

減少するのに連動して，同じ脊髄分節での神経反射によるAγ運動ニューロン，Aα運動ニューロンの出力が低下し，トリガーポイントでの筋緊張が低下する，③介在ニューロンを経由した上下の脊髄分節への入力が低下するので関連痛を発する部位での筋緊張がとれる，④脊髄レベルでの反射による交感神経細胞の緊張が低下するので局所の血管拡張が起こり，血流が改善され酸素供給が増し，⑤乳酸などの発痛物質の産生が低下し，滞っていた乳酸などが流される．つまり，トリガーポイント注射は，①痛みの活動電位を抑えるとともに，痛みに続発する②③筋緊張を解除し，④交感神経緊張を解除し局所の血流を高め，⑤発痛物質の産生・停滞を抑える，原因に対する療法といえる（**図 15-7**）．

じゆうちょう

普通でない痛みですか？ 16

痛くないことを痛く：中枢性感作

A 痛みの閾値の低下

「触って痛い」は，言い換えるなら，「触覚」が「痛覚」に変化している状態である．ケガや火傷の直後に発生するので，皆さん経験ずみでだいたいイメージとしては分かるだろう．「敏感になっている」——などという表現で説明されている．もう少しむずかしくいうなら「感作されている」で，これで何となく分かったような気になってしまう．敏感，感作の実体は何か？「感作された」とは，「活動電位が発生しやすくなっている」である．つまり，ニューロンが発火しやすい．そして，その活動電位が発生しやすい場所は，①1次ニューロンの自由神経終末かもしれないし，②脊髄に向かう途中の神経線維（軸索）かもしれないし，③脊髄後角の2次ニューロンかもしれないし，④さらに上位の視床や脳幹のニューロンかもしれない（図 16-1）．

1 「発火しやすい」の中味は？（図 16-2）

「活動電位が発生しやすい」「発火しやすい」の具体的な特徴を標語のように表現するなら，

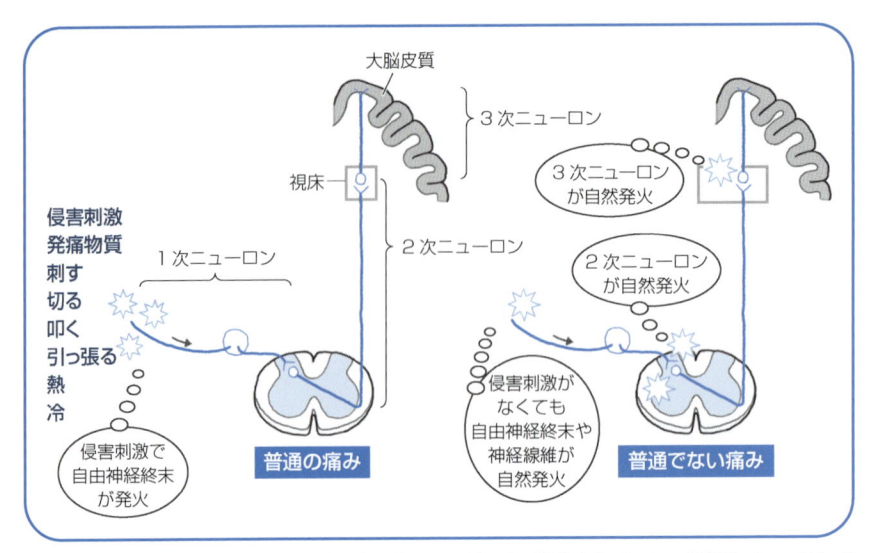

図 16-1　末梢から中枢までの経路のうち，どこかが発火しやすい状態になっている状態

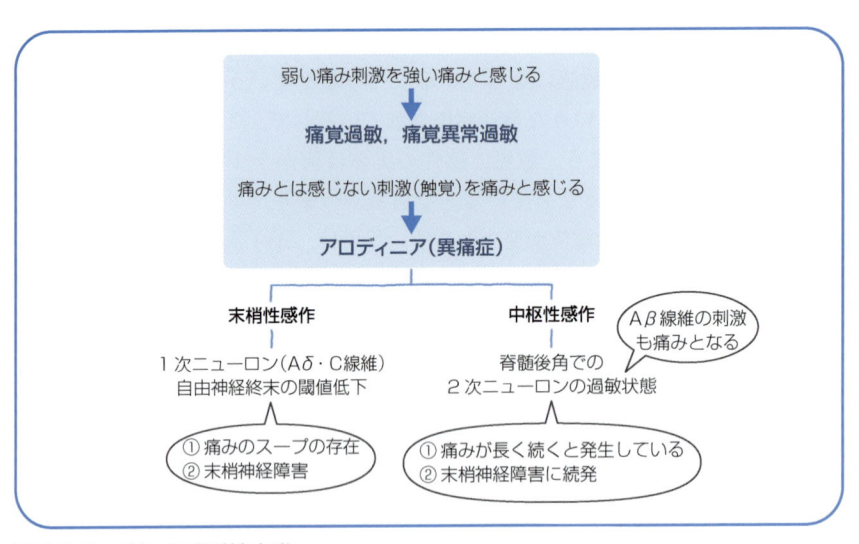

図 16-2　痛みの感受性亢進

「痛くないことを痛く
　弱い痛みを強く
　何もしなくても痛く
　　周辺も痛い」　　いつまでも……

　　　　　　　　　　　　　　　　　　　　　　　　　　　　　　　　　になる．
　「痛くないことを痛く」とは具体的には，刷毛で触れて痛い，軽いタッチが痛い状態で，触覚が痛覚になっている．また，温かい，冷たいの温度覚が痛覚になっている．異痛症（アロディニア＝allodynia）という状態である．
　「弱い痛みを強く」を生理学的に表現するなら，痛みの閾値の低下である．閾値とは，ある反応が発生し始める境界の値である．「痛いけれどもあまり痛くない痛み」を「強い痛み」として感じてしまう状態である．例えば，針で軽く触れると，通常の痛みより強い痛みを感じる．これは，痛覚過敏（hyperalgesia）である．
　「何もしなくても痛く」とは，触れなくても，動かさなくても，安静にしていても痛む状態である．機械的刺激がなくても痛い状態であり，自発痛ともいう．明らかな刺激（侵害刺激，非侵害刺激）がないのに，活動電位が発生してしまう．
　「周辺も痛い」を医学的に表現するなら，「受容野が広がる」になる．受容野とは感知できる場所である．傷そのものはもともと痛いが，傷の周囲も痛くなるのは，通常誰でも経験している．傷の周囲は，触れると痛む．これは，痛みの受容野が広がっている状態である．

> **刺激による痛みの用語**
>
> ★ 痛覚過敏（hyperalgesia）：弱い痛み刺激を強い痛みに感じる
> 　　　　　　　　　　　　　（針先で刺激するとすごく痛い）
> ★ 異痛症（allodynia）　　　：痛くないことを痛みに感じる
> 　　　　mechanoallodynia ┤刷毛で触れる（動的刺激）と痛い
> 　　　　　　　　　　　　 └押す（静的刺激）と痛い
> 　　　　thermoallodynia　 ┤温（温水）を痛いと感じる
> 　　　　　　　　　　　　 └冷（冷水）を痛いと感じる
> 　　　　chemoallodynia　　：普通は痛くない化学物質を
> 　　　　　　　　　　　　　 痛いと感じる

2 感作とは：イオンチャネルの立場から

　「感作された」とは，活動電位が発生しやすくなっている状態である．活動電位は，膜電位が閾値に達すると発生する．膜電位が高くなれば，閾値に達しやすくなる．つまり，感作された状態では，神経細胞膜のトランスデューサーイオンチャネル（☞6章図6-8）が膜電位を上げる方向にある（**図16-3**）．具体的には，① Na^+ チャネルが開く，② K^+ チャネルが閉じる，③ Cl^- チャネルが閉じる——が単独または同時発生すれば，膜電位は上がる． Na^+ チャネルは Na^+ を細胞外から内に入れる， K^+ チャネルは細胞内から外に K^+ を出す， Cl^- チャネルは細胞外から内に Cl^- を入れる穴である．①陽イオン（ Na^+ ・ Ca^{2+} ）が内に入る，②陽イオン（ K^+ ）が内に留まる，③陰イオン（ Cl^- ）が内に入らない——が単独または同時発生すれば，膜電位は上昇する．ただし膜電位上昇に対して Cl^- チャネルの占める役割はあまり大きくない． Na^+ チャネルはP（リン）が付着すると開き， K^+ チャネルはP（リン）が付着すると閉じ，双方とも膜電位を上げる方向に作用する．

　感作されている場所は，①自由神経終末（末梢性感作），②脊髄後角2次ニューロン（中枢性感作），③その両方，に大別できる．

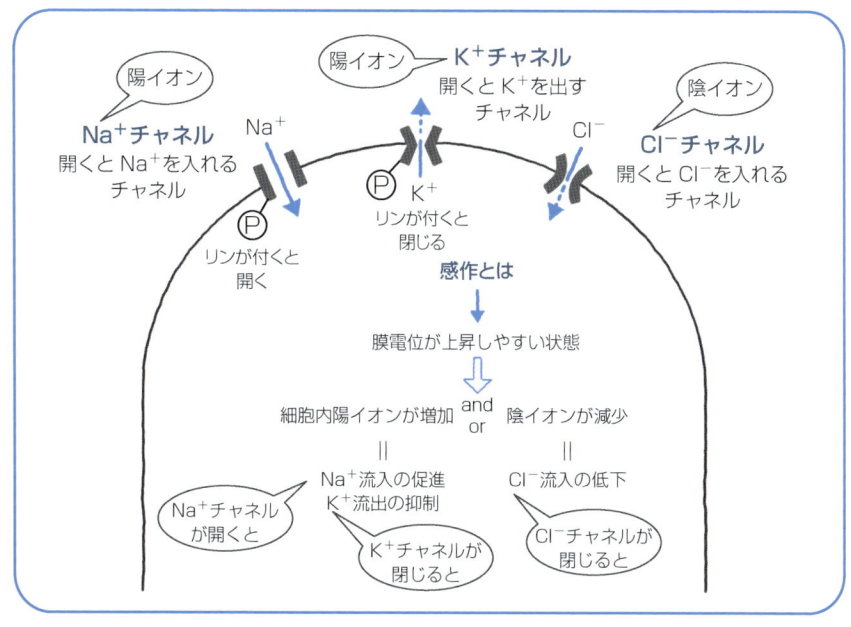

図 16-3　感作：イオンチャネルの立場から
Na⁺チャネルが開き，K⁺チャネルが閉じ，Cl⁻チャネルが閉じる．

★ 末梢性感作 ➡ 痛みを伝える1次ニューロンの自由神経終末での感受性亢進
　　　　　　 ➡ 軽い刺激でAδ・C線維の自由神経終末が発火
★ 中枢性感作 ➡ 脊髄後角の2次ニューロンの感受性亢進
　　　　　　　➡ Aβ線維の刺激（触刺激）を伝える2次ニューロン（WDRニューロン：☞ p254）の感受性が変化し「触」を「痛」として伝える発火
　　　　　　　➡ いつもと同程度のAδ・C線維の刺激で脊髄後角2次ニューロンがいつもより強く発火
　　　　　　　➡ 痛み伝達の新たなルートの開拓 ➡ Aβ線維の脊髄後角第Ⅱ層への発芽

アロディニア（異痛症）は

　　①末梢性感作，②中枢性感作，③双方同時発生

　　　　　　　　　　　　　　　　　　　を示している．

A．痛みの閾値の低下

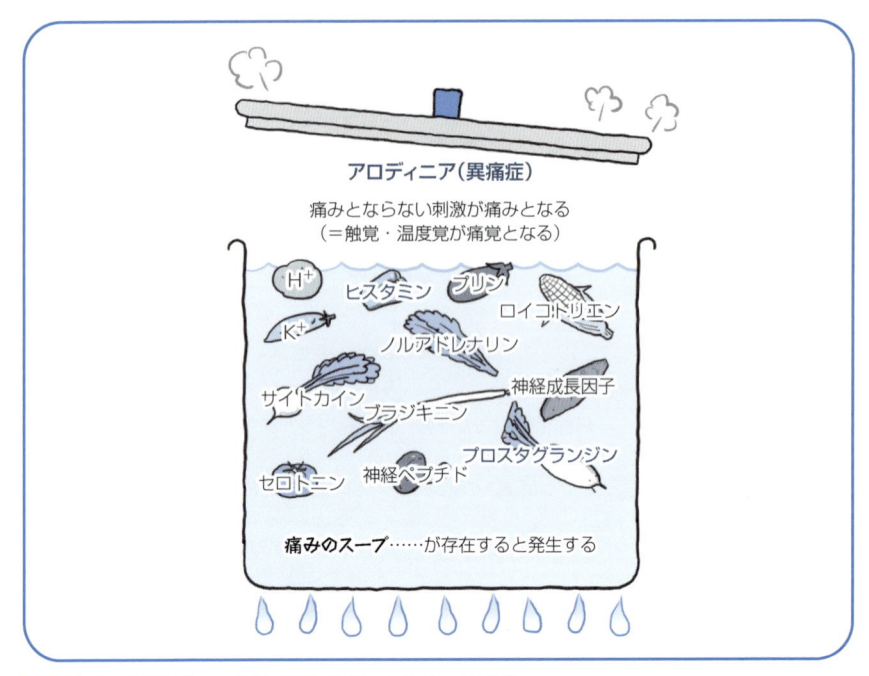

図 16-4　アロディニアと痛みのスープ（☞ 5 章）

B　末梢性感作

　ケガの直後で傷口が治癒していなければ，触れて痛いのは普通である．少なくとも，末梢性感作が発生している．炎症物質の存在により，自由神経終末のトランスデューサーチャネル（☞ 6 章 p89）が起動電位（generator potential）を起こしやすくなり，引き続き活動電位が発生しやすくなっているからである．言い換えると，ケガの直後の傷口はアロディニア（異痛症）の状態であり，痛みのスープ（☞ 5 章）はアロディニアをもたらす（**図 16-4**）．末梢性感作により強い痛みが続くと，やがて中枢性感作も発生する．中枢性感作が発生すると，局所の炎症が治まってもアロディニアが持続する．

C 中枢性感作：広作動域（WDR）ニューロンの役割

1 中枢性感作の中味は？

　中枢性感作とは，脊髄後角でのシナプス伝達が強くなった状態である．具体的には，

Ⅰ．痛くないことを痛く・弱い痛みを強く・何もしなくても痛く・周辺も痛い
Ⅱ．痛み刺激を繰り返すとだんだん痛みが強くなる
Ⅲ．いつまでたっても痛い　　　　　　　　　　　　　——が症状である．

　ⅠとⅢは「痛み刺激はもちろん，痛み刺激がなくても，脊髄後角2次ニューロンが発火しやすくなっている」が長期間続いている状態である．例えるなら，号砲がないのにスタートしてしまうフライング，リレーなら第1走者がこないのに第2走者がスタートしてしまう状態である．Ⅱは wind up(ワインドアップ) と呼ばれる現象である．

　よくある例は，ケガや手術後で傷口が治っても痛い，帯状疱疹で皮膚が治っていても痛い——つまり，「創部は治っています」「帯状疱疹は治っています」と言われても痛い——などである．分子レベルでは，a）シナプス前での伝達物質の放出亢進か，b）シナプス後の過敏状態・感受性亢進（伝達物質に対する反応亢進）がある．双方とも，シナプス前膜・後膜のイオンチャネルの変化により膜電位が上昇した結果，発生する．さらに，c）発芽，d）グリア細胞の活性化，e）抑制性介在ニューロンの脱抑制がある．以下，順を追って説明したい．

Ⅰ．痛くないことを痛く・弱い痛みを強く・何もしなくても痛く・周辺も痛い

a．1次ニューロン終末からの神経伝達物質の放出亢進

　「1次ニューロン終末からの神経伝達物質の放出亢進」とは，シナプス前終末部から，グルタミン酸やサブスタンスP（SP）が放出されやすくなった状態である．グルタミン酸やSPは，シナプス小胞に蓄えられていて，シナプス前終末部へのCa^{2+}流入をきっかけとして，シナプス間隙に放出される（☞7章図7-4・5）．Ca^{2+}はCa^{2+}チャネルを通って流入する．つまり，Ca^{2+}流入が起こりやすいと，「1次ニューロンからの神経伝達物質の放出亢進」に繋がる．このCa^{2+}チャネルを構成している$α_2δ$サブユニットという構成部分の蛋白発現が亢進していると（☞13章図13-6），グルタミン酸やSPの放出が亢進する．実際，神経損傷やパクリタキセル（タキソール®）のような抗がん剤による神経障害では，脊髄後角での$α_2δ$サブユニットが増加している（☞13章図13-6）．$α_2δ$サブユニット

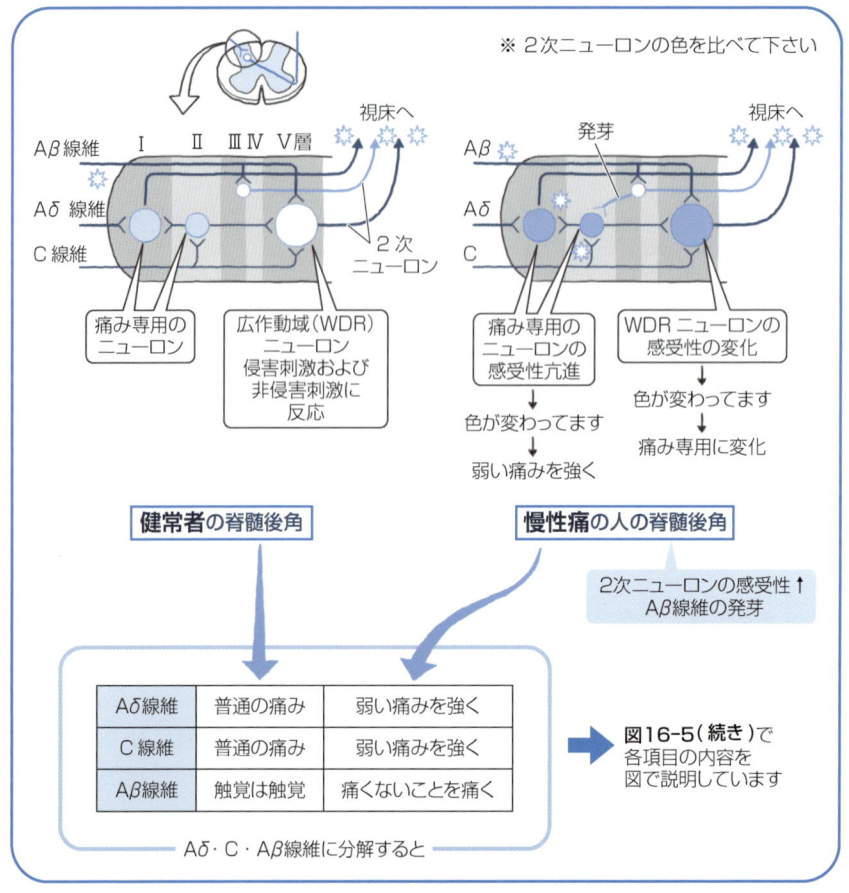

図 16-5　中枢性感作：中継点にいる熱い選手たち

（次頁へ続く）

に結合し，Ca^{2+}チャネルを閉じる物質——プレガバリン，ガバペンチン——が治療薬として使用されている（☞13章図13-7）．一般的に，神経障害性疼痛をもたらす病態では$α_2δ$サブユニットが増加していると考えてよい．

b．2次ニューロンの過敏状態と感受性変化

　脊髄後角での痛みの1次ニューロンから2次ニューロンへのシナプス伝達について，**図16-5**で大まかに確認してほしい．

　脊髄後角は5層に分かれるが，第Ⅰ層から発する2次ニューロンは，痛み専用の2次ニューロンである．第Ⅴ層から発する2次ニューロンは，広作動域（wide dynamic range：WDR）ニューロンといい，痛覚と触覚の双方を伝える（**図16-**

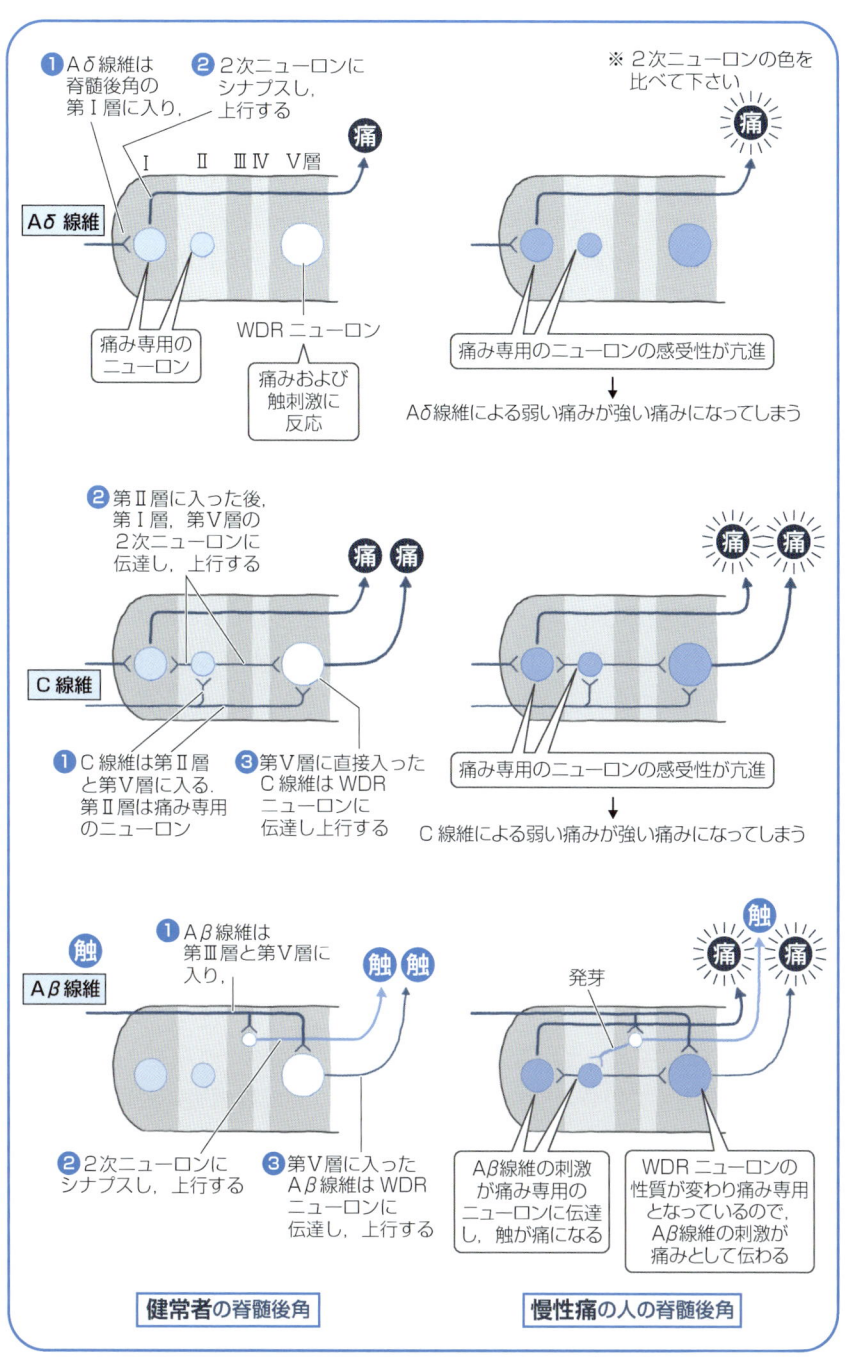

図 16-5（続き） 中枢性感作：中継点にいる熱い選手たち

C. 中枢性感作

5).「2次ニューロンの過敏状態と感受性変化」とは，痛み専用の2次ニューロンの過敏状態とWDRニューロンの感受性の変化を意味している．その実体は，これらのニューロンにあるNMDA受容体（☞ p265）の長期的開口である．

　WDRニューロンは刺激の種類に応じて反応頻度（活動電位の発火数）が変化する2次ニューロンで，$A\delta$線維やC線維が1次ニューロンとなっている刺激は「痛」として伝え，$A\beta$線維が1次ニューロンとなっている刺激は「触」として伝える．触覚から痛覚までという広範囲の感覚を伝えるという意味で，広作動域（wide dynamic range）という．第V層のWDRニューロンは通常「触」は「触」として伝えるが，感受性変化により「触」を「痛」として伝えるようになる［図16-5（続き）下段右］．この過敏や感受性変化の実体は，イオンを通すNMDA受容体（後述）という穴（イオンチャネル）の持続的開口である．

c. 新たな解剖学的ルートの出現：発芽［$A\beta$線維の脊髄第II層に向けての発芽：図16-5（続き）下段右］

　触覚を触覚として感じる正常な状態では，触覚を伝える$A\beta$線維は，脊髄後角の第III層と第V層の2次ニューロンにシナプスし，第I層の痛み専用の2次ニューロンとの結合はない．一方，「触覚」が「痛覚」となる異常な状態では，$A\beta$線維と第II層の介在ニューロンとの結合が発生している．第II層の介在ニューロンは「痛」担当で，第I層の「痛」担当の2次ニューロンにシナプスしているので，$A\beta$線維の刺激が「痛」担当の2次ニューロンに刺激を送るルートが新たに開拓されたことになる．この結合は，新たに発生した解剖学的結合である．これを発芽という．発芽が発生すると「触」が「痛」になる．アロディニア（異痛症）の発生である．$A\beta$線維の刺激が，正常では交通の乏しい第II層の介在ニューロン（通常，「痛」を担当している）を刺激してしまうからである．

d. グリア細胞の活性化

　中枢神経系の細胞には，ニューロン（活動電位の受け渡しをしている細胞）とニューロンの間隙を埋めている神経膠細胞（グリア細胞）がある．神経膠細胞が神経細胞を支えているようなイメージである．神経膠細胞に星細胞（astrocyte），希突起膠細胞（oligodendroglia），小膠細胞（microglia，ミクログリア）がある．このうち，ミクログリアは単球／マクロファージ（大食細胞）と細胞表面の特徴が同じであるため，末梢血から動員されていると考えられている．

　ミクログリアは，①神経障害，②感染，③強いまたは持続的な侵害刺激により活性化され，炎症物質［$TNF\alpha$，IL-1β，IL-6，一酸化窒素（NO），ATP，プロスタグランジン（PG）など］を放出する．これらの物質は，①1次ニューロンからの痛みの神経伝達物質（グルタミン酸，サブスタンスP）の放出を促進し，②同時

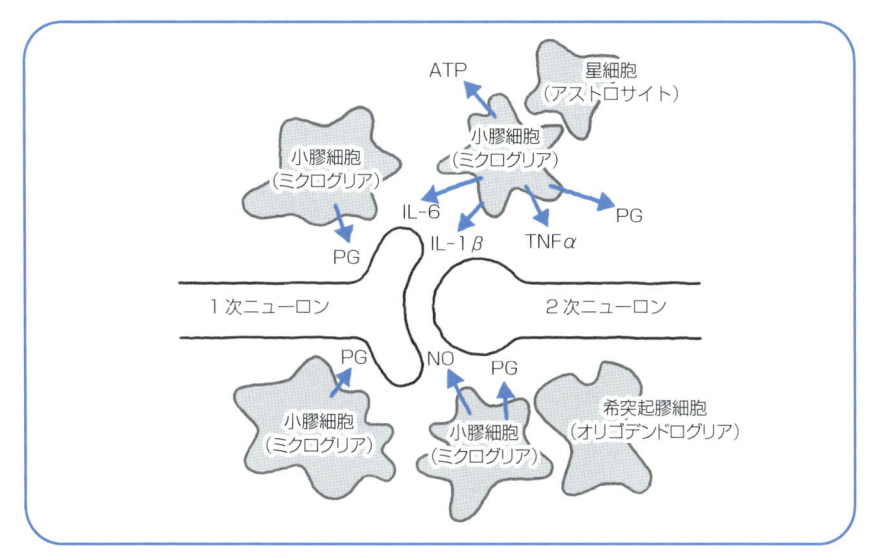

図 16-6 ニューロンとグリア細胞

に2次ニューロンの膜電位を上げるので，シナプス伝達を促進する（**図 16-6**）．

　神経障害性疼痛では，脊髄後角でプロスタグランジン E（PGE）が増加しており，脊髄レベルで痛みのシナプス伝達を促進している（☞ 5 章 p78）．PGE は K^+ チャネルを閉じ，シナプス前後の膜電位を上げる．この PGE は，グリア細胞から放出されている．従来からの抗炎症鎮痛薬（NSAIDs）は，PGE の産生の抑制が主作用であり，末梢の炎症部位で作用すると考えられてきた．しかし，明らかな炎症所見がない患者で，NSAIDs が効く場合は，脊髄後角のシナプス伝達の抑制効果も考えた方がよい．言い換えるなら，脊髄後角でシクロオキシゲナーゼ（COX）の上昇がある（おそらくグリア細胞由来）．他にも多数の受容体や細胞内伝達物質の動態が報告されているが，そのうちのどれが今後の治療に結びつくかは，これからの課題である．

e．抑制性介在ニューロンの脱抑制

　抑制の抑制は，活性である．9 章で述べた「門が開いた」状態である．つまり，Aβ 線維が例えば断裂すると発生し（☞ 9 章図 9-9），脊髄後角の痛みの伝達が増強する．かつて，除神経後疼痛と呼ばれていた疼痛である（☞ p152）．詳しくは 9 章をみてください．

図 16-7 wind up 現象を経験したい人のために

Ⅱ. 痛み刺激を繰り返すとだんだん痛みが強くなる：wind up 現象

　英和辞典によると，wind up とは，「すっかり巻く」，錨・釣瓶などを「巻き上げる」，時計を「巻く」という意味である．若者の中には時計を巻いた経験がない人もいるかもしれない．昔は，腕時計でもゼンマイを巻いて使っていた．さらに，「緊張させる」，論・演説などを「結ぶ」という意味もある．生放送のテレビ番組では，タレントや司会者が，「今，巻きが入っていますので，この辺で……」などと言うことがある．これは，「早く切り上げてください」というサインで，「巻きが入る」と進行が速くなり，声が大きくなったり，動作が激しくなったりする．学会発表でも制限時間いっぱいになると，座長や司会者から「巻きが入り」，演者は早口となり，スライドの進行も速くなるものである．まとめると，wind up のイメージは「促進」である．

　さて，この wind up が痛みの伝達にも存在し，wind up 現象と名付けられている．もともと，外国発のコンセプトであるため，直訳するなら，「巻き現象」となるのかもしれないが，wind up という英語表記をそのまま使っていて，ワインドアップと呼んでいる．痛み刺激を繰り返すと，同じように刺激していても反応が強くなっていく現象である．繰り返される C 線維への刺激により誘発される，脊髄後角での痛み伝達の促進である．繰り返しにより，1 次ニューロンからの刺激が 2 次ニューロンに伝達されやすくなる状態である．

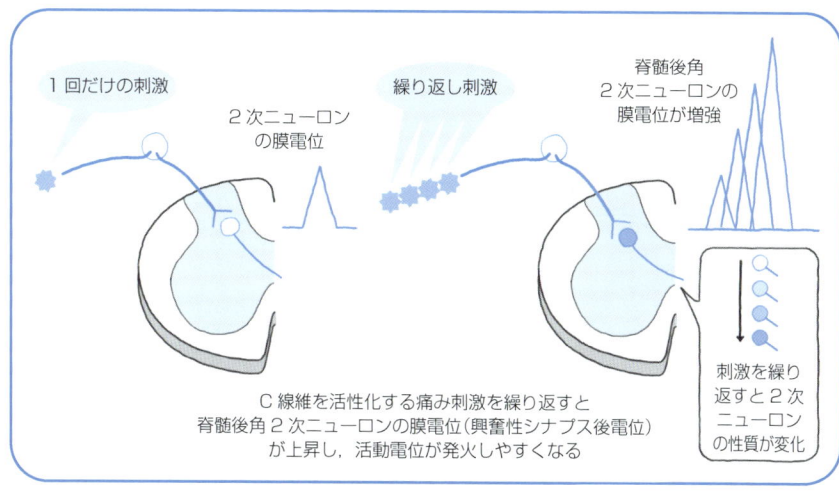

図 16-8　wind up 現象における起動電位の増強

> **メモ　wind up 現象のイメージ**
>
> wind up 現象は，普通に認められる反応である．例えば，針で皮膚を刺激するのを繰り返す，少し痛い程度に叩くのを繰り返すような場面を想像してほしい．最初のうちは少し痛い程度であるが，回数が増すにつれて，次第に痛みの程度が強くなり，やがて耐えがたい痛みとなってしまって，「止めてください」となる．痛み刺激が繰り返される状況では，次の痛み刺激を前の痛み刺激より強く感じるようになる．次の次は，次の次の次は，さらに痛む……．この現象は正常な反応である．wind up 現象は誰にでもあるので，イメージしてもらえるとありがたい（**図 16-7**）．いったん刺激を止めてから，もう1回刺激すると，そのときの痛みは最初より強い（**図 16-8**）．

Ⅲ．いつまでたっても痛い

いつまでたっても痛みが残っている状態とは，例えば，傷は治ったが痛みが続いている状態である．連続刺激では wind up 現象により2次ニューロンの反応性が増強するが，その増強が長期間持続していると，いつまでたっても痛い．いったん増強したら，増強が長期間続く現象を脊髄後角2次ニューロンの長期増強（long-term potentiation：LTP）という（☞ 17章図17-5）．例えば，術後の痛みを我慢し続けると，創部が治ってからも痛みが続いてしまう．連続刺激以外でも，強い刺激や神経損傷により発生する．LTP が発生しなければ，いったん増強しても，すぐ元に戻る．

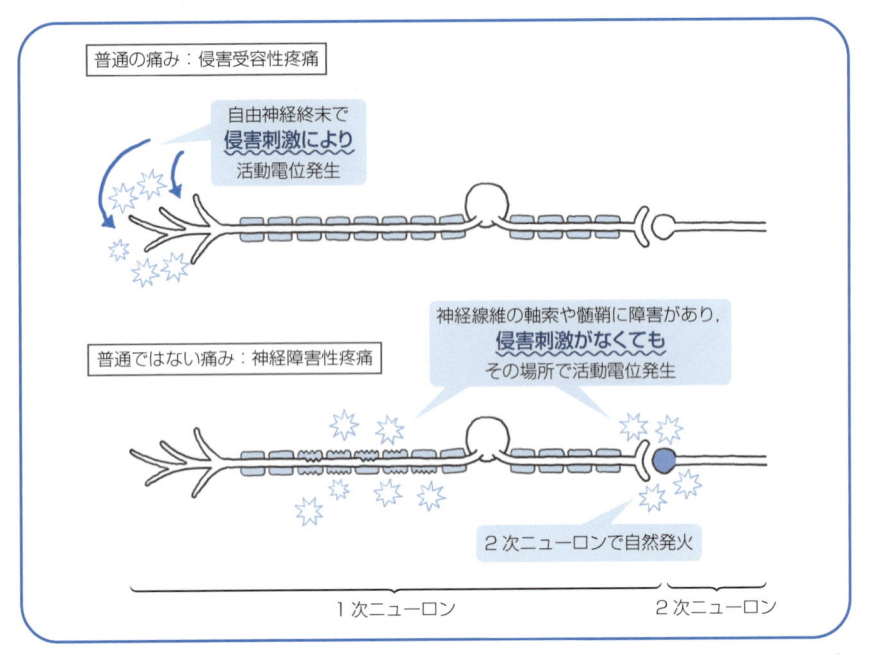

図 16-9　侵害受容性疼痛（＝普通の神経の，普通の痛み刺激による，普通の痛み）と神経障害性疼痛（＝傷付いた神経や感受性の亢進した神経の，痛み刺激によらない，普通でない痛み）

D　神経障害性疼痛

1　神経障害性疼痛とは

　普通の痛みは，正常な神経（軸索や髄鞘に障害がない神経）において，痛みを起こす刺激（侵害刺激）があり，Aδ・C線維の自由神経終末で活動電位が発生している．これは普通の神経の，普通の痛み刺激による，普通の痛みであり，侵害受容性疼痛（侵害性疼痛）と呼ぶ．

　一方，神経障害性疼痛は，傷付いた神経の，痛み刺激によらない，普通でない痛みである．軸索や髄鞘に障害が存在し，自由神経終末の刺激がなくても，障害を受けている神経線維の途中や2次ニューロンで活動電位が自然発火してしまう（図16-9）．この神経の障害は，外傷で切れる・傷付く，ウイルス感染（例：帯状疱疹），代謝の異常（例：糖尿病），血流障害（例：神経根圧迫）などで発生す

る．正常な痛みは，侵害刺激があって電気が起こるが，神経障害性疼痛では侵害刺激がなくても神経が自然発火しているイメージである．

神経障害は，神経線維の種類（Aα，Aβ，Aγ，Aδ，B，C）に関係なく発生する．障害を受ける神経線維に選択性はない．1本にみえる神経線維の束（神経）に，障害（断裂，圧迫，ねじれ，血行障害，感染などによる）が同時に負荷されるからである．つまり，Aδ・C 線維のみの障害に留まらない．したがって，神経障害を診断するには知覚鈍麻（Aβ 線維の障害），筋力低下（Aα 線維の障害），自律神経異常（C 線維の障害）を同時に探すのがよい．神経伝導検査で伝導速度の低下を認める場合も，神経障害の存在を示している．しかし，これらの所見が明らかでないからといって，神経障害性疼痛を否定できるわけではない．「走る」，「刺す」，「切れる」，「焼ける」，「握る」と表現される痛みの性質そのものが，神経障害性疼痛を疑わせる．

2 侵害受容性疼痛と神経障害性疼痛

1章でも述べたが，普通の痛みは，自由神経終末の周囲に発痛物質があるか，温度が異常に高いか低いか，神経が圧迫されているか，引っ張られているかという状況で発生する．これらは侵害刺激である．診察室で，痛い人を前に，①炎症がないか？，②引っ張られていないか，圧迫されていないか？，③神経障害性疼痛の要素はないか？――と考える．つまり，①炎症性の痛み，②機械的刺激による痛み，③神経障害による痛みのいずれの要素が強いかを見極める．治療薬などの選択に関与するからである．①炎症性の痛みに対しては，炎症の原因に対する治療と抗炎症鎮痛薬を使用する．②圧上昇・伸展による痛みに対しては，圧迫の解除・減圧を図る．③神経障害性疼痛には神経伝達を抑制する薬を使用する．

痛みの種類を大別するなら，侵害受容性疼痛，神経障害性疼痛，両者の共存になる．一方，実際の臨床では，侵害受容性疼痛は，炎症が主体の痛み，機械的刺激が主体の痛み，双方の同時または連鎖的発生がありうる．そこで，これらを図にしてみると**図 16-10** のような関係となる．つまり，炎症性疼痛と機械的刺激による疼痛が歩み寄り，合体して侵害受容性疼痛（nociceptive pain）としてまとめられる．

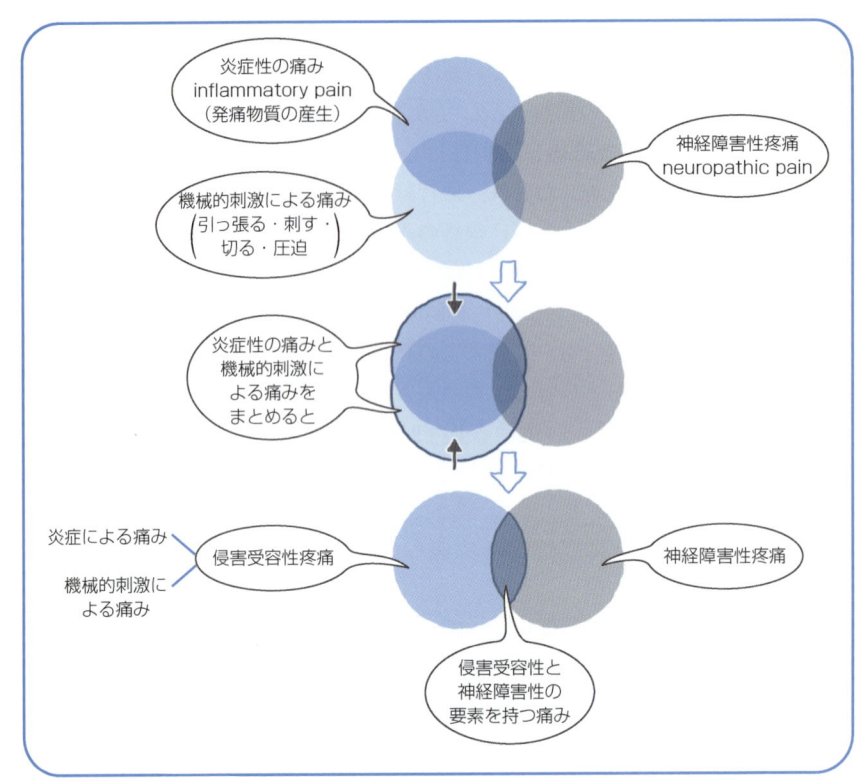

図 16-10　臨床現場での侵害受容性疼痛の考え方
メインは？　炎症性？　機械的刺激？　両者の同時または連鎖的発生？

- ★ 末梢神経障害により2次ニューロンの中枢性感作が発生する病態：
  ケガの後，手術後の創部痛，帯状疱疹後の痛み，糖尿病による神経障害，神経に対する圧迫（がん，ヘルニア）や神経へのがん浸潤，虚血による神経障害
- ★ 炎症により2次ニューロンの中枢性感作が発生する病態：
  潰瘍性大腸炎など

> **メモ** 抗炎症鎮痛薬が効かない痛み
>
> 　炎症（☞5章）では，痛みの自由神経終末（☞6章図6-5・6）での感受性亢進（末梢性感作）により，痛くない刺激で痛みが発生するが，抗炎症鎮痛薬が効く．抗炎症鎮痛薬が効く痛みなら，炎症が治まれば痛みは消失し一件落着となる．抗炎症鎮痛薬（NSAIDs，ステロイド）がまったく効かない場合，事実上プロスタグランジンEの産生が高まっていないと考えられる．自由神経終末周囲での炎症以外の原因，つまり中枢性感作の存在を考える．

> **メモ** 神経障害性疼痛を疑うとき
>
> 　手術後の創部痛，帯状疱疹後神経痛では，傷口が治っていても痛い人がいる．患者さんの訴えとして，「触って痛い」，「風が当たっても痛い」，「冷えると痛い」などがある．痛みの外来，ペインクリニックでは，このような痛みの患者は多い．各科の医師は，その科では痛みの原因となる疾患がはっきりしない，つまりその科の疾患ではないが痛みの訴えが強い患者さんを1人は抱えているものである．毎回，外来に来ると「痛いです」と言われる．様々な科に「貴科的に御高診のほどよろしくお願いします」と紹介しても，「当科的には問題ありません」との返事で患者さんは戻ってくる．抗炎症鎮痛薬でとりあえず経過観察しているケースは結構多い．
>
> 　そこで，患者さんに問いかけてほしい．「こんな痛みは初めてですか？」，「普通でない痛みですか？」と．人は誰でも，ケガをしたり，打ったり，捻ったりした経験がある．これらの痛みは，侵害受容器（☞6章）を介する痛みで，普通の痛みであり，なくてはならない痛みである．人生経験豊富な70～80歳の患者さんに，「こんな痛みは初めて」，「普通でない痛み」と言われたら，「普通＝侵害受容器刺激」以外の原因として，神経障害性疼痛を疑う．普通の痛みでは自由神経終末から電気刺激が発生しているが，神経障害性疼痛では，末梢からの侵害刺激がなくても，いわば自然発火している状態になっている（中枢性感作）．
>
> 　侵害受容器刺激による痛みは炎症で亢進するので，その鎮痛には抗炎症鎮痛薬が効く．逆にいうと，「抗炎症鎮痛薬が効かない痛み」は，普通の痛みと異なる，炎症以外の関与が強い痛みとして，神経障害性疼痛の発症機序に対応した薬を処方するとよい．具体的には，三環系抗うつ薬（☞8章），プレガバリン（☞13章），ガバペンチン（☞13章），セロトニン・ノルアドレナリン再取り込み阻害薬（☞8章），α_2受容体刺激薬（☞8章），オピオイド（☞12章），ノイロトロピン®（☞8章）など（順不同）……である．

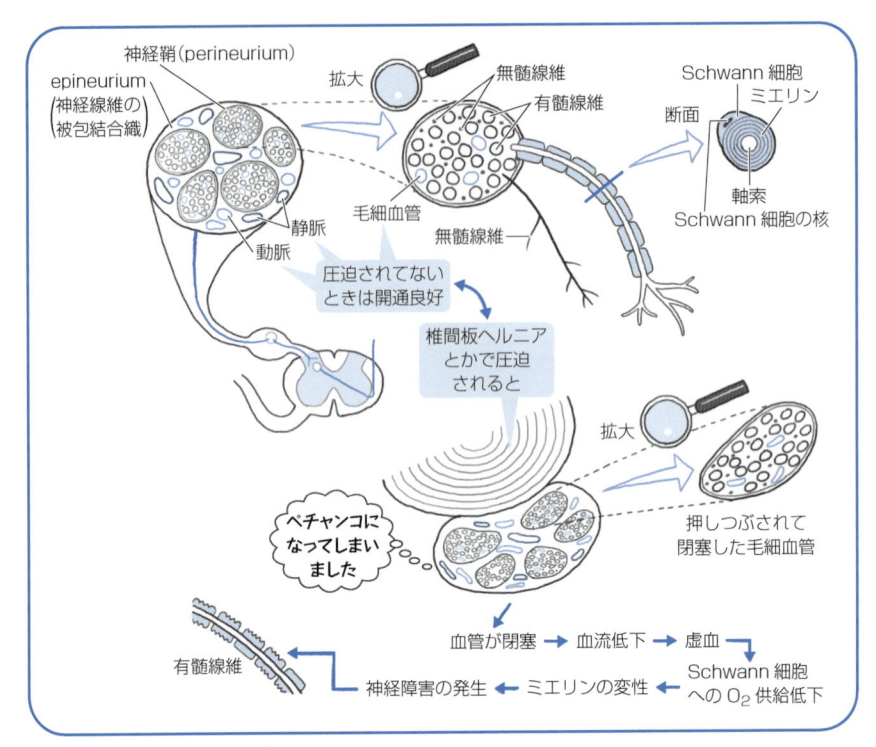

図 16-11　圧迫による神経障害

3 神経圧迫は神経障害を引き起こす

　例えば，椎間板ヘルニアでは，飛び出した髄核（ヘルニア核）が神経を機械的に圧迫する．圧迫の何がいけないのか？ **図 16-11** のように，神経線維周囲の毛細血管の圧迫で血流障害が起こり，神経線維の Schwann 細胞への酸素供給が途絶する．すると，同細胞が産生するミエリンが変性し，神経に障害を起こす．結果として，神経障害性疼痛が発生する．

E NMDA受容体

1 NMDA受容体とは

　NMDA受容体は，N-methyl-D-aspartate（NMDA）に結合する性質を持つイオンチャネルである．機能的に普段は，Mg^{2+}のフタで閉じているが（図16-12a），NMDA受容体にリン（P）がくっ付いた状態でグルタミン酸と結合すると，Mg^{2+}のフタが外れ開く（図16-12bc）．陽イオンを通過させるイオンチャネル型受容体である．Ca^{2+}イオン，Na^+イオンが神経細胞内に流入する．

　つまり，NMDA受容体が開くには，まずそのリン酸化が必要であるが，これには，サブスタンスPによるNK-1受容体の活性化に端を発する，リン酸化酵素（Cキナーゼ）の活性化が関与している．NK-1受容体は，代謝調節型受容体でホスホリパーゼCの活性化を介してCキナーゼを活性化する．

2 NMDA受容体が開くと

a. 膜電位が上昇する［図16-12（続き）d］

　2次ニューロンに流入したCa^{2+}は，Ca^{2+}依存性の各種酵素を活性化し，各リン酸化酵素［Cキナーゼ，cAMP依存性プロテインキナーゼ，チロシンキナーゼ，MAPキナーゼ（mitogen-activated protein kinase）など］を活性化する．これらのリン酸化酵素は，トランスデューサーチャネル（シナプス後膜に存在するNa^+を通す穴）をリン酸化し開く．トランスデューサーチャネルは，自由神経終末にあるが（☞6章），シナプス後2次ニューロンにもあり（TRPVなど：図16-12dには描いてありませんが実はあるのです），ここでは興奮性シナプス後電位（自由神経終末における起動電位）を発生させる（☞3章p32のQ&A）．

　一方，K^+チャネルはリン酸化で閉じる．開いたトランスデューサーチャネルを通過してNa^+がシナプス後の細胞内に流入する（☞6章図6-8・9）と同時に，K^+が細胞内に留まり，膜電位が上昇することを自由神経終末で説明した（☞5章図5-12・13，6章p93）．同様の現象が脊髄後角2次ニューロンでも発生し，この上昇した膜電位を興奮性シナプス後電位と呼ぶ．NMDA受容体の開口は，新たな興奮性シナプス後電位を追加（加重）することになるので，その分，活動電位は発生しやすくなる（☞7章p108，図7-7）．

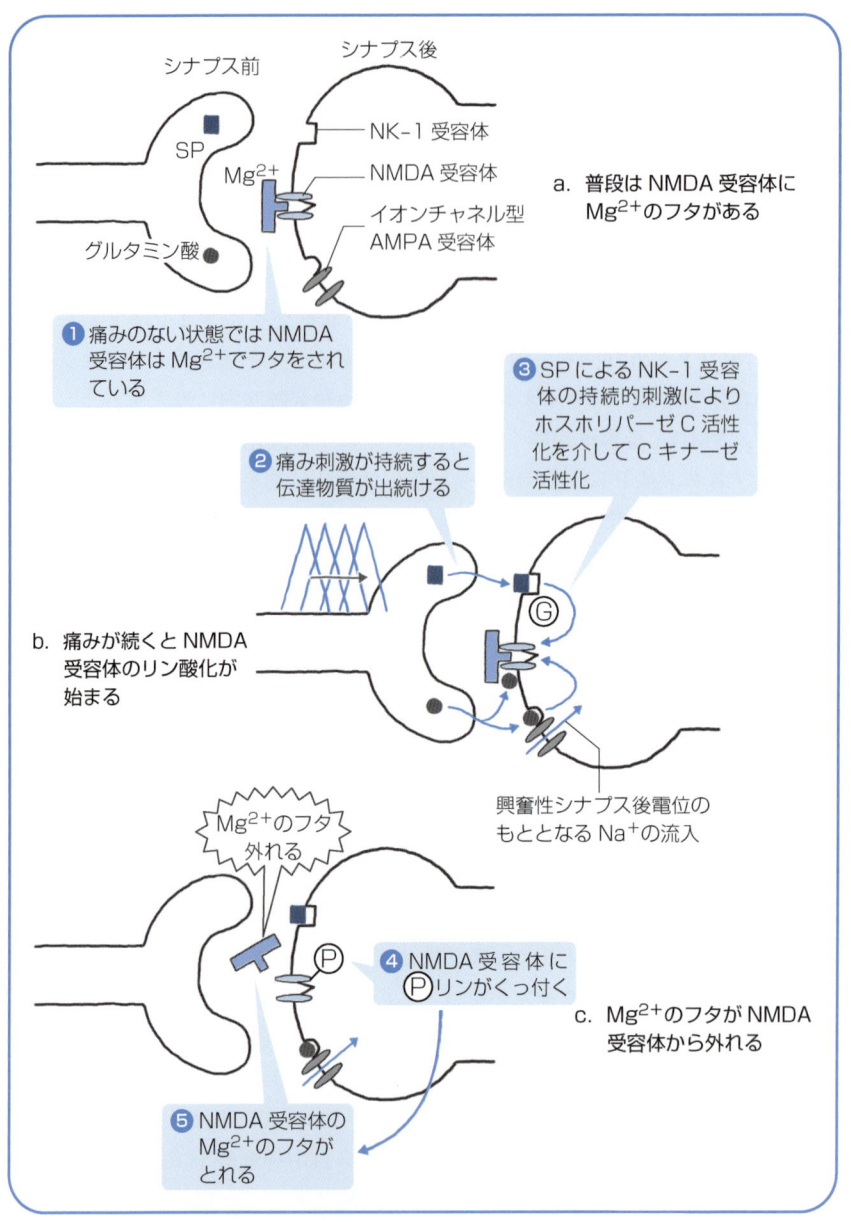

図 16-12　NMDA 受容体の活性段階

持続的 C 線維刺激 ➡ シナプス前からのグルタミン酸とサブスタンス P（SP）の放出 ➡ SP がシナプス後膜の NK-1 受容体に結合（b）➡ ホスホリパーゼ C の活性化 ➡ C キナーゼ（リン酸化酵素）の活性化 ➡ NMDA 受容体のリン酸化（b, c）➡ NMDA 受容体から Mg^{2+} が外れる（c）　　　　　　　　　　　　　（次頁へ続く）

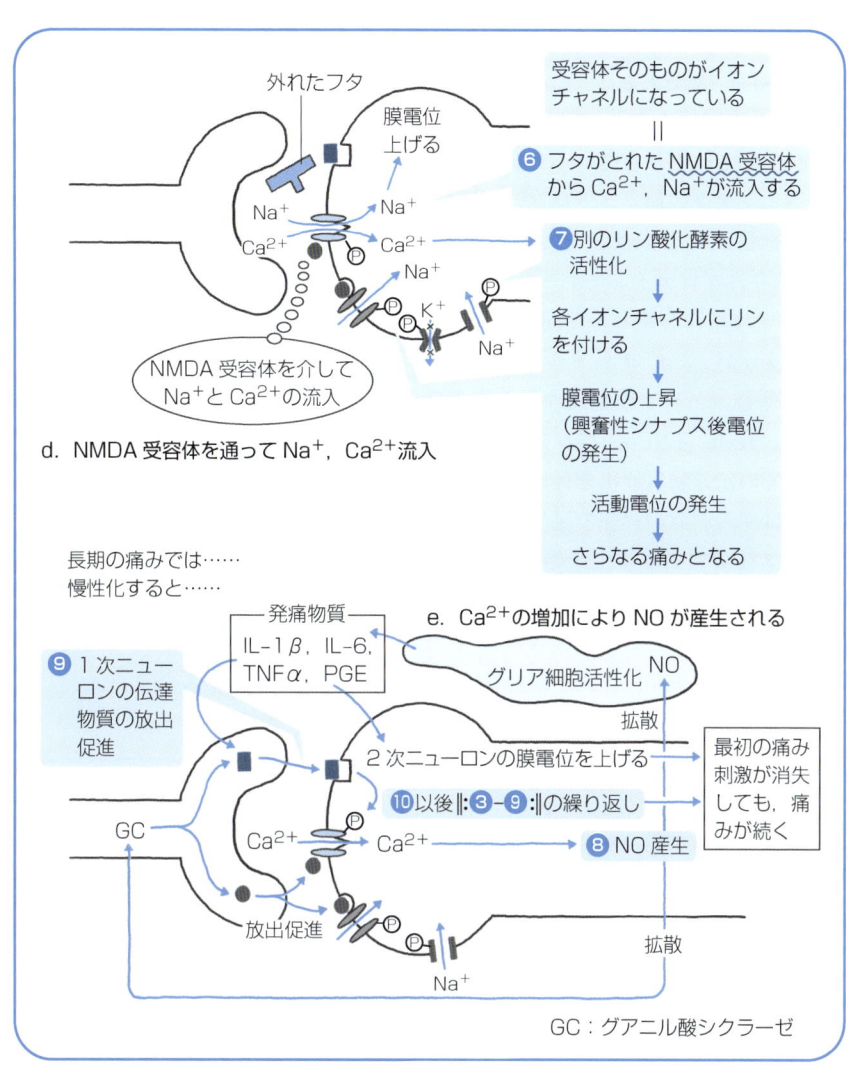

図 16-12（続き） **NMDA 受容体の活性段階**
➡ グルタミン酸と結合した NMDA 受容体の開口 ➡ Ca^{2+}，Na^+ の細胞内流入（d）➡
慢性化すると ➡ 神経型 NO 合成酵素の活性化 ➡ 痛みの悪循環（e）（☞ 17 章図 17-7）

E．NMDA 受容体

b. **シナプス前ニューロンとグリア細胞を活性化する物質を産生する**［図16-12（続き）e］

NMDA 受容体を介した Ca^{2+} の増加により神経型一酸化窒素（NO）合成酵素が活性化し NO が産生される．NO は 2 次ニューロンから拡散し，隣接するグリア細胞とシナプス前ニューロンに到達し，シナプス前ではグアニル酸シクラーゼ（GC）を活性化し，サイクリック GMP を増加させる．以後，サイクリック GMP 依存性プロテインキナーゼが活性化➡K^+チャネルと Na^+チャネルをリン酸化➡K^+チャネルを閉じると同時に Na^+チャネルを開口（☞ 5 章 p75）➡最終的に膜電位を上げ，Ca^{2+} チャネルを開き，グルタミン酸とサブスタンス P の放出促進へと進む．グリア細胞に作用した NO は，グリア細胞を活性化し，発痛物質（IL-1β，IL-6，TNFα，プロスタグランジン E）などを放出させ，これらはシナプス前での伝達物質放出を促進し，シナプス後の膜電位を上げる．

最初は痛み刺激の存在で発生したグルタミン酸やサブスタンス P の放出だが，シナプス後での NO 産生が始まると，今度は NO の刺激でグルタミン酸やサブスタンス P の放出が開始する．これにより，最初の痛み刺激が消失しても，1 次ニューロンからの神経伝達物質の放出が持続する．

結果として，強く，長く，頻回に，痛みを感じるようになってしまう．

3 タッチによる痛みと NMDA 受容体

C 線維が常に刺激されて持続的に痛い人は，2 次ニューロンの NMDA 受容体が開いている．これは「感作」の 1 要素である．「感作」された状態で，Aβ 線維の刺激が WDR ニューロンに入ると NMDA 受容体が開いているために，本来痛くない刺激（接触）を痛み刺激として伝えてしまうのである．さらに，弱い痛み刺激でも，痛み担当の 2 次ニューロンの NMDA 受容体がすでに開いていたら，強い痛みを感じてしまう．シナプス後での活動電位が発生しやすい状態になっているからである．NMDA 受容体が開いていると，発火の頻度が増加する．NMDA 受容体の開口は，「痛くないことを痛く」，「弱い痛みを強く」感じる理由の 1 つである．

痛みに敏感な人では NMDA 受容体の開口がある

> **メモ** イオンチャネルの立場からみた wind up 現象
>
> 　電気生理学的には，C線維の刺激を持続すると，WDRニューロンの電位波の周波数が漸増し，持続時間が延長する（☞図16-8）．おそらく，同時に発火するWDRニューロンの数が増加しているのであろう．
> 　NMDA受容体の遮断薬を投与しておくと wind up 現象が抑制されるので，NMDA受容体の活性化は wind up 現象に必要である．逆に表現すると，wind up 現象を起こす繰り返しの持続的痛み刺激は，NMDA受容体を開口させる．その開口には，サブスタンスPによるNK-1受容体の活性が関与している（☞図16-12）．

持続的な痛み刺激は NMDA 受容体を開口する

4 治療の考えかた

　中枢性感作が発生している場合，少なくとも①1次ニューロンのN型 Ca^{2+} チャネルのサブユニット $\alpha_2\delta$ 受容体の発現が亢進し（☞p253），②2次ニューロンのNMDA受容体が開いている．NMDA受容体が開口した状態は，静止膜電位の上昇を伴っている（**図16-13**：☞p265）．これらはシナプス伝達を高め，何もしなくても痛い．そこで，治療目標として，① $\alpha_2\delta$ サブユニットを働かなくする［プレガバリンを使う（☞13章図13-6・7）］，②NMDA受容体を閉じる，③静止膜電位を正常化するという方針が考えられる．三環系抗うつ薬にはNMDA受容体の拮抗作用（☞17章図17-9）があるが，脊髄のNMDA受容体を特異的に抑制する薬はいまだ開発されていない．

　脊髄後角2次ニューロンでのセロトニン，ノルアドレナリンやオピオイドの役割は，「K^+チャネルを開き，膜電位を下げる」である．特記すべきことは何か？これらは，すでに静止膜電位が上昇している場合に K^+ チャネルを開き，静止膜電位を正常レベルに戻す．中枢性感作は，言い換えるなら，脊髄後角2次ニューロンの静止膜電位が上昇している状態である（**図16-13右**）．つまり，脊髄でのセロトニン，ノルアドレナリン，オピオイドは，「普通でない痛み＝異痛症（アロディニア），痛覚過敏（中枢性感作の症状）」を抑える．熱い（＝静止膜電位の上昇した状態，**図16-13右**：☞17章図17-6）2次ニューロンを薬で冷やす（＝静止膜電位の正常化）というイメージである．この目的で使用する薬とし

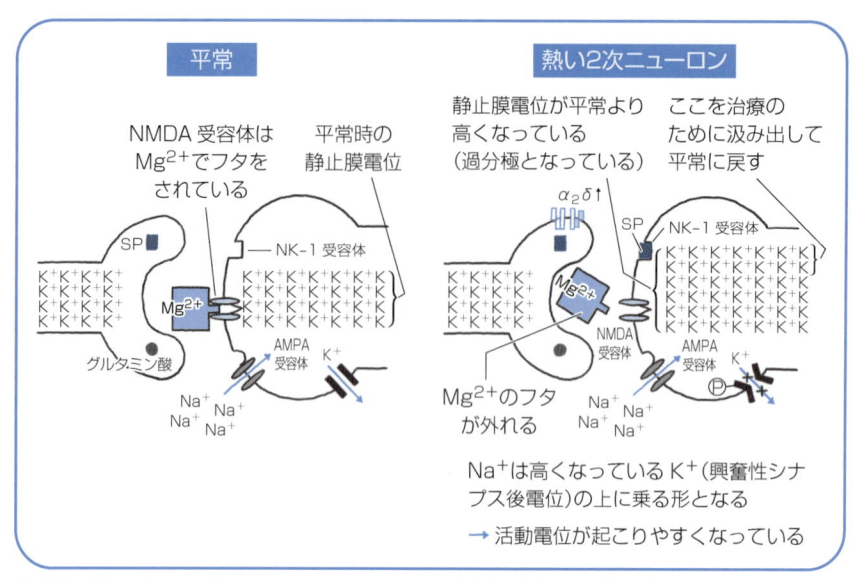

図 16-13 熱い2次ニューロン：NMDA 受容体が開き，膜電位上昇している

て，ノイロトロピン®, オピオイド，トラマドール，SNRI，三環系抗うつ薬などがある．これらは，下行性抑制系（☞8章）を活性化し，①間接的に内因性鎮痛物質を脊髄後角で高める．さらに②直接的にシナプス前・後に作用する（☞7章図7-11）．

　普通でない痛みの場合，中枢性感作（☞図 16-5）が発生し，2次ニューロン感受性が亢進している．つまり，熱くなっている（☞図 16-9, 17章図 17-6）．シナプス間隙でのセロトニンやノルアドレナリンを増やす薬は，平常に比べて熱くなったニューロンによく効く（図 16-13：右→左に戻す）．

17 痛みのメモリー

── 覚えたくはありませんが……

A 痛みはどこで覚えるか

先輩医師（以下㊛）　痛みを記憶するって，なんか変な感じですけど，覚えたいとは思いませんよね．ところで，記憶って何ですか？

後輩医師（以下㊝）　記憶とは，──物事を忘れずに覚えている，覚えておくこと．またその内容．物事を記銘し，保持し，さらに想起すること──です．

㊛　どこで？

㊝　脳です．この物事とは，名前・漢字・年号・出来事などですね．側頭葉や海馬が担当しています．

㊛　身体でも覚えると言いますね．

㊝　運動，習字とか楽器……．身体とはいっても，実は脳で覚えています．こちらの担当は小脳です．

㊛　練習すると，うまくなってきますね．微細な運動パターンを小脳が記憶しているのですね．

㊝　昔取った杵柄！

㊛　海馬とか小脳の神経回路で記憶が発生するのですが，記憶の実体は，シナプ

㊡　ス伝達の強化が長期間持続する現象なのです．最初に海馬の細胞で発見され，次いで小脳の細胞で発見されました．
㊤　ややこしそう，強化って何ですか？
㊡　強化合宿ってありますよね．でも，その前に前の章（16章）をまず読んでおいてください．
㊤　痛みの強化合宿???
㊡　慢性の痛みには，出来事や動作の記憶と同じ電気的現象があるのです．
㊤　どこにあるのですか？
㊡　脊髄後角です．ここでも，シナプス伝達の強化が長期間持続する現象が発見されました．これは，海馬，小脳に続く第3の発見なのですね．
㊤　海馬や小脳で物事や動作を記憶し，脊髄で痛みそのものを記憶する——というわけですか．
㊡　記憶とは，生物体に過去の影響が残ること——という意味もあるのです［広辞苑（第6版，岩波書店，2008）より］．痛みを起こす出来事は，次回からその出来事を避けるため，海馬や側頭葉で記憶されます．しかし，そのときの痛みそのものの影響は脊髄後角細胞で記憶され，残るのです．

　野球やソフトボールでバッターボックスに入る前，素振りをしない人はいるか？　おそらく，いない．なぜか？　ウォーミングアップをした方が，うまく打てるからである．音楽の演奏や歌の本番前には，リハーサルが必ずある．そんなの当たり前である．
　さて，動かす，歌う，奏でるという行為は，神経の指令によってもたらされる．これも分かる．その行為は，多くの神経細胞でできた回路に電気が流れた結果である．回路に電気が正確に速く確実に流れれば，うまくいく．神経回路はニューロンからなるが，ニューロン同士はシナプスで結合している（☞7章図7-1，8章図8-9）．シナプス伝達が効率的に行われれば，成功する．シナプスはもともと，使用頻度が多くなると伝達しやすくなる性質があり，その「効率＝伝達しやすさ」は変化しやすく，変化をもたらした刺激が消失してもしばらく元に戻らない性質がある．これを，シナプスの可塑性という（図17-1）．ムズカシく感じてしまうが，一般的に可塑性とは，①変形しやすい性質や，②外力を取り去っても歪みが残り変形する性質をいい，例えば，水を吸ったスポンジや粘土を思い浮かべればよい．つまり刺激の影響が残る性質である．

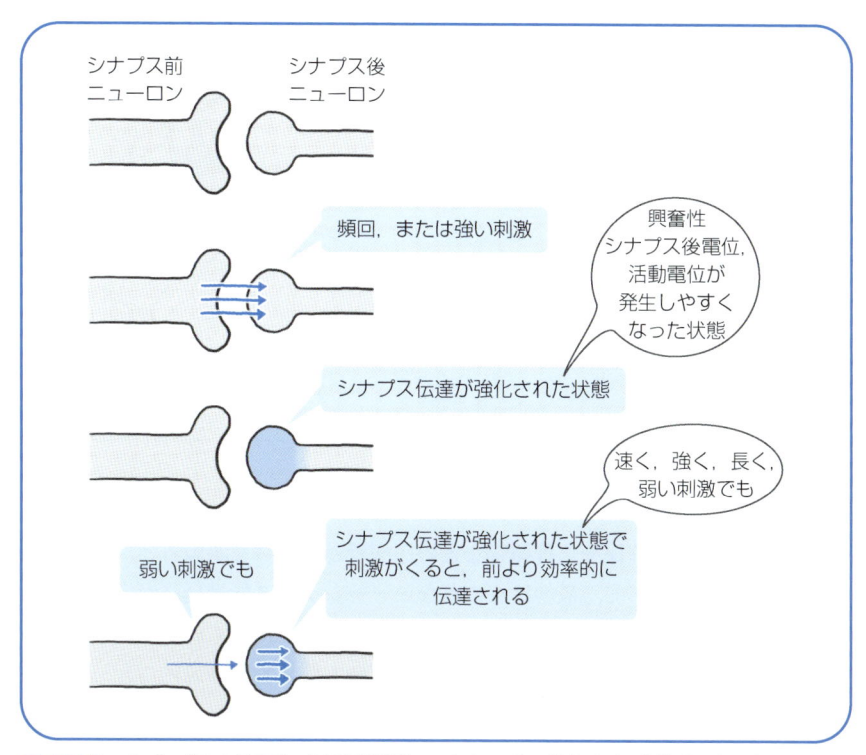

図 17-1　シナプスの使用による可塑性のイメージ：使うと伝達効率が強化される
（☞ 16 章図 16-12・13）

1 本番直前の素振り

　上述のウォーミングアップの例で可塑性を説明したい．本番の少し前に，あらかじめ本番で行う操作を何回か繰り返して行うのは，医学的にはシナプス伝達を繰り返すのが目的である．シナプス伝達の効率が高まり，伝達しやすい状態がしばらく持続するので，本番でより良好で確実なシナプス伝達が再現できるのである．つまり，うまくいく．このウォーミングアップ，直前にするのがよい．素振りやリハーサルによる伝達効率の増強は，すぐ元に戻るからである．

2 普段の練習

　上述の例は，日頃の練習の成果を出すための，直前のシナプス伝達の強化である．長期的には，日々の練習により，変化球を投げたり，難曲を演奏できたりす

A．痛みはどこで覚えるか

図 17-2 身体で覚える

るようになる．静脈確保や気管挿管などの医療行為も回数を重ねると，確かにうまくなる．これらすべて，最初はぎこちない——シナプス伝達経路が定まっていない，定まっても速やかではないからである．しかし，何度も繰り返しているうちに，うまくなる——シナプス伝達経路（小脳→大脳運動野→運動ニューロン→筋）が定まり，伝達しやすくなる（**図 17-2**）．「考えなくても身体（手）が動く」と皆さん言っている．日々の練習によって得られた，伝達しやすくなったシナプスは一定期間維持できる．しかし，練習を怠ると，やがて下手になってしまう．練習すれば，シナプスの使用による可塑性によりうまくなるが，練習を怠ると下手になるのである．漢字や計算の練習もそうであろう．

つまり，シナプスでの伝達しやすさは，短期的・長期的に変化する．繰り返しの練習により，長期的に伝達しやすくなる．運動でも，塾でも強化合宿でシナプスでの伝達をしやすくしているのである．本番直前のウォーミングアップにより，その伝達の再現を確実にする．

3 覚えるとは

脳での記憶を担当する細胞群は，前述のように「海馬」と側頭葉にある．海馬や側頭葉が壊されると，記憶障害が発生するので，海馬や側頭葉は記憶の座とされている．覚える対象は出来事，場面，言葉・発言，光景，写真，音，計算式，人名，地名，年代などである．意識し努力して覚える場合もあれば，無意識に覚えてしまうこともある．試験直前は前者であり，趣味では後者である．思い出す

図 17-3 記憶にございません

ときは，脳（側頭葉の「海馬」）に蓄積された記憶を引き出す（図 17-3）．思い出したくなくても，覚えていると思い出してしまう．強烈な出来事はなかなか忘れられず，心的外傷となり，「脳に刻み込まれている」などという．これは，普通の記憶である．

前述のスポーツや演奏では，身体で覚えるというイメージが強い．実際の運動パターン，筋の微細な協調運動のパターンは小脳ニューロンのシナプス伝達の再現である．つまり，練習により小脳のニューロンに運動パターンが貯められている．言い換えるなら，練習により小脳に覚え込ませているのである．

患者さんとの会話で，「最近は痛みを忘れます」という声があれば，軽快してきたと医師は思うし，患者さん自身も良くなってきたと実感している．「忘れる」があるのだから「覚える」もあるはずである……．痛みをどこで覚えるのか？ 痛みを覚えたい人はいないであろうし，努力して痛みを記憶することもない．意識して痛み自体を覚えはしないので，慢性の痛みを経験していない人にとっては，「痛みを記憶する」というと，「えっ？」となるのが普通である．本章を読んで，「痛みを我慢し過ぎると痛みを覚えてしまう……脊髄で」と気付いてもらえればありがたい．例えば，ケガの後の長引く痛み，手術後の創部の痛み，帯状疱疹後の痛み，閉塞性動脈疾患での壊死による痛み，筋骨格系の痛みなど，諸々の慢性痛が該当する．いつまでたっても痛い．心的外傷は「脳に刻み込まれる」が，痛みは「脊髄に刻み込まれる」というイメージである．脊髄後角での痛みのシナプス伝達の効率が増強した状態である．

A．痛みはどこで覚えるか

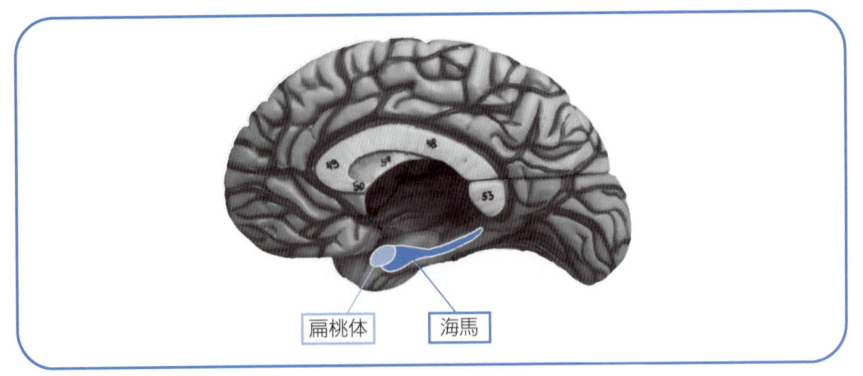

図 17-4 海馬の位置（小脳，脳幹，間脳を外してあります：☞ 4 章図 4-3・9）

4 記憶の総本家海馬

　海馬は記憶の源であり，海馬の障害では記憶障害が発生する——覚えられず，思い出せなくなる（**図 17-4**）．実際，認知症の人では，海馬の萎縮が認められる．すべてのシナプスは，使用により伝達効率が増強するが，その持続時間・期間は，担当機能によって異なる．海馬では，シナプス伝達の増強が長期間（時間・週・月単位）持続し，かつ海馬が記憶を担当しているので，記憶の電気的特徴は，繰り返し刺激後にシナプス伝達の増強が長期間持続する現象——長期増強（long-term potentiation：LTP）——とされている（**図 17-5**）．LTP は小脳のニューロンにも認められ，こちらは運動機能を身体で覚える（シナプス伝達が強化された状態）という考えに合う．

　記憶には，短期記憶と長期記憶があるが，長期間覚えている内容は海馬や側頭葉（側頭連合野）に貯えられ，とくに海馬のニューロンの役割が不可欠である．その特徴が LTP である．超短期の記憶——例えば，試験用紙が配られている最中に直前に覚えた年号や熟語を頭の中で繰り返しつぶやくような状況——は，長期記憶と異なり，単なる瞬間的なシナプス伝達効率の増強である．

> LTP（長期増強）是即 記憶 也
> 海馬・小脳・脊髄後角

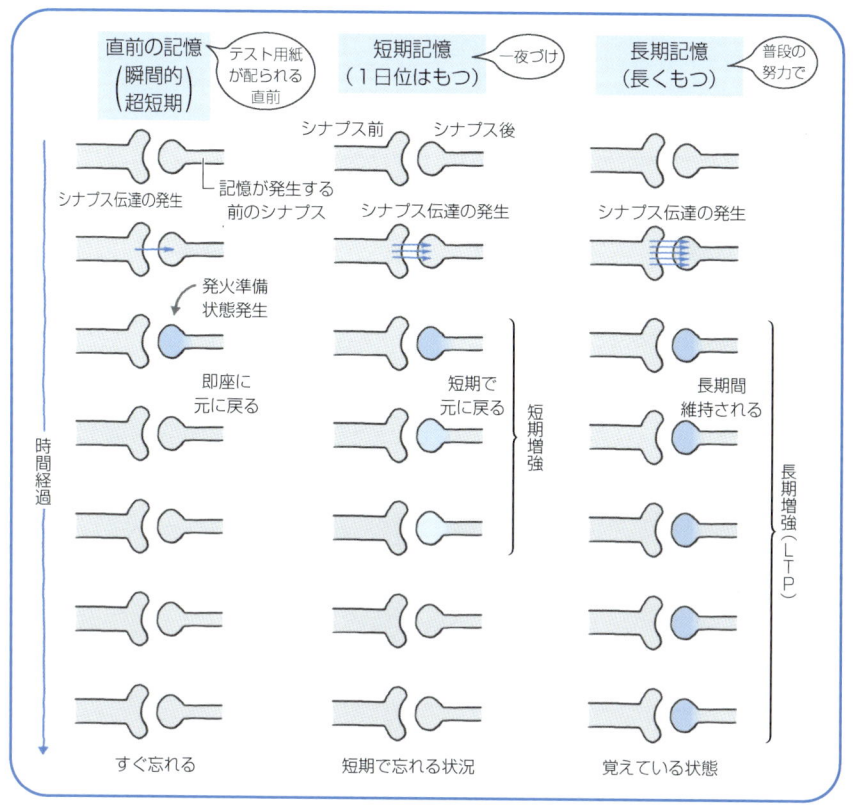

図 17-5　超短期記憶，短期記憶，長期記憶

B　脊髄で痛みを記憶する

1　長期記憶の中身は？

　長期記憶の実体は，海馬や側頭葉のニューロンでのLTPの発生である（図17-5）．このLTPは，1973年に海馬の細胞で報告されたが，それまでは，一般的にシナプスに可塑性は存在するが一過性で，長期的に継続する変化ではないとされていた．以来，LTPは海馬特有の変化であり，海馬のもたらす機能——記憶——を司っていると考えられてきた．1980年代になると，脊髄後角においても，長期的に継続するシナプス伝達の促進——中枢性感作——が発見された．シ

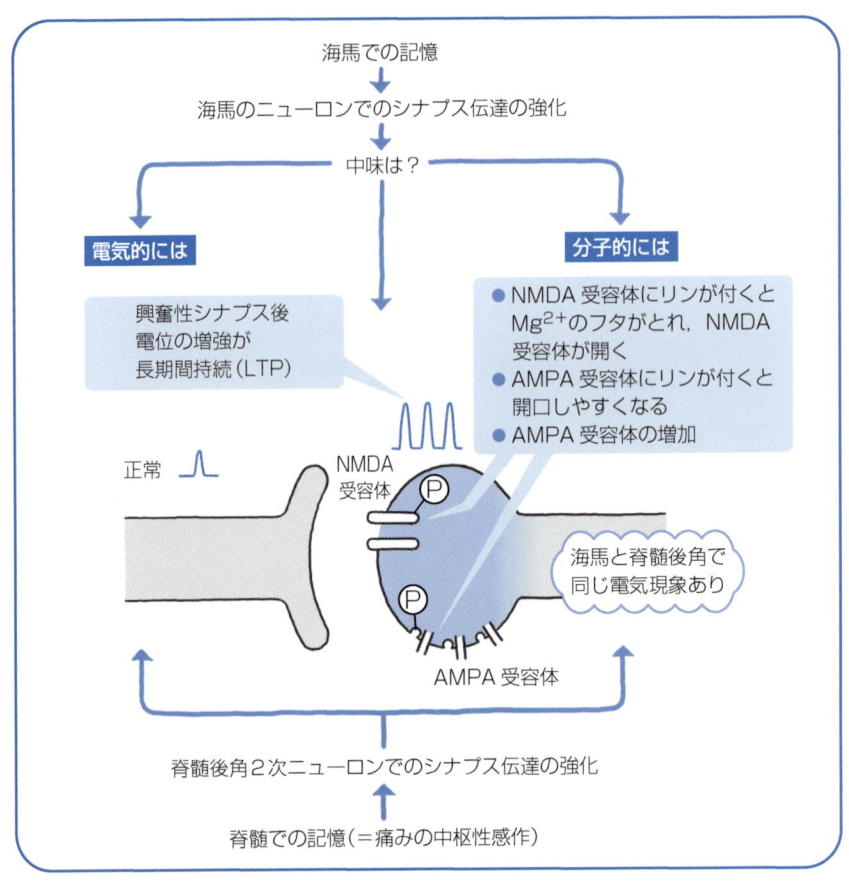

図 17-6 痛みの中枢性感作 ＝ 脊髄での記憶（☞ 16 章図 16-13 右）

［図の内容］

海馬での記憶
→ 海馬のニューロンでのシナプス伝達の強化
　中味は？

電気的には
- 興奮性シナプス後電位の増強が長期間持続（LTP）

分子的には
- NMDA 受容体にリンが付くと Mg^{2+} のフタがとれ，NMDA 受容体が開く
- AMPA 受容体にリンが付くと開口しやすくなる
- AMPA 受容体の増加

正常／NMDA 受容体／AMPA 受容体
海馬と脊髄後角で同じ電気現象あり

脊髄後角 2 次ニューロンでのシナプス伝達の強化
→ 脊髄での記憶（＝痛みの中枢性感作）

ナプス伝達の促進が長期的に継続する現象——脳での記憶と脊髄での中枢性感作——は，①興奮性シナプス後電位の増強が長期に継続する（LTP：**図 17-5**），②NMDA 受容体（☞ 16 章図 16-12）が開いている，③シナプス後膜に AMPA 受容体（☞ 7 章図 7-2）が新たに多数出現する，などの類似点が多い．LTP は海馬の細胞で最初に見つかり，次いで小脳で明らかとなり，第 3 の場所として脊髄後角の細胞でも見つかった．したがって，脊髄後角での痛みにおける中枢性感作は，記憶と同じ電気的・分子的機序で発生する面があり，「脊髄で痛みを記憶する」と捉えられる（**図 17-6**）．これは，痛みの治療経過や痛みを我慢させないという治療方針を説明する考え方である．

> **メモ** 脊髄にも NMDA 受容体の開口と LTP あり
>
> 痛みを覚えた脊髄は，①脊髄後角細胞の感受性亢進（＝中枢性感作 ＝ 脊髄後角の2次ニューロンで活動電位が発生しやすい状態 ＝ NMDA 受容体が開いた状態）があり，かつ②この NMDA 受容体開口が長期間持続した状態（LTP）である．覚えていると，思い出しやすい．傷は治っているのに，触れると痛い現象は，出来事の記憶（担当は海馬）でいうなら，何かをきっかけにふと，または連想的に思い出してしまうのに似ている．つまりこれは，関連した刺激で，直接的刺激による反応が再現される現象である．前章（☞ 16 章図 16-5・12）で述べた中枢性感作という現象を，記憶（脊髄の）として捉えるとよい．

痛みの中枢性感作 ＝ 痛みの記憶
脊髄レベルです

2 痛みの記憶の強化

　覚えるには，繰り返す．反復は学習の母である．この脳での物事の学習を脊髄に当てはめると，「痛み刺激を繰り返すと脊髄が痛みを記憶する」になる．つまり，反復は痛みの母になってしまう．痛み刺激を繰り返すとは，「いつも痛い」状態である．つまり，いつも痛いと脊髄が痛みを記憶してしまう（**図 17-7**）．いつも痛いことをしていると，痛みを覚えてしまい，痛くない刺激でも痛いと勘違いしてしまうようになる［異痛症（アロディニア）の発生，**図 17-8**：☞ 16 章］．
　一方，衝撃的な体験は，1 回で覚える．喜びでも悲しみでも強烈な体験は，いつまでも脳で覚えている．強烈な体験による脳での学習を脊髄での痛みの学習に当てはめると，「1 回でも強烈な痛み」は，脊髄が記憶してしまう．

3 痛みが激しいと痛みを覚えやすくなる

　「激しい」の意味は，強い，持続時間が長い，強くかつ持続時間が長い──である．通常，同じ刺激なら，誰でも同じくらいの時間で痛みは引いてゆく．しかし，ときとして，普通の人よりも痛みが長く持続したり，強く訴えたりすることがある．

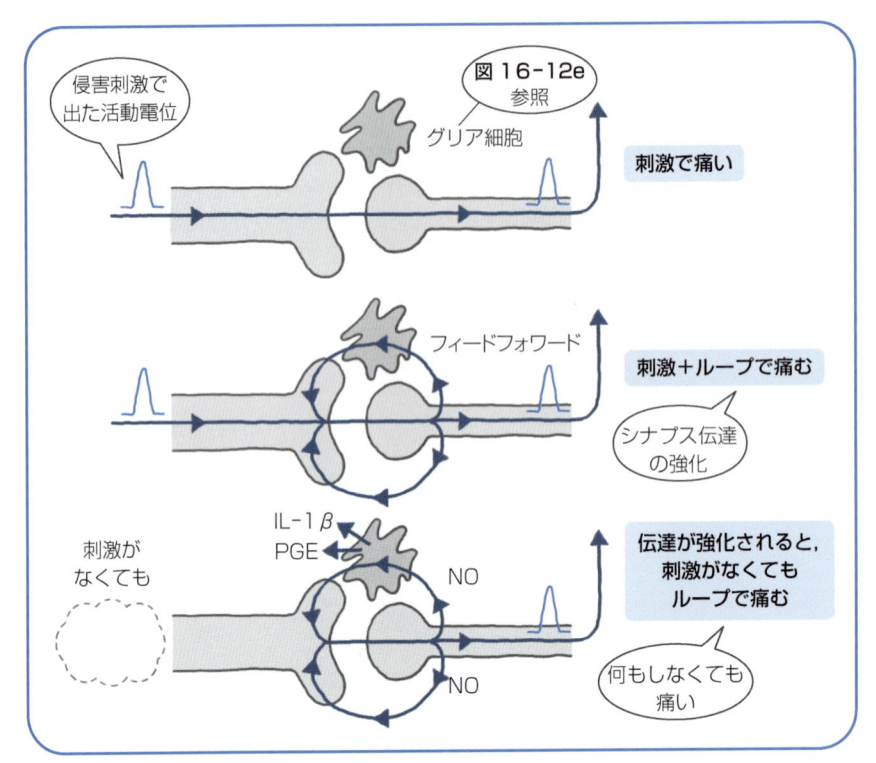

図 17-7 シナプス伝達の強化：何もしてなくても痛い（☞ 16 章図 16-6）

　痛みそのものは本人にしか分からないので，周りは，自分の経験と照らして相手の痛みを想像するしかない．「想像の域を超えて，かなり痛そうだ」「普通なら痛みが引く時期なのに，まだ痛いと言っている」「普通より痛がりなのじゃないか」と周りが感じるような状況，「普通より痛い」「いつまでも痛い」「こんな痛いのは初めて」と本人が感じる痛みは，「激しい痛み」とした方がよい．このような痛みが持続すると脊髄で痛みを覚えてしまう．何ごとも繰り返すと覚えるものである．

4 激しい痛みと NMDA 受容体

　激しい痛みや，繰り返される痛み刺激は，脊髄後角のシナプス後膜において，普段は閉じている NMDA 受容体を開く．NMDA 受容体は普段，Mg^{2+} のフタで閉じている．このフタを外すには，次の 2 条件が必要である：① NMDA 受容体

図 17-8　逆・狼少年的なイメージ（reverse wolf theory）
　いつも狼がきていると，今度も狼と思い込んでしまう．例えそれが羊でも，狼がくると覚え込んでしまった状況である．いつも痛いと，「触」を「痛」と感じてしまうようになる．

にリンがくっ付く，②グルタミン酸が結合する（☞ 16 章 p265）．

　繰り返される痛み刺激では，C 線維のシナプス前終末部から放出されたサブスタンス P が NK-1 受容体と結合し，ホスホリパーゼ C 活性化をへてリン酸化酵素を活性化し，NMDA 受容体にリンを付ける（☞ 16 章 -E, 図 16-12）．さらにグルタミン酸の放出も継続しているので，グルタミン酸が NMDA 受容体と結合する．結果として，上述の①②が満たされ，NMDA 受容体は開き，Na^+ や Ca^{2+} がシナプス後内へ流入する．シナプス後での Ca^{2+} 増加は，複数の経路をへて最終的にイオンチャネル［AMPA 受容体・NMDA 受容体・K^+ チャネル・トランスデューサーチャネル（☞ 16 章 p265）など］のリン酸化（☞ 16 章図 16-12d）をさらに強め，Na^+ や Ca^{2+} の流入を促進する．結果として興奮性シナプス後電位を起こし，活動電位が発生しやすい状況をもたらす．

C 痛みを忘れるために

1 忘れるには

　例えば，何かを見ている瞬間は，視覚によって直接見ているので，その刺激が入っていて認識できる．脳裏に記銘されれば，見るのを止めても，見たもののイメージ（色，大きさ，形……）を表現できる．見た直後，聞いた直後は鮮明に再現できるが，時がたつにつれ，再現できなくなり……，そして忘れる．

　例えば，嫌な人を忘れるには，どうしたらよいか？　会わないようにする，近づかないようにする．毎日，顔を会わせていたら，いつまでたっても忘れられないであろう．反復して刺激が入るからである．会う機会が少なくなれば，思い出す機会も少なくなり，つまり反復されなくなるので，だんだんと忘れてゆく．何かのきっかけでふと思い出すかもしれないが，普段は忘れている状態となる．物事は，反復がないと忘れる．思い出はセピア色に色褪せていく．しかし，いつ忘れるかは，分からない．ある人はすぐ忘れるし，ある人はよく覚えている．物覚えが良いか悪いかは，個人差の問題であろう．

　痛みについては，どうか？　痛みが常にあると，つまり反復されているので，いつまでたっても忘れられない．つまり，忘れるには痛くない時間を長くする．「昔の傷が疼（うず）く」というが，これは何かの拍子での痛みの記憶（脊髄後角2次ニューロンのシナプス伝達の強化）の再現である．

忘れるには冷却期間を置く

　　痛みを忘れるには　→　痛みを感じない時間を長くする

2 覚えないようにするには

　痛み刺激がないのに痛い，慢性の痛みが「脊髄での記憶」だとすると，痛みを覚えさせず，思い出させないことが治療の1つとなる．一般的に，記憶するには，「繰り返す」が重要であり，反復は学習の母であるという言葉もある．逆に表現すると，繰り返さなければ，覚えず忘れてしまう．これを痛みの治療方針にすると，「慢性痛の発生防止のためには，痛みを我慢させてはいけない，いつも

痛いと脊髄後角で痛みを覚えてしまうから」になる．日本人は我慢する傾向が強い．痛み止めを単なる対症療法とみなすのが，患者および医療従事者の現状であるが，「痛みの記憶を残さない」方針が広まれば，今後は変わっていくであろう．鎮痛は，慢性痛の発症を抑える，先を見据えた治療である．痛みを感じない期間を作らないと，いつまでたっても痛みがなくならないという悲惨な状況に陥ってしまう可能性がある．よくあるのが，手術後の創部痛である．我慢させずに，作用機序の異なる薬を併用し，鎮痛を図った方がよい．

「反復は学習の母である」

覚えるには	→ 繰り返す
覚えないようにするには	→ 繰り返さない
痛みを覚えないようにするには	→ 痛い時間を減らす

本章のメッセージ

痛いのを我慢させたらダメ → 痛みを覚えてしまうから

STEP UP

1. 痛みの記憶と治療薬：NMDA 受容体拮抗薬の問題点

痛みの記憶として，脊髄後角のシナプス後膜の NMDA 受容体の開口が関与しているのは，前述の通りである．とすると，痛いのを脊髄レベルで抑制するには，シナプス後膜の開いている NMDA 受容体を閉じればよいのではないかと考えられる．実際，NMDA 受容体の拮抗作用のあるケタミンやデキストロメトルファン（メジコン®）が効果を示すので，確かに NMDA 受容体を抑制するのは，鎮痛対策になる．しかし，NMDA 受容体拮抗薬は，海馬の NMDA 受容体もブロックしてしまう．海馬での記憶力を保つためには NMDA 受容体の開口が必要である．つまり，脊髄と海馬の双方の NMDA 受容体を抑制してしまうと，脊髄の痛み（記憶）は低下しても，頭の記憶も低下し忘れっぽくなってしまう．NMDA 受容体の拮抗薬は，脊髄のみに作用し，海馬には作用しないタイプを開発する必要があるが，現時点では，脊髄特異的 NMDA 受容体拮抗薬は開発されていない．今後の課題である．

2. NMDA 受容体を抑制する物質

NMDA 受容体には，グリシン，Mg^{2+}，Zn^{2+}（亜鉛），三環系抗うつ薬などとの結合部位が存在する．鎮痛に使用する薬は，もともと痛み以外の適応を持

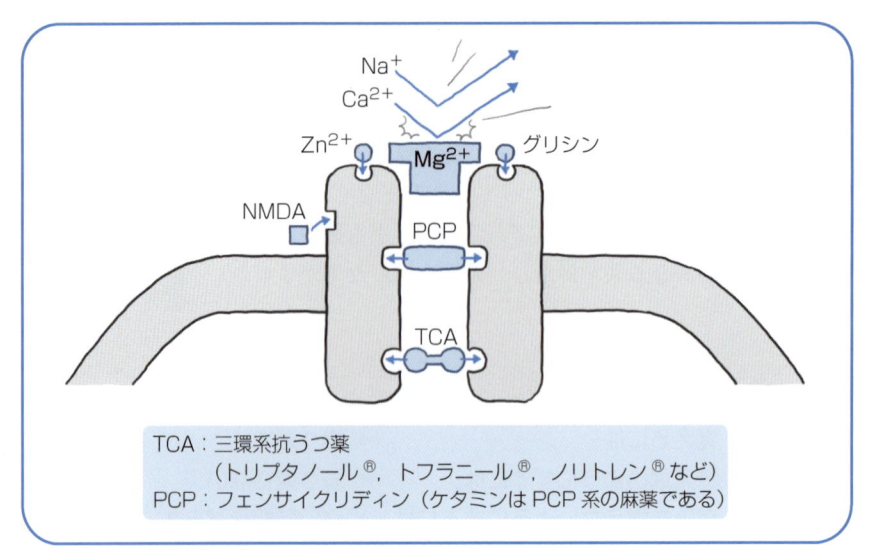

図 17-9　NMDA 受容体に結合する物質

TCA：三環系抗うつ薬
　　　（トリプタノール®，トフラニール®，ノリトレン® など）
PCP：フェンサイクリディン（ケタミンは PCP 系の麻薬である）

つ薬が多い．痛みの仕組みが明らかになるにつれ，それに対応した効果が明らかになった薬は多い．臨床では，三環系抗うつ薬が神経障害性疼痛の痛み治療に使用されるが，作用の1つとして，NMDA 受容体の Ca^{2+} の流入抑制が推定されている（図 17-9）．

3　まとめ：鎮痛治療への期待

　出来事の記憶は海馬が担当し，その実体はシナプス伝達の長期増強である．記憶の実体は長期増強であり，長期増強があれば記憶といえる．長期増強は小脳でも認められ，実際，人々は「身体で覚える」と昔から言っている．一方，痛み刺激を繰り返すと脊髄後角で長期増強が発生する．そこで，慢性の痛みは，記憶として捉えることができ，その担当は脊髄後角である．痛みを覚えないようにするには，出来事や運動の記憶と同じで，繰り返さないことが重要である．一方，覚えた痛みを忘れるためには，鎮痛治療を行い，痛くない期間を長く作る．物事の記憶を忘れるのに個人差があるのと同様，痛みを忘れるのに要する期間には個人差がある．したがって，いつ忘れるのかははっきり言えないが，鎮痛を図っていけば，いつかは色あせてゆくのを期待できる……物事の記憶と同じように．

交感神経と痛みの関係は？ 18

―― 内臓の痛み，ケガの後の痛み

　平均的な医学生に交感神経の役割を聞いてみると，「血圧を上げる」「脈拍を速める」「発汗」「血管収縮」などの答えが返ってくる．これらは，交感神経系の遠心性刺激による作用である．その後，めでたく研修医となるのだが，基礎医学をもっと勉強しておけばよかったと思う毎日であろう．「内臓の痛みは，交感神経系の求心性刺激で伝わる」というと「……？」になってしまう．

　なぜ，痛みの話で交感神経系が問題になるかというと，①内臓の痛みは交感神経系が伝えている，②外傷後の痛みに交感神経が関与していることがある，③自律神経失調・緊張が肩・腰・頭の痛みの原因になる――からである．世の中では，交感神経の意味するところに，意思の不統一というか若干の混乱があるように思われるので，用語の確認と考え方から始めたい．

先輩医師（以下先）　交感神経系が痛みを伝えることってありますか？
後輩医師（以下後）　……？？　交感神経って，血圧・脈拍数を上げる神経ですよね．痛みにも関係あるのですか？
先　交感神経系に求心性線維はない？
後　あるのですか？
先　交感神経系には，交感神経幹を経由し脊髄後角に入る求心性線維も含まれるのですね．
後　そうだったのですか！
先　内臓の痛みは交感神経系で伝わる――と教科書にサラッと書いてありますよね．

交感神経系 ｛ 遠心性線維…脊髄側角の交感神経細胞から出る神経線維
　　　　　　求心性線維…交感神経幹を経由して脊髄後角に入る神経線維

A 交感神経系が伝える痛み：内臓痛の問題

1 交感神経といえば，普通は交感神経遠心性線維だが……

　交感神経系の走行は，文字だけでは以下のように大変分かりにくいので，図18-1を見ながら理解してほしい．①交感神経の遠心性刺激を最終的に出している交感神経細胞は，脊髄側角に位置し，その神経線維は前根を通って脊髄を出発する．②その後，前根と後根が合流した脊髄神経の一部となり，椎間孔を通って，脊椎から出る．③脊髄から出た交感神経細胞の神経線維は，白交通枝を通って，交感神経幹に入る．④交感神経幹に到達した線維は，交感神経節で次の神経にシナプス結合し節後線維となるか，またはそのまま交感神経幹を出る．⑤-1その後，体性神経（皮膚・筋肉・関節・骨などから来る神経，行く神経）と合流し，四肢・体幹・頭部・脳へ分布する．⑤-2内臓（胸・腹腔内・後腹膜の臓器）へ分布する線維は，体性神経と合流することなく走行し，交感神経幹でシナプスしなかった線維は腹腔神経叢（節），上・下腸間膜神経叢（節）で節後線維にシナプスし，各臓器に至る．

交感神経系遠心性刺激の統合総司令本部は視床下部

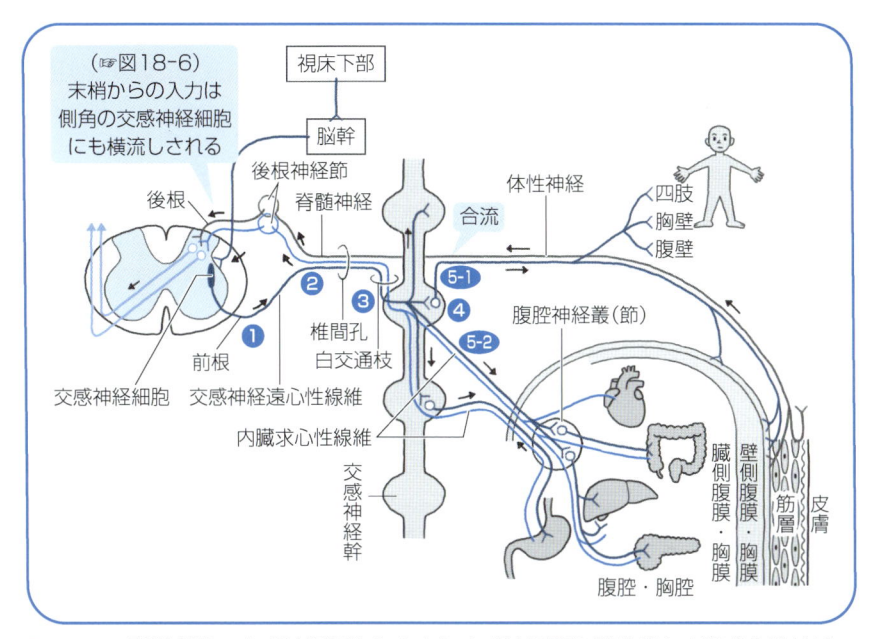

図 18-1　脊髄側角の交感神経細胞から出た交感神経遠心性線維と内臓求心性線維

- 先　交感神経系というのは，解剖学的な名前です．交感神経幹を通過する神経を交感神経というのです．交感神経系の線維にも，遠心性線維と求心性線維があって，血管収縮とか血圧・脈拍数上昇は，交感神経細胞から出る遠心性線維の役割で，皆知っていますよね．
ところで，内臓へ行く神経，内臓から来る神経って，どこを通っていますか？
- 後　??　……交感神経幹……ですか？
- 先　そう，交感神経幹．とすると内臓の痛み（内臓痛）は，交感神経幹を経由して脊髄に入ることになるのです．つまり，内臓の痛みは交感神経系の求心性線維（別名，内臓求心性線維ともいいます）で伝わるのですね．交感神経は自律神経（☞次頁 STEP UP）なので，もう少し広くいうと，内臓の痛みは自律神経で伝わるともいえます．
- 後　手足や胴体からの痛みの求心性線維は？
- 先　交感神経幹を経由していません．四肢・体幹（手足・胴体）の痛みは体性神経で伝わるといいます．

A．交感神経系が伝える痛み

STEP UP | 体性神経と自律神経

生物を2つに分けるなら，動物と植物に大別できる．動物というのは再生しにくい生物である．例えば，足や手を失ったら大変である．したがって，失わないように，ケガしないように，損傷を起こすような刺激を察知したら，逃げるようにできている．言い換えるなら，叩かれたら逃げる．つまり痛みを感じたら，動くことにより傷を回避しようとする．一方，植物は枝葉を切っても，また生えてくる．したがって，損傷を受ける刺激がきても，動く必要がないのであろう．いつも，ジーッとしている．触れて動くのは，オジギ草ぐらいである．

生理学者は，神経を動物神経と植物神経に分けている．動物機能と植物機能ともいう．動物機能とは「動く」「知覚する」である．外敵や環境を，見て・聞いて・感じて，その結果，行動を起こすのが動物である．つまり，視覚・聴覚・味覚・嗅覚・知覚（温冷痛触）などの外界を感じ伝えるニューロン（求心性）と筋肉を動かす運動ニューロン（遠心性）が動物機能を司っており，これらを担当する神経を体性神経と呼ぶ．体性神経は，①随意筋への運動ニューロン（遠心性線維），②皮膚・筋肉・骨・関節・腱・靱帯・壁側腹膜・壁側胸膜からの感覚ニューロン（求心性線維）からなる．

一方，植物は，動かずそこにジーッとしているが，生命体としては生きていて，栄養分の輸送や光合成などの内的活動をしているが，外からみると静かにしているようにみえる．植物機能とは，「動かない」「平時では気付かない感覚」である．意識されない無意識のうちの感覚（内臓のモニタ：求心性）と，血圧・心拍・呼吸運動・消化管の緊張，運動・立毛筋・汗腺・涙腺・唾液腺・膀胱・直腸運動などは，外から気付かれないが常に作動していて，植物のような機能を司っているという．これらの意識的に制御できない，平滑筋や分泌腺の機能を担当する神経を自律神経と呼ぶ．つまり，動物機能の体性神経に対して植物機能の自律神経という関係になる．自律神経には，交感神経と副交感神経がある．内臓の感覚（痛み）を伝える神経は自律神経の求心性線維であるといえる．

おおまかにまとめると，骨格筋・感覚器を司る神経を体性神経と呼ぶ．一方，内臓を司っている神経は自律神経であり，具体的には，大内臓神経・小内臓神経・最小内臓神経に含まれる神経線維である．

なお排便・排尿は，意識的に制御することもできるが，一般的には，尿意とか便意については，自然にやってくるもので（nature call me），タイムリーに反応しないと制御不能（つまり，もらしてしまう）になるので，やはり自分の意識ではコントロールできない現象と考えるべきであろう．出す前までは自律神経で，出すときは体性神経で支配されている．

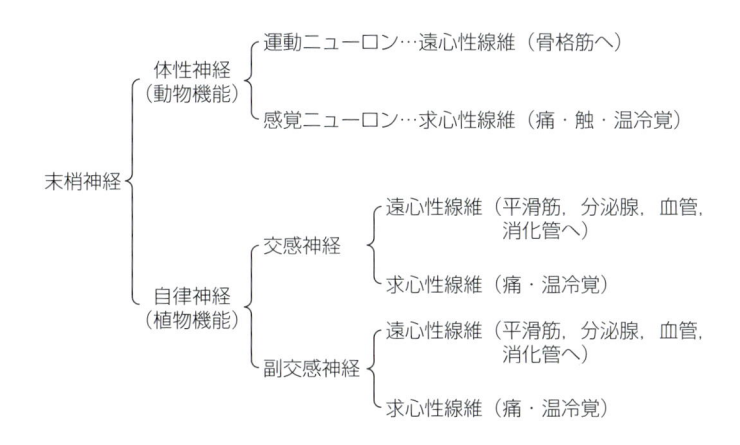

```
末梢神経 ┬ 体性神経     ┬ 運動ニューロン…遠心性線維（骨格筋へ）
        │ （動物機能）  │
        │              └ 感覚ニューロン…求心性線維（痛・触・温冷覚）
        │
        └ 自律神経     ┬ 交感神経   ┬ 遠心性線維（平滑筋, 分泌腺, 血管,
          （植物機能）  │            │              消化管へ）
                       │            └ 求心性線維（痛・温冷覚）
                       │
                       └ 副交感神経 ┬ 遠心性線維（平滑筋, 分泌腺, 血管,
                                    │              消化管へ）
                                    └ 求心性線維（痛・温冷覚）
```

　皮膚や粘膜（口腔など）に触れることはあっても，内臓に触れることは通常ないので，内臓に触覚を伝える神経が発達する必要性がないため，内臓における触覚（Aβ線維）についての議論は多くない．食べ物が消化管を下るとき，いちいちどこにあるか感じていたら困るであろう．ただし，緊急事態の場合は別で，「痛み」をC線維で伝えるようになっている．このC線維，交感神経幹を経由して脊髄後角に到達する痛みの1次ニューロンであり，内臓神経（大内臓神経・小内臓神経・最小内臓神経を指す）の構成員である．

2 体性痛, 内臓痛, 神経障害性疼痛

　書籍によっては，とくにがんの痛みを3つに分けていて，体性痛（体性神経），内臓痛（内臓神経），神経障害性疼痛となっている．これらの関係はどのようになっているのであろうか．まず，痛みは，侵害受容性疼痛と非侵害受容性疼痛に分かれる（下記）．侵害受容性疼痛なら，圧迫，牽引，断裂，捻れ，閉塞，虚血，発痛物質などの痛みの原因がある．つまり，体性痛・内臓痛という場合は，侵害刺激（☞ 1章図1-1）という原因がある．一方，非侵害受容性疼痛は，侵害刺激がないのに……痛い．これには，神経障害性疼痛（neuropathic pain：☞ 16章-D）と交感神経依存性疼痛（sympathetically maintained pain：SMP）がある．神経障害性疼痛の中で，交感神経遠心性刺激が痛みの発生に関与している場合をとくに交感神経依存性疼痛と考えればよい．

```
                    ┌ 体性痛（体性感覚線維）┬ 深部痛
         ┌ 侵害受容性疼痛 ┤                  │         （図 18-2）
         │          │                  └ 表在痛
         │          └ 内臓痛（内臓求心性線維）
痛み ┤
         │          ┌ 神経障害性疼痛
         └ 非侵害受容性疼痛 ┤
                    └ 交感神経依存性疼痛（神経障害性疼痛のうち交感神経が関与）
```

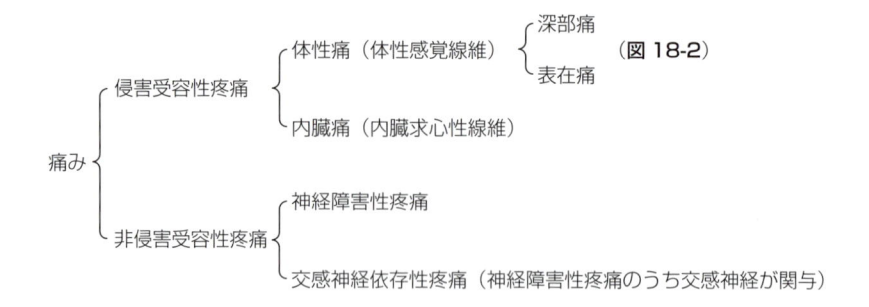

前掲の神経の分け方に沿うなら，体性痛は体性神経の感覚ニューロンで伝えられる．侵害刺激により侵害受容器が刺激を受けた痛みである．体性神経で伝わる痛みでも，侵害刺激がない場合は，体性痛とはいわず神経障害性疼痛という．

治療から考えると，体性痛や内臓痛（つまり侵害受容性疼痛）なら，原因となっている侵害刺激（圧迫，牽引，発痛物質，虚血などの痛みの原因）をまず除去することが重要である．一方，非侵害受容性疼痛では，神経そのものが原因で痛く，おじいさん，おばあさん風に表現するなら「神経痛」になるのであろう．こちらは，神経そのものの伝導や伝達を抑えるのが治療となる．交感神経系が関与する場合は交感神経ブロックが治療となる．

3 内臓の痛み

　内臓とは，胸腔内・腹腔内・後腹膜にある臓器・器官である．内臓の痛みは，自律神経の中の交感神経系の求心性線維（内臓求心性線維）と副交感神経の求心性線維（迷走神経）で伝えられる．交感神経の求心性線維を含む神経の名前は，大内臓神経・小内臓神経である．実質臓器（肝，腎，肺など）における，痛みを伝える内臓求心性線維の自由神経終末は各臓器の被膜にあり，実質内には乏しい．したがって，肝，腎，肺などの痛みは，被膜に対する牽引・圧迫・穿刺・炎症・虚血などによって発生する．これらの臓器の悪性腫瘍では，痛みは早期症状としてはまれである．管腔臓器（胃，腸，胆嚢，腹腔など）の痛みは，閉塞による内圧上昇，牽引，過伸展，収縮，虚血が原因で発生する．

4 侵害受容性疼痛の局在：痛む場所が分かれば対策も立てやすい

　体性痛は局在が分かりやすいが，なかでも局在がもっとも明瞭なのは，皮膚・粘膜からの表在痛である（図 18-2）．表在痛（表在性痛覚）ほど明瞭ではない

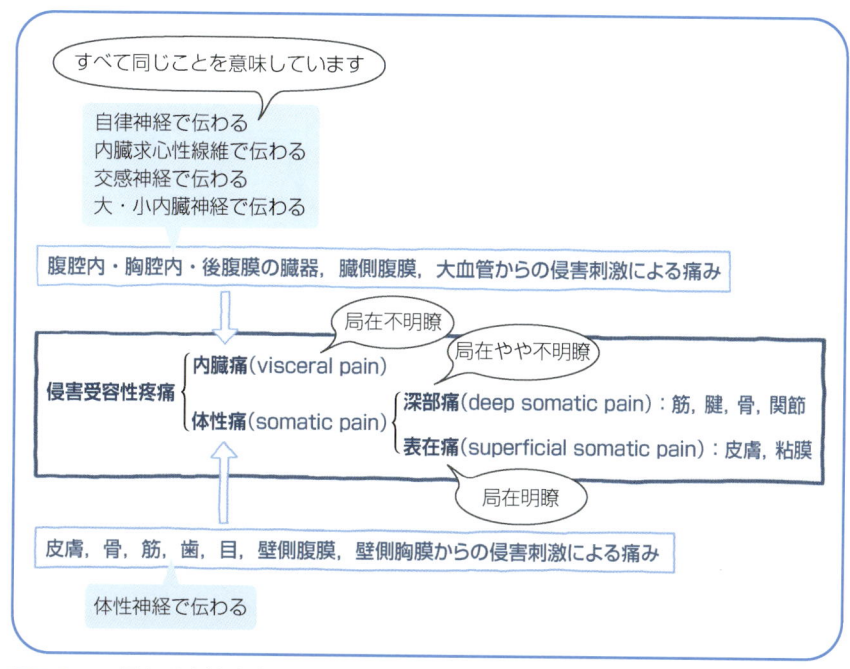

```
┌─────────────────────────────────────────────────────────────┐
│  ┌─────────────────────────┐                                │
│  │ すべて同じことを意味しています │                                │
│  └─────────────────────────┘                                │
│     自律神経で伝わる                                           │
│     内臓求心性線維で伝わる                                      │
│     交感神経で伝わる                                           │
│     大・小内臓神経で伝わる                                      │
│                                                             │
│  ┌─────────────────────────────────────────────────────┐    │
│  │腹腔内・胸腔内・後腹膜の臓器，臓側腹膜，大血管からの侵害刺激による痛み│    │
│  └─────────────────────────────────────────────────────┘    │
│                    ↓     ┌局在不明瞭┐                        │
│  ┌─────────────────────────────────────────────────────┐    │
│  │         内臓痛(visceral pain)      ┌局在やや不明瞭┐   │    │
│  │侵害受容性疼痛                                        │    │
│  │         体性痛(somatic pain) { 深部痛(deep somatic pain)：筋，腱，骨，関節│
│  │                               表在痛(superficial somatic pain)：皮膚，粘膜│
│  └─────────────────────────────────────────────────────┘    │
│                    ↑      └局在明瞭┘                        │
│  ┌─────────────────────────────────────────────────────┐    │
│  │皮膚，骨，筋，歯，目，壁側腹膜，壁側胸膜からの侵害刺激による痛み│    │
│  └─────────────────────────────────────────────────────┘    │
│     体性神経で伝わる                                           │
└─────────────────────────────────────────────────────────────┘
```

図 18-2 侵害受容性疼痛のネーミング

が，深部痛（深部痛覚）もある程度の局在が分かる．内臓痛の局在は，分かりにくい．なお，用語の注意点として，深部痛と内臓痛は意味する場所が違うので混乱しないでほしい．

大内臓神経・小内臓神経：自律神経です
（内臓の痛みを伝えます）

a. 例：膵臓の痛み

例えば，膵臓の痛みは膵管の拡張や膵炎で発生するが，膵臓にあるC線維の自由神経終末が刺激され，胸髄の6〜10番目の分節の脊髄後角に1次ニューロンが入力する．その経路は，膵に存在する1次ニューロン（C線維）自由神経終末→腹腔神経節→内臓神経→交感神経幹→白交通枝→体性神経と合流→脊髄神経→

A．交感神経系が伝える痛み

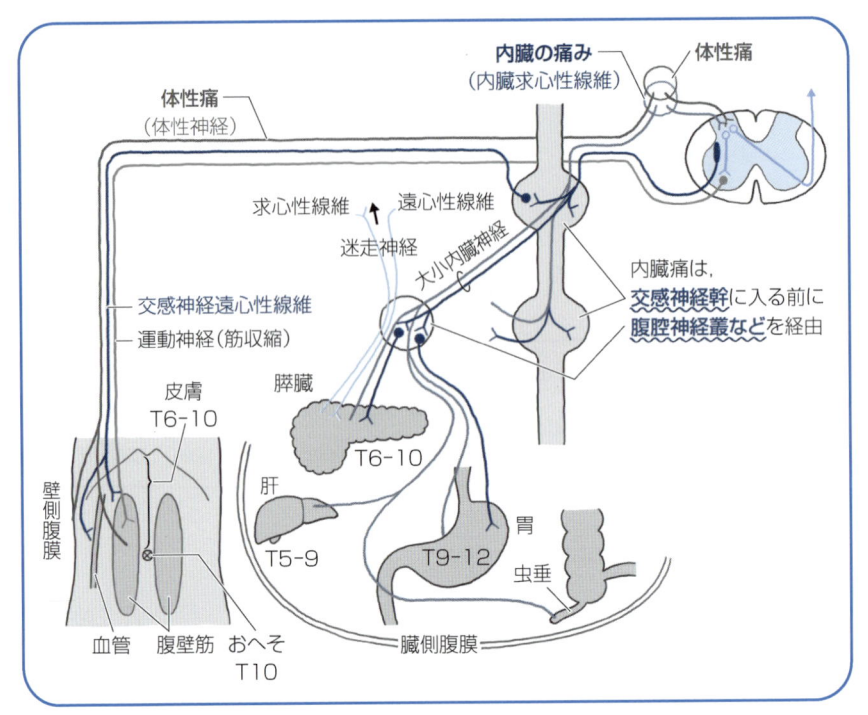

図18-3 体性痛と内臓痛の伝導経路

後根神経節➡後根➡脊髄後角➡2次ニューロンに連絡である（図18-3）．体性痛と比較すると，交感神経幹を経由する点が異なる．脊髄後角に到達してからは，体性神経と同様である．体性痛の求心性刺激は，交感神経幹を経由しない．

B 交感神経の源（大脳辺縁系-視床下部）と痛みの問題

　本章の冒頭に，「外傷後の痛みに交感神経系が関与していることがある」と書いた．後の C の項で詳述するが，交感神経遠心性刺激で発生した活動電位や神経伝達物質が，逆に痛み刺激となってしまう現象がある．無意識のうちに作動している自律神経活動が痛みの原因となってしまう．これは，自分で自分を痛く感じさせてしまう「何もしなくても痛い」状態をもたらす．自分の自律神経活動の電気活動により「痛い」と感じるので，電気が走る，刺す，焼ける，ピリピリす

図 18-4　猫の毛が逆立って，瞳孔が散大している

る，チクチクするなどの反復刺激があるようなイメージの痛みを訴える．「普通の痛み」（侵害刺激による痛み）とは違うと，患者は言う．そこで，この **B** の項では，交感神経緊張が痛みの原因となりうるという観点から，交感神経活動を司る仕組みについて簡単に述べる．「交感神経系の過剰な反応を抑える」のが痛みの治療に重要となるからである．

1 交感神経の緊張

　ヒトは皆，怒っているときは，交感神経が緊張している．喧嘩しているとき，すごく怖いとき，慣れないスピーチをしなければならないときも交感神経は緊張する．動物なら，生き延びるために敵と戦うときは，交感神経を緊張させる．猫同士が喧嘩するときは，毛が逆立って，身体が大きくなったようにみえる（図18-4）．血圧が上昇し，脈拍は速くなり，目は見開き，瞳孔は開いている．漢文では，人が怒ると「怒髪天ヲ衝ク」になる．ヒトでも，つまり立毛筋で毛が立つ．交感神経により，血管収縮が起こり，心筋収縮力は増加し，立毛筋が収縮し，鳥肌が立ってしまう．怖いとか恐ろしいとかいう感覚，身を守らなければならない状況というのは，本能的に感じるもので，理屈で分かるものではない．

　理屈で理解し認識するのは，大脳皮質の新皮質の役割である．一方，恐怖や恐

れ，身の危険という本能的な感覚は大脳皮質の旧皮質・古皮質で沸き起こる．旧皮質・古皮質は大脳辺縁系を構成している（☞4章図4-3・5・8・10）．大脳辺縁系からは，視床下部に向けて信号が出る（☞8章図8-6）．つまり，痛みによって誘発された不快感や不安（大脳辺縁系で発生）は，交感神経系の源である視床下部を刺激する．視床下部が刺激を受けると，交感神経細胞に下行する刺激が出て，交感神経細胞の活動が高まる．

2 感情と情動

　感情と情動は，よく似た要素のある感覚である．感情とは，静かな喜びや悲しみであり，制御された気持である．前頭葉で発した，企画・意思・創造性により人は行動し，それらが達成されたとき，成功したとき喜びを感じ，達成できなかったとき，失敗したとき悲しみを感じる．これは，理性を伴った気持であり，そう感じる理由みたいなものがあり，前頭葉で形成される．一方，情動とは，抑えることのできない歓喜の表出・激情であり，思わず沸き起こる怒り・攻撃的行動である．あたりかまわず，人目を気にせず「泣き叫ぶ」，「歓喜で踊りまくる」，「怒鳴り散らす，叩きまくる」という行動は，予期せぬ衝撃的な出来事に際して発生するが，前頭葉で統合された行動ではなく，大脳辺縁系に発する表出である．例えば，本当は「怒鳴るのは良くない」，「叩くのは良くない」と前頭葉で分かっていても，思わず「怒鳴ってしまった」り「叩いてしまった」するのが人である．この思わず，抑えきれずに発生する動作・言動の源は大脳辺縁系の仕業である．思わず感じた不快に瞬間的に反応してしまうのである．そして後で，深く反省し，「しまった」などと思うのである．すぐ「怒鳴る」のは，大脳辺縁系に対する抑制が弱い「本能的」「動物的」な反応であると考えたい．高等動物である人間は，前頭葉の意思で通常は大脳辺縁系に抑制をかけている．この抑制が外れると，情動的な言動や行動が前面に出てくる（☞4章図4-11）．お酒を飲み過ぎると前頭葉からの抑制が外れる人は，皆さんの周りにもいると思う．普段は，前頭葉の理性によって，大脳辺縁系の暴走を抑えているのであろう．

　喜びとか悲しみという静かな感情が湧いてくるときは，血圧・脈拍は比較的落ち着いている．一方，激しい怒り，極度の不安，歓喜の状態では，ドキドキし，血圧が上がり，脈が速くなり，手がジトーと汗ばんでくる――交感神経系が緊張している状態といえる．逆にいうと，脈拍・血圧が上昇しているなら，不安・怒り・欲求不満・ストレスが亢じ，自分の意思で抑えることのできない，大脳辺縁系の活性化が原因かもしれないと考えたい．もちろん，高血圧・頻脈の原因は多

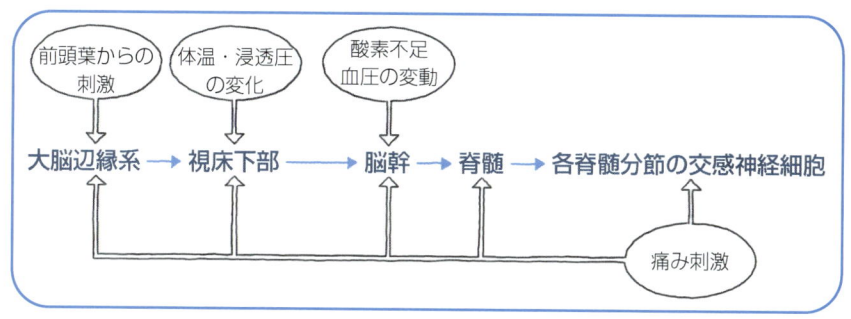

```
┌─────────────────────────────────────────────────────────────┐
│  ┌─────┐    ┌─────┐    ┌─────┐                              │
│  │前頭葉│    │体温・│    │酸素不足│                          │
│  │からの│    │浸透圧│    │血圧の変動│                        │
│  │ 刺激 │    │の変化│    │      │                           │
│  └──┬──┘    └──┬──┘    └──┬──┘                              │
│     ↓          ↓           ↓                                │
│  大脳辺縁系 → 視床下部 → 脳幹 → 脊髄 → 各脊髄分節の交感神経細胞 │
│     ↑          ↑           ↑                                │
│                            └──── 痛み刺激                   │
└─────────────────────────────────────────────────────────────┘
```

図 18-5　交感神経系の刺激因子

様である．その1つとして情動の関与も忘れてはならないわけである．そして，「痛み」となる刺激は大脳辺縁系に信号を送り活性化する（☞ 4章-A, 図 4-4）．ケガをして痛いときは，普通，血圧が上昇し，脈拍も増加している．

3　大脳辺縁系と交感神経遠心性刺激

　大脳辺縁系が活性化するときは，身体に危害が加わるとか，不快と感じるような状況に陥ったときであり，個体は身を守るために，「防御態勢」に入り，場合によっては「攻撃態勢」に入らねばならない．逆に，攻撃態勢に入っても，形勢不利と察知したら，逃避行動に出なければならない．このときに交感神経系が活性化する．つまり，大脳辺縁系からの情報が，交感神経系の総統合司令本部である視床下部に入力し，交感神経活性という出力となって表出される（図 18-5）．

C　交感神経遠心性線維による痛み：ケガの後の痛み

㊎　交感神経ブロックで痛みが止まる場合もありますが，その理由には2種類あります．求心性刺激を抑えるか，遠心性刺激を抑えるかです．
㊡　腹腔神経叢は，腹腔神経節ともいって，交感神経節ですよね．
㊎　腹腔神経叢ブロックというのは，内臓の痛みを抑制するために，オピオイドの使用が広まる以前にはよく施行されていました．交感神経系の求心性線維（内臓求心性線維）をアルコールで破壊し，痛みが来るのを抑えるという考え方です．

㊡ 星状神経節ブロックや腰部交感神経節ブロックというのも聞いたことがあります．
㊛ こちらの方は，交感神経の遠心性刺激をブロックする，つまり行くのを抑えるのですね．
㊡ 行く方を抑えると痛みが止まるのですか？ 来る方を抑えると痛みが止まるのは分かりますけど……．
㊛ 交感神経の遠心性刺激が行くと，痛みや触覚の求心性線維を刺激してしまうのです．
㊡ だから，刺激させないように，行かせないようにする！
㊛ そーっとしておく．
㊡ そういえば，前の **B** の項では，交感神経の源について書いてありましたね．
㊛ 交感神経が緊張していると痛みの原因になりますからね．

1 交感神経細胞の機能調節：上から，現地から

　交感神経活動の総司令部は視床下部にある．視床下部に発し，脳幹を経由し，各脊髄分節に到達した線維からの信号で，交感神経細胞は上から制御を受けている．しかし，上からの支配だけを受けているのではない．各脊髄レベルで感覚ニューロンにより脊髄後角に入力される温冷覚，痛覚，触覚は，直接または介在ニューロンを経由して，その脊髄レベルおよびその上下の脊髄レベルの交感神経細胞やAα運動ニューロンやAγ運動ニューロンにも刺激を送る——これらは脊髄反射の1つである（腱反射のみが脊髄反射ではありません）．感覚ニューロンから交感神経細胞に横流しされる反射的な活動を体性-自律神経反射，体性-交感神経反射という．会社に例えるなら，本社があり，支店があり，出張所があるが，本社（視床下部）の指示を受けつつ，各支店（脳幹）・出張所（脊髄側角の交感神経細胞）は現場の状況に合わせて営業活動を行うようなイメージである（図18-6）．体性-交感神経反射があると，①入力した痛み刺激が脊髄レベルで交感神経細胞を活性化し，②交感神経遠心性刺激が支配領域の血管を収縮させ，③血流障害（低下）から局所の虚血をもたらし，④局所での発痛物質の産生が高まる．また，交感神経の緊張は，筋紡錘（☞14章図14-2）からの求心性刺激を高め，筋緊張亢進の原因となる．筋緊張の亢進は筋肉痛の原因となる（☞14章図14-5・8）．一方，内臓からの求心性刺激が交感神経細胞に横流しされる反射もあり，これを自律-自律神経反射，内臓-内臓神経反射，内臓-交感神経反射などと名付けている．

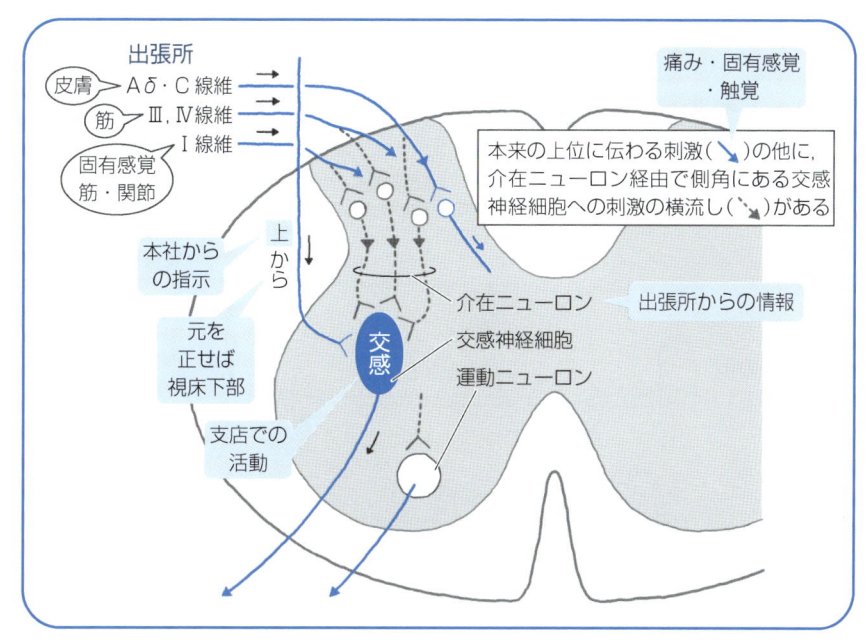

図18-6　後角への入力信号の交感神経細胞への横流し

　とくに交感神経を反射的に刺激するのは，内臓由来か筋・腱・骨・関節からの求心性入力である．つまり，内臓痛や体性深部痛（☞図18-2）は，その脊髄レベル周辺の交感神経活動を高める．

2 交感神経系による痛み：交感神経依存性疼痛（SMP）

　外傷後，傷そのものは治っても，「弱い痛みを強い痛みに，痛くないことを痛く，何もしなくても痛く」感じる状態がある．いずれ治ることが期待されるが，この痛みに交感神経活動が関与しているかもしれない．

　皮膚の痛みを伝えるAδ・C線維と触覚を伝えるAβ線維，および血管や汗腺に至る交感神経遠心性線維は，通常伴走しているが，各々の線維間に直接的な電気的結合はない．ところが神経損傷後に，これらに新たな結合が発生し，交感神経遠心性刺激が体性神経の求心性線維を刺激して痛みとなる場合がある．この新たな結合には，①電気的クロストーク（接触伝導：図18-7），②化学的クロストーク（図18-8），③後根神経節への発芽（図18-9）がある．さらに，交感神経末端から放出されるプロスタグランジンにより，Aδ・C線維の自由神経終

C．交感神経遠心性線維による痛み　297

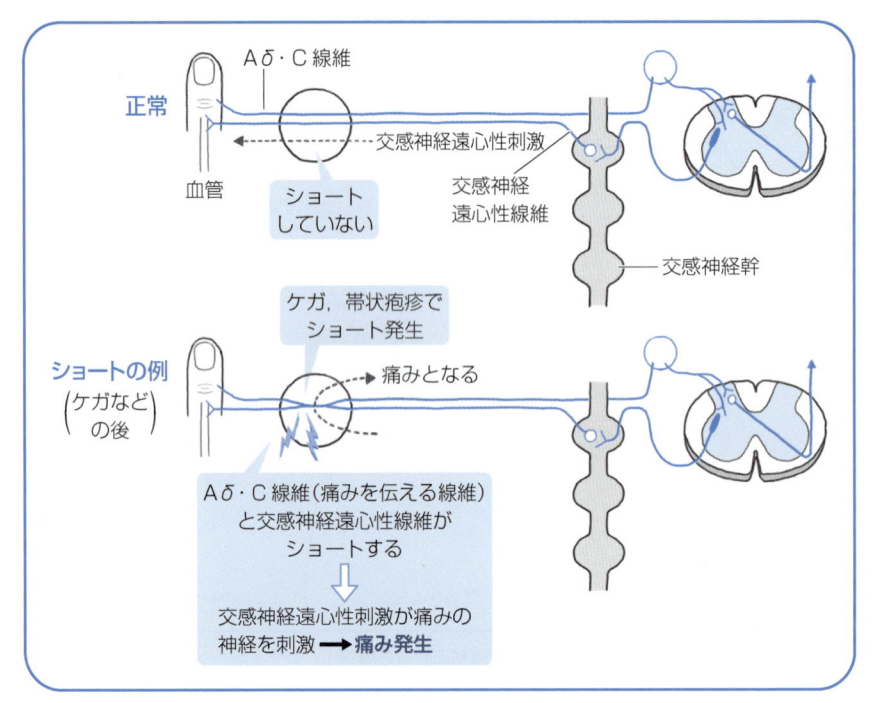

図 18-7　何もしなくても痛い──交感神経の関与①：
　　　　　Aδ・C線維と交感神経遠心性線維のショート（電気的クロストーク）

末の感受性が亢進する．交感神経遠心性刺激による痛みを交感神経依存性疼痛という（sympathetically maintained pain：SMP）．

交感神経系が痛みの原因？

交感神経遠心性刺激が　Aδ・C・Aβ　線維を刺激
（普通でない痛みです）

3　交感神経と体性神経の新たな結合

a.　電気的クロストーク（図 18-7）

　交感神経遠心性線維と感覚ニューロンの神経線維を電線に例えると，ビニールで被覆されていて，電線そのものは接触していない．つまり，正常ではショート

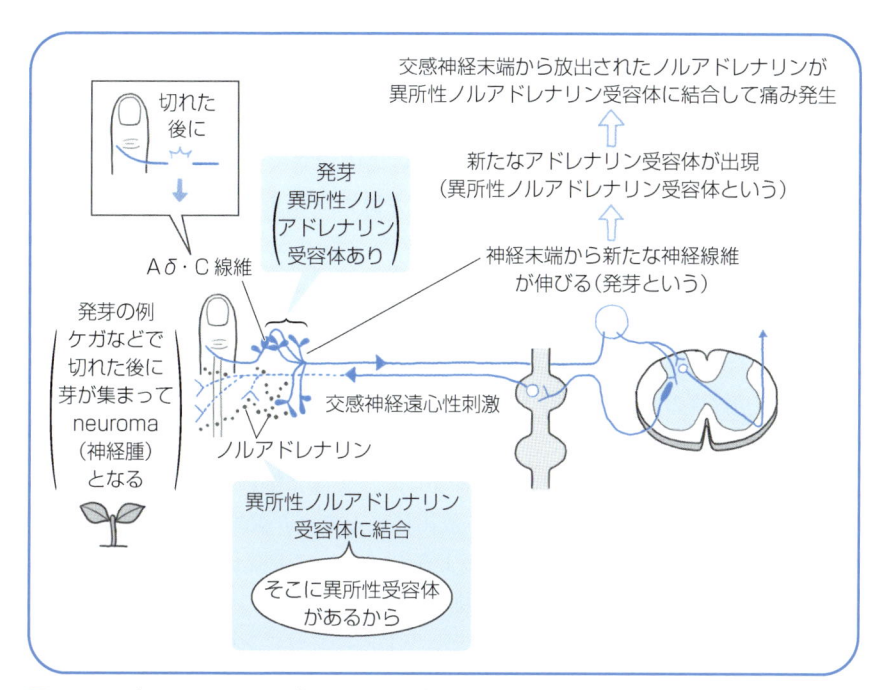

図 18-8 何もしなくても痛い──交感神経の関与②：
Aδ・C 線維の異所性ノルアドレナリン受容体の出現（化学的クロストーク）

していない．ところが，外傷後にビニールの被覆が取れて，電線同士がショートしてしまう場合がある．交感神経遠心性線維と感覚ニューロンの細胞膜が直に接触し，交感神経の遠心性活動電位が Aδ・C・Aβ 線維に伝導するようになるのである．これは，シナプスを介さない，ニューロン間の結合であり，交感神経遠心性線維と感覚ニューロンの電気的クロストーク，または接触伝導（ephaptic transmission）という．

b. 感覚ニューロン断端における neuroma の形成：化学的クロストーク（図 18-8）

交感神経遠心性線維は，常に発火しているのが正常であり，血管の緊張を適度に保っている．その神経末端から放出される伝達物質は，ノルアドレナリンである．ノルアドレナリンは α 受容体に結合する．

外傷で神経線維が損傷され，切断されると，切断部遠位の神経線維は変性し，死滅し機能を失う．一方，切断部近位の線維は細胞体と繋がっているので生き延び，その断端から新たな線維が伸び出してくる．これを発芽という．発芽は，損傷を受けた線維断端のみならず，傷害を免れた線維からも起こる．発芽した神経

C．交感神経遠心性線維による痛み 299

線維は，いくつかまとまって，neuroma（神経腫，神経線維の塊）を形成する．neuromaには異所性α受容体が新生し，この異所性α受容体がノルアドレナリンと結合すると，異所性の発火（活動電位）が発生する．発火は神経終末で発生するのが普通であるが，普通では発生しない場所で発火するという意味において，異所性という．交感神経末端から放出されたノルアドレナリンが，Aδ線維，C線維，Aβ線維に出現したneuromaの異所性α受容体に結合し，発火が始まる．Aδ・C線維はともに痛みを伝える線維なので，これらの線維の刺激は痛みとして感じとられる．Aβ線維に出現した異所性α受容体にノルアドレナリンが結合したら，Aβ線維が刺激され，求心性刺激が脊髄後角に向かう．正常であれば，Aβ線維の刺激は触覚であり痛覚ではないが，脊髄後角の2次ニューロンの感受性が変化していると，「触」が「痛」として伝えられる［広作動域（WDR）ニューロンの感受性の変化：☞16章］．実際に触れてなくても，交感神経遠心性線維からのノルアドレナリン放出によってAβ線維のneuromaが刺激されると，痛みとなってしまう．このような，ノルアドレナリンと異所性α受容体による結合を，交感神経遠心性線維と感覚ニューロンの化学的クロストークという．外傷後，痛みが持続していると，WDRニューロンの感受性変化が発生してしまうので，予防のため強力に鎮痛を図る．

　交感神経は平常時にも常に発火し，血管緊張を維持するため，常にノルアドレナリンを放出している．異所性α受容体が出現すると，自然に常に出ているノルアドレナリンにより，痛みが発生してしまうのである．この自発痛があるとき，交感神経が通常より亢進しているかもしれないが，低下しているかもしれない．亢進していれば，痛みの程度は増強する．低下していても，そこに交感神経活動があれば，ノルアドレナリンが出ているので，痛みの原因となる．

　またneuromaは，機械的刺激に反応して発火する．触れるだけでneuromaが刺激され，痛くないことが痛くなってしまうのである．

> **メモ** ノルアドレナリン：鎮痛物質？　発痛物質？
>
> 　脊髄後角の1次ニューロンと2次ニューロンのシナプスにあるα受容体はα_2受容体で，α_2受容体に結合したノルアドレナリンは膜電位を下げ，痛みを抑える（☞7章p112，8章図8-13）．一方，ケガの後などで末梢神経のneuromaに新たに出現する異所性α受容体は膜電位を上げる受容体で，異所性α受容体に結合したノルアドレナリンは膜電位を上げ，痛みを起こす（図18-8・9；☞5章図5-2，16章図16-4）．

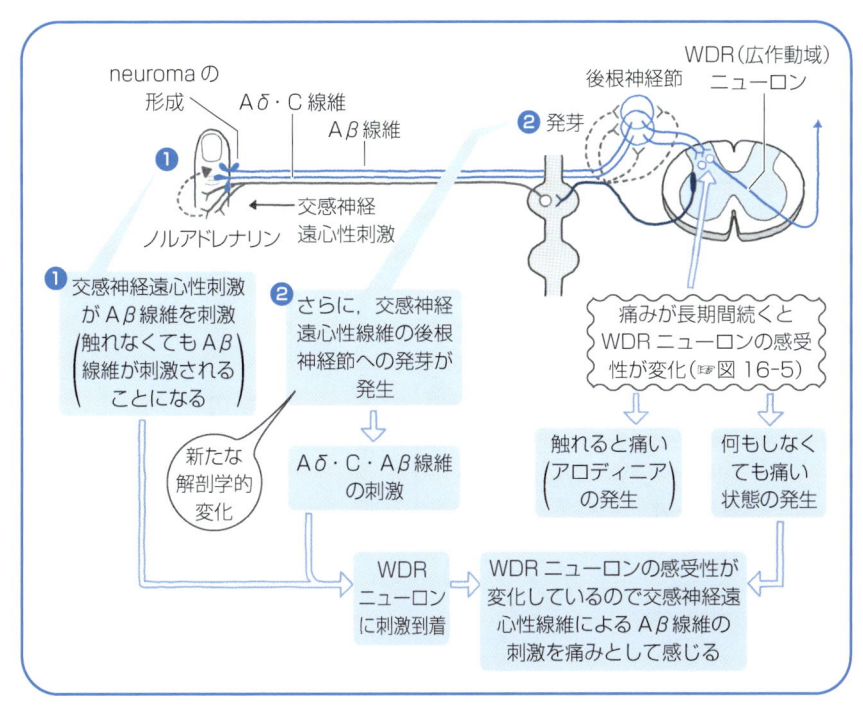

図 18-9 何もしなくても痛い──交感神経の関与③：
「触れて痛い」からの進展（交感神経遠心性線維の後根神経節への発芽）

c. 交感神経線維の後根神経節への発芽（図 18-9）

　交感神経遠心性線維が後根神経節まで伸び，後根神経節と解剖学的に結合する．これも発芽という［もう1つの発芽は☞ 16章図 16-5（続き）下段右, p256］．この発芽により，交感神経遠心性線維と後根神経節の Aδ 線維，C 線維，Aβ 線維の新たな結合が発生し，交感神経遠心性刺激が後根神経節レベルでもこれらの神経線維を刺激し，痛みとしての信号が発生する．

4 交感神経が関与した痛みの治療の考え方

　交感神経依存性疼痛（SMP）を止めるにはどうしたらよいか？ 交感神経遠心性刺激を遮断し，ノルアドレナリンの放出を抑制すればよい．通常，交感神経をブロックするには，その交感神経遠心性線維が経由している交感神経節をブロックする．上肢・頭の交感神経遠心性刺激を抑えるには，局所麻酔薬による星状神経節ブロックや星状神経節への近赤外線照射（スーパーライザー®）を行う（**図**

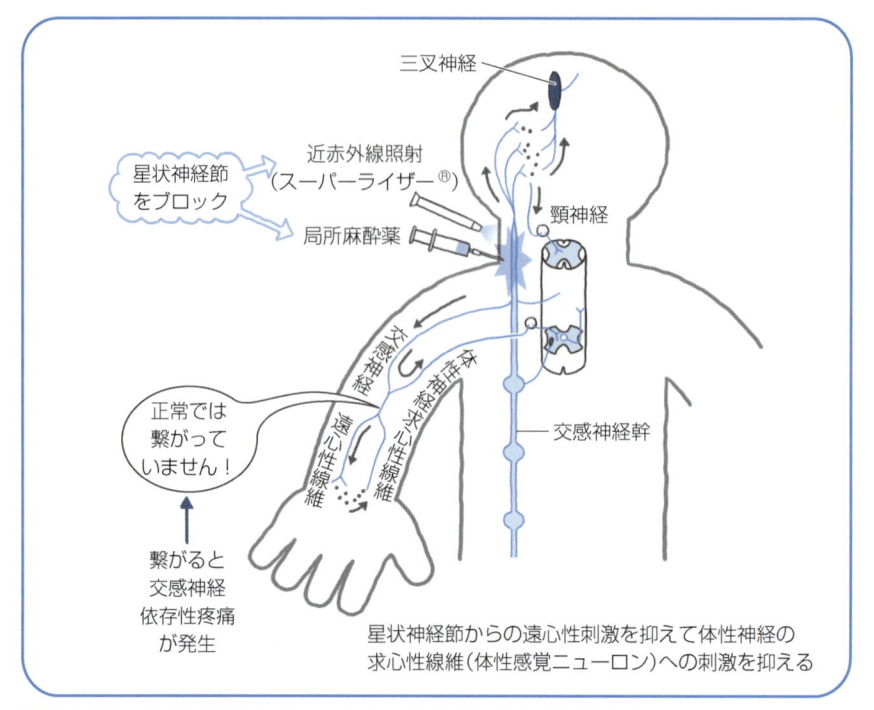

図 18-10 星状神経節をブロックして交感神経遠心性刺激を抑える

18-10)．繰り返し施行すると，痛みが軽減してくる．通常，神経ブロックというと，求心性線維をブロックして上行する刺激を抑制すると思いがちだが，星状神経節ブロックの場合，上肢や頭への遠心性線維をブロックする．SMPでは交感神経遠心性線維の活動電位や神経終末から放出されるノルアドレナリンが痛みを伝える求心性線維を刺激しているからである．なお，内臓痛を抑える腹腔神経叢ブロックも交感神経ブロックだが，こちらは内臓求心性線維を抑制している．

ノルアドレナリンが異所性α受容体に結合すると異所性発火が起きる．そこで，ノルアドレナリンが異所性α受容体に結合できないように，αブロッカーを投与しても痛みが止まる．αブロッカーであるフェントラミンを静注して鎮痛効果が得られれば，交感神経が関与した痛み（SMP）と考えてよい．

不安は大脳辺縁系で沸き起こり，痛みを強くする原因となる：①大脳辺縁系➡脳幹または大脳辺縁系➡視床下部➡脳幹のルートで刺激が入り，下行性抑制系（自分で自分の痛みを抑える仕組み：☞8章図8-6・8）が抑制される．②大脳辺縁系➡視床下部のルートで交感神経活動を高める．そこで，交感神経が関与する痛みに対しては，「不安をとる治療」も重要である．

プラセボ効果は気休めか？   19

いいえ，そうではありません

　placebo とは，プラセボ，偽薬，気休め薬［暗示効果を狙って薬剤として与えられる不活性な物質（ブドウ糖や乳糖）］［ステッドマン医学大辞典，改訂第6版，メジカルビュー社，2008 より］である．不活性な物質は，薬理作用がない．本当に気休めか？　もし，プラセボで，内因性の鎮痛物質が実際増加しているなら，単なる気休めといえるであろうか？　本章では，この点について考えてみたい．なお，プラシーボと表現する場合もある．

　結論からいうと，プラセボによる鎮痛効果の少なくとも一部は，内因性モルヒネ様物質によってもたらされる．プラセボによる鎮痛効果は，オピオイド拮抗薬のナロキソンの投与で消失することから，モルヒネ様物質が出ていると推測される．

　臨床的にこれを活用するなら，「この薬は効く」という期待を患者自身が持つように治療者側も働きかけるとよい．実際に服用する際に，患者自身が「あまり効かないだろうと期待薄」なのと，「この薬は効くとの期待感に溢れている」のでは，おそらく，鎮痛効果が異なる．この点では，ネガティブな性格の人は，自分で引き出す鎮痛効果が少なくなるので不利である（図 19-1）．期待や希望は，内因性モルヒネ様物質を引き出すからである（図 19-2）．

　なお，臨床現場で偽薬（生理食塩液やブドウ糖）そのものを効くと言って投与することはない．あくまで，実薬について「効く」と説明するのである．

図 19-1　期待薄の患者さんと医師

図 19-2　期待大の患者さんと医師：体内でエンドルフィンが出ている

プラセボが効くわけ：痛み編

内因性モルヒネ様物質が出ています

　本章では，プラセボ効果の発生機序について説明するが，ナロキソンという物質が頻繁に出現するので，まずナロキソンについて説明したい．内因性モルヒネ

様物質の存在は，ナロキソンを使用して研究されてきたからである．

A ナロキソンの作用

1 ナロキソン

　ナロキソンとは，ナロキソン塩酸塩注射液として，ヒトに使用されている薬である．オピオイド（モルヒネ，フェンタニルなど）を用いた全身麻酔で，これらの薬剤に起因する覚醒遅延や呼吸抑制を改善するために使用される，オピオイド受容体の拮抗薬である．ある物質の存在や出現を調べるには，①その物質の濃度を測る，画像で描出するなどにより，その存在を直接的に証明する，②その物質による作用の出現で間接的に示す，③その物質の作用を阻害して間接的に示すなどの方法がある．ナロキソンは，オピオイド受容体に結合し，他の受容体にはほとんど結合しないことが分かっている．むずかしくいうと，「ナロキソンはオピオイド受容体に特異的に結合する」のである．特異性が高いほど，その対象（この場合，オピオイド受容体）に特化しているといえる．

　そこで，オピオイドを投与した後，ナロキソンを投与したときの経過をイメージしてみたい（**図 19-3**）：オピオイド投与 → オピオイドがオピオイド受容体と結合 → オピオイド受容体の活性が上がる → オピオイド受容体を介する作用発現 → ナロキソン投与 → オピオイド受容体でオピオイドと競合（オピオイド受容体をオピオイドと取り合う） → オピオイドがオピオイド受容体から外れる → オピオイド受容体の活性が低下 → オピオイド受容体によってもたらされていた作用が低下・消失——となる．

　つまり，オピオイドが存在して何らかの効果を及ぼしているときにナロキソンを投与してその効果が減弱した場合，オピオイドが存在している間接的証拠となる．

2 プラセボ効果の解析の仕方：ナロキソンを用いた結果の解釈

　痛みのある人に，実薬（オピオイド）か偽薬（プラセボ）かを区別できないようにして服用してもらい痛みが弱まるかを調べる．鎮痛効果があるとしたら，それは，①実薬による薬理作用か，②偽薬による作用（プラセボ効果）のためであ

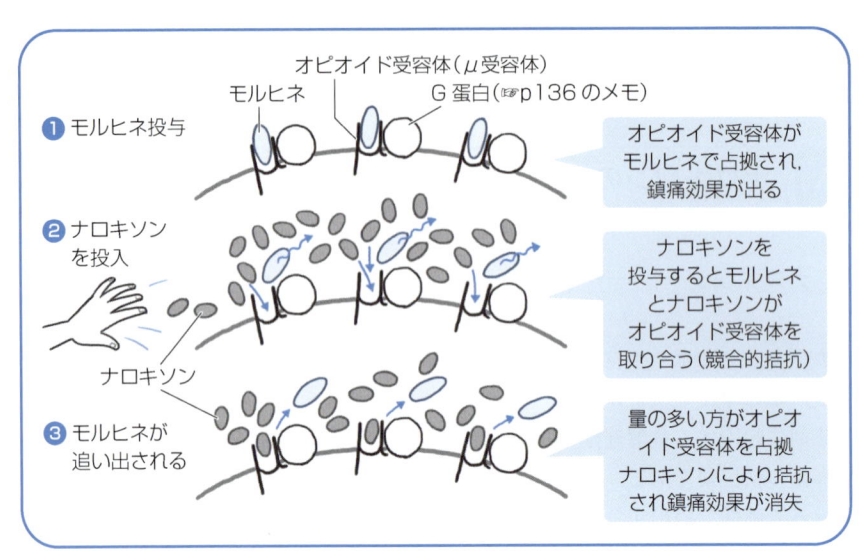

図 19-3　ナロキソンとオピオイドの競合

　る．次に，鎮痛効果があった人に対して，ナロキソンを投与する．実薬としてオピオイドを使用している場合，ナロキソンで拮抗され痛みが強くなる．これは理解できる．一方，プラセボを使用している場合にナロキソンで痛みが強くなったとしたら，どう考えるか？「何か」がオピオイド受容体を刺激して鎮痛効果をもたらし，ナロキソンによって鎮痛効果が弱まったと考えられる．「外から」は，ナロキソン以外何も投与していないので，この「何か」は「内から来ている」と考えざるをえない．そこで，オピオイド受容体を刺激する物質＝オピオイドという前提に立つと，この「何か」は，――体内で産生されるオピオイド様物質，内因性モルヒネ様物質――と推察できる．つまり，鎮痛効果がナロキソンで減弱する場合，外因性オピオイド（実薬として）の投与か，内因性オピオイド（内因性モルヒネ様物質）の自己産生・放出があると考えられる．プラセボを使用している場合は，後者に該当する．

　一方，プラセボを投与されていて鎮痛効果を認めるが，ナロキソンで変化がない場合はどう考えるか？ 内因性モルヒネ様物質の産生・放出以外の内因性鎮痛物質の産生・放出があると推定される．

🌼 ナロキソンで拮抗できれば

内因性モルヒネ様物質の存在あり

> **メモ** エンドルフィンとは（図19-2）
>
> エンドルフィンとは，endorphineの訳で，endo（内）とmorphine（モルヒネ）をくっ付けた用語である（☞12章p184）．体内にあるモルヒネという意味でendorphineと名付けられた．現在，体内で産生・放出される内因性モルヒネ様物質は20種類以上（エンケファリン，ダイノルフィン，βエンドルフィン……など）あり，それぞれ名前がある．エンドルフィンという用語は，体内にある内因性モルヒネ様物質を総称する用語として使用される場合と，とくにβエンドルフィンを示す場合があり，どちらを指しているのかは，状況によって判断してほしい．本書では，内因性モルヒネ様物質＝エンドルフィンという意味で使用している場面が多い．

B プラセボ効果の仕組み

1 プラセボ効果と内因性モルヒネ様物質

1978年，プラセボの効果がナロキソンで拮抗されると報告された［Levine JD, et al: Lancet 2: 654-657, 1978］．以来，ヒトでの多くの研究が「少なくとも内因性モルヒネ様物質（エンドルフィン）が，プラセボによる鎮痛を引き起こしているのでは？」というテーマで報告され，1998年のシステマティックレビュー［ter Riet G, et al: Pain 76: 273-275, 1998］では，「probably, Yes」となっている．

STEP UP 抜歯後患者に対するプラセボによる鎮痛効果

抜歯直後の患者は，処置時の局所麻酔薬が効いているので，痛みはない．しかし，時間経過とともに痛みが増強してくる．抜歯2時間後にプラセボを投与して，痛みの推移を記録した研究では，プラセボ投与で痛みの増強が止まった患者群が存在し，その患者群にナロキソンを投与すると，痛みが再び増強した［Konev SV, et al: Lancet 23: 654-657, 1978］．図19-4を参

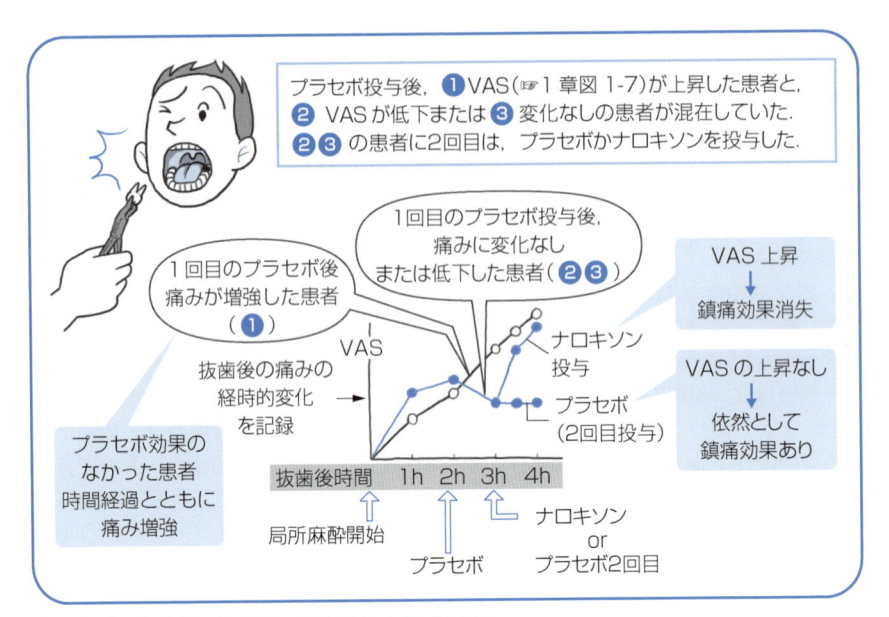

図 19-4 抜歯後のプラセボ効果とナロキソン
VAS：visual analog scale

照してほしい．
　ナロキソンは，オピオイド受容体の拮抗薬なので，ナロキソンの効果があるとしたら，オピオイド受容体を刺激する物質の存在を示している．この報告では，プラセボで鎮痛効果がある患者では，内因性モルヒネ様物質により鎮痛効果が発現したと考えられる．すべての人にプラセボ効果があるわけではない．しかし，プラセボ効果がある患者は実際存在し，その仕組みは，内因性モルヒネ様物質（エンドルフィン）による作用である．
　これまでに，何らかの症状に対して何らかの薬を服用し，効いた経験のある人は，無意識のうちに，「薬は効くものだ」と条件付け（後述）されている可能性がある．おそらくそのような患者は，プラセボに反応して鎮痛が得られたのだと考えられ，その仕組みとして，少なくとも一部にはエンドルフィンを介する鎮痛効果がある．

2 何がプラセボ効果を誘発するか

　プラセボ効果（偽薬による鎮痛効果）が発生する仕組みとして，①効きますよという「声がけ」による，効くという期待感，②「投薬」で効いた経験（条件付

け），③①と②の双方が考えられる．①の効くという期待感は，投薬を受けた際に「この薬はよく効きますよ」とか「強い痛み止めです」というような「声がけ」により，効くという期待感・希望が湧いている状態である．②の「投薬」で効いた経験とは，プラセボ投与の前に薬を服用したとか注射したなどで鎮痛効果を実際に経験ずみという状態で，個別の薬に対する大きな期待があるかないかを問わない．③は，「投薬」で効いた経験がある人が「声がけ」を受けた場合で，条件付けされ，かつ大きな期待感が湧いている状態である．皆さんの診察室では，いかがであろうか？「薬出しておきますから，飲んでおいて下さい」という淡々としたパターンなのか，「よく効く薬ですから，しっかり飲んで下さい」という熱意のこもったパターンなのか，いずれであろうか．過大な期待を持たせてはいけないので，よく効くとはあえて言わない先生方もいらっしゃると思う．本当に効く薬なら，よく効くはずであるからいいが，効くかどうか定かでない薬を「よく効く薬」とは，実際の現場では言えないのであろう．

3 条件付けとは

　パブロフの条件反射は，皆さんご存じと思う．日本人でいうなら，梅干を見ると唾液が出る現象がこれに当てはまる．梅干を食べると唾液が実際に出るが，その経験があるため（条件付けがなされている），見ただけで唾液が出るようになってしまっているのである．これは，自制できる反応ではなく，抑えようとしても抑えられない反応であり，反射的な反応である．梅干という条件により，梅干を口にしてなくても反射的に唾液が出るようになる．梅干を食べて唾液が出た経験で，条件付けされたのである．

　薬剤のプラセボ効果をみる際には，「薬を服用するとか，注射を受ける」行為そのものが条件付けとなる．あらかじめ効く薬で条件付けを行って，その後にプラセボを投与するのは，「投薬」という条件付けの後のプラセボ効果を期待している．さらに，「この薬は効きますよ」と声がけしながら投与すると，「投薬」という条件付け＋「声がけ」による期待が加わると考える．

　「薬を飲むと痛みがいつも取れる」で条件付けされているので，外見は同じでも中身が違う薬を服用しても痛みがとれるという現象は，条件付けによるプラセボ効果である．

　投与された薬の種類が，本人，投与者ともに分からない場合，この時点では，「効くかもしれないし，効かないかもしれない」わけで，ある程度の期待があるかもしれないが，その度合いは大きいわけではない．

C プラセボ効果の実際

1 腕虚血テストによる評価

上腕を駆血した上で，ハンドスプリング運動を行い，痛み発生までの時間を指標に鎮痛薬の効果を評価する方法を腕虚血テストという．虚血による痛みを誘発する方法である（図 19-5）．

2 期待・願望による鎮痛：内因性のエンドルフィンの問題

a.「声がけ」による，効くという期待感――によるプラセボ効果

「強い痛み止めです」と声をかけながら，生理食塩液を静脈内投与すると，腕虚血テストの時間が延長する．つまり，痛みに耐えられる時間が延長する．これは，生理食塩液という鎮痛効果のない物質を投与しても，「痛みが取れる」という期待があると，何らかの機序で鎮痛が得られる現象である．一方，「強い痛み止めです」と言いつつも，エンドルフィンの拮抗薬であるナロキソンと生理食塩液とを静脈内投与した場合は，腕虚血テストの時間は延長しない．この結果から，痛みが取れるという期待があっても，ナロキソンの存在で，期待による鎮痛効果は消失するといえる．つまり，期待による内因性のエンドルフィン放出が鎮痛効果をもたらす．

b.「投薬」を受けて効いた経験（条件付け）と「声がけ」による期待感の共存――によるプラセボ効果

条件付けをした上に，さらに「この薬はよく効きます」という言葉を沿えて期待・希望を高めると期待感のみのときよりさらに鎮痛効果が増強する［Amanzio M, Benedetti F: J Neurosci 19: 484-494, 1999］．投薬による鎮痛効果を経験ずみの人（条件付けされた人）に「強い痛み止めです」と言いながらプラセボを投与すると，条件付けされていないときより鎮痛効果が増強する（激痛までの時間延長）．このとき放出されている内因性鎮痛物質は，条件付けに用いた薬の種類で異なるようである．モルヒネで条件付けした人では，ナロキソンを投与すると虚血テストの時間が完全に元に戻った．一方，NSAIDsで条件付けされた人では，ナロキソン投与により，虚血テストの時間が部分的に戻った．

いつ痛くなるのかな？

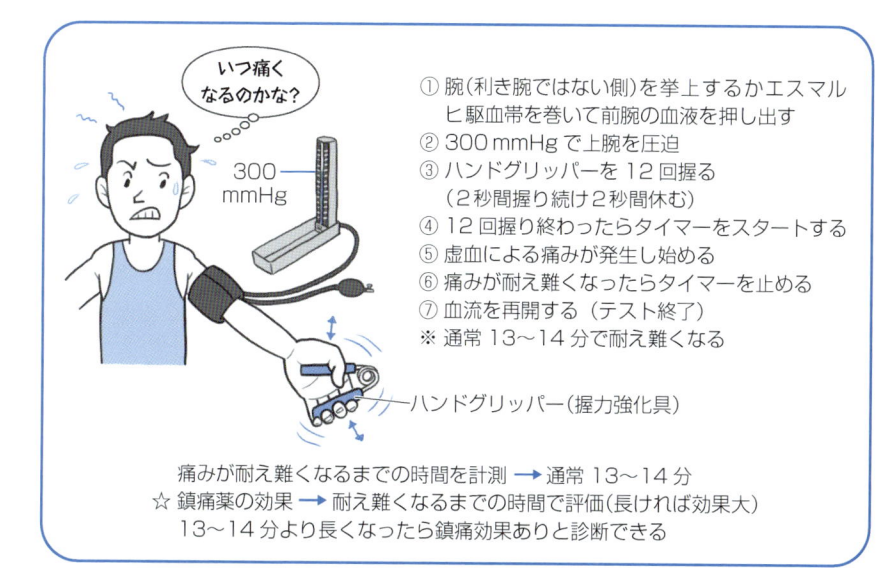

300 mmHg

① 腕（利き腕ではない側）を挙上するかエスマルヒ駆血帯を巻いて前腕の血液を押し出す
② 300 mmHg で上腕を圧迫
③ ハンドグリッパーを 12 回握る
　（2秒間握り続け2秒間休む）
④ 12 回握り終わったらタイマーをスタートする
⑤ 虚血による痛みが発生し始める
⑥ 痛みが耐え難くなったらタイマーを止める
⑦ 血流を再開する（テスト終了）
※ 通常 13〜14 分で耐え難くなる

ハンドグリッパー（握力強化具）

痛みが耐え難くなるまでの時間を計測 → 通常 13〜14 分
☆ 鎮痛薬の効果 → 耐え難くなるまでの時間で評価（長ければ効果大）
13〜14 分より長くなったら鎮痛効果ありと診断できる

図 19-5　腕虚血テスト

STEP UP　「強い痛み止め」という声がけにより発生する期待・希望によるプラセボ効果は，条件付けした鎮痛薬の種類に関わらず認められ，少なくとも内因性エンドルフィンが関与する．しかし，その関与は，モルヒネで条件付けした方が NSAIDs で条件付けした場合よりも強い．NSAIDs で条件付けした場合のプラセボ効果には，エンドルフィン以外の作用機序もあると推定できるが，不明である．

c.「投薬」を受けて効いた経験（条件付け）——によるプラセボ効果：積極的な期待感がなくても条件付けされていればプラセボ効果あり

　投薬による鎮痛効果を経験ずみの人（条件付けされた人）に「化膿止めです」と言いながらプラセボを投与しても，確かに痛みが軽減する．つまり，条件付けされている人に対して，期待を持たせずに投薬した場合でも，ある程度のプラセボ効果を認める．

STEP UP　化膿止めには鎮痛効果がないことを知らされているので，被験者は，痛みが減るという大きな期待は抱かない．しかし，「化膿止め」で，腕虚血テストの時間は延長していた．注射という行為により条件付けがなされ，期待がなくても鎮痛効果が得られたと考えられる．本物の梅干でないと分かっていても，梅干の絵を見ると唾が出る現象に相当する．

C. プラセボ効果の実際

3 プラセボで痛みが改善する患者の割合は？

「痛み」とは，本人の感覚であり，他人には分からない．そこで，患者さんの声が大切となる．薬の承認前の治験では，至適用量設定試験において，プラセボ群を置く試験と，すでに承認されている他の類似薬と比較する治験がある．プラセボを置く試験では，その薬の鎮痛効果の有無を調べるのが目的である．すでに承認されている薬との比較では，既存の薬と同等以上の効果があるかを調べるのが目的である．同等以上の効果があれば，新薬として承認可能となるからである．既存の薬より効果が劣れば，新薬としての価値は少なくなる．

鎮痛を目的とした至適用量設定試験のプラセボ群での効果をみてみたい．

a．セレコキシブの場合

抜歯後の痛みにプラセボと実薬（セレコキシブ）を投与した第Ⅱ相試験がある［代田達夫ほか：歯薬物療 20: 154-172, 2001］．患者さんの立場に立つと，患者さんの声が大切である．そこで，患者さんの印象を，「よく効いた」「効いた」「少し効いた」「効かなかった」に分けると，プラセボを投与された患者で，それぞれ 4.1％，18.4％，30.6％，46.9％を占めていたという報告がある．つまり，プラセボで，少しでも効いた患者（よく効いた＋効いた＋少し効いた）は，53.1％であった（☞ 10 章図 10-10）．一方，本物の薬（実薬）を投与された群では，少しでも効いた患者は 91.1％であった．

b．ジクロフェナクナトリウムの場合

分娩後の後陣痛は，経験者でないと分からないが，ジクロフェナクナトリウムとプラセボの効果を二重盲検法で比較した報告がある．疼痛の程度を 5 段階に分け，2 段階以上の低下を著効，1 段階以上の低下を有効とすると，著効＋有効が，実薬（ジクロフェナクナトリウム）で 76.2％，プラセボで 50.0％であった［橘高祥次ほか：診療と新薬 9: 1123-1134, 1972］．

抜歯後疼痛に関する報告では，服薬後 60 分の時点で痛みが改善していた患者の割合は，ジクロフェナクナトリウムで 66.7％，プラセボで 30.6％であった［小野克己ほか：歯界展望 39: 941-946, 1972］．

最近の研究（2013 年）では，がん患者の突出痛に対してのフェンタニルクエン酸塩のバッカル錠（歯茎と口腔粘膜の間に錠剤を置き，口腔粘膜から吸収させる剤形）イーフェン®の国内プラセボ対照二重盲検交叉比較試験（第Ⅲ相試験）で，初回投与後の追加投与の有無で鎮痛効果を比較している（追加がないということは，初回の服用で効いたと判断される）．結果として，実薬では 86.8％で追

加投与を要しなかった（つまり，効いた）．一方，プラセボでは66.0％で追加投与を要しなかった．

　同じく，がん患者における突出痛に対するプラセボを対照とした二重盲検比較試験（国内第Ⅲ相臨床試験）では，フェンタニルクエン酸塩舌下錠（アブストラル®）の効果が調べられた．痛みの強さをVAS（痛みなしを0 mm，想像できるもっとも強い痛みを100 mm：☞1章図1-7）で評価した．結果として，実薬・プラセボともに服用後，時間経過とともにVASは低下したので，痛みは軽減したと判断できた．VAS低下の程度（＝服薬後VAS－服薬前VAS）は，服用30分後で（実薬41.2 mm，プラセボ34.1 mm，$p=0.002$），60分後で（実薬56.7 mm，プラセボ45.4 mm，$p<0.001$）であった．実薬とプラセボとには，鎮痛効果（VAS低下の程度）に有意な差を認めるがゆえに薬として承認されるわけだが，プラセボを服用しても痛みは低下するといえる．

　まとめると，今も昔も鎮痛を目的とした薬では，プラセボで効く人が半数近くいると考えてよい．内因性の鎮痛物質が出ているからである．薬剤師の方々はこうした数字に詳しいと思いますが，一般の方々や実は医師もあまり詳しくないのが現状ではないかと思います．

じゆうちょう

食わずぎらいの あなたに 20

―― 耐性と身体依存

　現在，薬として承認されているオピオイドは，モルヒネ，フェンタニル，オキシコドン，リン酸コデイン，ペンタゾシン，ブプレノルフィン，トラマドール，メサドン，タペンタドールなどである．2017年には，ヒドロモルフォン（ナルサス®，ナルラピド®）が上市された．錠剤のリン酸コデインは麻薬処方箋だが散剤のリン酸コデインは通常の処方箋である．ややこしい．また，慢性疼痛に使用するフェンタニル貼付剤，メサドン，ブプレノルフィン貼付剤は，販売製造業者の提供する講習（e-ラーニング）を受けた医師でないと処方できない．オピオイドの一部が法律で麻薬に指定され，「医療用麻薬」と呼ばれていて，患者さんにも正確に「医療用」と付けて説明することになっている（図20-1）．

　がん性疼痛の治療では，オピオイドの使用は広まりつつある．これは，マスコミ報道や，がん対策基本法の制定による緩和医療の推進活動，一般市民・医療従事者への啓発活動の賜物である．一方，がん性疼痛以外の慢性疼痛（3ヵ月以上続いている痛み）に対してのオピオイド使用は，これから増えていくと予想される．フェンタニル貼付剤（デュロテップ®2010年，フェントス®2014年）の保険適用ががんの痛みに加えて慢性疼痛にも拡大し，2011年にはトラマドールとアセトアミノフェンの合剤（トラムセット®）が上市され，2012年にはブプレノルフィン貼付剤（ノルスパン®テープ）が慢性疼痛にも使用できるようになり，オキシコドン（オキシコンチン®）も適応追加となる予定である（2017年現在）．海外ではタペンタドール（μ受容体刺激とセロトニン・ノルアドレナリン再取り込み阻害作用を併せ持つ）が慢性疼痛に使用されているが，日本（タペンタ®）での効能・効果はがん性疼痛で麻薬処方箋を書かねばならない．

```
オピオイド ← 医学用語
  オピオイド受容体に特異的な相互作用を示す物質
  作動薬および拮抗薬を含む
    μ受容体：脊髄・脳幹を介する鎮痛
    κ受容体：脊髄を介する鎮痛

麻薬 ← 法律用語
  麻薬及び向精神薬取締法で規定・収載されている化合物
```

図 20-1　法律用語と医学用語

A　オピオイドの傾向と対策

1　モルヒネに対するイメージ

　現在，一般社会でのモルヒネに対する懸念は何か？「薬物依存・耽溺（たんでき）・渇望・中毒・禁断症状・乱用・濫用・常用・習慣性・陶酔・多幸感」といった単語が頭をよぎる．歴史的には，アヘン戦争で広まった負のイメージが先行している（モルヒネはアヘンの成分である）．本当にそうか？

　がんの痛みの治療に携わっている先生方の中で，オピオイドによる耽溺や乱用を経験した人はほとんどいない．一方，戦争経験のある高齢の先生方は，戦場でモルヒネの注射を繰り返した経験から，やはりモルヒネは避けたいとの思いがあろう．しかし現在では，モルヒネの安全な投与法が明らかとなり，WHO主導で世界に広まっている．痛みのある人に対し，急に血中濃度を上げず，鎮痛に必要な血中濃度を保つため，経口・経皮・経直腸的に定期的に投与し，単回注射を避ければ，耽溺や渇望は発生しない．

2　がんの痛み以外に対するオピオイドの使用

　がんの痛み以外に対するオピオイドの使用については，まだ食べたことがないのに嫌い，つまり食べず嫌いという面がかなり強い．知識が増えれば不安も和らぎ，敷居が低くなるであろう．まずは，「耐性・薬物依存・耽溺・渇望・アディ

クション・中毒・退薬症状・習慣性・快感・陶酔感」といった漠然とした不安の意味・定義を考えてみたい．

> オピオイドを使うべきか？使わざるべきか？

3 アディクション

　drug addiction——耽溺，渇望——．広辞苑［第6版，岩波書店，2008］によると，耽溺とは「酒色などにふけり溺れること」，渇望とは「のどが渇いて水を欲しがるようにしきりに望むこと」である．ステッドマン医学大辞典［第6版，メジカルビュー，2008］によると，addiction は「ある物質または行為に対する制御不能の心理的および身体的な常習性の依存」である．つまり，一般的にも医学的にも同じような状態を示している．そのまんまアディクションと訳されることもある．addiction の状態になっている人を addict といい，日本語では常習者，常用者（とくに有害と思われる物質や行為を常用または常習する者）となる．

　良性の慢性痛にオピオイドを使用する場合，精神依存が発生する危険因子として，他の薬物の乱用・常用，アルコール依存症，精神疾患などの既往や現病が知られている．

メモ　drug addiction の7要素

　drug addiction の診断法の1例として，Camí らは，以下7項目のうち3項目以上満たした場合を drug addiction と診断している［Camí J, et al: N Engl J Med 349: 975-986, 2003］．
- ★ 耐性
- ★ 退薬症状
- ★ 計画量より，長期間または多量の薬物使用
- ★ 薬の継続する切望，減量を試みてもできない状態，使用の管理ができない状態
- ★ 薬を求めて時間を費やす状態
- ★ 薬物使用が原因で，社会的・職業的活動や気晴らしのための活動が低下した状態
- ★ 健康上の問題や社会的・経済的問題にも関わらず，継続して薬物を使用してしまう状態

4 耐性（tolerance）

　耐性とは，投与回数を重ねるうちに薬の効果が出にくくなるよう生体機能が変化して，薬に適応した状態である．耐性が発生すると，以前と同じ効果を得るためには，①増量，②投与間隔の短縮が必要となる．耐性は，薬の各作用に対して別個に発生する．その薬の目的とする主作用に対する耐性は良くないが（作用が減弱するので），副作用に対しては良い．例えば，オピオイドの副作用である悪心は2週間程度で耐性が発生し消失する．オピオイドの耐性は，悪心・嘔吐，眠気に対して常に発生し，痛みに対してときに発生し，便秘に対しては発生しない．悪心・嘔吐や眠気に耐性が発生すると，吐き気が止まり，眠くなくなるので治療上有益である．一方，鎮痛効果に対して耐性が発生した場合は，オピオイドの増量が必要となる．残念ながら便秘には耐性が発生しないので，便秘に対する薬の併用が必須となる．また，眠気に対しても耐性が発生し，眠気がとれる．

> **耐性により副作用は軽快**

5 薬物依存

　薬物依存という言葉のイメージは，一般的にあまり良くない．医学的に定義を確認しておこう．
　薬物依存（substance dependence）には，身体依存（physical dependence）と精神依存（psychological dependence）がある（図20-2）．
　身体依存は退薬症状で診断できる．退薬症状（withdrawal syndrome）は，薬の投与中止・減量・拮抗薬投与によりもたらされる，その薬特有の症状である．オピオイドの身体的退薬症状には，興奮，頻脈，発汗，呼吸数増加など交感神経系の亢進症状がある．この症状は，オピオイドを徐々に減量すれば防止できる（2日毎に10～15％減量し，モルヒネ換算で10～15 mg/日まで下げた後，2日間維持し中止する）．
　精神依存は，渇望した結果，薬を求めて執拗に要望する，処方してくれる医療機関を求めて転々とするなどの行動（cravingという）の存在により判断する．薬物依存の中で，精神依存が強いのがaddictionである．addictionは，行動面を言

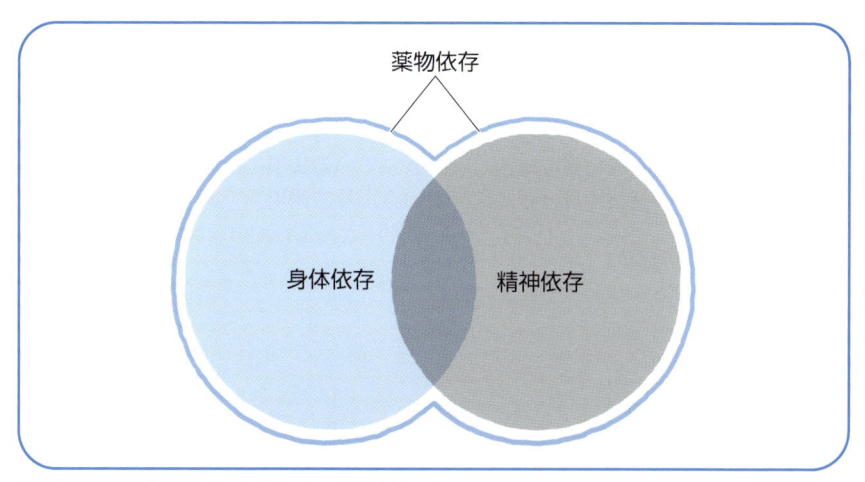

図 20-2　薬物依存に身体依存と精神依存あり

外に強調した用語であるが，最近，英語圏では craving という表現に変わりつつある．craving とは，切望している，懇願する，渇望する——という意味である．

患者，医師，家族がオピオイドの使用で怖れるのは，精神依存（＝craving＝addiction）である．身体依存は正常な反応として出現し，その症状である退薬症状は，前述のように徐々に減量すれば回避できるからである．身体依存による退薬症状のみ（つまり1項目）では，「addiction」とはいえない．身体依存は，addiction の1症状として発生しうるが，必須ではない．退薬症状は，使用中の薬物を急に中止すると発生する正常な反応である．

メモ

1. addiction と中毒の関係

中毒とは，「飲食物または，内用・外用の薬物などの毒性によって生体の組織や機能が障害されること」である．例えば，誤った過量摂取による障害は中毒であるが，この場合，常習性の依存がなければ addiction とはいえない．逆に addiction なら中毒といえる．制御不能な心理的依存が存在するので，精神機能が障害されていると考えられるからである．すべての薬は，中毒を起こす可能性がある．つまり，過量になれば障害が発生する．一方，addiction は，快感・陶酔をもたらす特定の薬物——オピオイド，カンナビノイド，エタノール，コカイン，アンフェタミン，ニコチン，睡眠薬，向精神病薬など——で発生する．

2. 麻薬中毒

　麻薬中毒は，narcotic addict ともいうし，単に addict ともいう．睡眠薬中毒は hypnotic addiction である．一酸化炭素中毒は carbon monoxide poisoning である．このように日本語の中毒は，英語にすると様々な表現法があるようである．麻薬及び向精神薬取締法に収載されている物質による中毒が麻薬中毒と考えられるが，麻薬中毒とは，医学というより法律用語である．欧米の論文で使用されている用語は，オピオイドの副作用として，addiction/abuse, opioid dependence が多い．

麻薬中毒
医学用語というより法律用語

精神依存 ≒ addiction ＝ craving

B　快感をめぐって：量や回数で快感が戻れば耽溺のもと

　快感や陶酔をもたらす物質は，習慣性や常習性をもたらす可能性がある．そこで，快感の仕組みについて考えてみたい．

1 快感の仕組み

　食欲（飲む／食べる）や性欲が満たされると，中脳腹側被蓋野（ventral tegmental area）から側坐核（nucleus accumbens）に投射されているニューロンからドパミンが側坐核に放出される．
　日常生活／行動での快感は毎回同じだと減少し，飽きがくる．つまり，日常行為（食欲，性欲）でのドパミン産生は，慣れにより低下する．これが習慣化，適応，順応であり，日常行為での快感は新鮮さや意外性という要素が重要である．最初はドパミンが出るが，繰り返すと，一応出るが最初ほど出ないのである．美

3日までは
喜んで食べても

4日目には
飽きる

量を増やしても決して美味しくありません

図 20-3　美味しくても3日同じものを食べると4日目には飽きる（慣れの出現）

味しいものでも，毎日では飽きる．あまりに美味しくて3日間連続でつい食べてしまったが，4日目には飽きてきたというのがこれに相当する．この場合，食べる量を増やしても，美味しさや快感はやってこない．嫌になる一方である（図20-3）．しかし，しばらく休止すると新鮮さが戻り，快感が増すのである．一方，addiction を起こしうる物質では，繰り返しても飽きることがなく，いつも同じ量のドパミンが放出される．もし慣れてきた場合には，量を増やせば快感は元に戻る．こうした作用のとくに強い物質が法律で麻薬に指定されている．

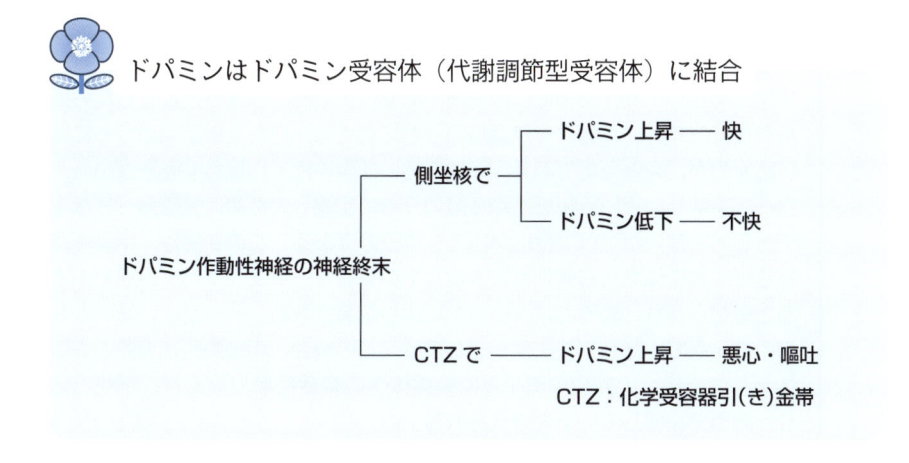

ドパミンはドパミン受容体（代謝調節型受容体）に結合

ドパミン作動性神経の神経終末
├ 側坐核で ─┬ ドパミン上昇 ── 快
│   └ ドパミン低下 ── 不快
└ CTZ で ── ドパミン上昇 ── 悪心・嘔吐

CTZ：化学受容器引(き)金帯

B．快感をめぐって

ある刺激によりドパミンが出て「快」を感じたとする．すると，脳は同時に，「その刺激により快感が得られる」と学習（記憶）する．記憶するので，快を求めてその刺激を繰り返すようになる．つまり，エスカレートしてくる．もし，覚えていなければ，快を感じたことを忘れているからとくに繰り返す結果とはならないので，エスカレートしない．耽溺とは，その刺激を求めて行動する状態であり，エスカレートした状態である．逆に不快となる場合は避けるようになり繰り返さなくなる．これら快・不快の記憶と想起の場所は，中脳腹側被蓋野，側坐核，扁桃体，海馬，前頭葉前部の皮質（前頭前皮質，prefrontal cortex）や帯状回前部（前帯状皮質）である．

> 快を感じても記憶されなければ繰り返さない
> ↓
> どこかで記憶されるので繰り返す
> ↓
> ★ 動物は，本能的に繰り返す
> ★ ヒトは，本能的な行動を前頭葉で意識的に抑制しているが，抑制が外れがちになって繰り返す

STEP UP 　中脳腹側被蓋野に快感の中枢あり
　中脳腹側被蓋野のニューロンの細胞体から，側坐核，扁桃体，海馬に神経線維が到達している（投射している：図20-4）．側坐核への投射により，快感を起こした動作を強化し，海馬で記憶に止める．つまり，こうしたら気持ち良くなるという動作を無意識のうちに覚える．これを無意識のうちに思い出すのが，条件反射である．好物の匂いを嗅いだら，思わず唾液が出る．食べて美味しいという快感を無意識のうちに記憶したため，実際食べてなくても匂いを嗅いだだけで反応が出てしまうのである．この快感は，中脳腹側被蓋野に細胞体を持ち側坐核に到達しているニューロンがドパミンを放出するともたらされ，海馬のニューロンにより記憶される．──逆に，嫌いなものの匂いを嗅いだら不快になってしまう．この場合，中脳腹側被蓋野の細胞体から側坐核への刺激の減少と，扁桃体への刺激の増加により，不快と感じ，海馬で記憶していると考えられる．

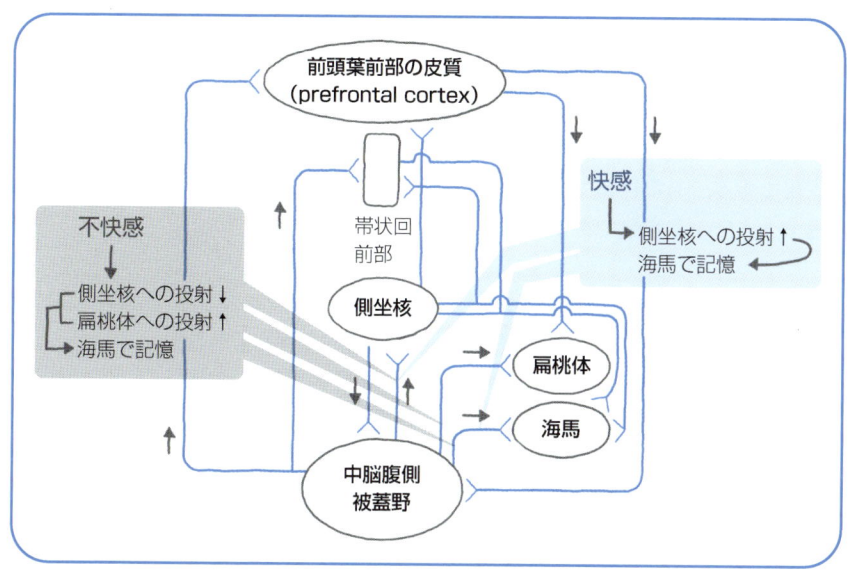

図20-4 快感とその記憶のループ

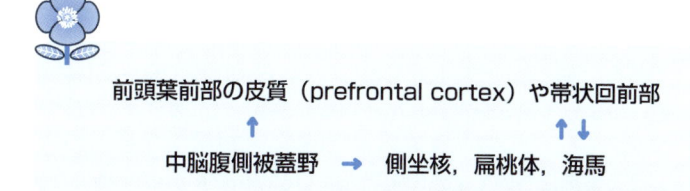

前頭葉前部の皮質（prefrontal cortex）や帯状回前部
↑　　　　　　　　　　↑↓
中脳腹側被蓋野 → 側坐核，扁桃体，海馬

　中脳腹側被蓋野の細胞体から前頭葉前部の皮質（前頭前皮質，prefrontal cortex）や帯状回前部への投射は，「気持ち良いという感覚を意識する」，「薬を求めて行動する」，「止むに止まれず薬を飲んでしまう」という反応の源になっている．気持ち良いことを記憶したら，本能的にそれを得ようとして行動を起こす．このように，中脳腹側被蓋から「側坐核，海馬」への投射と「前頭葉前部の皮質（前頭前皮質，prefrontal cortex）や帯状回前部（前帯状皮質）」への投射が共同して，快を感じ，記憶し，繰り返し求める行動に駆り立てるのである．動物だと抑制がかからないので，快感を追求してその動作を繰り返す．ヒトの場合は意志の力で抑制がかかる．なお，不快はその逆である．側坐核への投射の減少と，扁桃体への投射の増加が海馬で記憶され，前頭葉前部の皮質（prefrontal cortex）や帯状回前部で，それを避ける行動を起こす．

2 行動の強化

「行動の強化」といわれても分かりにくいのであるが，もともと外国の研究からきた言葉で reinforcing action of drug, rewarding action of drug がもともとの表現である．ある行為で報酬が得られる（報われる）と，その行為を記憶し繰り返すようになる現象である．

STEP UP

place preference：
動物の居場所は，その個体にとって快・安全な場所である

　動物に薬か生理食塩液を投与する実験を行った．薬を投与するときは緑色の部屋で，生理食塩液を投与するときは青色の部屋で，投与を繰り返した．その後，動物を緑の壁と青の壁が半々になっている部屋に放置すると，動物は緑の部分にいる時間が多かった（**図20-5**）[Cami J, et al: N Engl J Med 349: 975-986, 2003]．これは，動物の場所の好み（place preference）を示していると考えられ，その動物は，緑の場所を好んだと判断される．そして，緑の部屋で行われた薬を投与する行為が，動物にとって好ましい効果をもたらしたと判断できる．動物の行動は，前頭葉の発達した人間と比べると単純であり，本能的であり，快・不快に基づいていると考えられている．そこで，緑の部屋で投与した薬は，動物に快感をもたらしたと判断できるのである．逆に青の部屋を好むとしたら，緑の部屋で投与された薬は，快感の逆，つまり不快をもたらしたと判断できる．オピオイド，カンナビノイド，エタノール，アンフェタミン，ニコチン，コカインなど，ヒトで耽溺が発生しうる薬剤について上述の実験をすると，place preference が出現する．

> 動物の行動基準は快・不快 ➡ 本能的行動です

3 条件付け：快をもたらす条件を記憶

　2つのレバーがある部屋に動物を入れる．1つのレバーは押すとオピオイドが投与され，もう1つは押すと生理食塩液が投与されるとする．最初は，偶然にどちらかのレバーを押すが，やがて動物にとって好ましい結果のレバーを押す回数が多くなる．オピオイドが快感となり，レバーを押す行為が強化されたのである．

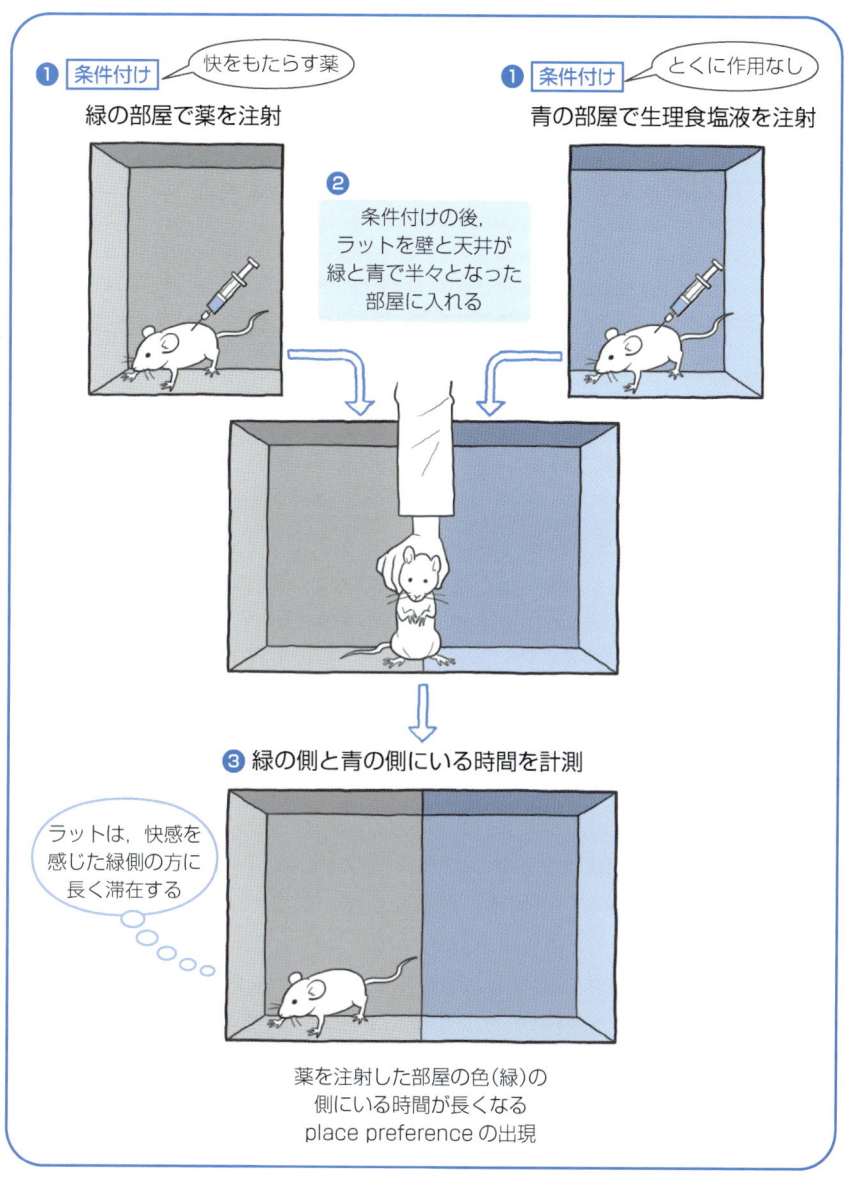

図 20-5　place preference

［Camí J, et al: N Engl J Med **349**: 975-986, 2003 より引用］

4 痛いときにはもともとドパミンは出てない（☞ 12章 p201）

12章で述べたが，痛みがあると，オピオイドを投与してもドパミン量が元に戻るだけで快感までには至らないので，精神依存はほぼ発生しない．ただ，100％発生しないとは断言できないので，定期的な診察が必要である．

C 耐性の仕組み：副作用に対する耐性は歓迎されます

1 耐性の発生：オピオイドの長期投与の場合──細胞内で何かが起こっている

耐性とは，投与回数を重ねるうちに薬の効果が出にくくなった状態である．つまり，主作用については「効かなくなった」であり，副作用については「副作用がなくなった」である．薬の作用が低下するのであるから，細胞内では何らかの変化が発生しているはずである．それは何か？ 耐性とは，薬が起こした変化が元に回復する現象である．

痛み刺激［例えば発痛物質：プロスタグランジン E（☞ 5章 p78）］は，末梢神経・脊髄後角・脳で cAMP やリン酸化 CREB を上げる．CREB は cAMP 応答配列結合蛋白という転写因子であり，当該神経に応じて担当物質の産生を促す（図20-6）．リン酸化 CREB はダイノルフィン産生の転写因子であり，痛いときはリン酸化 CREB が上昇し，不快感の源となっている（ダイノルフィンはドパミン作動性神経からドパミンの放出を抑えるので：☞ 12章 p198, 図 12-12）．

オピオイドは μ 受容体に結合し，cAMP を下げる（図 20-7）．cAMP の低下は K^+ チャネルを開き，CREB のリン酸化を下げる．耐性とは，オピオイドを投与し続けているのに，その下がっていた cAMP レベルやリン酸化 CREB が元に戻ってしまう現象である──戻るので作用が消失する，つまり効かなくなる．では，どのような仕組みで戻るのか？ 図 20-8 で説明したい．

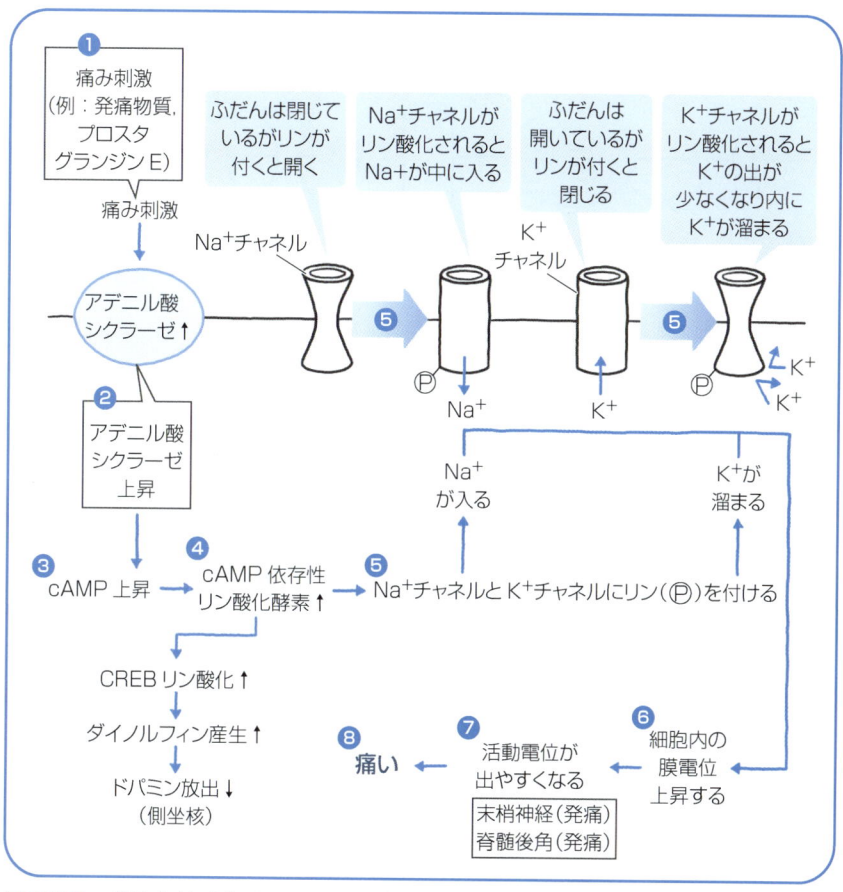

図 20-6 痛みとサイクリック AMP（cAMP）と CREB

🌸 オピオイドの作用（耐性が出る前）

★ cAMP の低下 ➡ K⁺チャネルを開く
★ CREB のリン酸化低下 ➡ ダイノルフィンの産生を下げる
　　　　　　　　　　　➡ ドパミン放出↑

C. 耐性の仕組み

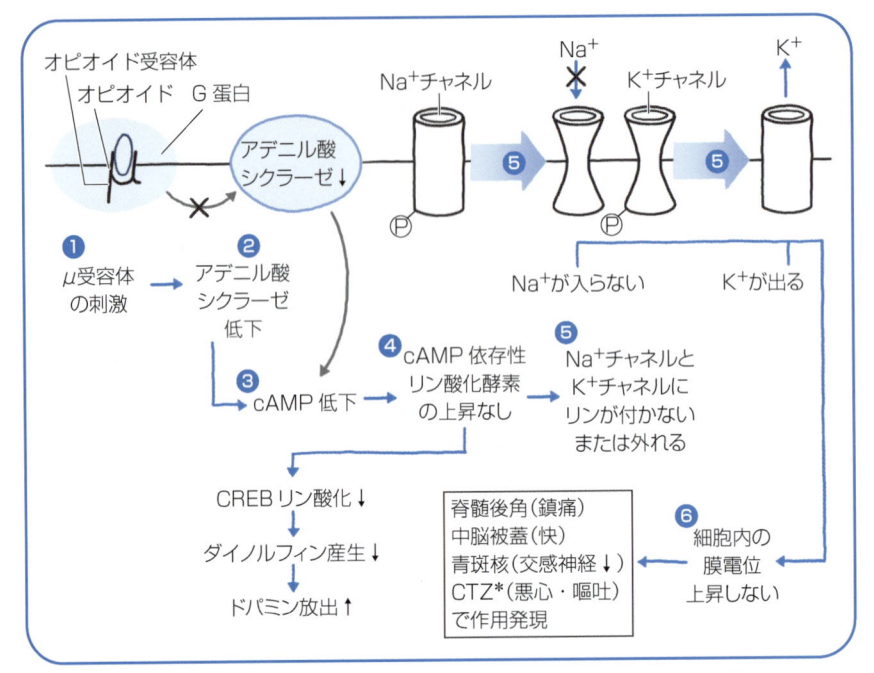

図 20-7　耐性が出る前のオピオイド作用：オピオイド受容体を介する作用
　*CTZ (chemoreceptor trigger zone)：第 4 脳室底にある化学受容器引(き)金帯. 嘔吐中枢に刺激を送り, 嘔吐を誘発する領域. μ受容体, ドパミン D_2 受容体, 5-HT_3 受容体, ムスカリン M_1 受容体などが存在している. μ受容体が刺激を受けるとドパミンが放出され, ドパミン D_2 受容体が刺激され, 悪心・嘔吐が発生する.

オピオイドの耐性

いったん下がった cAMP が元に戻る
いったん下がった CREB のリン酸化が元に戻る

CREB の働き：オピオイドの副作用を弱める（＝耐性をもたらす）

オピオイド投与 → ドパミン放出 → 悪心, 多幸感（痛みがない人が服用した場合）→ オピオイド投与を継続 → リン酸化 CREB 上昇 → ダイノルフィン産生増加 → ドパミン放出低下 → 悪心消失, 無快

328　20. 食わずぎらいのあなたに

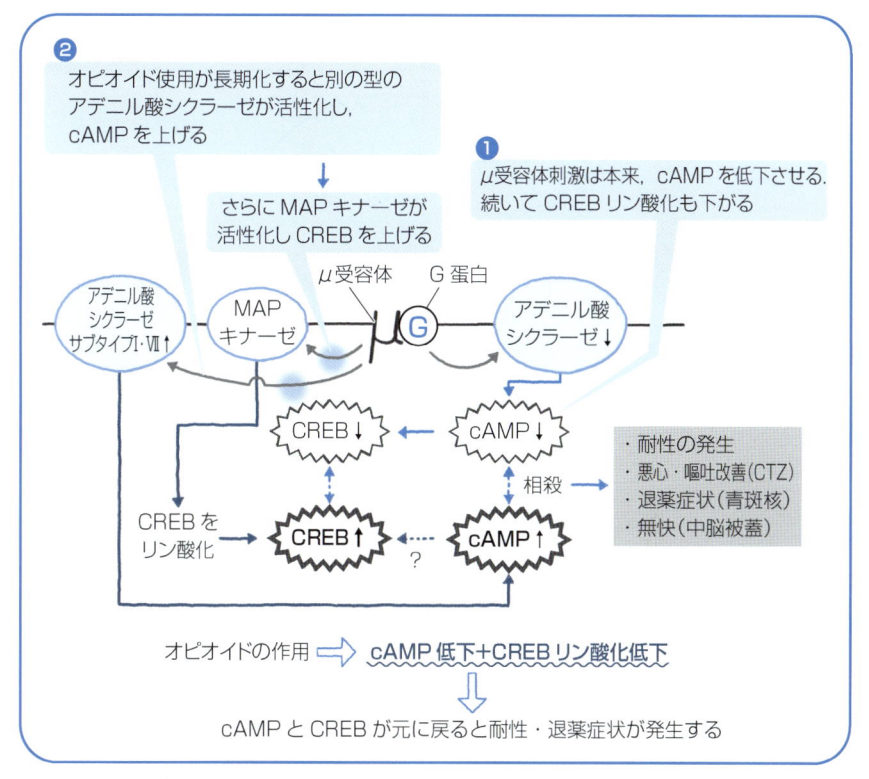

図 20-8 オピオイドで低下した cAMP と CREB が別ルートで再上昇し元に戻ると耐性・退薬症状が発生

CREB: cyclic AMP response element binding protein, MAP: mitogen-activated protein

a. cAMP レベルが戻る理由

μ受容体の長期的刺激により，別のアデニル酸シクラーゼ（アデニル酸シクラーゼサブタイプ I・Ⅶ）が活性化され，当初から抑制されていたアデニル酸シクラーゼとは別ルートで cAMP の産生が起こる（**図 20-8**）．

b. CREB のリン酸化が戻る理由

μ受容体の長期に渡る活性化は，MAP キナーゼというリン酸化酵素を活性化する．活性化した MAP キナーゼが CREB をリン酸化し元に戻す．リン酸化 CREB が戻ると，ダイノルフィン↑→κ受容体刺激→ドパミン放出↓を介して不快感・無快が再来する（**図 20-8**）．

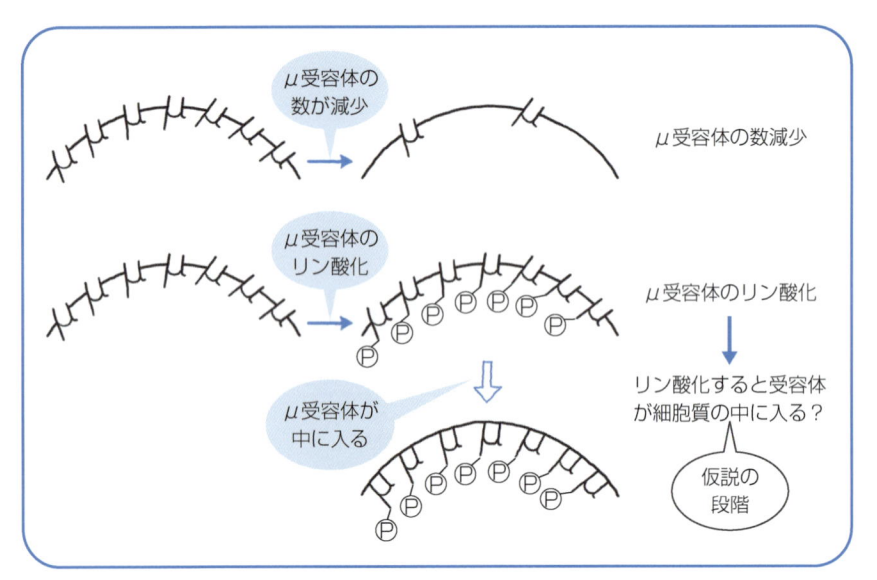

図 20-9 オピオイド投与が長期化するとμ受容体の数や位置が変化

c. オピオイドの使用が長期化する場合（**図 20-9**）

μ受容体の数が減少し，オピオイドの作用が低下する可能性がある．また，μ受容体自体のリン酸化により，受容体が細胞質内に入り込み，オピオイドが結合できなくなるとの説もある．

　　オピオイドでcAMP低下

　　　cAMPレベルの揺り戻し（再増加）で耐性出現

D 退薬症状の仕組み：徐々に減量すれば予防できます

退薬症状 { 身体症状：身体依存があると出現
　　　　　精神症状：不快感・無快感の出現

1 オピオイド急停止による退薬症状：
青斑核での出来事——身体症状（動悸・頻脈・呼吸数増加・発汗）

　急なオピオイド中止により，交感神経系の刺激作用が（動悸・頻脈・呼吸数増加・発汗）が発生する．青斑核（nucleus locus coeruleus）のオピオイド投与による抑制が，その中止により外れるためである（**図 20-10**）．
　青斑核は，性的興奮，ストレスへの反応，自律神経活動を調節していて，ノルアドレナリン（NA）を伝達物質として放出するニューロンの集合体である．オピオイドを短期的に投与すると青斑核の μ 受容体が刺激され，アデニル酸シクラーゼが抑制され，交感神経活動が抑制されるが，別のアデニル酸シクラーゼ（I，VII）によりcAMPが再増加し，交感神経活動が戻る．この状態でオピオイド投与を急に中止すると，μ 受容体によるアデニル酸シクラーゼ抑制作用が外れるため，相対的にcAMP過剰状態が発生し，交感神経亢進症状が出現する．これは，オピオイド中止による退薬症状のうちの身体症状となる．

退薬症状

身体症状は交感神経緊張による症状

2 オピオイド投与急停止による退薬症状：
側坐核での出来事——不快感，身体違和感，無快感

　オピオイドの長期投与で脳内にダイノルフィンが上昇しているが（**図 20-**

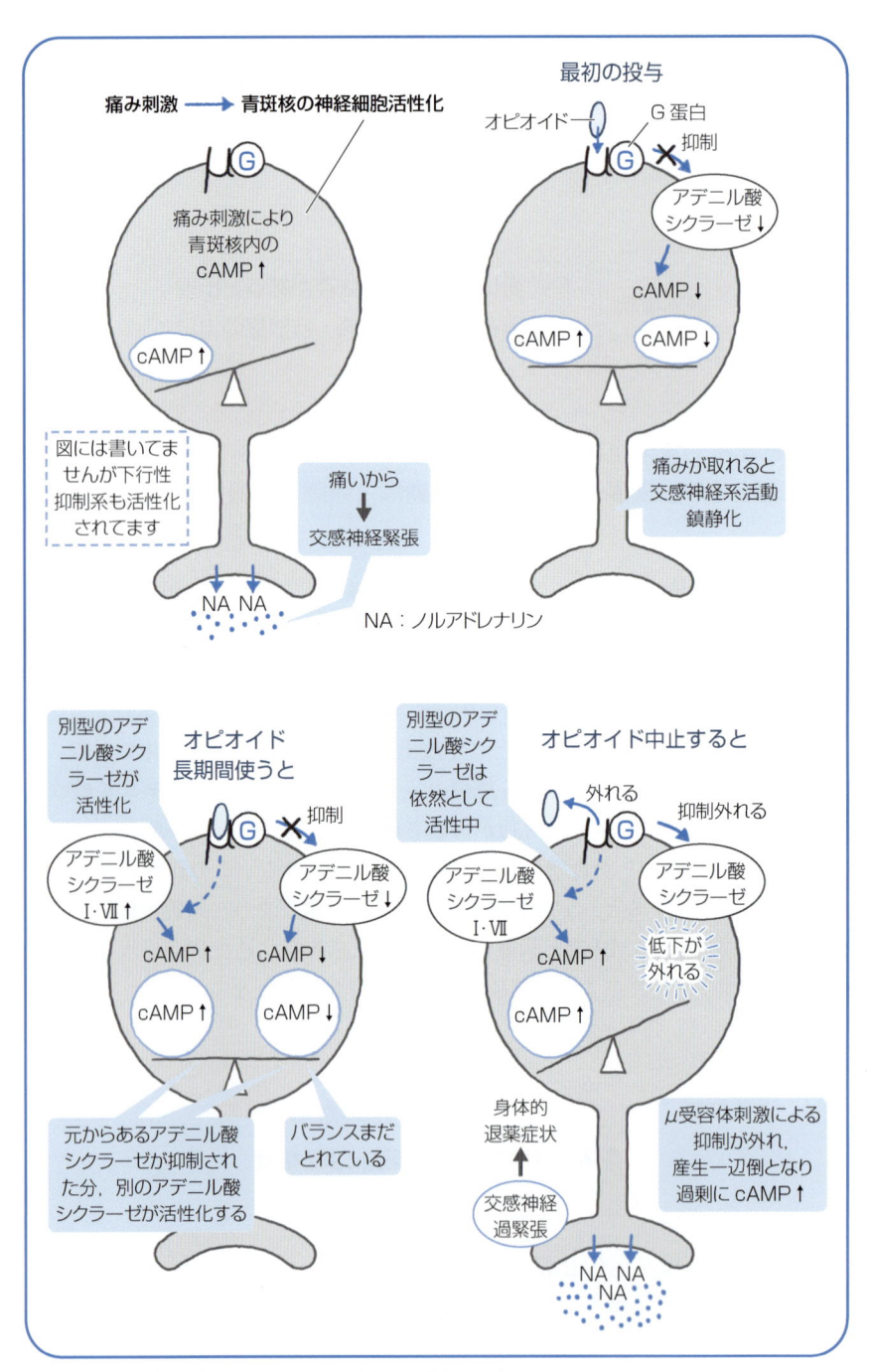

図 20-10　青斑核での cAMP：増加と減少のバランス

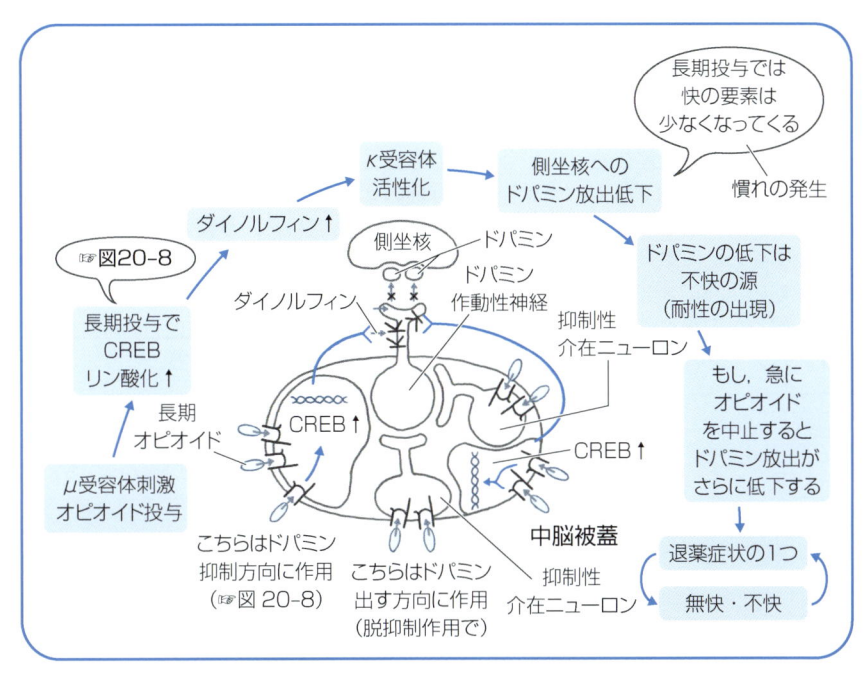

図20-11 快の中枢での耐性の発生と退薬症状：CREBがダイノルフィン産生を増やす（☞12章図12-11・12）

11）．急にオピオイドを中止すると，その直後には①オピオイドの急激な減少により μ 受容体刺激によるドパミン放出そのものが低下し，さらに② κ 受容体に対するダイノルフィン刺激の残存によりドパミン放出が抑制されているため，相対的に κ 受容体刺激が優位となり，ドパミン放出が急激に低下する．側坐核でドパミンが低下すると不快感，身体違和感，無快感（本来，快であるはずが快と感じない状態）が発生する．これも，退薬症状の1つである（**図20-11**）．退薬症状を予防するために，徐々に減量する（☞p318）．

オピオイド中止による不快感 → ドパミン減少による退薬症状

D．退薬症状の仕組み

> **メモ** ダイノルフィンの産生亢進：
> 不快感／違和感――オピオイドの長期投与の場合
>
> 　痛み刺激は，大脳辺縁系に達し不快を起こすが，その仕組みは，痛み刺激がダイノルフィンを産生させているからである（☞12章p198）．ダイノルフィンは，側坐核に投射するドパミン作動性神経のκ受容体を刺激するため，側坐核へのドパミン放出が減少する（☞12章図12-12）．ドパミンの低下は，不快感／違和感をもたらす．
>
> 　前述のようにオピオイドの長期投与では，リン酸化CREB（転写因子です）が元に戻る．中脳被蓋から側坐核に投射するニューロンでのリン酸化CREBは，ダイノルフィンの産生をもたらす（**図20-11**：☞12章図12-11・12）．

参考文献

1. Kakigi R, et al: Intracerebral pain processing in a Yoga Master who claims not to feel pain during meditation. Eur J Pain **9**: 581-589, 2005
2. Qiu Y, et al: Brain processing of the signals ascending through unmyelinated C fibers in humans: an event-related functional magnetic resonance imaging study. Cereb Cortex **16**: 1289-1295, 2006
3. Melzack R, Wall PD: Pain mechanisms: a new theory. Science **150**: 971-979, 1965
4. Yoshimura M, Furue H: Mechanisms for the anti-nociceptive actions of the descending noradrenergic and serotonergic systems in the spinal cord. J Pharmacol Sci **101**: 107-117, 2006
5. Yezierski RP, et al: A further examination of effects of cortical stimulation on primate spinothalamic tract cells. J Neurophysiol **49**: 424-441, 1983
6. Hansson E, Rönnbäck L: Altered neuronal-glial signaling in glutamatergic transmission as a unifying mechanism in chronic pain and mental fatigue. Neurochem Res **29**: 989-996, 2004
7. Goldstein A, et al: Stereospecific and nonspecific interactions of the morphine congener levorphanol in subcellular fractions of mouse brain. Proc Natl Acad Sci USA **68**: 1742-1747, 1971
8. Hughes J, et al: Identification of two related pentapeptides from the brain with potent opiate agonist activity. Nature **258**: 577-580, 1975
9. Goldstein A, et al: Porcine pituitary dynorphin: complete amino acid sequence of the biologically active heptadecapeptide. Proc Natl Acad Sci USA **78**: 7219-7223, 1981
10. Lord JA, et al: Endogenous opioid peptides: multiple agonists and receptors. Nature **267**: 495-499, 1977
11. Turk DC, Okifuji A: Assessment of patients' reporting of pain: an integrated perspective. Lancet **353**: 1784-1788, 1999
12. Niikura K, et al: Neuropathic and chronic pain stimuli downregulate central mu-opioid and dopaminergic transmission. Trends Pharmacol Sci **31**: 299-305, 2010
13. Casey KL: Forebrain mechanisms of nociception and pain: analysis through imaging. Proc Natl Acad Sci USA **96**: 7668-7674, 1999
14. Marchand F, et al: Role of the immune system in chronic pain. Nat Rev Neurosci **6**: 521-532, 2005
15. Tsuda M, et al: Neuropathic pain and spinal microglia: a big problem from molecules in "small" glia. Trends Neurosci **28**: 101-107, 2005

16. Scholz J, Woolf CJ: Can we conquer pain? Nat Neurosci **5** (Suppl): 1062-1067, 2002
17. Basbaum AI, et al: Cellular and molecular mechanisms of pain. Cell **139**: 267-284, 2009
18. Levine JD, et al: The mechanism of placebo analgesia. Lancet **2**: 654-657, 1978
19. ter Riet G, et al: Is placebo analgesia mediated by endogenous opioids? A systematic review. Pain **76**: 273-275, 1998
20. Amanzio M, Benedetti F: Neuropharmacological dissection of placebo analgesia: expectation-activated opioid systems versus conditioning-activated specific subsystems. J Neurosci **19**: 484-494, 1999
21. Colloca L, Benedetti F: Placebos and painkillers: is mind as real as matter? Nat Rev Neurosci **6**: 545-552, 2005
22. Xiao W, et al: Chemotherapy-evoked painful peripheral neuropathy: analgesic effects of gabapentin and effects on expression of the alpha-2-delta type-1 calcium channel subunit. Neuroscience **144**: 714-720, 2007
23. Matsumoto M, et al: Inhibition of paclitaxel-induced A-fiber hypersensitization by gabapentin. J Pharmacol Exp Ther **318**: 735-740, 2006
24. Kehlet H, et al: Persistent postsurgical pain: risk factors and prevention. Lancet **367**: 1618-1625, 2006
25. Maruyama K, et al: Integrins and nitric oxide in the regulation of glia cells: potential roles in pathological pain. J Anesth Clin Res S7: 008. doi: 10. 4172/2155-6148. S7-008, 2012
26. Bliss TV, Collingridge GL: A synaptic model of memory: long-term potentiation in the hippocampus. Nature **361**: 31-39, 1993
27. Xin WJ, et al: Role of phosphorylation of ERK in induction and maintenance of LTP of the C-fiber evoked field potentials in spinal dorsal horn. J Neurosci Res **84**: 934-943, 2006
28. Ji RR, et al: Central sensitization and LTP: do pain and memory share similar mechanisms? Trends Neurosci **26**: 696-705, 2003
29. Kurumbail RG, et al: Structural basis for selective inhibition of cyclooxygenase-2 by anti-inflammatory agents. Nature **384**: 644-648, 1996
30. Smith HS: Potential analgesic mechanisms of acetaminophen. Pain Physician **12**: 269-280, 2009
31. Edlund MJ, et al: Risk factors for clinically recognized opioid abuse and dependence among veterans using opioids for chronic non-cancer pain. Pain **129**: 355-362, 2007
32. Camí J, Farré M: Drug addiction. N Engl J Med **349**: 975-986, 2003
33. 花岡一雄, 田上 惠 (編): 痛みの概念の整理, 真興交易医書出版部, 東京, 1996
34. 時実利彦: 脳の話, 岩波書店, 東京, 1962
35. 植松 黎: 毒草を食べてみた, 文藝春秋, 東京, 2000
36. アントニオ・R・ダマシオ, 田中三彦 (訳): デカルトの誤り, 筑摩書房, 東京, 2010
37. 高木貞敬: 記憶のメカニズム, 岩波書店, 東京, 1976
38. 福井次矢, 高木 誠 (編): 外来全科痛み治療マニュアル, 三輪書店, 東京, 1993

39. Cousins MJ, Bridenbaugh PO（eds）: Neural Blockade, 4th ed, Lippincott-Raven, Philadelphia/New York, 2009
40. Wall PD, Melzack R（eds）: Textbook of Pain, 4th ed, Churchill Livingstone, Edinburgh, 1999
41. Ganong WF: Review of Medical Physiology, Lange Medical Publications, Loa Altos, 1995
42. 古河太郎，本田良行（編）：現代の生理学，金原出版，東京，1982
43. 宗行万之助，兵頭正義：コンテンポラリー麻酔科学，金芳堂，京都，1992
44. 高倉広朋ほか（監），高橋　徹ほか（編）：痛みの神経科学，最新 脳と神経科学シリーズ第6巻，メジカルビュー社，東京，1997
45. 横田敏勝：臨床医のための痛みのメカニズム，南江堂，東京，1997
46. Strong J, et al（eds），熊澤孝朗（監訳）：臨床痛み学テキスト（Pain: a textbook for therapists），エンタプライズ，東京，2007
47. Carter R, et al，養老孟司（監訳），内山安男ほか（訳）：ブレインブック：みえる脳，南江堂，2012
48. 宮崎東洋，小川節郎（編）：実地医家のための痛み読本，永井書店，大阪，2000
49. 外須美夫：痛みの声を聴け─文化や文学のなかの痛みを通して考える，克誠堂出版，東京，2005
50. ヴィクトリア・ブレイスウェイト，高橋 洋（訳）：魚は痛みを感じるか？ 紀伊國屋書店，東京，2012
51. 文部科学省・課題解決型高度医療人材養成プログラム（慢性の痛みに関する領域，平成28-33年度）「地域総活躍社会のための慢性疼痛医療者育成事業」〈https://www.hosp.mie-u.ac.jp/chrpain/〉（2017/8）

じゆうちょう

索 引

主な解説の頁は**太字**，図表からの語の頁は色字で，用語との関連項目は➡で示した．

欧　文

Ⅰ群線維　22
　➡Ⅰa線維　223, 228
Ⅱ群線維　22, 223
Ⅲ群線維　22, 223
Ⅳ群線維　22, 223
5-HT　65
5-HT受容体　**132**, 134, 136
5-HT$_1$受容体　98, **132**, 133, 134, 135
5-HT$_2$受容体　98, 133, 134
5-HT$_3$受容体　98, **132**, 133, 134, 135, 328

A

α受容体　299
　➡αブロッカー　302
　➡異所性α受容体　300
α$_1$受容体　129, 135
α$_2$受容体　98, 129, 135, 136, 211
　➡刺激　131, 131
　➡刺激薬　113, 114, 263
α$_1$サブユニット　207
α$_2$δサブユニット　207, **208**, 210, 212, 253
　➡亢進　213, 253
α$_2$δリガンド　**208**, 209, 211, 214
A線維　22
Aα線維（運動ニューロン）　23, **25**, **218**, 223, 223, 227, 229, 243, 245, 296
Aβ線維　23, 25, 254, 255
　➡刺激　149
　➡障害　151, 151
Aγ線維（運動ニューロン）　23, **25**, **218**, 219, 219, 223, 223, 227, 227
　➡交感神経　296
　➡刺激　227, 243
　➡抑制　216, 220, 229, 230, 245
Aδ線維　21, 24, 26, 28, 254
　➡伝達物質　134

abuse　320
action potential　➡活動電位
addict　317
addiction　317, 319, 320, 321
affinity　189, 190
allodynia　➡異痛症
AM404（N-arachidonoyl-phenolamine）　171
AMPA受容体　98, **101**, 102, 103, 278
ASIC　91, **93**, 95, 98
astrocyte　256, 257
ATP　95, 256

B

βエンドルフィン　193, 194, 195, 197, 307
B線維　22, 26
brainstem control　118
Broca　50

C

Cキナーゼ　77, 78, 79, 265, 266
C線維　**21**, 22, 24, 28, 107, 254, 258, 266, 268, 269, 281
　➡伝達物質　134
Ca拮抗薬　204, 204, 208
　➡作用点　209
Ca^{2+}　105, 267
Ca^{2+}チャネル　203
　➡L型チャネル　203, 209
　➡N型チャネル　203, 209, 212
　➡N型チャネル阻害薬　167, 210
　➡サブユニット　207
　➡受容体作動性　205
　➡電位依存性Ca^{2+}チャネル　98, 104, **106**, 205, 206
　➡抑制　211
cAMP　79, 326, 327, 332
　➡依存性プロテインキナーゼ（Aキナーゼ）　77, 79, 79, 186

339

➡応答配列結合蛋白　➡CREB
ceiling effect　191
central control　116, 118
central mechanism　118
cGMP
　➡依存性プロテインキナーゼ（G キナーゼ）　77, 268
CGRP　65, 68, 73
chemoallodynia　250
Cl⁻ チャネル　40, 41, 110, 129, 250, 251
COX　➡シクロオキシゲナーゼ
craving　318, 319
CREB　326, 327, 328, 329, 333
CRH　194
CTZ　321, 358

D

δ 受容体　98, 112, 184, 190
DAG　78, 79
deafferentation pain　152
descending control　118
descending inhibition　118
drug addiction　317

E

efficacy　189, 190
endorphine　➡エンドルフィン
ephaptic transmission　299
ERK　77
Erlanger　22, 24

F

fast pain　19
first pain　19
functional MRI　59

G

G 蛋白　131, 133, **136**, 186, 328, 332
　➡抑制性　136, 186
G 蛋白共役受容体　132
GABA（γ-アミノ酪酸）　109, 110, 111, 112, 129, 171, 196
　➡受容体刺激　211
GABA_A 受容体　98, 129, 135
GABA_B 受容体　98, 129, 135
Gasser　22, 24

generator potential　➡起動電位
glutamate　106, 107
glutamic acid（Glu）　➡グルタミン酸
glutamine（Gln）　106, 107
Golgi 腱受容器　24, 230

H

H⁺　64, 65, 72, 73, 75
hyperalgesia　➡痛覚過敏

I

IL-1β　256, 267, 268, 280
IL-6　256, 267, 268

K

κ 受容体　98, 112, 184, 190, **191**, 192, 192, 198, 200, 201, 333
K⁺　65, 72, 130, 187
K⁺ チャネル　35, 80, **128**, 250, 251
　➡開口　131, 132, 187, 188, 189
　➡閉口（リン酸化）　75, 76, 77, 79

L

Lloyd　22
long-lasting　205, 206
long-term potentiation（LTP）　➡長期増強

M

μ 受容体　98, 112, 136, **184**, 185, **191**, 328, 330
　➡下行性抑制系　137, 333
　➡青斑核　328, 329, 332
　➡脊髄　135, 188, 189, 190, 192, 202, 328
　➡第 4 脳室底　202, 328, 329
　➡中脳被蓋　197, 199, 201, 202, 329, 333
　➡腸　195, 202
μ_1 受容体　193
μ_2 受容体　193
MAP キナーゼ　77, 265, 329, 329
mechanoallodynia　250
Melzack　115
metabotropic receptor　186
Mg²⁺　265, 266, 267, 270, 283, 284
microglia　256, 257
muscle stiffness　224

N

Na⁺チャネル　35, 250, 251
　➡Na⁺チャネルブロッカー　173, 175, 177
　➡Na⁺/K⁺ポンプ　72
　➡NaV　➡電位依存性Na⁺チャネル
neuroma　299, 300, 301
neuron　18, 19
neuronal　205, 206
neuropathic pain　➡神経障害性疼痛
NK-1受容体　98, **107**, 265, 266, 281
　➡活性　266, 269
NMDA受容体　98, 256, **265**, 266, 268, 270, 275, 278, 279, 280
　➡開口　283
　➡活性　266, 267
　➡拮抗薬　283
　➡結合する物質　284
　➡抑制　283
NO（一酸化窒素）　64, 65, 256, 267, 268, 280
　➡神経型NO合成酵素　268
nociceptive pain　261
nociceptor　27, 81
NSAIDs　41, 80, 97, **157**, 158, 162, 199, 257, 263
　➡併用　167
　➡用量-作用関係　166, 168, 169
nucleus accumbens　➡側坐核
nucleus gigantocellularis　58
nucleus locus coeruleus　➡青斑核
nucleus raphe magnus　➡大縫線核
numeric rating scale（NRS）　4, 13
nuronal　206

O

oligodendroglia　256, 257
opiate　183
opioid dependence　320
opium　181, 183

P

P2X受容体　91, 95, 98
P2Y受容体　95, 98
Penfield　59, 59
PGE　➡プロスタグランジンE
physical dependence　318

placebo　303
place preference　324, 325
PQRST　11, 12
prefrontal cortex　322, 323
psychological dependence　318
Purkinje　206

R

receptor potential　31, 91, 93
referred pain　238
reflex mediated muscle stiffness　224
reverse wolf theory　281

S

SI　46, 60, 60
SII　46, 60, 60
Schwann細胞　264, 264
second pain　19
SG細胞　44, 144, **145**, 146, 147
　➡活性化　145
　➡抑制　145
slow pain　19
SMP　➡交感神経依存性疼痛
SNARE蛋白　76, 104, 106
SP　➡サブスタンスP
spino-reticular-thalamic projection　56
spinoreticular tract　43
spinothalamic tract　54
substance dependence　318
substantia gelatinosa　145

T

thermoallodynia　250
TNFα　256, 267, 268
tolerance　318
tractus spinothalamicus　54
transient　206
TRPチャネル　80, **91**, 95, 98
TRPA1チャネル　95
TRPM8チャネル　93, 95
TRPVチャネル　75, 77, 78, 79
TRPV1チャネル　92, 93, 95
TRPV2チャネル　93
TRPV3チャネル　93

341

V

vanilloid　92
ventral tegmental area　➡中脳腹側被蓋野
visual analog scale（VAS）　4, 13, 14
von Frey　141

W

Wall　115
WDR ニューロン　**254**, 254, 255, 256, 300
WHO 3 段階ステップラダー　198, 199
wind up 現象　253, **258**, 258, 259, 259, 269
withdrawal syndrome　318

X

XI 因子　71, 71
XII 因子　71

Z

Zn^{2+}（亜鉛）　283

和　　文

あ

飽きる　320, 321
アキレス腱　226, 228
アゴニスト　189, 190, 190
アゴニストアンタゴニスト　192
味の素　101, 106
アスピリン　158, 162, 163
アセチルコリン　64, 65, 193, 194
　➡放出抑制　195
アセトアミノフェン　98, 114, 123, 137, 154, 170, 171, 199
アセリオ®　170
アダラート®　204
圧覚　25
圧痛　243
圧痛点　242
アディクション　➡addiction
アデニル酸シクラーゼ　186, 328, 329, 332
アデノシン　65, 73, 110, 112
アテレック®　211
アナペイン®　179, 180

アナンダマイド　171
アブストラル®　313
アヘン　181, 182, 183, 316
アミトリプチリン　154
アラキドン酸　157, 158, 159
　➡代謝産物　65, 158
アリール(酢)酸系薬　162, 163
アルカロイド　181
アレビアチン®　173
アロディニア　➡異痛症
アロフト®　216
安心感　196
アンタゴニスト　189, 190, 190
アントラニル酸系薬　162
アンパン　101
アンフェタミン　319, 324

い

イオンチャネル　63, **82**, **83**, 91, 251
　➡リン酸化　77, 78
イオンチャネル型受容体　83, 98, 265
怒り　54
閾値　31, 37, 38
異所痛　233
痛いの痛いの飛んでいけー　143, 148
痛み
　➡悪循環　223, 223
　➡意義　67, 68
　➡閾値　249
　➡我慢　3, 283
　➡感受性亢進　248
　➡記憶　3, 175, **271**, 274, 277, 278, 279, 283
　➡記憶障害　274
　➡記憶のループ　323
　➡局在　52, 59, 60, 234, 290
　➡原因物質(素)　71, 73
　➡持続　175
　➡スープ　64, 65, 157, 252
　➡治療の目標　15
　➡程度　13, 14
　➡速さ　21, 22, 24
　➡普通でない（異常な）痛み　210, 214, 248, **260**, 263
　➡普通の痛み　27, 248, **260**, 293
　➡目的　2
　➡問診　11

➡よくある原因　62
➡ループ　223, 280
➡忘れる　282, 284
痛み刺激　5, 27, 31, 47, 62
1次痛　19, 134
1次ニューロン　43, 45, 99
異痛症　152, 203, 248, **249**, 250, 251, 252, 256, 269, 279
一酸化窒素　➡NO
イノシトール三リン酸（IP₃）　78, 79
イーフェン®　312
イブプロフェン　162, 163
イミプラミン　154
インダシン®　162, 163, 164
咽頭炎　7
インドメタシン　163, 164
インパルス　36
➡ブロック　176
陰イオン　40

う

腕相撲　226
運動刺激　25
運動ニューロン（線維）　13, 216, 217, 288
運動野　59

え

エタノール　319, 324
エトドラク　164
遠隔痛　233
塩基性抗炎症薬　162
エンケファリン　112, 123, **184**, 185, 185
炎症　7, 65, 67, 68
➡4要素　66
➡炎症性疼痛　261
➡炎症物質　72, 157, 256
➡症状　65
➡症状の消退　69
エンドルフィン　184, 185, 304, **307**, 308, 310

お

横隔神経　238
横隔膜　238
狼少年　281
オキシカム系薬　162
オキシコドン　182, 185, 200, 315

オキシコンチン®　315
悪心　186, 328, 328, 329
オステラック®　162
落とし穴　128, 130
オピオイド　**183**, 316
➡拮抗物質　184, 305
➡強オピオイド　198, 200
➡減量法　318
➡作用（下行性抑制）　123, 125, 154, 270
➡作用（シナプス後）　113, 114, 130, 187, 189
➡作用（シナプス前）　113, 114, 130, 186, 188
➡作用（腸管）　194
➡作用機序（K⁺放出）　211
➡弱オピオイド　198, 199
➡受容体　98, 184, 185, **186**, 189, 191, 193, 328
➡受容体の拮抗薬　305, 306
➡種類　113, 184, 185, 185, 315
➡耐性　318, 328, 329
➡多幸感・快感　200, 201, 319, 324
➡長期投与　331
➡治療　113, 167, 240, 263
➡副作用　186
➡歴史　185
温覚　26
温熱療法　240

か

外因性オピオイド　185, 306
快感　2, 51, 200, 202, 321, 323
➡快感の座　199, 320
介在ニューロン　44, 45, 45, 135
外傷後の痛み　152, 275, 285, 295
海馬　46, 51, 52, 56, 271, **276**, 276, 278, 322
灰白質　124
快・不快　47, 50, 200, 322
潰瘍性大腸炎　262
化学刺激　28, 82, 95, 97
化学受容器引(き)金帯（CTZ）　321, 328
化学的クロストーク　297, 299, 300
核　124
角膜炎　7
下行性疼痛抑制系　117, 118
下行性抑制　58, 117, 118, 121

343

下行性抑制系　46, 47, 117, 118, 135, 171
- ➡活性化　114, 119, 123, 136, 137, 137, 154, 155, 170
- ➡経路　120
- ➡側副路　122
- ➡源　120, 122

過酸化水素　95
加重現象　38, 108, 108, 265
肩　238
肩こり　220, 228
硬さ　224, 225, 226
活動電位　3, 4, 29, 30, 31, 32, **36**, 37, 91, 93, 94, 95, 96, 103, 176, 252
渇望　317
ガバペン®　208
ガバペンチン　209, 211, **212**, 214, 254, 263
カプサイシン　92
過分極　34, 36, 40, 128
カリウムイオン　➡K⁺
カルシウムイオン　➡Ca²⁺
カルシトニン遺伝子関連ペプチド（CGRP）
　65, 68, 73
カルバマゼピン　173
カルボカイン®　179
感覚ニューロン（線維）　13, 217, 288, 296, 299
感覚野　59
管腔臓器の痛み　290
感作　73, **247**, 250, 251, 268
感受性亢進（変化）　253, 254, 255, 256, 260, 279
感情　294
関節炎　7
感知器（センサー）　81
カンナビノイド　170, 319, 324
- ➡受容体（CB1）　171

間脳　47, 48
関連痛　**233**, 236, 237, 238, 239, 240, 241, 243

き

記憶　➡痛みの記憶
記憶にございません　275
機械的侵害刺激［機械的有害刺激，侵（有）害性機械刺激］　**26**, 62, 82, 92, 95, 261
機械的侵害受容器　28, 29, 62, 82
- ➡感受性増加　243

キシロカイン®　173, 179
期待　303, 304, 308, 310
拮抗薬　189
起動電位　4, 29, 31, **32**, 32, **91**, 92, 93, 94, 96, 97, 252, 259
希突起膠細胞　256, 257
キナーゼ　77
キニノーゲン　71, 71
キニン　73
機能的磁気共鳴画像　59
偽薬　303
逆転伸張反射　230
ギャバロン®　216
急性痛　168, 169, 172
旧（古）脊髄視床路　57
求心遮断性疼痛　152
旧皮質　47, 48, 49, 294
強化　175, 272, 273, 324
競合的拮抗　306
狭心症　6
胸膜炎　7
局所麻酔薬　41, 64, 80, 97, 98, 137, **173**, **175**, 177, 179, 240, 244
- ➡イオン型　176, 177, **178**
- ➡脂溶性　179
- ➡非イオン型　176, 177, **178**

虚血　6, 7, **71**, 229, 243, 262, 264, 296, 310, 311
虚血性壊死　152
巨大細胞核　58
筋・筋膜性疼痛　229, 231, 233
筋骨格系の痛み　216, 275
筋弛緩薬　216
近赤外線照射　240, 301, 302
筋痛症　225
筋肉　218
- ➡硬い　224, 230
- ➡硬さ　225, 226
- ➡虚血　229
- ➡緊張　**215**, 220, 221, 224, 228, 229, 243, 245
- ➡硬結　224, 243, 244
- ➡収縮　219, 225, 242
- ➡収縮亢進　223
- ➡伸張　231
- ➡短縮　231
- ➡使い過ぎ　229, 240

→内圧　221, 225, 225
筋肉痛　222, 223, 240, 241, 296
筋紡錘　216, **217**, 218, 219, 296
　→運動刺激　25
筋膜　225, 244
筋力低下　261

く

グアニル酸シクラーゼ（GC）　268
空腹　3, 54
頸の筋肉　220, 221
グリア細胞　44, 256, 257, 280
グリシン　98, 109, 110, 111, 112, 283
クリーンマーカイン　180
グルタミン　106, 107
グルタミン酸　100, **101**, 102, 104, 106, 107, 107, 253
グルタメート　106, 107
クロニジン　113

け

頸肩腕症候群　216
頸肩腕のこり　221
憩室炎　7
痙攣　224
ケシ　181, 182
ケタミン　183, 283, 284
血管
　→圧迫　244, 264
　→拡張　66, 68
　→透過性亢進　68
血管平滑筋　209
楔状核　120
血流障害　264, 296
ゲートコントロール　119
　→イメージ　144, 144, 147, 149, 151
　→理論　115, 143, 146
解熱鎮痛薬　170
煙　95
言語中枢　50
幻肢痛　142

こ

高閾値機械受容器　28
抗がん剤　212
交感神経（系）　285, **286**, 288, 291, 292, 299
　→遠心性刺激　292, 295, 297, 298, 299, 301
　→遠心性線維　286, 287, 298, 299, 302
　→求心性線維　239, 239, 285, 286, 287
　→緊張　14, 54, 293, 296
　→亢進症状　331
　→刺激因子　295
　→ブロック　295, 301
交感神経依存性疼痛（SMP）　**289**, 298, 298, 299, 302
　→治療　301, 301, 302
交感神経幹　238, 239, 286, 287, 292, 298, 302
交感神経細胞　243, 296, 297
交感神経節　286, 295
　→節後線維　22, 26, 286
　→節前線維　22, 26
高血圧　203, 209
後根　286, 287
後根神経節　19, 174, 297, 301, 301
広作動域ニューロン　→WDRニューロン
向精神病薬　319
抗てんかん薬　98, 167, 173
行動の強化　324
興奮　**34**, 36, 38
興奮性シナプス　108
興奮性シナプス後電位　**32**, 101, 103, 108, 111, 265, 267, 281
興奮性膜電位　31, 35, 37, 94
効力　189, 190
コカイン　319, 324
五感　20, 20
コキシブ系薬　164
骨折　97, 115, 116
コデイン　181, **182**, 183, 199
古皮質　47, 48, 49, 294
固有感覚　23, 25, **217**, 219
こり　220, 221, 224, 225, 226, 229
コルチコステロイド　158
コルチコトロピン放出ホルモン（CRH）　194

さ

サイクリックAMP　→cAMP
サイクリックGMP　→cGMP
最小内臓神経　288, 289
サイトカイン　64, 65, 73, 160
サイトテック®　161

345

細胞外シグナル調節キナーゼ（ERK）　77
細胞体　17, 19, 100, 127
催涙ガス　95
サインバルタ®　137
索状硬結物　242
作動性　123, 124, 124, 194
　➡ニューロン　125
サブスタンスP（SP）　64, 65, 68, 73, 100, 107, 253, 265, 266, 269, 281
サブユニット　206, 207
坐薬　167
サリチル酸（ナトリウム）　162, 180
酸　91, 92, 93
三環系抗うつ薬（TCA）　98, 114, 123, **137**, 138, 154, 167, 263, 270, **283**, 284
酸性抗炎症薬　162

し

次亜塩素酸　95
ジアシルグリセロール（DAG）　78, 79
軸索　17, 18, 19, 127, 260
シクロオキシゲナーゼ（COX）　157, 158, 159, 172
　➡COX-1　158, **160**, 160, 163, 164, 165
　➡COX-2　158, **160**, 160, 163, 164, 165
　➡脊髄後角　257
　➡阻害薬　158, 162
　➡代謝産物　64
　➡非選択的COX阻害薬　161
　➡併用　165
　➡誘導型　160
ジクロフェナクナトリウム　80, 163, 164, 312
刺激薬　189
四肢・体幹の痛み　287
視床　46, 50, 52, 54, 55
視床下部
　➡機能　14, 286, 292, 294, 295, 296
　➡場所　46, 51, 52, 55, 56, 125
自動発火　150
シナプス　43, **99**, 100, 127
　➡可塑性　272, 273
　➡間隙　100
　➡結合　127
　➡後膜　100
　➡小胞　100, 100
　➡前後の受容体　112

➡前終末部　100, 100
➡前膜　100
➡伝達　187
➡伝達強化　272, 278, 280
➡伝達効率　276
➡伝達促進　277
➡伝達を抑える　127
自発痛　203, 249
ジブカイン　180
臭化カルシウム　180
自由神経終末　28, 83, **86**, 87, 88
収束　226
手術後　253
　➡創部の痛み　152, 262, **275**, 283
樹状突起　17, 19, 100, 127
腫脹　66
受容体　63, 64, 91, 98, 110, **189**
受容野　74, 249
使用依存性遮断　209
消化管潰瘍　161
条件付け　308, **309**, 310, 324, 325
条件反射　309, 322
小膠細胞　256, 257
常習（用）者　317
情動　14, 60, 294, 295
小内臓神経　288, 290, 291
小脳　271, 275
除求心線維性疼痛　152
植物機能　288
植物神経　288
除神経後疼痛　151, 152
触覚　25, 118
　➡経路　120
自律神経　287, **288**, 289, 291
　➡異常　261
　➡活動　58
　➡反応　242, 243
自律-自律神経反射　296
自律-体性神経反射　240
シルニジピン　211
侵(有)害刺激　2, 4, 5, 6, **27**, 31, 89, 94
　➡種類　62, 82
侵害受容器　27, 62, **81**, 82, 142, 263
　➡活性化　29, 30
　➡刺激　263
　➡実体　82

➡分類　29
侵害受容性疼痛　5, 27, 260, **260**, 261, 262,
　　289, 290, 291
　　➡治療　41, 42, 80, 97, 137, 161, 171, 172,
　　　　180, 261, 290
鍼灸　123, 136, 155, 240
心筋梗塞　6, 239
神経　17
　　➡圧迫　152, 262, 264, 264
　　➡がん浸潤　262
　　➡細胞　18, 19
　　➡支配領域　234
　　➡単位　18, 19
　　➡ブロック　174, 174, 290
神経炎　152
神経型一酸化窒素（NO）合成酵素　268
神経膠細胞　256
神経根圧迫　260, 264
神経腫　➡neuroma
神経障害　151, 152, 260, 261, 262, 264
神経障害性疼痛　5, 27, 152, 212, 213, **260**,
　　260, 261, 262, 289
　　➡治療　212, 214, 254, 263, 269, 301, 301
神経線維　18
　　➡種類　25
　　➡太い　148
　　➡太さと速さの覚え方　23
　　➡分類法　22, 24
　　➡細い　145
神経損傷　253
神経痛　5, 290
神経伝達物質　43, **100**, 101
　　➡放出　102, 105
神経伝導検査　261
神経伝導の遮断　175
神経麻痺　175
腎障害　161
新脊髄視床路　57
心臓の痛み　239, 239
身体依存　318, 319
身体違和感　333
伸張反射　218, 218, 219, 221, 230
心頭滅却　11
真皮　84, 85, 88, 90
新皮質　47, 48, 49, 51, 293
深部痛　291, 291

心理的依存　319
親和性　189, 190

す

膵炎　291
膵がん　241
膵管拡張　291
髄鞘　23, 260, 260
水素イオン　➡H$^+$
膵臓の痛み　240, 291
髄膜炎　7
睡眠薬　319
スインプロイク®　202
数字式分類　22, 22, 24, 25
ストレス　194
ストレッチング　226, 230, 231
ストーンハート　180
スパイク電位　36
スパイク発射　36
スーパーライザー®　301, 302

せ

正坐　6
星細胞　256, 257
静止膜電位　32, **34**, 35, 36, 39, 206
星状神経節ブロック　296, 302, 302
精神依存　200, 317, **318**, 319, 319
青斑核　58, 125, 125, 331, 332
脊髄　50, 278, 279, 282
　　➡前索　43
　　➡側索　43
脊髄延髄路　56
脊髄後角　43, 44, 45, 254, 255
　　➡シナプス伝達の抑制　42, 113, 114, 119,
　　　　126, 130, 137, 137, 149, 188, 189, 214, 269
脊髄後索-内側毛帯路　118, 120
脊髄視床路　43, 46, **54**, 55, 118
脊髄神経　286
脊髄中脳路　56
脊髄-網様体-視床投射　56, 56
脊髄網様体路　43, 46, 47, **55**, 55, 56, 58
脊髄腕傍路　56
接触伝導　297, 298, 299
セレコキシブ　80, **164**, 165, 168, 169, 312
セレコックス®　64, 80, 158, 162, **164**
セロトニン

347

- ➡作動性神経　124, 126, 170
- ➡作用（シナプス前後）　126, 133
- ➡作用機序　122, 130, 132, 211
- ➡受容体　132, 133, 134, 135
- ➡鎮痛　110, 112, 122, 123, 128, 132, 134, 135
- ➡発痛　64, 65, 73, 132, 134

セロトニン・ノルアドレナリン再取り込み阻害薬（SNRI）　98, 114, 123, **137**, 154, 167, 263, 270
前根　286, 287
センサー　63
線条体　53, 194
前帯状皮質　322, 323
前頭前皮質　125, 322, 323
前頭葉　294
- ➡前部　323
- ➡前部皮質　322

そ

側坐核　46, 51, 54, **194**, 199, **320**, 322
促通　38, 109
側頭葉　271
外側脊髄視床路　55
ソランタール®　162

た

代謝調節型受容体　**83**, 98, 132, 134, 136, 186
帯状回　52
- ➡前部　46, 51, 56, 194, 322
帯状疱疹　150, 152, 253, 260, 262
- ➡帯状疱疹後の痛み　275
耐性　318, **326**, 328, 329
体性感覚野　46, 47, 51, **53**, 55, 56, 59
- ➡1次（SI）　46, 60, 60
- ➡2次（SII）　46, 60, 60
- ➡電気刺激　118
体性神経　234, 238, 239, **288**, 291
体性-交感神経反射　296
体性-自律神経反射　243, 296
体性深部痛　291, 297
体性痛　237, **289**, 290, 291, 292
大腸炎　7
大内臓神経　240, 241, 288, 290, 291
大脳皮質-脊髄路　120, 121
大脳辺縁系

- ➡機能　14, 54, 56, 198, 200, 292, 294, 295
- ➡場所　46, 48, **50**, 51, 52, 53, 55, 56, 56

ダイノルフィン　112, 184, 185, **198**, 331, 333, 334
大辺縁葉　50
大縫線核　58, 125, 125
- ➡モルヒネ投与　125
大麻　171
退薬症状　318, 319, **331**, 333
タキソール®　213, 253
多幸感　195
多シナプス反射　216
脱分極　**34**, 35, 37, 39
脱抑制　196, 197, 253
タペンタ®　315
タペンタドール　114, 137, 154, **315**
短期記憶　277
短期増強　277
耽溺　317, 322
胆嚢炎　7
胆嚢結石　8, 8
蛋白結合率　179

ち

知覚鈍麻　261
中間皮質　48, 49, 50, 50
中耳炎　7, 8
中心後回　59
中心前回　59
- ➡コビト　59
虫垂炎　7, 236, 237, 238
中枢機序　118
中枢性感作　248, 251, **253**, 254, 255, 263, 277, 278
- ➡治療　263, 269, 283, 284
中枢性抑制　116
中毒　319
中脳　48, 50, 196
中脳水道　199
中脳水道周囲灰白質　124
中脳中心灰白質　124, 125, 171
中脳被蓋　194, 196, 201
中脳腹側被蓋野　196, 199, 320, 322
腸管　193, 194, 195
腸管平滑筋　193, 194, 195
腸管膜動脈閉塞　6

長期記憶　277
長期増強（LTP）　3, 259, **276**, 277, 278, 279, 284
チロシンキナーゼ　265
鎮痙薬　8

つ

椎間板ヘルニア　264, 264
痛覚過敏　150, 203, **249**, 250, 269
　➡1次痛覚過敏　74
　➡2次痛覚過敏　74

て

デカルト　139, 140, 141
デキストロメトルファン　283
テグレトール®　173
テバイン　181
デュロキセチン　137
デュロテップ®　315
テルネリン®　216
電位依存性 Ca^{2+} チャネル　98, 104, **106**, 205, 206
電位依存性 Na^+ チャネル（NaV）　29, 30, **41**, 77, 80, 93, 94, 98, 103, 175
電気信号　3, 31, 99
電気的クロストーク　297, 298, 298
天井効果　191
テンション　225, 226

と

島　46, 56, 60
唐辛子　95
投射（神経）　140, 145, 195, 322
投射痛　233
糖尿病　152, 260, 262
　➡神経障害　150, 180
動物（的）　294
動物機能　288
動物神経　288
動脈解離　9, 9
トーヌス　228
ドパミン　320, 321
　➡作動性神経　194, 199, 321
　➡上昇　195, 200, 200, 321, 328
　➡低下　201, 320, 321, 327
ドパミン D_2 受容体　328

トフラニール®　284
トラマドール（M1）　98, 114, 123, **137**, 154, 170, 199, 270, 315
トラムセット®　170, 315
トランスデューサー　63, 89
　➡チャネル　63, 75, **89**, **91**, 92, 96, 250, 265
トリガーポイント　233, 241, 243
　➡注射　180, 244, **244**, 245
トリプタノール®　284

な

内因性オピオイドペプチド　183
内因性鎮痛機構　46, 47, 58
内因性鎮痛物質　110, 112, 114, 123
内因性マリファナ　170
内因性モルヒネ様物質　184, 303, 306, 307
内臓　234, 286, 290
　➡脊髄分節支配　236
内臓求心性線維　**234**, 236, 238, 239, **287**, 287, 290, 291
　➡自由神経終末　290
内臓神経　289
内臓-交感神経反射　296
内臓-体性神経反射　240
内臓-内臓神経反射　296
内臓痛　240, 285, **286**, **287**, 289, 290, 291, 292, 297
内側脊髄視床路　55
ナルコチン　181
ナルサス®　315
ナルデメジン　193, 194, 202
ナルラピド®　315
慣れ　321
ナロキソン　184, 185, 303, **305**, 306, 308, 310

に

ニコチン　319, 324
2次痛　19
2次ニューロン　43, 44, 45, 99, 270
ニフェジピン　204
乳酸　72, 93, 245
ニュートラル　230, 231
ニューロン　18, 19, 257
尿管結石　7, 8
認知症　276

349

ね

- ネオビタカイン® 180
- 熱感 66, 66
- 熱侵害刺激 82, 92, 93
- 熱侵害受容器 28
- 眠気 186
- 捻挫 97

の

- ノイロトロピン® 98, **123**, 154, 167, 263, 270
- 脳幹 47, 48, 122
- 脳幹-脊髄路 120, 122
- 脳幹調節 118
- ノリトレン® 284
- ノルアドレナリン（NA） 124, 299, 331
  - ➡異所性 NA 受容体 299
  - ➡作用 126
  - ➡作用（α₂受容体） 130, 130
  - ➡神経線維内の膜電位低下 131
  - ➡鎮痛 110, 112, 122, 123, 126, 128, 130, 131, 135, 300
  - ➡発痛 65, 73, 299, 299, 300
- ノルスパン® 315
- ノルトリプチリン 154

は

- 背部痛 240, 241
- ハイペン® 162, 164
- ハウスキーピング 160
- バキソ® 162
- 白交通枝 286, 287
- 白質 124
- 薄束核 120
- パクリタキセル 212, 253
- パーシャルアゴニスト 191
- パチニ小体 85, 85, 86, 87
- 発火 36, 37
- 発芽 255, 256, 297, 299, 301, 301
- 発汗 243
- 白血球 66, 67, 67, 68, 73
- 抜歯後患者 307, 308, 312
- 発痛作用 64, 70
- 発痛増強作用 64, 70
- 発痛点 233, 242
- 発痛物質 4, **64**, 221, 243, 245

- ➡産生 296
- 歯の痛み 5, 8, 240
- パパベリン 181
- 反復 279

ひ

- 皮下組織 84, 85, 90
- 非侵害受容性疼痛 289, 290
- ヒスタミン 64, 65, 73
- 非ステロイド抗炎症薬 ➡NSAIDs
- ピストル 58
- 非選択的 COX 阻害薬 161
- ヒドロモルフォン 183, 185, 315
- 皮膚 234
  - ➡構造 84, 85
  - ➡色調変化 243
  - ➡脊髄分節支配 235
  - ➡分節 234, 235
- 被膜 290
- 表在痛 290, 291
- 表皮 84, 85, 88, 90
- ヒラメ筋 224
- 敏感 247

ふ

- 不安 294, 302
- フィードバック 47, 122
- フィードフォワード 146, 280
- フェイススケール 13, 14, 14
- フェナセチン 170
- フェニトイン 173
- フェンサイクリディン（PCP） 284
- フェンタニル 185, 188, 189, 200, 312, 313, 315
- フェントス® 315
- フェントラミン 302
- 不快感 2, 45, 46, 47, 50, 201, 294, 322, 333, 334
- 副交感神経 288, 290
- 副腎皮質ステロイド 97
- 副鼻腔炎 7, 8
- 腹膜炎 7
- 普通でない（異常な）痛み 210, 214, 248, **260**, 263
- 普通の痛み 27, 248, **260**, 293
- 腹腔神経節 295
- 腹腔神経叢 295

➡ブロック　295
ブトルファノール　192
ブピバカイン　179, 179, 180
ブプレノルフィン　191, 199, 315
ブラジキニン　64, 65, **70**, 72, 74, 79, 98
ブラシーボ　303
ブラセボ　303, 308, 313
　➡効果　308, 308, 311, 312
フルアゴニスト　191
フルカム®　162
ブルフェン®　162
フルルビプロフェンアキセチル　167
プレガバリン　98, 113, 114, 204, 209, **210**,
　211, 212, 214, 254, 263, 269
プレカリクレイン　71, 71
プロスタグランジン E（PGE）　64, 65, 70,
　78, 79, 98, 157, 257, 267, 268, 280
　➡ハウスキーピング　161
プロスタグランジン E_1 誘導体　161
プロスタグランジン E_2（PGE_2）　158
プロスタグランジン I_2（PGI_2）　73, 158
プロテインキナーゼ　77
プロピオン酸系薬　162
分極　33

へ

閉塞性動脈硬化症　6
　➡壊死による痛み　275
壁側腹膜　237
ペプチド　184
ヘルニア　262, 264, 264
変換器　63
弁慶の泣きどころ　17, 18, 30
ベンゾジアゼピン　98
ペンタゾシン　192, 192, 315
扁桃核　52
扁桃体　46, 50, 51, 51, 52, 56, 194, 276, **322**, 323
便秘　186, 193, 194, 195, 202, 318

ほ

膀胱炎　7
放散痛　242
ホスホリパーゼ A_2　158, 158
ホスホリパーゼ C　78, 79, 133, 265, 266, 281
発赤　66
ホムンクルス　59

ポリモーダル受容器　28, 29, 62, 82
ボルタレン®　64, 80, 157, 158, 160, 162, **163**
ホルマリン　95
ポンタール®　158, 162
本能（的）　2, 53, 200, 294, 322

ま

マイクロインジェクション　124, 125
マイスネル小体　85, 86, 87
マーカイン®　179
膜電位　4, 32, 33
　➡上昇　34, 35, 37, 38, 39
　➡低下　34, 36, 38, 40, 128, 135
マッサージ　240
末梢神経　289
末梢性感作　248, 251, 252
麻薬　**183**, 315, 316
麻薬及び向精神薬取締法　183
麻薬処方箋　183
麻薬中毒　320
マリファナ　170, 171
慢性痛　15, 168, 203, 254, 255

み

ミエリン　264, 264
ミオナール®　216, 229
ミクログリア　256, 257
ミロガバリン　211

む

無快感　333, 333
ムコスタ®　161
無髄線維　23, 24
ムスカリン M_1 受容体　328

め

迷走神経　290, 292
メキシチール®　180
メキシレチン　180
メサドン　315
メジコン®　283
メチルモルヒネ　182
メピバカイン　179, 179
メフェナム酸　162, 163
メントール　95

351

も

網様体　124
文字式分類　22, **22**, 25
モーラス®　158
モルヒネ　**181**, 182, 185, 188, 189, 200, 202, 315
　➡安全な投与法　316
　➡懸念　316
モルヒネ様物質　183, **184**
門　143, **144**
　➡開閉　145, 146, 148
　➡閉門　146, 154
　➡閉門の神経伝達物質　153
門番　119, 144, 145, 147
　➡お休み（開）　146, 147, 151
　➡働かせる（閉）　147, 148, 149

や

薬物依存　318, 319
薬理学的　190
火傷　89, 90

ゆ

有髄線維　23, 24
誘導型シクロオキシゲナーゼ　160

よ

陽イオン　34, 38, 39, 40, 75
腰痛　216, 220, 231
腰部交感神経節ブロック　296
ヨガ　123
抑制性 G 蛋白（Gi）　136, 186
抑制性介在ニューロン　**109**, 145, 196, 197, 257
抑制性シナプス　109, 109
抑制性シナプス後電位　110, 111, 133, 135
抑制性膜電位　34, 35, 40

ら

ランナーズハイ　193

り

リオレサール®　216
理学療法　155, 220, 230, 231, 240
リガンド　190, 208
立体構造の変化　76, 77, 104, 105, 106, 164, 186
立毛　243
リドカイン　179, 179
リポキシゲナーゼ系代謝産物　64
緑内障　8
リリカ®　204, 208
臨界値　38
リン酸化　76, 76, 77
リン酸化酵素　77, 265, 267
リン酸コデイン　183, 315
リン脂質　158
リンラキサー®　216, 229

る

ルフィニ小体　85, 86, 87

れ

冷侵害刺激　82, 92, 93
冷侵害受容器　28
レセプター　189, 190, 190
連関痛　➡関連痛

ろ

ロキソニン®　64, 80, 157, 158, **160**, 162, 167
ロキソプロフェンナトリウム　80, 167, 168
ロピオン®　162, 167
ロピバカイン　179, 180

わ

ワインドアップ　➡wind up 現象
腕虚血テスト　310, 311
腕傍核　46, 56, 56

●著者紹介

丸山一男（まるやまかずお）

1981 年	三重大学医学部卒
1987 年	Research Fellow, Cardiovascular Research, The Hospital for Sick Children, University of Toronto（Canada）
1991 年	三重大学講師（附属病院集中治療部）
1995 年	同　教授（医学部麻酔学講座） 附属病院麻酔科（ペインクリニック）長，集中治療部長を併任
1997 年	救急部長（〜2008 年）を併任
2003 年	附属病院緩和ケアチーム立ち上げ
2010 年	漢方外来・鍼灸外来を開設
2012 年	緩和外来を開設
2014 年	緩和ケアセンター長（併任）

学会専門医など

日本ペインクリニック学会専門医　　日本救急医学会救急科専門医
日本麻酔科学会麻酔指導医　　　　　日本呼吸療法医学会呼吸療法専門医
日本集中治療医学会集中治療専門医　日本小児麻酔学会（2004 年度会長）

主な研究テーマ

オピオイドの臨床，肺高血圧，急性呼吸不全，低酸素，一酸化窒素吸入療法，周術期輸液

著　書

『Super Hospital 麻酔科』（中山書店）
『周術期輸液の考えかた ―何を・どれだけ・どの速さ―』（南江堂）
『一酸化窒素吸入療法』（分担執筆，メディカルレビュー社）
『人工呼吸の考えかた ―いつ・どうして・どのように―』（南江堂）
『頭痛の診断と治療』（分担執筆，真興交易医書出版部）

痛みの考えかた ―しくみ・何を・どう効かす―

2014 年 5 月 1 日　第 1 刷発行	著　者　丸山一男
2018 年 9 月 15 日　第 5 刷発行	発行者　小立鉦彦
	発行所　株式会社　南 江 堂
	〒113-8410 東京都文京区本郷三丁目 42 番 6 号 ☎（出版）03-3811-7236　（営業）03-3811-7239 ホームページ http://www.nankodo.co.jp/ 振替口座 00120-1-149
	印刷・製本　小宮山印刷工業 装丁　BSL

Ⓒ Kazuo Maruyama, 2014

定価は表紙に表示してあります．
落丁・乱丁の場合はお取り替えいたします．

Printed and Bound in Japan
ISBN978-4-524-26397-4

本書の無断複写を禁じます．
JCOPY 〈（社）出版者著作権管理機構　委託出版物〉
本書の無断複写は，著作権法上での例外を除き，禁じられています．複写される場合は，そのつど事前に，（社）出版者著作権管理機構（TEL 03-3513-6969，FAX 03-3513-6979，e-mail: info@jcopy.or.jp）の許諾を得てください．

本書をスキャン，デジタルデータ化するなどの複製を無許諾で行う行為は，著作権法上での限られた例外（「私的使用のための複製」など）を除き禁じられています．大学，病院，企業などにおいて，内部的に業務上使用する目的で上記の行為を行うことは私的使用には該当せず違法です．また私的使用のためであっても，代行業者等の第三者に依頼して上記の行為を行うことは違法です．

マニュアルに盲従せず，考えて行う納得の人工呼吸管理をマスター！

人工呼吸の考えかた
いつ・どうして・どのように

丸山一男 著

呼吸生理から人工呼吸器の原理，呼吸モード，モニタの数字や波形の意味，その読み方と知識がリンクするよう配慮された構成．

遊び心のある内容，豊富なイラストにより，楽しく読み進めるうちに人工呼吸の「考えかた」が無理なく消化できる．

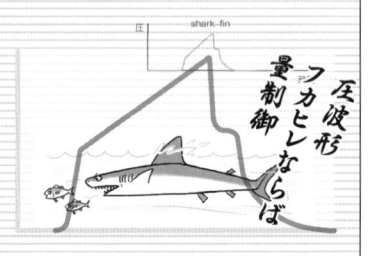

■A5判・284頁　2009.7.　ISBN978-4-524-24277-1　定価（本体3,200円＋税）

「実際の処方ができる力が身につく」「一人で輸液計画が立てられる！」

周術期輸液の考えかた
何を・どれだけ・どの速さ

丸山一男 著

■A5判・198頁　2005.2.
ISBN978-4-524-23631-2
定価（本体3,500円＋税）

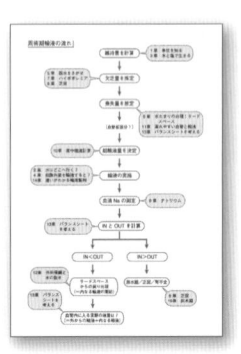

周術期の輸液を行うための考え方，背景となる基礎知識を学ぶ入門書．輸液の量，成分，速度の決定に際して生理学的根拠に基づく判断ができ，多数のイラストと要点をまとめたユーモアあふれる文章からなる解説を読み進むうちに，実際の処方ができる力が身につくよう工夫されている．一人で輸液計画が立てられるようになることが到達目標である．